# HUGO VON HOFMANNSTHAL

## GESAMMELTE WERKE

### IN ZEHN EINZELBÄNDEN

FISCHER TASCHENBUCH VERLAG

# HUGO VON HOFMANNSTHAL

# DRAMEN IV
## LUSTSPIELE

FISCHER TASCHENBUCH VERLAG

Herausgegeben von Bernd Schoeller
in Beratung mit Rudolf Hirsch

Fischer Taschenbuch Verlag
September 1979
Ungekürzte, neu geordnete,
um einige Texte erweiterte Ausgabe der 15 Bände
*H. v. H. Gesammelte Werke in Einzelausgaben,*
*herausgegeben von Herbert Steiner*
*S. Fischer Verlag GmbH, Frankfurt am Main*
Copyright 1945, 1946, 1947 by Bermann-Fischer Verlag A. B., Stockholm
Copyright 1948 by Bermann-Fischer/Querido Verlag N. V., Amsterdam
Copyright 1949, 1950, 1952, 1953, 1954, 1955 by
S. Fischer Verlag GmbH, Frankfurt am Main
© S. Fischer Verlag GmbH, Frankfurt am Main, 1956, 1957, 1958
Lizenzausgabe mit freundlicher Genehmigung
des S. Fischer Verlages GmbH, Frankfurt am Main
Für diese Zusammenstellung:
© Fischer Taschenbuch Verlag GmbH, Frankfurt am Main, 1979
Umschlagentwurf: Jan Buchholz/Reni Hinsch
Satzherstellung: Otto Gutfreund & Sohn, Darmstadt
Druck und Bindung: Clausen & Bosse, Leck
Papier: Scheufelen, Lenningen
Printed in Germany
1980-ISBN-3-596-22162-5

# DRAMEN IV

## LUSTSPIELE

# INHALT DER ZEHN BÄNDE

# INHALT

# MUTTER UND TOCHTER

[FRAGMENT]

# I

Der Kammerdiener: immerfort seinen großen Schmerz, seine tief aufregenden Schicksale als etwas Subalternes empfindend.

Dem schlechten, teuflischen verstorbenen Grafen, der Gräfin, seiner Geliebten, der jungen Gräfin, seiner Tochter, so gebunden gegenüberstehend. Dabei erhält er das ziemlich bedrohte Vermögen. Die Gräfin seit der Beziehung zu dem jungen Musiker nicht ohne einen Hang zur Phantasterei und Verschwendung. Des Kammerdieners Haltung gegen das Mädchen durchaus die des vertrauten Dieners, niemals etwas von Autorität, außer der, die ihm seine Treue im Haus gibt.

# II

Der Musiker: hat etwas Parvenühaftes, wenn er über Kirchenmusik spricht und über den Eindruck, den er damit auf den Hof erzielen will. Er ist *kein* Künstler. Er hat einen erstaunlichen Willen, ihm ist vor allem um den Erfolg zu tun.

Was die Mutter verführt hat, ist eine gewisse jugendliche Härte in seinem Wesen. Er ist gleich neidisch, eifersüchtig, bedacht, wen er kann zu demütigen. Ist imstand, der Mutter ihren alternden Hals vorzuwerfen. Die Mutter ist ein Geschöpf mit grauendem Haar, voll Güte und Süßigkeit, wie jetzt die Duse. Sie wird von dem angezogen, der Macht hat, sie recht zu quälen.

Die Tochter: aus einer Erziehungsanstalt der großen Welt mit einer vollkommen christlich-höfischen, sehr hochgespannten Weltanschauung zurückgekehrt. Verfängt sich in die Liebe zu dem Musiker am meisten dadurch, daß sie ihre Mutter ihm gegenüber äußerst verändert, fast demütig sieht. Sie gibt sich der einmal eingestandenen Liebesempfindung und ihren Konsequenzen mit derselben rücksichtslosen Energie hin wie früher dem Hochmut.

| Die Gräfin | Abbé Sonnleithner |
| Marie Thérèse | Netterl |
| Xaver, der Kammerdiener | Fohleutner ⎱ Bauern |
| Herr Castelli, der Musiker | Zehetner ⎰ aus dem Dorf |

I. Akt. Mutter bringt, um sich das Zusammensein zu erleichtern (vor dem Kammerdiener zu maskieren), den Musiker in immer größere Intimität mit der Tochter. Sie speisen jetzt zu drei. Die Tochter (zu dem Musiker hingezogen parallel zur Mutter) hochmütig, voll Bewunderung der Mutter, erfährt im II. Akt, daß der Diener ihr Vater ist. Nun bricht ihre ganze aristokratische Weltanschauung zusammen (sie hat immer sehr viel von dem toten Vater phantasiert), und sie entschließt sich, der Mutter alles zu gestehen. Die Mutter erfährt hieraus das falsche Spiel des Musikers und entläßt diesen aus dem Schloß. Die Tochter nimmt das sehr schwer, findet, sie ist zu weit gegangen (hat sich von diesem Menschen vor dem Kammerdiener küssen lassen): sie *muß* dem Musiker gehören. Mutter: Das ist unmöglich. Tochter: Wieso unmöglich? Da ich ja meinem Blut nach nicht

von ihm getrennt bin? Da muß ihr die Mutter eingestehen,
daß sie selbst etwas mit dem Musiker gehabt hat. Schlußszene: Gräfin und Kammerdiener, sich ganz aussprechend
an dem Bett der Tochter. Diese selig: Papa! Mama! beide
umarmend.

ZU ›MUTTER UND TOCHTER‹

## DAS THEMA
## ›MUTTER UND TOCHTER‹ VERTIEFT

Nach der erklärten Verlobung mit der Tochter ein nächtliches Gespräch mit der Mutter. Sie fühlen sich einander entfremdet, wie einen Schleier zwischen ihnen; er ist unsicher im Ton, küßt ihr Haar – sie schaut das Seelische, wie sie es nie geschaut hätte, wenn sie die seinige geworden wäre. Daß der Tod hinter allem steht, macht sie duldsam, lebenslustig mit einem Schatten von Zynismus.

# SILVIA IM ›STERN‹

FRAGMENT

*Personen*

Der Schauplatz ist im Gasthof ›Zum Blauen Stern‹, in einer kleinen österreichischen Stadt; einmal im Jagdschlößchen unweit dieser Stadt. In den vierziger Jahren.

# ERSTER AKT

*Vorsaal im ›Blauen Stern‹. Im Hintergrund ein offener Balkon über dem Hof. Rechts kommt die Treppe von unten herauf und geht nach oben weiter. Rechts vorne steht ein großer Schrank. Links sind die Türen zu den Zimmern Nr. 4 und 5.*

## ERSTE SZENE

*Der Baron, Madame Laroche.*

DER BARON *kommt von oben, sieht sich um* Natürlich kein Mensch da. Brillantes Wirtshaus!

MME LAROCHE *sieht aus der zweiten Tür* O Pardon!

DER BARON Bitte sehr.
*Für sich*
Die angebliche Tante der angeblichen Demoiselle Silvia Neuhaus. Duenna minderer Kategorie.

MME LAROCHE *nun aus der vorderen Tür.*

DER BARON Kann ich vielleicht behilflich sein, jemanden zu rufen?

MME LAROCHE *zurücksprechend* Nein, es ist der Herr Baron. Natürlich werd ich mich sofort erkundigen. Sei nur ruhig.
*Zum Baron*
Es ist – Sie entschuldigen mich, Herr Baron –
*Als ob sie gehen wollte*
Das Kind ist so aufgeregt.

DER BARON Ah! Aufgeregt?

MME LAROCHE Nämlich – wir erwarten eine Ankunft.

DER BARON Einen Bruder des Fräuleins?

MME LAROCHE Nein.

DER BARON Einen Cousin?

MME LAROCHE Es ist ein Freund.

DER BARON Ah!

MME LAROCHE  Nein, durchaus nicht so, wie Sie es meinen; sondern ein guter Bekannter. Das heißt, wir wissen gar nicht einmal so gewiß, ob er kommt. Es ist mehr nur so eine Idee von Silvia – Sie wissen ja, wie lebhaft, wie kapriziös sie ist. Sie glaubt, um vier Uhr gehört zu haben, wie man Pferde in den Stall geführt hat; da liegt das Kind die ganze Nacht wach und schläft mir nicht vor sechs Uhr ein!

DER BARON  Pferde? Ich habe nichts gehört, und ich höre doch leider Gottes jede Fliege im Haus.

MME LAROCHE  Und da bildet sie sich ein, das könnte – das müßte der und der gewesen sein.

DER BARON  Ah, ich begreife allerdings vollkommen, daß die Pferde, die um vier Uhr früh zufällig in den Stall geführt werden, die vorhergehende sechsstündige Schlaflosigkeit des Fräuleins Silvia verursacht haben. Durchaus plausibel!

MME LAROCHE  Herr Baron, Sie durchschauen einen! Sie würden einen Gerichtspräsidenten abgeben! Aber gestehen Sie mir das gleiche zu – ich kenne die Menschen auch ein bißchen. Aber wie ich ausseh, um Gottes willen!

DER BARON  Habe nicht bemerkt, daß Sie irgendwie aussehn.

MME LAROCHE  Oh, diesen Widerspruch diktiert nur Galanterie und vornehme Erziehung. Aber ich muß nachfragen –

DER BARON  Ob zufällig ein Herr der und der angekommen ist. Ja, das interessiert mich auch sehr. Es wäre wirklich ein interessanter Zufall.

MME LAROCHE  *kommt zu ihm zurück*  Ich ziehe Sie ins Vertrauen, Herr Baron. Sie sind keine Gasthofbekanntschaft, Sie sind uns ein Freund geworden. Ihre Noblesse bürgt für Ihre Diskretion. Oh, ich bin nicht die Frau, die Konfidenzen macht. Es ist nur das Herzensbedürfnis, eine zweideutige Situation von einem distinguierten Mann, mit dem das Schicksal uns zusammengeführt hat, nicht falsch beurteilt zu sehn.

DER BARON  *wehrt ab.*

MME LAROCHE  Silvia ist eine Unschuld.

DER BARON  *verneigt sich.*

MME LAROCHE  Sie ist ein Kind, das sich seine Kindlichkeit unter den schwärzesten Schicksalen bewahrt hat. Bücher

könnte man schreiben, Bücher, Herr Baron, über die Lehrzeit, die das arme Geschöpf durchgemacht hat in einem
hochangesehenen, in einem hochadeligen Haus!

DER BARON  In einem hochadeligen Haus?

MME LAROCHE  Im Haus der Gräfin Castellborgo in Trient.
Ich könnte den lieben langen Tag hier stehn und Ihnen
erzählen.

DER BARON  Wollen Sie nicht Platz nehmen?

MME LAROCHE  Ich danke – keine Idee. Aber ich inkommo-
diere Sie.

DER BARON  Pardon, eine Sekunde.
*Zur Treppe, ruft hinab*
Cilli! Cilli! Mein Frühstück! Den Kaffee frisch, den Honig
in der Deckelschale, die Semmel gebäht, das Wasser frisch
vom Brunnen. Verstanden?
*Zurückkommend*
Bitte tausendmal um Verzeihung, aber die Bedienung in
diesem Haus ist ja null, und ich stehe unter strengem ärztli-
chem Regime. Also Castellborgo sagen Sie, das ist ja sehr
interessant. Frau des Generals?

MME LAROCHE  Die Schwägerin: die Witwe des älteren Bru-
ders.

DER BARON  Ist natürlich eine weitschichtige Cousine von
mir. Das ist also die Gräfin, in deren Haus –

MME LAROCHE  Silvia hat Ihnen erzählt?

DER BARON  Ganz en passant. Sie nennt die Gräfin ihre Ziehmutter.

MME LAROCHE  Das war sie.

DER BARON  Sehr interessant. Beinahe romanhaft.

MME LAROCHE  Aber das alles liegt vorher. Wenn ich Ihnen erzählen dürfte, was das Kind durchgemacht hat, die Haare
würden sich Ihnen – Pardon, das ist eine so dumme altmodische Redensart – man sagts ja heutzutag gar nicht mehr.

DER BARON *winkt ab* Durchgemacht – Das alles interessiert
mich im hohen Grade. Das arme, interessante Wesen.

MME LAROCHE  Wissen Sie, daß sie mir noch diesen Winter am
Scharlach fast gestorben wär? An einer Kinderkrankheit.
Alles an ihr ist eben kindlich.

DER BARON  *macht eine Grimasse.*

MME LAROCHE  Wie sie aufgestanden ist im März, hat sie wieder gehen lernen müssen wie ein kleines Kind. Und weiß wie die Wand war sie. Und wie sie das erstemal ausgegangen ist, eben zu der Tauf, hat sie Rouge auflegen müssen, sonst hätten sich ja die Menschen vor ihr erschreckt wie vor einem Gespenst. Und da beim erstenmal, wo sie unter Menschen geht – Sie können sich den Zustand erhöhter Erregbarkeit vorstellen – sie selbst wie auferstanden von den Toten, die feierliche Handlung im Haus bescheidener kleiner Leute, und dort der einzige vornehme Mensch, der ihr entgegentritt, der Ehrengast, der Taufpate, ein schöner, eleganter, junger Mann. Aber wenn sie wüßte, daß ich Ihnen das erzähle! daß ich nur den geheiligten Namen in den Mund nehme!

DER BARON  Sie haben ihn ja gar nicht in den Mund genommen. Ich weiß ja noch immer nicht, von wem Sie sprechen.

MME LAROCHE  Rudolf von Reithenau heißt unser Freund.

DER BARON  Reithenau? Die Mutter ist eine Gräfin Fuchs? Natürlich ein weitschichtiger Vetter von mir.

MME LAROCHE  Von der Verwandtschaft des Herrn Rudolf Reithenau wüßte ich wenig Auskünfte zu geben, aber eine Mutter existiert, und früher oder später wird er ja doch die Silvia der künftigen Schwiegermutter präsentieren.

DER BARON  Schwiegermutter?

MME LAROCHE  Mein Gott, daß mir das wieder herausgerutscht ist. Sie würde mirs nicht verzeihen. Bei ihr gibts nur eine Devise: von nichts reden, von nichts wissen. Immer eine Barriere zwischen sich und der Welt.

DER BARON  Aber hie und da passiert doch jemand die Barriere?

MME LAROCHE  Das ist es ja, was ich sage: – seine Unabhängigkeit muß man wahren – was gehen mich die Menschen an – hundert Schritte vom Leib, perfides Volk! Aber natürlich, man muß sich in die Welt zu schicken wissen – allein ist man eben nicht auf der Welt – man muß eben mit den Wölfen heulen. Nicht wahr, Herr Baron, wir verstehen uns?

DER BARON  Sie sind zu gütig. Also eine veritable Brautschaft? Sehr interessant.

MME LAROCHE  Das heißt, kein Wort davon offiziell natürlich. Herr Rudolf hin, Fräulein Silvia her. Alles so outriert! Wasch mir 'n Pelz, aber mach ihn nicht naß. Nur atmen auf sein Kommando, sterben, wenn ein Brief von ihm sich um vierundzwanzig Stunden verspätet – aber nur kein grades Wort, nur nicht pressieren, nur keinen Termin, keine Frage, nur nicht 's Kind beim Namen nennen. Aber ich geb ihr recht; in einer Welt, in der alles gemein und interessiert ist, warum soll da ein Ausnahmegeschöpf nicht eine Ausnahme in seinen Handlungen und Gesinnungen vorstellen? Natürlich, ob es ratsam ist, so zu handeln, das wird der Ausgang lehren. Gebe Gott, sag ich. Allerdings, nachsagen kann ich ihm nichts, er ist ein charmanter junger Mann. Die Vornehmheit, die Diskretion, die Zurückhaltung selber. Er ist es, der uns den »Stern« anrekommandiert hat. Natürlich ist da der Ort ein Paradies, der Wirt ein braver Mann, die Kathi ein Engel, die Landschaft schöner wie Italien. Allerdings war es ja in Innsbruck nicht mehr auszuhalten: ein Gewebe von Perfidien, von Verleumdungen. Aber Pardon, ich seh den Hausknecht. Er muß wissen, wer angekommen ist. Ich glaub ja selbst, das in den Stall geführte Pferd war nichts als eine Vorspiegelung der Sehnsucht.

ZWEITE SZENE

*Die Vorigen, Cilli.*

CILLI  *kommt mit dem Frühstück die Treppe herauf.*

DER BARON  Da haben Sie die Cilli. Cilli, ist heute nacht jemand arriviert?

CILLI  Was?

DER BARON  Ob jemand angekommen ist heut nacht.

CILLI  In der Nacht nit, in der Früh sind zwei ankommen.

DER BARON  Ein Herr von Reithenau?

CILLI  Wie der Herr heißt, weiß i nit; der Diener heißt Herr Johann.

MME LAROCHE  Johann – das ist sein Leibjäger!
  *Eilt ab ins Zimmer*


DRITTE SZENE


*Der Baron, Cilli.*


CILLI  *will mit dem Frühstück die Treppe hinauf.*
DER BARON  Halt!
CILLI  Ich trags ins Zimmer hinauf.
DER BARON  *zieht sie gegen den Balkon*  Dorthin!
CILLI  Da will der Herr Baron frühstücken? Wo der Herr Baron so heiklig is aufn Zug?
DER BARON  *mit Autorität*  Dorthin!
CILLI  *deckt auf dem Balkon einen kleinen Tisch.*
DER BARON  *inspiziert den Tisch*  Der Honig?
CILLI  Wenn die Fräuln Kathi 'n Schlüssel hat!
DER BARON  Und indessen wird natürlich der Kaffee kalt. Es ist...
  *schnalzt mit den Fingern*


VIERTE SZENE


*Die Vorigen, Der Wirt Preleutner.*


DER WIRT  *kommt die Treppe herauf*  Guten Morgen, Herr Baron. Wie wird man denn dem Herrn Baron sein Frühstück da servieren, wos zieht! Marsch weg da und hinunter in die Laubn den Kaffee.
CILLI  Wenns der Herr Baron angschafft hat!
DER BARON  *mit Duldermiene*  Lassen Sie nur da. Es ist ganz alleseins. Aber den Honig, wenn ich vielleicht bitten darf.
DER WIRT  Gschwind den Honig! Warum kommt der extra?
CILLI  Wenn die Fräuln Kathi die Schlüssel hat.
DER WIRT  Also flink, verlang den Schlüssel.
CILLI  *ab*

DER WIRT  Entschuldigen schon, Herr Baron.

DER BARON  *winkt ab*  Wenn es sich um Speise handeln würde, würde ich lieber verzichten, statt mir die Lunge wundzureden. Aber der Honig ist bei mir streng verordnete Medizin. *Er gießt sich Kaffee ein*

CILLI  *zurückkommend an der Treppe*  Ich hab vergessen, dem Herrn Baron auszurichten, der Barbierer war da und hat mit 'm Herrn Baron selber sprechen wolln, weil aber der Herr Baron noch gschlafen hat, hat ers der Wabi gsagt, und die Wabi hats mir gsagt: er kommt heut nit und bis auf weiteres überhaupt nimmer, es tut ihm sehr leid, aber jede christliche Geduld hat ein End, und heut nachmittag um fünf kommt der Lehrbub ums Geld, sonst müßt er zum G'richt gehn.

DER BARON  Frecher Kerl! Und der Honig? der Honig!

CILLI  Ich geh schon!
*Ab*


### FÜNFTE SZENE

*Der Baron, Der Wirt, später Cilli.*

DER WIRT  *sucht überall*  Wo die Kathi wieder 's Fremdenbuch hin tan hat?

DER BARON  *nach vorne kommend, die Kaffeetasse in der Hand*  Von der neuen Ankunft erfahre ich nichts. Ich bin ja überhaupt der letzte, der etwas erfährt. Und der neue Ankömmling wohnt womöglich neben mir, hat einen Jagdhund, der heult, wenn ich meine Etüden spiele, raucht einen Knaster, der durch die schlecht schließenden Türen dringt und mir mein Zimmer verstinkt, geht mit knarrenden Stiefeln, ist Schnarcher oder hat andere nächtliche Untugenden – kurz halleluja?

DER WIRT  Aber er wohnt ja auf der andern Seiten. Die Kathi hat 's Zimmer für ihn ausgeräumt.

DER BARON  Ah, also ein besonders protegierter Gast. Jedenfalls derselbe, der mich mit Pferdegetrappel und Pumpern an die Stalltür um die Nachtruhe gebracht hat.

DER WIRT  Es tut mir leid, daß S' gstört waren. Der Herr Rudolf is 's, der Herr von Reithenau.

DER BARON  Der junge Herr hat bei Ihnen ein kleines Absteigequartier, wie es scheint.

DER WIRT  Der Herr Rudolf? So klein kenn ich ihn. Is um zwei Jahr älter wie die Kathi. Er ist ja der Eigentümer vom Fuchsschlössel: es heißt ja nur so, weils früher gräflich Fuchsisch war, jetzt ist es Reithenauisch.

DER BARON  Also ist die Mutter von diesem Reithenau eine Gräfin Fuchs? Das ist eine Großcousin' von mir.

DER WIRT  Was der Herr Baron nicht sagen!

CILLI  *bringt eilig den Honig, geht eilig wieder ab.*

DER BARON  Aber den Vater bring ich nicht zusammen. Was war denn der?

DER WIRT  Rittmeister habn wir ihn gheißen, aber er is in Zivil gangen.

DER BARON  *sich Honig auf die Semmel schmierend*  Gottlob wenigstens keine von den unleidlichen parvenierten Familien.

DER WIRT  *sucht überall herum*  Das weiß ich ja, daß der Herr Baron die parfümierten Familien nicht leiden kann. Wo nur 's Fremdenbuch is, alleweil legts sies woanders hin, die Kathi!

*In einer kleinen Verlegenheit*

Weil wir schon so im Diskurs sind, Herr Baron, so hab ich wegn 'n Theodor fragen wollen, wegen dem vazierenden Hofmeister.

DER BARON  Sie meinen den Doktor Lauffer, meinen Sekretär?

DER WIRT  Is schon der nämliche. Das hab ich aber nicht gewußt, daß er jetzt Sekretari is beim Herrn Baron.

DER BARON  Er unterstützt mich in der Korrespondenz, die mein Prozeß nötig macht. Also was gibts mit ihm?

DER WIRT  Es wär halt: seine Verzehrung geht also jetzt auf die Rechnung vom Herrn Baron?

DER BARON  Allerdings. In dieser Weise entschädige ich ihn, das heißt, wir verrechnen uns.

DER WIRT  Aha! Und die Kathi meint halt alleweil –

DER BARON  Mein lieber Preleutner, Sie werden mich noch aus dem ›Stern‹ hinaustreiben, oder vielmehr die Mamsell

Kathi, die hinter Ihnen steckt. Schämen Sie sich nicht, so ein großer starker Wirt und steht unter dem Pantoffel, und nicht einmal von der Frau, gar von der Tochter.

DER WIRT  Is halt a rechte G'schicht mitn Lauffer.

DER BARON *frühstückend* Was denn?

DER WIRT  A Falschmelder soll er sein. A ganzer Strapanzer.

DER BARON  So? Was hat denn da die Kathi wieder zusammengebracht?

DER WIRT  Net die Kathi, a Viehhändler von Urfahr is da gwesen, ein recht ein honetter Mann, der hat ihn gsehn und hat gsagt, er hätt sich früher im Innviertel umtrieben, unter ganz an andern Nam, und hätt a reiche Bäurin narrisch gmacht.

DER BARON  Was denn nicht noch! Ich sag Ihnen, der Herr Theodor ist ein Ehrenmann.

DER WIRT  Ein Ehrenmann – da schaust her!

DER BARON  Ein gar nicht gewöhnlicher Mann.

DER WIRT  Aha!

DER BARON  Ein Mann, den ich hier und selbst in Wien unter meine besondere Protektion nehme.

DER WIRT  Auf die Art – ah, so stehts! – es wär halt nur – sie sind jetzt oben wieder sehr scharf auf die Meldzettel.

DER BARON  Für den Mann stehe ich Ihnen ein.

DER WIRT  *wendet sich zum Gehen*.

DER BARON  Sagen Sie Ihrem Viehhändler und wer sonst noch hinter ihm steckt. Ich wünsche nicht, daß der Mann Scherereien hat. Ich werde noch Mittel und Wege finden, einem Menschen in Österreich seine Ruhe zu verschaffen.

*Ihm nach bis an die Treppe*

Aber wenn ich gar ein so akkurater Wirt wär und gar so scharf auf die Richtigkeit der Meldzettel, so würd ich mein Augenmerk auf eine andere Partei richten, wo es allerdings mit der Verläßlichkeit der Meldung soso lala ausschauen dürfte.

DER WIRT  Wen meint der Herr Baron?

DER BARON  *zeigt hinter sich*.

DER WIRT  Die Fräuln Neuhaus mit der Tant?

DER BARON  Allerdings dieses sogenannte Fräulein Silvia Neuhaus mit der sogenannten Tante.

DER WIRT  Warum soll s' denn nicht Neuhaus heißen? Is doch ganz ein gewöhnlicher Nam.

DER BARON  Eben, von einer verdächtigen Gewöhnlichkeit, von einer Unauffälligkeit, hinter dem das geübte Auge etwas recht Auffälliges wittert. Man sieht nicht so aus, und wenn man schon so aussieht, so hat man keine Tant, die so aussieht. Und diese ganze Komödie mit der Brautschaft, die zugleich existiert und nicht existiert, diese Kreuzerkomödie der zufälligen Begegnung –

DER WIRT  Is sie denn eine Braut?

DER BARON  Sie kennen sich kaum – aber sie sind verlobt. Sie sind verlobt, aber niemand darfs wissen. Eigentlich wissen sies selber nicht.

DER WIRT  Ja, mit wem soll denn die Brautschaft sein?

DER BARON  Mit dem Herrn von Reithenau natürlich.

DER WIRT  Ah, da bin ich aber sehr überrascht!

DER BARON· Aber so naiv sind Sie hoffentlich nicht, ein Wort von diesem Fünfkreuzerroman zu glauben? Die Gräfin als Ziehmutter – weil die Gräfinnen schon nichts anderes zu tun haben als Waisenmädchen aufzuziehen – und dazu diese Madame Laroche mit dem Namen aus der Theatergarderobe und der konfiszierten Physiognomie. Wissen Sie, was so eine Tant kost'? Zwei Gulden fürn Nachmittag und die Jausen. – Und der angebliche Bräutigam! – Sind reich, die Reithenau?

DER WIRT  Sehr eine reiche Herrschaft.

DER BARON  Natürlich! Na, es wird nicht die erste und nicht die letzte Bekanntschaft von diesem Fräulein Silvia sein, und die Tant wird noch öfter die saubern Finger in einem ähnlichen Spiel haben. Aber obs akkurat für das Renommee vom ›Blauen Stern‹ sehr förderlich ist, wenn die Jungfer Kathi zu dem Behuf 's Zimmer ausräumt und der Herr Preleutner womöglich 's ›Gott erhalte‹ dazu spielen laßt –

DER WIRT  So meint der Herr Baron, daß die Fräulein Silvia eine solchene –

DER BARON  Pst! Pst! Ich meine gar nichts. Ich habe überhaupt mit der ganzen Sache nichts zu schaffen. Für mich existiert weder dieses Fräulein Neuhaus, mit der ich übrigens kaum

hie und da zwei Worte gewechselt habe, noch die saubere
Tant. Ich weiß mir die Menschen, die mir nicht passen,
vom Leib zu halten.

DER WIRT *langsam über die Treppe ab.*


SECHSTE SZENE


*Der Baron, Theodor Lauffer.*

THEODOR *kommt die Treppe herauf, an dem Wirt vorbei, der hin-
    abgeht. Er nickt dem Wirt herablassend zu und geht über die
    Mitte der Bühne gegen Silvias Tür hin.*

DER BARON  Ah, mein Lieber, wir haben eine Masse zu erledi-
    gen. Adieu, Preleutner! – Haben Sie mir das Instrument
    gebracht? Natürlich vergessen! Ist übrigens momentan
    nicht das Dringendste. Also hören Sie: unsere Tugend, der
    Engel im ›Stern‹, hat natürlich einen Liebhaber. Ist soeben
    arriviert, der Herr. Wir werden also jedenfalls unsre
    Schachpartie nicht oben machen, sondern hier. Ich habe
    mich zu diesem Zweck schon etabliert. Ja Mensch, was ha-
    ben Sie denn?

THEODOR *ohne ihn zu beachten*  Ihr Zimmer. Wäre dieser öde
    Schleicher dir nicht im Rücken, du stürztest hin, die Tür-
    schwelle zu küssen. Daß es möglich ist! Sie wird heraustre-
    ten, anlächeln wird sie dich – es ist zu viel!

DER BARON  Lauffer! Das ist ja ein Paroxysmus!

THEODOR *kehrt sich um, winkt dem Baron gelassen mit der Hand*
    Recht guten Morgen, Herr Baron.

DER BARON  Ich glaube, Sie haben mich die ganze Zeit nicht
    gesehen.

THEODOR  Allerdings kaum. Nur wie durch einen rosigen
    Nebel. Ich hätte Sie für einen schönen jungen Mann halten
    können. St!

*Er horcht, den Kopf nach der Tür des vorderen Zimmers gebeugt;
nach einer Weile richtet er sich wieder auf*

DER BARON *sieht ihn geärgert an*

THEODOR *kehrt ihm den Rücken*  Meine Lippen sind weich und

zart, als bliesen sie ein unsichtbares süßes Instrument, meine Fingerspitzen sind länger geworden. Wenn ich jetzt eine Geige zur Hand hätte, ich könnte spielen wie ein Gott.

DER BARON  Apropos, haben Sie die skandalöse Geschichte von meinem Barbier gehört?

THEODOR  Nein, mein Verehrter.

DER BARON  Dieses Subjekt – na genug, ich habe den Kerl hinausflankieren müssen. Allons, Sie rasieren mich zuerst, und dann spielen wir unser Schach.

THEODOR  *schüttelt den Kopf*  Still! Jetzt muß ich warten. Es könnte sein, daß sie heute den Vormittag benützen will, die vierhändige Sonate zu spielen.

DER BARON  Mensch, ahnen Sie denn nicht, wie lächerlich Sie sind mit Ihrer Verliebtheit?

THEODOR  Nennen Sie mich immerhin lächerlich. Dieses Wort ist aus einer Sprache, die ich nicht spreche. Nennen Sie mich, wie Sie wollen, während meine eigene Sprache Strahlen sind, unsagbar fliegende Empfindungen, hauchende Träume.

DER BARON  Während dieser Zeit wäre ich halb rasiert. Allons, allons!

THEODOR  *dreht sich zu ihm*  Und wie wäre denn Ihnen zumute, wenn Sie sie nur mit der Fingerspitze berühren dürften?

DER BARON  Sie debordieren, mein Wertester.

THEODOR  Verliebt sind Sie in das süße Geschöpf, verliebt wie ein hagerer Kater.

DER BARON  *lacht höhnisch auf.*

THEODOR  Seit wievielen Tagen umwinden Sie dieses dürftige Bein mit neuen Gamaschen? Seit wievielen Tagen unterlassen Sie es, zu husten, zu räuspern, sitzen träumerisch auf diesem Balkon mit einem Buch in der Hand? Seit wievielen Tagen sind Sie sorgfältig rasiert, haben Sie Ihre alberne Hypochondrie vergessen, fühlen sich nicht mehr Ihren Puls, besehen nicht mehr Ihre Zunge, gehen nicht mehr mit geschlossenen Augen auf der Ritze des Fußbodens, um Ihr Rückenmark auf die Probe zu stellen? He, he?

DER BARON  *lacht höhnisch.*

THEODOR  Jawohl!

DER BARON  Ich – in diese Demoiselle – es ist –

THEODOR  Jawohl, verliebt, du Seele von einem Menschen. Deine Härte, deine Dürre gegen sie, das ist deine Verliebtheit. Mit den Blicken möchtest du sie durchbohren – an den Pranger möchtest du sie stellen. Und ich sollte deine kleinen wollüstigen Schwindeleien nicht durchschauen? Passen sie nicht perfekt zu Ihren Spinnenbeinen? zu Ihren harten Augen? zu Ihrem dürren Mund? Nicht wahr, Herr Baron, es ist eine hinreißende Ausschweifung, das geliebte Wesen herabzusetzen, es zu verleumden, es leiden zu machen? Ich wollte, ich könnte das auf der Geige spielen, was da in dir vorgeht, du Sardanapal!

DER BARON  Genug jetzt. Sie hauen heute über die Schnur, mein Bester. Räumen Sie dort ab.

THEODOR  *geht hin, räumt ab.*

DER BARON  So. Jetzt holen Sie das Schachbrett.

THEODOR  *vorkommend, sieht ihn nicht ohne Bewunderung an*  Sie wollten ja zuerst rasiert sein.

DER BARON  Also flink, lassen Sie sich unten warmes Wasser geben.

THEODOR  Gut, ich werde das Wasser holen. Und hier ist auch Ihre Flöte, alternder Schäfer. *Zieht das Instrument hervor*

DER BARON  Gut. Sie haben die Bagatelle einstweilen für mich ausgelegt? Dorthin, wenn ich bitten darf.

THEODOR  *legt die Flöte auf den Tisch. Im Begriff, zu gehen, sieht er, wieder stehenbleibend, auf die Tür zurück*  Mein Hirn ist voll von einem entzückenden Wahnsinn. Ich umbrüte dieses Wesen. Ich verliere mich in ihre Lieblichkeit.

DER BARON  Er verliert sich, und ich werde unrasiert dastehn.

THEODOR  Hat sie nicht etwas aufreizend Hilfloses? Sieht sie nicht aus, als wäre sie von Räubern überfallen und an einen Baum gebunden, ausgeliefert dem Erstbesten, der da des Weges kommt?

DER BARON  Und dieser Erstbeste, der möchten natürlich Sie sein.

THEODOR  Der bin ich, mein Knabe, innerlich, jede Nacht, jeden Morgen, jeden Nachmittag, jede von den vierundzwanzig Stunden des Tages, ausgenommen die Stunde, wo ich bei ihr bin und sie auf dem Klavier akkompagniere.

DER BARON  Wer sind Sie da?

THEODOR  Niemand. Der Musiklehrer. Ich kenne den Menschen kaum. Allerdings zuweilen erlebt auch der Musiklehrer einen göttlichen Augenblick.

*Tritt auf den Baron zu*

Wo ist denn die kleine Flasche mit Kreuz und Totenschädel? Wo ist sie denn, der Schrecken des Feigen, die Entzükkung des Mutigen, die kleine Flasche, die Schlaf für tausend Nächte enthält?

*Tut, als suchte er in den Taschen*

DER BARON  *zurücktretend*  Lauffer, ich habe mir verbeten, daß Sie mir die Giftflasche, die Sie unverantwortlicherweise bei sich führen, unter die Augen bringen.

THEODOR  *suchend*  Gleich kommt sie hervor, die Bringerin süßer Ruh.

DER BARON  Ich verbiete Ihnen – Sie sind nicht in der Lage, zu wissen, ob das Gift selbst bei verschlossenem Flacon nicht auf einen Organismus von der krankhaften Empfänglichkeit des meinigen zu wirken imstande ist.

THEODOR  Ruhe, kühner Achill.

*Flüsternd*

Seit gestern ist Theodor Lauffer nicht mehr der Besitzer des ominösen Fläschchens – auch Christlieb Zeltner nicht.

DER BARON  Wer ist das?

THEODOR  Ich pflege den bescheidenen Klavierlehrer so zu nennen.

DER BARON  Welchen?

THEODOR  Diesen.

DER BARON  Sich selber?

THEODOR  Nun ja, den Klavierlehrer. Seine Beziehungen zu Theodor, dem Arzt, dem Weltweisen, dem landfahrenden Träumer, sind nur lose.

DER BARON  Und Sie haben der jungen Person dieses infame Gift... Da ist man ja seines Lebens nicht mehr sicher.

THEODOR  Wie sies mir abgeschmeichelt hat, mit was für Engelsworten. Wie klug sie ist. Sie spielte Beethoven. Ahnen

Sie, Mensch, was das heißt, Silvia spielt Beethoven? Und er stand hinter ihrem Sessel und verging.

DER BARON  Er?

THEODOR  Der armselige Klavierlehrer. Und ohne es zu wissen, ohne es zu wollen, zog er die Phiole des schlummernden Todes hervor und umklammerte sie in feuchter Hand, und sie sah es, sie verlangte von ihm, sie erbat von ihm dieses Geschenk. »Sind Sie unglücklich?« fragte er und wollte es ihr verweigern, der Erbärmliche. »Glücklich, unsagbar glücklich«, hauchte sie, und ihre Augen schwammen im Unendlichen. Und wie sie ihn ansah! Christlieb Zeltner, um dieser Minute willen darfst du nicht leben, Theodor Lauffer gönnt dir die Erinnerung an diese Minute nicht! Und es war nicht die letzte solcher Minuten! Sie lebt! Sie ist da! Ich werde mit ihr Klavier spielen.

DER BARON  Das werden Sie nicht.

THEODOR  Warum nicht?

DER BARON  Weil ihr Liebhaber angekommen ist.

THEODOR  Herrlich! Ich werde sie in den Armen des Geliebten vergehen sehen!

DER BARON  Ich glaube nicht, daß man Sie dazu einladen wird.

THEODOR  Eine erbärmliche Phantasie, die nicht so weit reicht, das geliebte Wesen dann noch um soviel mehr zu vergöttern. Und wer ist der glückliche Knabe? Ist er schön? ist er jung? hat er adlige Hände? ist er ein großer Herr? riecht er nach Jugend, nach Sattelzeug und englischen Wassern?

DER BARON  Er ist ein vermögender junger Mann. Das dürfte genügen.


SIEBENTE SZENE

*Die Vorigen, Mme Laroche.*


MME LAROCHE *aus der hinteren Türe*  Da find ich Sie ja, Herr Lauffer. Meine Nichte bittet, sie für heute zu entschuldigen. Sie kann heute nicht Klavier spielen, weil sie verhin-

dert ist. Vielleicht morgen wiederum. Aber das wird sie
dem Herrn Lauffer schon noch sagen lassen. Und da wäre
der halbe nächste Monat im voraus.
*Sie gibt ihm ein Kuvert*
THEODOR *verneigt sich.*
MME LAROCHE Mein Kompliment, Herr Baron.
*Sie geht hinein, schließt die Türe*

ACHTE SZENE

*Der Baron, Theodor.*

THEODOR *das Kuvert in der Hand* »Herrn Lauffer eigenhän-
dig.«
*Reißt das Kuvert auf, nimmt das Geld heraus, küßt das leere Ku-
vert, steckt es in die Brusttasche: das Geld hat er in der Hand*
DER BARON *kommt nahe* Combien?
THEODOR Zwei Dukaten.
DER BARON Gut. Einen davon lasse ich Ihnen.
THEODOR Sie lassen mir?
DER BARON Mein Lieber, wissen Sie, daß ich vor zwei Minu-
ten hier dem Preleutner Ihre exorbitante Rechnung
*Räuspert sich*
ausgeglichen habe?
THEODOR Sie haben wirklich – Sie hätten, mein Verehrtester
– bezahlt?
DER BARON Bezahlt oder auf mein Konto übernommen.
Kurz, ich habe Sie arrangiert. Also –
*Nimmt ihm das Geld aus der Hand*
Davon gebe ich Ihnen einen.
*Steckt das Geld ein*
Den anderen bekommt der Blümel, der Schneider, als An-
zahlung auf meine neue Redingote.
THEODOR *hält die Hand hin.*
DER BARON Und jetzt gehen Sie das Schachbrett holen.
THEODOR Wo ist der meinige?
DER BARON Ah, hab ich ihn eingesteckt? Gut, ich werde ihn

wechseln lassen und Ihnen indessen zwei Gulden auf die
Hand geben. Und jetzt vorwärts, das Schachbrett! Ich habs
oben in meinem Kleiderkasten eingesperrt. Und das Fremdenbuch bringen Sie auch herunter, damit das Herum-
suchen ein End hat. Es liegt oben als Presse auf meinen
Hemden.

THEODOR *geht hinauf.*


NEUNTE SZENE

*Der Baron auf dem Balkon, Kathi mit Cilli von unten.*

KATHI *geht nach vorn an den Wäscheschrank, nimmt drei Leintü-
cher heraus* So – das grobe is fürn Viehhändler, das mittlere
fürn Herrn Johann und das feine fürn Herrn Rudolf.
CILLI Doch nit von der Fräuln Kathi ihre eigenen?
KATHI Vorwärts!
DER BARON *vorkommend* So ein junger Herr hats halt gut.
KATHI Was haben S' gschafft?
DER BARON Guten Morgen, Fräulein Kathi.
*Geht an den Tisch, nimmt die Flöte aus dem Futteral, schraubt sie
zusammen, legt sie wieder auseinander*
KATHI *ladet unterdessen Cilli anderes Bettzeug auf.*
CILLI *geht mit dem Bettzeug hinauf.*
STIMME *von unten* Fräuln Kathi!
KATHI Was ist denn?
STIMME Der Binder wär da!
KATHI Er soll in' Keller gehn, ich komm gleich!
DER BARON Ja, so ein Herr Rudolf, der hats halt gut.
KATHI *gibt keine Antwort.*
DER BARON Muß ein charmanter junger Mann sein.
DIE STIMME DES WIRTS *aus dem Hof* Kathi!
DER BARON Ich weiß gar nicht, ob das dem Herrn Adjunkten
recht sein wird. Der ist überhaupt recht traurig, die letzte
Zeit – recht trübsinnig.
DIE STIMME DES WIRTS Kathi, ich find 'n Schlüssel von der Ha-
ferkisten nit!

KATHI *zum Baron* Hat er sich leicht bei Ihnen beschwert, der
Adjunkt?

DIE STIMME DES WIRTS  Kathi?

KATHI  Was findt der Vatter nit?

DER BARON  Ja, so ein hübsches junges Mädchen hat halt ihren
Kopf.

KATHI *auf dem Balkon* Ja, weiß der Vatter nit mehr – Komm
der Vatter zu der Stiegn, ich kann nit vor alle Leut hinun-
terschrein.

*Zum Baron*
Wenn man kein Kopf hätt, da könnt man sich anschaun –
möcht wissen, wer einem zur Hilf käm.

DIE STIMME DES WIRTS *an der Treppe unterhalb* Kathi!

KATHI *von oben* Ja weiß denn der Vater selber nit mehr, wo
ern Schlüssel zur Haferkisten hin tan hat? Leicht hat ern
stecken lassen. Ja, wo hat denn der Vatter 'n Kopf!

DER BARON  Es ist merkwürdig, wenn man so der Wirtschaft
zuschaut, möcht man glauben, der Vater könnt ohne die
Fräuln Kathi gar nicht existieren.

KATHI  Na und –?

DER BARON  Reden tut er aber gar nicht in dem Sinn.

KATHI  So? Hat sich der Vatter leicht auch über mich beschwert?

DER BARON  Das nicht. Aber er läßt halt durchblicken, daß es
ihm eine rechte Enttäuschung war, daß jetzt die Sach mit
dem Adjunkten sich so hinauszieht.

KATHI  Gibt keine Sach mit kein Adjunkten, folglich kann
sich auch nix hinausziehn. Und wenn ich 'm Vatter zviel bin
im Haus, so soll der Vatter halt zu mir kommen anstatt –

DER BARON  Na, na, mein Gott, Sie wissen ja, Fräulein Kathi,
was da dahintersteckt.

KATHI  Brauchs nit z' wissen.

DER BARON  Der Vater möcht halt eine neue Frau Wirtin in'
›Blauen Stern‹ führen. Hat halt noch ein junges Blut, der
Preleutner.

KATHI  Die Mannsbilder!

DER BARON  Ja, so sind wir halt einmal.

KATHI *geringschätzig* Sie hab ich nit gmeint, Herr Baron.

STIMME  Fräuln Kathi!

KATHI  Was gibts denn wieder?

STIMME  Post!

KATHI  Ich komm schon.

*Geht die Treppe hinab*


ZEHNTE SZENE

*Die Vorigen ohne Cilli, Theodor.*


THEODOR  *kommt von oben mit dem Schachbrett und dem Fremdenbuch.*

KATHI  *zurücktretend, ihn musternd* Sie, Sie solln ja wem Saubern ähnlich schaun!

THEODOR  Nicht daß ich wüßte, Jungfer Kathi.


ELFTE SZENE

*Die Vorigen, Der Adjunkt.*


DER ADJUNKT  *kommt von unten herauf. Er hält ein Buch in der Hand* Herr Baron, ich hab gedacht, daß ich Sie hier oben treffen werde.

DER BARON  Ah, gerade mich, Herr Adjunkt?

DER ADJUNKT  Ich möchte Ihnen mit dem besten Dank das Buch zurückstellen, das Sie so gut waren, mir zu leihen.

DER BARON  Haben Sie das Buch ausgelesen, Herr Adjunkt?

DER ADJUNKT  *die Augen auf Kathi; plötzlich wie aufschreckend* Ich – das Buch –? Nein. Ich kann nicht lesen. Ich meine, ein Buch durchlesen, das kann ich jetzt nicht.

THEODOR  *rechts vorn, leise zu Kathi* Nur daß Sie da sind, bringt ihn so aus der Fassung.

DER BARON  Schad. Es hätte Sie interessiert.

DER ADJUNKT  Ich muß sehr um Entschuldigung bitten, Herr Baron: es ist da ein Blutfleck auf eine Seite gekommen. In meinem Zimmer ist immer eine solche Unordnung – im-

mer die Hunde – und ich hab jetzt einen jungen zahmen
Fuchs und einen lahmen Adler – und da zerren sie immer
Stücke von blutigem Fleisch herum – das Buch muß hinun-
tergefallen sein.

DER BARON  Das ist ja eine Bagatelle, lieber Freund. Das nehm
ich bei der Huberin auf mich. Die Frau hat durch mich
genug verdient. Geben Sie nur her.

DER ADJUNKT  Ich danke Ihnen sehr.
*Heftig, wie ausbrechend*
Aber ich k a n n ja nicht lesen. Entweder ekeln die auf das
Papier gedruckten Wörter mich an oder ich muß anfangen,
bei jedem etwas zu denken – das geht ja doch nicht! Wohin
soll denn das führen? Das geht ja doch nicht!

THEODOR  *leise*  Er spricht nur für Sie. Immer spricht er nur
für Sie. Auch wenn er ganz allein im Wald durchs Unter-
holz kriecht, bis das Blut ihm übers Gesicht rinnt. Er liebt
Sie bis zum Wahnsinn.

DER BARON  Recht schade, daß der Herr Adjunkt das Buch
nicht gelesen hat. Der Fräuln Kathi hats nämlich sehr gefallen. Sie hätten sich darüber unterhalten können.

KATHI  *an dem offenen Schrank, kniend*  Ich zähl Wäsch, Herr
Baron.

DER BARON  Ja, sehen Sie, Herr Adjunkt, das Fräulein Kathi
wird wohl von jetzt an für uns beide recht wenig Zeit übrig
haben. Denn jetzt ist ja der Herr Rudolf angekommen.

THEODOR  *dicht an dem Schrank, leise*  Sehen Sie seinen irren
suchenden Blick – aber hüten Sie sich vor ihm. Ein Mann
mit dem Blick eines Tieres ist gefährlich.

KATHI  *halblaut*  Lassen Sie mich in Frieden. Ich hör nicht, was
Sie reden.

DER ADJUNKT  Ich empfehle mich, Herr Baron.
*Wendet sich zum Gehen*

THEODOR  *geht nach links hinüber, legt das Fremdenbuch auf den
Tisch.*

KATHI  *schließt den Schrank.*

DER ADJUNKT  *schon an der Treppe, wendet sich nochmals, geht zu
Kathi und fragt mit schlecht verhehlter Aufregung*  Fräulein
Kathi, heut ist Samstag. Aber s o werden Sie wohl auch
heut abends schwerlich auf dem Weinberg spazieren gehn?

KATHI    Schwerlich. Wir habens Haus voller Gäst.

DER ADJUNKT  *geht langsam.*

KATHI    Da ist ja 's Femdenbuch.

  *Nimmt es, geht hinauf*

THEODOR  *hat sich auf dem Balkon niedergelassen und das Schachbrett aufgestellt.*

DER BARON  *geht zu ihm.*


ZWÖLFTE SZENE


*Der Baron, Theodor auf dem Balkon, Rudolf, gleich darauf Mme
Laroche.*


RUDOLF  *kommt von unten, sieht die Türen an, erkennt Nr. 4,
die vordere Tür, die Tür zu Silvias Zimmer. Möchte klopfen,
sieht aber unschlüssig nach den Zweien auf dem Balkon; setzt
sich endlich, blättert in dem Buch, das der Baron auf den Tisch
gelegt hat.*

MME LAROCHE  *kommt aus der hinteren Tür, Rudolf im Rücken.*

DER BARON  *halblaut zu Theodor, mit dem er auf dem Balkon
Schach spielt* Aha, der alte Turm macht sich nützlich. Ja, so
eine Ruine kann was wert sein.

MME LAROCHE  *Rudolf ansprechend* Da sind Sie ja! Nein, daß
Sies nur wirklich sind, verehrter Herr von Reithenau! Und
gar zu Pferd! Nein, so eine Überraschung!

RUDOLF  *ist aufgestanden* Überraschung? Hat denn Silvia
meinen Brief nicht –

MME LAROCHE  Natürlich – natürlich hat sie Sie erwartet – mit
Schmerzen – Aber ich mein nur, daß Sie jetzt halt wirklich
da sind.

RUDOLF  *schnell* Wie gehts ihr?

MME LAROCHE  Gleich, gleich erscheint sie selbst. Hat bis
sechs Uhr früh kein Aug zugetan, das Mädel. Da hab ich sie
doch gezwungen, im Bett zu bleiben.

RUDOLF  Ist sie nicht wohl? Hat sie öfter Herzklopfen?

MME LAROCHE  Na, die Herzklopfen heute nacht dürften
nichts mit der Gesundheit zu tun haben.

RUDOLF  Hat sie sich geschont?

MME LAROCHE  Dafür hab ich gesorgt.

RUDOLF  Sie haben mir versprochen gehabt, Tante –

MME LAROCHE  Hab sie auch nie länger als eine Stunde Klavier
spielen lassen, das nimmt sie so her. Aber das wird sie Ihnen
alles selbst erzählen. Ich kann Sie nicht hineinbitten, auch
zu mir nicht; es ist noch nicht aufgeräumt. Sehen Sie auf
Ihre Uhr. Bevor eine Viertelstunde vergeht, ist sie da. Bei
dieser Tür hier wird sie erscheinen.

RUDOLF  Danke schön, liebe Tante.

MME LAROCHE  *ab in ihr Zimmer.*


DREIZEHNTE SZENE

*Der Baron und Theodor auf dem Balkon, Rudolf, Johann.*

RUDOLF  *setzt sich wieder, sieht auf die Uhr, nimmt das Buch, legt
es wieder aus der Hand, schließt einen Moment die Augen,
schlägt sie wieder auf und sieht vor sich hin.*

JOHANN  *ist die Treppe heraufgekommen, steht vor Rudolf.*

RUDOLF  *aus seinen Gedanken heraus* Ah… du – Wie ist der
Stall? Steht die Diana ruhig?

JOHANN  Alles in Ordnung, zu Befehl, junger Herr. Aber es
ist nicht deswegen, werden schon zu Gnaden halten, junger
Herr, daß ich heraufgekommen bin.

RUDOLF  Willst du was?

JOHANN  Ich habe soeben erst durch den Wirt erfahren, wer
hier noch wohnt.

RUDOLF  Was soll das heißen?

JOHANN  Die Leute im Hause sind auch partout gar keiner
andern Meinung, als daß wir deswegen gekommen sind.

RUDOLF  *sieht nach der Uhr* Johann… ich hab nicht viel Zeit.

JOHANN  Sehr wohl. Sie sind ungeduldig. Sie zählen die Minuten, bis das Fräulein heraustritt. Aber gerade d i e s e Uhr
sollte Ihnen zu wert sein, um d i e s e Minuten auf ihr zu
zählen.

RUDOLF  Johann, ich versteh dich nicht.

JOHANN  Sehr wohl. Sie wollen mich nicht verstehn. Aber das werden Sie wissen, junger Herr, daß das die Uhr ist, die Ihr hochseliger Herr Vater getragen hat bis zu seiner letzten irdischen Stunde. Und daß er sie noch aufgezogen hat die Nacht, in der er gestorben ist. Aber was er dazu gesagt hat, wenn Ihnen das entschwunden ist, so werden Sies von mir am besten wieder hören, denn ich war der einzige, der bei ihm war. »Ich zieh sie nicht mehr für mich auf«, das waren seine Worte. »Dort, wo ich hingeh, wird die Zeit nicht gemessen. Diese Uhr gib meinem Buben, denn er bleibt in der Welt, in der jedes Ding einen Anfang und ein Ende hat. Und ich hoffe, sie zeigt ihm keine Stunde, deren er sich zu schämen braucht, und keine Minute, in der ihn die Reu überkommt.«

RUDOLF  Und was soll das jetzt und hier?

JOHANN  Jetzt und hier steh ich vor Ihnen, ein alter Mann und zitternd, und hätt nicht einmal diesen zitternden Mut, so vor Ihnen zu stehn, wenn nicht die gräfliche Gnaden und mein Herr Rittmeister hinter mir stünden.

RUDOLF  Das ist also eine Lektion, die du mir erteilst.

JOHANN  Und Sie wollen sie von mir nicht annehmen, von Ihrem Bedienten – ganz natürlich. Auch wenn er sich auf Vater und Mutter beruft, auch dann nicht, ganz natürlich. Aber, werden schon zu Gnaden halten, junger Herr, das ist, wie man sagt, nicht logisch, da seh ich nicht Ihre gesunde Vernunft darin, daß der Bediente, gegen den Sie sonst recht herablässig sind, bereits wie gegen einen alten Freund, aufhören soll für Sie ein Mensch zu sein in demselben Augenblick, wo er sich herausnimmt, über gewisse delikate Dinge den Mund aufzumachen, und daß eine junge davongepeitschte Kammerjungfer oder was Schlechteres gerade in dem nämlichen Augenblick und durch die nämliche Unbescheidenheit alle Grenzen soll überschreiten und nicht nur Ihresgleichen, sondern womöglich Ihre Gebieterin werden dürfen.

RUDOLF  *halb auf vom Sessel*  Was?

JOHANN  Bleiben Sie sitzen, junger Herr. Dort hinten könnte uns einer zuhören.

RUDOLF *bleibt sitzen* Weiter in dem Text.

JOHANN  Sie haben ganz recht. Das Blut da in meinen Adern ist das Ihrige nicht wert. So stehts heute. Aber ich weiß nicht, obs so bleiben wird. Meine Kinder sind ehrlich, und so Gott will, werden die Kinder meiner Kinder auch ehrlich sein. Aber die Ihrigen könnten vielleicht etwas vom Lügner und Billetfälscher an sich haben.

RUDOLF  Was redst du da? was redst du da?

JOHANN  Ich halt den Mund, sobald ich zu Ende bin. Jetzt aber red ich von Ihren ungeborenen Kindern. Und ich hab ein Recht, von Ihren ungeborenen Kindern zu reden, denn ich kenne Sie sehr wohl, ich weiß, daß Ihnen da nicht um eine Aventüre zu tun ist, wies tausend anderen wäre, sondern daß Sie nicht mehr und nicht weniger vorhaben, als aus der Mamsell Neuhaus Ihre gnädige Frau zu machen.

RUDOLF  *aufstehend* Das hab ich niemandem gesagt! Niemand kann das aus meinem Mund –

DER BARON  *sehr intrigiert, ist horchend halb aufgestanden.*

JOHANN  *sieht sich um.*

DER BARON  *gibt sich den Anschein, mit Aufmerksamkeit Schach zu spielen.*

JOHANN  Ah, Sie leugnen nicht, daß Sie es im Sinn haben. Nur daß Sie es jemanden hätten merken lassen, das leugnen Sie – und Sie sehen, auch darin irren Sie sich, werden schon zu Gnaden halten.

RUDOLF  Und diese – Wörter, die ich vergessen muß, wenn ich dein Gesicht weiter soll um mich dulden können – die sind die Lektion, die meine Mutter dir eingelernt hat? Und das alles, weil es ein armes schuldloses Mädchen ist und keine Gräfin!

JOHANN  Nicht darum, weil es ein armes Mädel ist, sondern weil es eine zweideutige Person ist, eine gefährliche Person, um so gefährlicher je schöner sie ist.

RUDOLF  Schweig mit dem erbärmlichen Geschwätz. Warum hat meine Mutter nicht selbst mit mir geredet? Antwort!

JOHANN  Werden schon verzeihen, hat sie wissen können, wen Sie sich hierher bestellt haben? Froh war sie, »ein Stein ist mir vom Herzen, Johann«, hat sie zu mir gesagt, »er geht

nicht nach Innsbruck zurück, er bezieht das Fuchsschlössel,
er wird Hühner schießen, er wills selber vergessen – oh, ich
kenn meinen Rudolf, der hat sich in der Hand, der braucht
niemanden«.

RUDOLF  Ah – und die Woche vorher? bevor vom Fuchsschlössel die Rede war?

JOHANN  Was ihr da den Mund verschlossen hat? Der Respekt, den jeder Mensch bei uns, aufm Schloß und aufm
Gut, von der gräflichen Gnaden bis herab zum letzten
Stallbuben, vor Ihnen gehabt hat. Darum hat die gräfliche
Gnaden geschwiegen – weil niemand auf der Reithenau
sich untersteht, auszuspionieren, an wen Sie Briefe schreiben und von wem Sie Briefe empfangen; weil sich niemand
untersteht, vorauswissen zu wollen, was Sie zu tun oder zu
unterlassen beschließen; weil man zu Ihnen nicht spricht,
wenn einem nicht das Wasser bis zum Mund geht – darum
hat die gräfliche Gnaden geschwiegen – solang es möglich
war.

RUDOLF  Was heißt das?

JOHANN  Solang sie geglaubt hat, ihr Schweigen verantwor-
ten zu können. Da aber ist das Letzte gekommen.

RUDOLF  Was ist gekommen?

JOHANN  Ein Brief ist gekommen.

RUDOLF  *auf* Ah – ein Brief! Da sind wir also endlich bei dem
erbärmlichen Losungswort, vor dem dieses Vexierschloß
aufspringt. Ein Brief! Ein anonymer Brief natürlich. Was
für ein Brief?
*Faßt ihn an*

DER BARON  *ist lautlos nach vorn gekommen, macht sich hinter den
beiden an dem Flötenfutteral zu schaffen.*

JOHANN  *bemerkt ihn, winkt Rudolf mit den Augen, tritt zurück,
stellt sich in Dienerhaltung*  Zu Befehl, junger Herr. Jetzt also
geh ich in die Stadt, mich um den Hafer umschaun.

DER BARON  *ist zurück zum Schach.*

JOHANN  *in verändertem Ton*  Kein anonymer Brief. Ein Brief
mit voller Unterschrift, mit näheren Angaben der Person.
Den Abend, wo der Brief gekommen ist, ist die gräfliche
Gnaden zu mir heraufgekommen, zu mir ins Zimmer hin-

auf, das Gesicht verweint und eine Kerze in der Hand, weil die Stiegen schon dunkel waren. Und hat sich niedergesetzt und ist bei mir altem Kerl im Bedientenzimmer gesessen, bis wieder licht geworden ist und unten die Stalltür gegangen ist, und hat mir ihre Herzensangst ausgeschüttet.

RUDOLF   Um einen Brief, um einen Fetzen Papier, den irgendein bezahltes Subjekt –

JOHANN   Er ist von keinem bezahlten Subjekt. Aber es ist nicht um den Brief allein gegangen. Denn wie ich so vor ihr gestanden bin und sie mich gefragt hat auf mein Gewissen, da hab ich reden müssen, und da hab ich auf einmal meine eigenen Erinnerungen selber erst verstanden. Und in alle miteinander hat der Brief hineingeleuchtet, wie eine Blendlatern in eine ganze Reihe von dunklen Zimmern.

RUDOLF   Deine Erinnerungen? was für Erinnerungen?

JOHANN   An jedes einzelne Mal, daß ich dieses Fräulein und ihre Tante gesehen hab. An das erstemal in Innsbruck bei der Tauf bei dem armen Flickschneider, wo sie dagesessen ist, das blutjunge Mädel, mit rotgeschminkten Wangen – und dann das Mal, wo Sie sich mit ihr verabredet haben, allein zu soupieren, und wie sie gekommen ist, die angebliche Waise und Handschuhmacherstochter, mit Brillanten zugedeckt vom Hals bis auf die Schultern.

RUDOLF   Das ist das Legat von ihrer Ziehmutter.

JOHANN   Die sie zuweilen, je nach Umständen, auch für ihre wirkliche Mutter ausgibt.

RUDOLF   Hör auf.

JOHANN   Und diese erste Begegnung! die sollte, werden schon verzeihen, zufällig gewesen sein? Zufällig bittet man Sie und zugleich die Fräuln Neuhaus zu Paten bei zwei Zwillingen? Fragen Sie die braven Schneidersleut, was sie für die Gelegenheitsmacherei bekommen haben.

RUDOLF   Hör auf.

JOHANN   Ich hör nicht auf. Ich fang erst recht an. Denn jetzt merk ich, daß mein Reden anfängt, Ihnen Eindruck zu machen – ja! ja! Wenn Sie zehnmal nein sagen! Weil ich Ihr Gesicht kenn, junger Herr, seit Sie auf der Welt sind, weil das nicht Sie sind, der diesen jähen Vorsatz gefaßt hat und diese heimlichen Anstalten getroffen, ihn auszuführen – sondern das ist der x-beliebige junge Mensch, das ist der Der und Jener, das ist Ihr junges Blut, das zum erstenmal rebellisch wird, das ist eine ganz gewöhnliche Alltagsangelegenheit zwischen irgendeinem und irgendeiner. – Aber weil Sie Sie sind, weil Sie stolz sind auf sich selbst, darum soll aus dem, was für andere eine verschmitzte leichtfertige Aventüre wär, für Sie eine bitter ernste Angelegenheit werden – und das haben die da drinnen erkannt und machen sichs zunutz und fangen Sie in einer Schlinge, die aus Ihrer eigenen Großherzigkeit gedreht ist und aus Ihrem Stolz. Vor Ihrer innersten Natur hat man Ehrfurcht wie vor dem Blitz, der irrt sich auch nicht und fällt und trifft, wie er muß. – Aber solang ich dieses Muß nicht in Ihrem Gesicht geschrieben seh, solang steh ich da für Ihr besseres Selbst, das Sie in sich betäubt haben.

RUDOLF  Jetzt geh und laß mich.

JOHANN  Zu Befehl. Aber dann, wenn Sie sich losgemacht haben und können mir trotzdem diesen Auftritt nicht verzeihen, dann gehn wir, wenn Sie befehlen, in den Wald hinaus und Sie zerschlagen Ihren Reitstock an meinem alten Rücken. – Es soll mich niemand klagen hören.

RUDOLF  Geh sag ich. Und den Brief –

JOHANN  Werden Sie später befehlen.

RUDOLF  Oder auch nicht – oder auch nicht!–

JOHANN  Das kann sein, junger Herr, daß Sie auch den Brief nicht einmal brauchen, um frei zu werden. Nur sich selber brauchen Sie dazu und Ihre zwei Augen.
*Im Gehen, wendet sich nochmals*
Aber, junger Herr, wenn Sie die alte Kupplerin hinausschmeißen und Ihre Mätresse aus der Jungen machen wollen –

RUDOLF  Jetzt pack dich.

JOHANN  *sich zurückziehend* – dann will ich alter Esel mit Briefen laufen und Blumen hintragen und der Demoiselle servieren bei Tag und Nacht, junger Herr, und dazu ein diskretes Gesicht machen wie kein Junger.

RUDOLF  Mach dich fort.

JOHANN  *geht hinunter.*

RUDOLF  *vor sich*  Darum also war die Mutter so anders.*

VIERZEHNTE SZENE

*Silvias Zimmer. Silvia vor dem Frisierspiegel, Mme Laroche
frisiert sie.*

SILVIA  Ist er wie immer? Hast du ihm nichts angesehen?
Keine Veränderung –

MME LAROCHE  Halt dich ruhig.

SILVIA  – keinen Entschluß? Mir ist angst vor allem. Glaubst
du, er hat mit seiner Mutter gesprochen?

MME LAROCHE  Wenn du dich so herumdrehst, ist alles umsonst.

SILVIA  Ich glaub, es muß in deinem Gesicht etwas von seinem zu lesen sein. Ich kann nicht ruhig bleiben, wenn ich
von ihm spreche.

MME LAROCHE  Willst du ihm so im Schlafrock entgegen-
laufen?

SILVIA  Ist doch alles eins.

MME LAROCHE  Und draußen sitzt der Baron, halt den Kopf
ruhig! und paßt auf wie ein Haftelmacher. Der vergeht vor
Neugierde. So ein alter Junggesell ist über eine Kaffee-
schwester.

SILVIA  Du hast ihm doch nichts von uns gesagt?

MME LAROCHE  Könnt mir einfallen. Was zuckst du so?

SILVIA  Ich fühl es, daß er mit seiner Mutter gesprochen hat.

MME LAROCHE  Durch die Wand? Du mußt magnetisch sein.

SILVIA  Es ist auch so. Hab ich ihn nicht näher und näher
kommen gefühlt heut nacht? Und wie die Sonne da war,
der bleierne Schlaf, als wär ich in mein Grab gesunken.
Pfui, wie blaß ich bin. Er hat mit seiner Mutter gesprochen,
mein Gott!

MME LAROCHE  *bückt sich nach den Haarnadeln*  Kind Gottes,
zwei Minuten, oder ich verlier die Geduld.

---

* Hier endet der vom Dichter für den Druck bereinigte Text. [Anm. d. Hg.]

SILVIA *sitzt* Sei gut. Ich will ruhig sitzen bleiben. Aber antwort mir! Herrgott, wenn er es getan hat!

MME LAROCHE *frisierend* So ists doch der größte Beweis seiner Liebe zu dir.

SILVIA Alles, was Mutter heißt, ist mir schauerlich. Die meinige, j e t z t w o i c h s w e i ß, daß sie meine leibliche Mutter war, sie bleibt doch immer die Gräfin. Früher war sie mir etwas Fremdes, Strenges, lieb hab ich sie nicht gehabt, aber geschaudert auch nicht vor ihr. Aber seit der Stunde, wo sie mich an ihr Bett ruft und mir sagt: »Du bist mein Fleisch und Blut«, ist sie mir auch unheimlich geworden. Mir war, als hätte sie zuvor dort im Alkoven hinter den grünen Vorhängen meine wirkliche Mutter umgebracht. Es ging ein Riß durch mich. Ich sagte in mir: Wie anders hätte das die andere gesagt, die wirkliche.

MME LAROCHE Welche andere? Du redest, als obs wirklich eine zweite gäbe.

SILVIA Die aus meinen Kinderträumen. Sie ist auch da und muß ewig ein armer Schatten bleiben – ewig! Und ich hätt sie so lieb haben können – Aber vielleicht hätt ich ihn dann weniger lieb haben müssen – dann ist es gut. Jetzt hat er alles. O Gott, wenn ichs ihm nur zeigen könnt!

MME LAROCHE Zeig ihms nur nicht zu viel.

SILVIA Ich versteh dich nicht. Daß ichs ihm nicht genug zeigen kann, das ist meine ewige Qual. Er hats tausendfach in seiner Macht, mir zu zeigen, daß er mich lieb hat, er kommt und geht, er redet und mir ist wohl, und er schweigt und sieht mich an, und mir wird, ich weiß nicht wie. Er erlaubt mir was, er verbietet mir was, und so hat er hundert Arten, mich glücklich zu machen – und ich hab nicht eine, ich bin nur immer d a! Da hat er mich liegen lassen, nun kommt er wieder und findet mich wieder am selben Fleck – Muß ihm das nicht überdrüssig werden?

MME LAROCHE Eine recht dumme Politik, wenn ich schon die Wahrheit sagen soll.

SILVIA Ich kann keine Politik machen mit ihm, o Gott nein. Er sagt: Geh dorthin – ich geh... Bleib und warte – ich bleib und warte. Er fragt mich: ich antworte. Was er ungefragt läßt, das bleibt in mir liegen wie ein Stein im Brunnen. Es sieht aus, als wollte er mich zu seiner Frau nehmen – so werd ich seine Frau. Aber wahrscheinlich kommts, wie ich dir immer gesagt habe: es gehen ihm auf einmal die Augen auf und ich bin ihm zu dürftig für seine Frau und er will mich zur Geliebten für eine Zeitlang – so werd ich seine Geliebte – für eine Zeitlang.

MME LAROCHE   Wie man so reden kann!

SILVIA   Ich red ja nicht, ich tus. Ob ich das um seinetwillen tu? Ich weiß nicht. Das Himmelreich wird nicht verdient. Vielleicht tu ichs um Gotteswillen – aber nicht um das Himmelreich zu verdienen. Ich muß es eben tun. Bist du noch nicht fertig! Wie häßlich bin ich heut!

*Auf und will fort*

MME LAROCHE   Bildschön bist du – Wohin willst du denn?

SILVIA   Ihm entgegen! Soll ich ihn warten lassen vor meiner Tür?

MME LAROCHE   Im Schlafrock! Wo der Baron draußen herumspioniert. Willst du dich denn à tout prix kompromittieren?

SILVIA   Was mir daran liegt! Haben will ich ihn –

*An der Tür*

Aber vielleicht ists ihm nicht recht. Muß es ihm nicht langweilig werden? Immer bin ich da, immer wart ich, immer lauf ich ihm entgegen! Manchmal möcht ich mich vor ihm verstecken – daß er mich suchen müßte. Aber es wär nichts als Komödie, pfui! Und doch manchmal unterm Klavierspielen oder im Bett, wenn die Angst mich packt, daß er mir nicht wiederkommt, was gäb ich da drum, daß ich eine verheiratete Frau wär, eine recht unglückliche, und er wär mein Liebhaber, daß ich ihm dann zeigen könnt, wie ich mich für ihn freimache. Wie nichts mich von ihm trennen kann, keine menschlichen Drohungen, keine versperrten Türen, keine hohen Mauern, keine finstere Nacht – dann könnt ich ihm zeigen, wie ich bin.

MME LAROCHE   Was das für Marotten sind! Indessen hättest du ein ordentliches Kleid an. Geschwind, ich helf dir.

SILVIA   *am Kleiderschrank, herausnehmend*   Vielleicht geht es

um das zwischen mir und ihm – denn es geht zwischen uns
um ein Geheimnis – vielleicht geht es um das zwischen uns
– Nein, das lila nicht, das kann er nicht leiden! – daß er nie
wissen wird, wie ich wirklich bin, weil alles zu leicht war
und zu gewöhnlich, und daß er mich um so leichter von
sich abschüttelt, je weniger Kunst er gebraucht hat, mich
zu haben.

MME LAROCHE *aufräumend* Wie kann man so vernünftig denken und so unvernünftig handeln?

SILVIA Unvernünftig? Tu ich was? { Wenn er meine Haare
lobt, möcht ich sie abschneiden und sie ihm hinwerfen, daß
ich nur einmal etwas für ihn täte – aber zugleich seh ich
mich im voraus im Spiegel, häßlich wie ein Aff. Und so laß
ichs sein – und was wär es auch als eine Dummheit? }* Und
doch, ich spürs, jeder Schritt, den ich tu, jedes Wort, das
mir von den Lippen fällt, führt ihn näher zu mir oder weiter
von mir weg, einmal kommt ein Schritt, den ich tu oder
nicht tu, ein Wort, das ich aussprech oder nicht aussprech,
da gewinn ich ihn mir oder verlier ihn für ewig. { Zwischen
zwei Abgründen geh ich geradewegs auf ihn zu – das träum
ich oft, manchmal streckt er mir die Hand entgegen, wie
um mich zu sich zu ziehen, und im letzten Augenblick stößt
er mich hinunter, dann fall ich – }

*Es klopft*

Ists jetzt mein Herz? Von dem Traum klopfts mir immer
so, daß ich aufwache – oder klopfts denn nicht wirklich?

*Es klopft wieder*

MME LAROCHE *will zur Tür.*

SILVIA Nicht du. Ich, ich! Er ist ungeduldig, er kommt, mich
holen.

*Es klopft stärker*

Ich hab Angst, er ist bös. Mach du auf.

*Läuft weg*

CILLIS Stimme *draußen* Ein Brief.

---

* { } So sind hier und fortan vom Dichter in der Reinschrift eingeklammerte
Stellen bezeichnet.

MME LAROCHE   Es ist ein Brief.
  *Öffnet*
CILLI  *unsicher*  Ein kleiner Bub hat ihn bracht. Er wart't auf
  Antwort.
SILVIA   Er ist von ihm! Ein Spaß!
MME LAROCHE  *den Brief in der Hand*  Nein. Er ist von einem
  andern.
SILVIA  *nimmt schnell den Brief*
MME LAROCHE   Jesus, Maria und Josef, erschrick doch nicht
  gar so!
SILVIA  *tonlos*  Sertos.
MME LAROCHE   Ich habs ja gesehn. Aber so nimm dich doch
  zusammen. Wegen einem Brief! Deswegen wird er uns ja
  nicht gleich nachreisen!
SILVIA  *hat den Brief gelesen*  Er ist hier. Sertos…
MME LAROCHE   Setz dich nieder! Kind Gottes, du ängstigst
  mich ja noch zu Tod – Ich bring dir die Tropfen!
SILVIA  *sitzt*  Laß… mir ist schon besser. Es war nur die
  Überraschung. Und grad heute. Grad heute muß die Krea-
  tur herkommen!
MME LAROCHE   So red doch ein Wort! Ich kann doch nicht
  alles erraten!
  *Nimmt den Brief*
  Wo hab ich denn nur meine Gläser!
  *Fährt herum*
SILVIA   Es sind nur drei Zeilen. Daß er hier ist, hierher nach-
  gereist, um sich mit mir noch einmal auszusprechen. Noch
  einmal! Wie mir das Wort den Atem des Menschen ins Ge-
  sicht wirft!
  *Schüttelt sich*
MME LAROCHE   Keine Antwort! Das ist das Richtige! Ignorie-
  ren, den intriganten Filou, ignorieren, bis er schwarz wird!
SILVIA  *schüttelt den Kopf.*
MME LAROCHE   Empfangen willst du den Lumpen? Gib dem
  Teufel nur den kleinen Finger und er hat schon die ganze
  Hand. Ich duld einfach nicht, daß er dir noch einmal unter
  die Augen kommt!
SILVIA   Laß mich.
  *Will gehen*

MME LAROCHE  Ich schreib ihm. Ich werd ihm meine Meinung sagen!

SILVIA  Laß – ich schreib.

MME LAROCHE  Du willst ihn hereinlassen? Ja, was soll sich denn da der Rudolf denken? Da gibts doch dann nur eins: alles ausbreiten vor dem Rudolf, die ganze Trienter Geschichte und was drum und dran ist! Du hast dir wahrhaftig nichts vorzuwerfen und Schand ists ja keine, daß du nicht die Tochter vom Handschuhmachermeister bist, wies der Rudolf geglaubt hat, sondern von einer Gräfin { und einem Grafen – wenn sie auch nicht miteinander verheiratet waren. }

SILVIA  Ich mag nicht… ich mag nicht.

MME LAROCHE  Ja, angenehm ist es auch nicht, { das und jenes auf einmal zu desavouieren, du wirst aber mögen müssen – früher oder später. } Aber ich hab dirs längst gesagt: man macht eben reinen Tisch, man versteckt nichts, wo nichts zu verstecken ist, denn sonst schauts nur aus, als ob was zu verstecken wär – Aber natürlich, ob grad der Rudolf der Mensch dazu ist, der Mann, ihm so auf einmal reinen Wein einzuschenken, besonders nach allen Unvorsichtigkeiten und Avancen, und wenn man einen Menschen so gar nicht in der Hand hat – Ja, man schwebt halt nicht ungestraft drei, vier Monate lang in den Wolken, früher oder später muß man dann wieder herunterspazieren auf den gemeinen Erdboden.

SILVIA  *vor sich*  »Ich werde heute um vier Uhr zu Hause sein. Silvia Neuhaus.« Nur das.

*Geht ins Nebenzimmer*

MME LAROCHE  *unterm Aufräumen hineinsprechend*  Ich werde mir aber schon ausbitten, daß ich dabei bin, bei der Unterhaltung! Mit diesem Herrn Sertos muß deutsch geredet werden und dazu bist du nicht die Person! Ein solcher bösartiger Intrigant wie dieser Sertos, der einem aus jedem Wort einen Strick drehen möchte, dir die eigenen Reden entgegenstellt, an die du dich selber nicht mehr erinnerst, ein solcher Heuchler, dem muß man die Larve vom Gesicht reißen, mit dem gilts nur à la guerre comme à la guerre! –

{ Aber natürlich zu behandeln muß man so einen Menschen wissen; wenn du dem z e i g s t, wie du ihn verachtest, dann machst du dir einen zehnfachen Todfeind aus ihm. Einem solchen Menschen käm ich entgegen, als wär nichts vorgefallen – den rühr ich mit Samthandschuhen an und geb ihm doch zu verstehen: bis hierher und nicht weiter. }

SILVIA *kommt mit ihrem Brief.*

MME LAROCHE  Ein offener Zettel?

SILVIA  Ich hab keine Korrespondenz mit dem Sertos.

MME LAROCHE  Natürlich hast du keine Korrespondenz mit ihm – aber ob es grade gut ist, wenn der Rudolf allenfalls dahinterkommt –

SILVIA  Was denn? Hinter was? Hab ich mir was vorzuwerfen?

MME LAROCHE  Lehr du mich die Männer kennen. Und angenehm brauchts ihm ja auch nicht zu sein, daß der frühere Verlobte, von dem seiner Existenz er nie ein Sterbenswort gehört hat, dir nachreist, grad so einer.

SILVIA  Der frühere Verlobte! Wie mir das Wort vorkommt.

MME LAROCHE  Ja, auf die Goldwaag legt die Welt eben ihre Wörter nicht. Und schließlich ist ers eben.

SILVIA  In d e i n e n Augen ist ers? Wo du alles weißt –

MME LAROCHE  Es kommt hier nicht auf meine Augen an, sondern auf die Augen der Leute.

SILVIA  Aber die Leute wissen doch nichts.

MME LAROCHE  Aha! Aber soviel wissen sie eben, daß du mit ihm versprochen warst am Sterbebett von der Gräfin. Und wenn sies nicht wissen sollten, so hat er inzwischen dafür gesorgt, daß sies erfahren. Dafür garantier ich dir. Denn das ist ein Mensch, wer dem seine Pläne durchkreuzt, der hat alle Ursache, sich zu fürchten, das wissen wir beide. Na, ich fürcht mich nicht vor ihm! Aber deswegen könntest du doch ein bisserl vorsichtiger sein.

SILVIA  Ich hab nichts zu verstecken.

MME LAROCHE  Ja, wenn du mit mir in dem Ton anfangst! Oh, ich bitte – meine Angelegenheiten sind es ja nicht. Ruf ihn herein, den Sertos, und womöglich zugleich mit dem Herrn Rudolf –

SILVIA   Und was wär, wenn ichs tät?

MME LAROCHE   Es wär ja recht ein erbauliches tête-à-tête!
Und warum tust dus denn nachher doch nicht – wozu ist
denn die ganze Angst und der Schrecken? Wenn man sich à
tout prix selber belügen will über die handgreiflichsten
Dinge, da darf man mich nicht um Rat fragen, dazu bin ich
mir doch noch zu gut. Du kannst ja tun, was dir beliebt!

SILVIA   Weil ich nicht will, daß er sein Gesicht sieht. Weil das
vergangen ist und hinter mir und ich nichts wissen will davon, nichts von der Gräfin auf ihrem Sterbebett – ich sollt
»Mutter« sagen, aber ich kann nicht – und nichts von dem
Sertos, wie er um mich herumgeschlichen ist – und nichts
von der Minute, wo sie meine und seine Hand zusammen-
gelegt hat und ich nicht die Kraft gehabt hab, die meinige
wegzureißen, weil ich in ihren Augen schon den Tod gesehn hab und davon erstarrt war bis in den innersten Nerv.
Darum – weil ich nicht will – weil ich nicht will!

MME LAROCHE   Das sag ich doch. Man bindet eben den Leuten
nicht alles an die Nase. Es geht den Rudolf eben nichts an,
was früher zwischen dir und dem Sertos war.

SILVIA   Ja, ja, gut. Aber
*ihr in die Augen*
Du weißt doch, daß nichts war?

MME LAROCHE   Ich weiß es; aber davon ist nicht die Sprache,
was ich weiß – es ist die Sprache davon, daß der Rudolf
nichts zu wissen braucht und daß die Welt nichts zu wissen
braucht –

SILVIA   Ich kenne Rudolfs »Alles oder nichts«. Und einsam,
als wären wir auf einer Insel, will ich ihm entgegentreten.
Alles oder nichts! So ist sein Ich gestimmt.

RUDOLF   *in der Tür. Silvia auf ihn zu – Umarmung.*

FÜNFZEHNTE SZENE

*Der Vorsaal. Rudolf, gleich darauf Johann.*

RUDOLF  *aus der Tür des rückwärtigen Zimmers heraus.*
JOHANN  *in der Stiege, wartend.*

RUDOLF  *vor sich*  So weit ist es nun glücklich, daß ich sie ans
  Klavier nötige, um nur nicht reden zu müssen, nur nicht
  diesen angstvoll fragenden Blick auf mir zu fühlen, und daß
  ich die bloße Gegenwart ihrer Seele in ihrem Klavierspiel
  ebensowenig ertragen kann, und mich wie ein Verbrecher
  aus dem Zimmer stehle. So weit bin ich! Ist das meine Willenskraft? der Halt, den ich an mir selbst habe?
  *Auf Johann zu*  Da steht er Schildwach. Den Brief soll ich
  dir abverlangen – deine Physiognomie weiß ich noch hinlänglich zu lesen. Und darauf schaffst du mir womöglich
  den Lumpen herbei, der ihn abgefaßt hat, und dann setzen
  wir uns zu dreien hin und halten Gericht und stellen unter
  Beweis, ob meine künftige Frau – Ich möchte mir selber ins
  Gesicht spucken, wenn ich niederträchtig genug wäre, den
  Satz zu Ende zu denken.
JOHANN  Es wird Sie ruhiger machen, wenn Sie den Brief
  lesen. Es wird Ihnen zu einem Entschluß verhelfen.
RUDOLF  Der Fetzen Papier? Und das rechnest du für nichts,
  wie ich mich und sie erniedrige, wenn ich ihn in die Hand
  nehm?
JOHANN  Das versteh ich nicht. Sie können ihn ja nachher in
  den Wind schlagen, wenn Sie meinen.
RUDOLF  Aha! was für ein schwerfälliger Kopf ich bin – Wie
  fassen sich denn andere! Daß ich mir das von meinem Bedienten soufflieren lassen muß – Wirklich, ich wußte bis
  jetzt nicht, wie gut ich da begleitet bin. Es war mir noch
  nicht zur Genüge bekannt, wie hoch Sie im Vertrauen meiner Mutter stehen.
JOHANN  Verzeihen Sie – verzeihen Sie mir nur –
RUDOLF  Ihnen? Was hätte ich denn Ihnen zu verzeihen?
JOHANN  Ich habs gewußt!
  *Hat die Tränen in den Augen*

RUDOLF *stumm*.

JOHANN   Jagen Sie mich hinaus, heißen Sie mich ins Wasser
gehn, aber schlagen Sie nicht den Ton gegen mich an –

RUDOLF   Johann, so sag mir doch, was tun denn andere junge
Männer in einem solchen Fall? { Sie wären wahrscheinlich
nicht in einem solchen Fall – Aber wenn es eine reiche Erbin wäre? Auch Gräfinnen sind ja vor Verleumdungen
nicht sicher. Werfen sie einen solchen Zettel unbesehen ins
Feuer – da muß ich ja rot vor einem jeden werden, daß ich
das nicht seit einer Stunde getan hab – oder lesen sies und
sagen wie du: »Es muß ja nicht alles wahr sein«? Aber ich
kann ja gar nicht in die Haut eines andern hinein – ich war
mein Lebtag allein für mich, mutterseelenallein –} Sie
würden den Brief gemächlich durchlesen, als ob es sich um
einen Pferdekauf, oder schlimmstenfalls um eine Wechsel-
prolongation handelte – und würden der Sache nachgehen
– Herrgott im Himmel! wie man einem Hausdiebstahl
nachgeht? würden Dienstboten, Zuträger, alte Hausweiber
ausfragen, den Schmutz eines Hauses aufrühren, dies oder
jenes unter Beweis stellen und sich dann hinterrücks entscheiden, ob sie die Beklagte zur Frau von Reithenau machen sollen oder –

JOHANN   Dazu.

RUDOLF   Ich schlag dir dein »Dazu« noch in die Zähne –

JOHANN   Es steht Ihnen ja doch der direkte Weg offen. Die
Dame ist so weit in Ihrer Gewalt. Fragen Sie sie.

RUDOLF   Fragen! Wo ich zu scheu war, zu ehrfürchtig, jemals
eine Frage zu stellen – wo mir keine auf die Lippen kam –
keine nur an den Rand der Seele. { Wo jedes Kleinste eine
geheime erschütternde Sprache des Herzens redete! Wo ich
zum erstenmal in meinem Leben zu ahnen glaubte, zu was
ich auf die Welt gekommen bin, wo alles dies bei lebendigem Leib sich um mich aufbaute wie der siebente Himmel:
daß ich sie finde, daß ich mein eigener Herr bin, daß ich bin,
der ich bin und mich nicht vergeudet habe und nicht erniedrigt, daß ich heiße, wie ich heiße und kann ihr einen guten schönen Namen um die Schultern legen, ob sies achtet
oder nicht – daß ich mich einsegnen lasse mit ihr hier, wo

ich als ein frommer Bub beim Altar gekniet bin, und ihr das
Schloß schenke und sie in einem Nu vor der Welt zu dem
mache, was sie vor Gott immer war – Herrgott im Him-
mel, es im Kopf hundertmal vorauf zu tun, war namenlose
Seligkeit, es zum ersten Male auszusprechen, ist wie ein
Frevel. Und nun ists vielleicht schon nicht mehr wahr!}

JOHANN  *nach einer Pause*  Wenns Ihnen unerträglich ist,
deutsch mit dem Fräulein zu reden, so nehmen Sie doch die
Alte ins Gebet.

RUDOLF  Red mir nicht von der.

JOHANN  Aha, vor der grausts Ihnen. Die ist Ihnen also doch
eine verdächtige Gesellschafterin. Hinter der ihrem breiten
Rücken – da haben Sie immer einen kleinen Ekel überwin-
den müssen, denn die sehn sie ja mit offenen Augen. Da haben Ihre dreiundzwanzig Jahre und Ihr Blut keine Gewalt.
Aber was machts Ihnen? Das ist ein unscheinbarer Punkt.

RUDOLF  *geht auf und nieder.*

JOHANN  Wenns aber vielleicht doch kein so unscheinbarer
Punkt ist, in welcher Gesellschaft man eine junge Unschuld
vorfindet – ob in einer anständigen oder in Kompagnie mit
einer solchen Vettel, der man die Bereitwilligkeit zu jeder
Schlechtigkeit an der Nasenspitze und an den Hühnertrit-
teln unter den Augen auf hundert Schritte ankennt, die mit
ihrer bordellmäßigen Devotion –

RUDOLF  *wendet sich zornig**

SECHZEHNTE SZENE

*Die Vorigen, Der Baron, gleich darauf Theodor.*

DER BARON  *von oben die Treppe herab, auf Rudolf zu*  Herr von
Reithenau, ich habe Sie früher, allerdings sehr unabsicht-
lich, in der Konversation – es war mehr ein kleines Ren-

---

* [Hierzu vermutlich folgende Notiz Hofmannsthals:] Die Unreife Rudolfs
ist, daß er nicht Herz und Nieren zu prüfen versteht, daß er Details wie die Beziehung zu der Laroche zu schwer nimmt, daß er nicht zu unterscheiden weiß
zwischen Heuchlern und Leuten, die sich unvorteilhaft geben, wie die Laroche.

contre als eine Konversation – mit Ihrem Diener gestört. Es ist das mindeste, daß ich mich Ihnen vorstelle: Greifenklau.

RUDOLF *verneigt sich unmerklich.*

THEODOR *in der Stiege sichtbar.*

DER BARON   Wir sind, wie ich höre, Hausgenossen. Ich lebe nämlich hier im ›Stern‹, das heißt natürlich nur ganz vorübergehend. Wenn Sie, wie ich vermute, bei der Regierung dienen – Nein? Sonst hätten Sie allerdings von meinem Prozeß hören müssen: ich kämpfe seit wohlgezählten elf Jahren mit der kärntnerischen, eigentlich jüngeren, aber sogenannt älteren Linie meiner mütterlichen Vettern – Aber das kann Sie nicht interessieren.

RUDOLF *stumm.*

DER BARON   Wenn übrigens, wie ich glaube, die Gräfin Seraphine Reithenau –

RUDOLF   Meine Mutter heißt Anna.

DER BARON   Natürlich: Anna, geborene Gräfin Fuchs. Seraphine war der Name Ihrer verstorbenen Großtante San Martino. So steht allerdings ein verschollener Jugendbekannter – ich dürfte schon sagen, Jugendfreund – Ihrer beiden Eltern vor Ihnen.

RUDOLF *um sehr weniges aufmerksamer.*

DER BARON   Nun, was macht er denn, mein alter Reithenau?

RUDOLF *sehr fremd*   Mein Vater lebt nicht mehr. Er ist seit zwölf Jahren tot.

DER BARON   Er war allerdings b e d e u t e n d älter als ich. Aber lassen wir dieses melancholische Sujet. Sie sind jung, Sie sind reich, Sie sehen aus, wie nur unsereiner aussehen kann, Sie haben das Leben vor sich und genießen es nach Noten.

RUDOLF *stumm, in merklicher Ungeduld.*

DER BARON   Aber recht haben Sie! Ein alter bedürfnisloser Philosoph in seinem Winkel wie ich, ein resignierter Zuschauer in der Loge, ist der letzte, der Ihnen Moral predigen wird. Und gar in einem Moment, wo Sie einen so exquisiten Geschmack beweisen.

RUDOLF *bewegt sich in höchster Ungeduld.*

DER BARON   Ah, was das betrifft, allen Respekt. Vor so undiskutierbaren Reizen verneigt sich auch ein alter Philosoph –

THEODOR *dazutretend, zu Rudolf* Trauen Sie diesem Mann in keiner Weise. Er hat ein dürres mißgünstiges Herz.

DER BARON  Ah ausgezeichnet! Darf ich Ihnen meinen Sekretär und sonstiges Faktotum vorstellen, Monsieur Lauffer, Musikus. Übrigens dürfte Ihnen Fräulein Silvia von ihm gesprochen haben.

RUDOLF *schweigt ablehnend*

DER BARON  Ich hätte gedacht. Er hat das Glück, sie auf dem Klavier zu akkompagnieren – auf meine Rekommandation, wie ich mir schmeicheln darf.
*Ihm ins Ohr*
Ungefährlich, das werden Sie mir zugeben.

RUDOLF  Ich weiß wirklich nicht –

DER BARON  Übrigens ein Tausendkünstler, mein Herr Sekretär. Allons, Lauffer, eine kleine Produktion, um sich bei dem Baron einzuführen, da Sie schon das Glück haben, seiner schönen Freundin attachiert zu sein. Vorwärts! vorwärts! Das Ferkel im Sack, die Amsel oder den summenden Maikäfer – womit wollen Sie anfangen?

THEODOR  Ich bin nicht in Stimmung, mein Bester – und dieser junge Herr hier ebensowenig, wie Sie sehen könnten. Mein Name ist übrigens Doktor Theodor Lauffer.
*An Rudolf herantretend*
Denken Sie nicht, daß dieser Herr die Absicht hatte, mich zu verletzen. Er wollte nur in etwas ungeschickter Weise einer meiner Angewohnheiten schmeicheln. Ich habe nämlich allerdings die Eigenheit, zuweilen meine Würde zu vergessen. Ich empfehle mich Ihnen, junger Herr.
*Verneigt sich, geht nach unten.*

DER BARON  O, jetzt gar aus dem höchsten Ton! Ist er nicht köstlich, unser Lauffer? Nur noch ein Wort entre nous – unter Standesgenossen wird ein freieres Wort ja erlaubt sein – Ich beneide Sie kolossal.

RUDOLF  Sie entschuldigen mich – ja?

DER BARON *dicht an ihm* Ihr Jagdglück ist es, um was ich Sie beneide, und die Genußfähigkeit – diese grenzenlose Genußfähigkeit Ihrer Jahre –

RUDOLF *sieht ihn hochmütig an.*

DER BARON  Ah, keine falsche Bescheidenheit! Glauben Sie, man spürt das nicht? Um Menschen, die Glück bei Frauen haben, da ist so ein gewisses Air herum – { Ah, diese kleinen Eskapaden – Genuß! Genuß! }

RUDOLF  Ich weiß nicht, was Ihnen –

DER BARON  *diskret*  Na, ich störe nicht weiter. Auf Wiedersehen! auf Wiedersehen!

*Geht eilig nach unten.*

SIEBZEHNTE SZENE

*Rudolf, Johann.*

RUDOLF  Zu denken, daß ich einem solchen Laffen noch vor einer Stunde aus einem andern Ton geantwortet hätte!
*Auffahrend, wild, packt Johann*
Was steht in dem Brief?

JOHANN  Knall und Fall aus der herrschaftlichen Wohnung gejagt. Der Sündenlohn in Diamanten nur aus Gnade und Verachtung, vielleicht aus Ekel ihr nicht abgenommen. Die verdächtige Begleiterin –

RUDOLF  Von wem nicht abgenommen? von wem aus der Wohnung gejagt?

JOHANN  Das setzt allerdings allem die Krone auf: die Frau, der sie im eigenen Haus den Gatten abspenstig macht, ist die Tochter ihrer Wohltäterin – das Haus, in dem sie den Skandal wagt, das gleiche, darin sie aus Gnade und Barmherzigkeit sei ihrem siebenten Jahr aufgenommen ist.

RUDOLF  Und wer ist die alte Hexe, die Sorge trägt, meiner Mutter das Punkt für Punkt hinter den Spiegel zu stecken? wer ist das verfluchte alte Weib? die giftmischende Verleumderin?

JOHANN  Sie meinen, wer der Schreiber des Briefes ist? Ein Mann, junger Herr. Hören Sie, junger Herr: Es war der Demoiselle nicht genug, eine Ehe zu stören und mit ihrem Engelsgesicht Unfrieden in ein herrschaftliches Haus zu bringen – sie hat auch noch müssen dabei einen braven ehrlichen Menschen, der, vom Moralischen abgesehen, ihresgleichen war, fürs Leben unglücklich machen. Einen Menschen, der von der verstorbenen Gräfin selber auf dem Totenbett ihr zum Bräutigam bestimmt war. Einen Menschen, der heute noch bereit ist, sie für seine Braut anzunehmen und ihr seinen ehrlichen Namen zu geben und mit dieser christlichen Gesinnung sich nicht schön macht, sondern sich ihrer schämt wie einer unverzeihlichen Schwachheit.

RUDOLF   Das Papier ist geduldig.

JOHANN   Allerdings, das Papier ist geduldig. Nur daß sich einiges und wohl gerade die Hauptpunkte dürften unter Beweis stellen lassen. Und wenn Ihnen davor graust, daß es nicht so schwer sein wird, Ihnen den Menschen selber unter die Augen zu bringen, und daß halt selbst der Fetzen Papier für sich allein eine Sprache redet – es gibt eben, meint die gräfliche Gnaden, Dinge, die man nicht erfindet, es gibt einen Zusammenhang, den man nicht erfindet, einen Ton, junger Herr! Ich kann mich ja nicht so ausdrücken, Sie werdens ja selbst lesen, junger Herr.

RUDOLF   Werd ich? Wenn ich es aber nicht tue? mich euch und der ganzen Welt zu Trotz auf mein innerstes Gefühl verlasse?

JOHANN   Wenn Sie das können –

RUDOLF   *auf und ab*   Und wenn ich es nicht kann – so muß ich ja auf und davon – dann muß ich ja auf und davon –

ACHTZEHNTE SZENE

*Die Vorigen, der Baron.*

DER BARON   *der gehorcht hat, sehr aufgeregt*   Schicken Sie den Diener weg, junger Freund, ich hab Ihnen etwas zu sagen.

JOHANN   *tritt zurück.*

RUDOLF   Ich weiß wirklich nicht –

DER BARON   Natürlich wissen Sie nicht. Sie können ja gar nicht wissen. Aber schließlich, eine außerordentliche Situa-

tion entschuldigt außerordentliche Demarchen, und man
ist unter sich – ich weiß, ich vergebe mir nichts – Also kurz
und gut: ganz gegen meinen Willen, aber man ist ja nicht
taub – ich muß hier vorbei, es ist eben die einzige Kommu-
nikation – kurz und gut: ich bin nolens volens darüber
orientiert, in welcher peinlichen Lage Sie sich befinden.

RUDOLF  Was wollen Sie?

DER BARON  In welcher außerordentlich peinlichen delikaten
Lage, mein lieber junger Freund.

*Drückt ihm die Hand*

Ihre Frau Mutter schreibt Ihnen, man ruft Sie nach Hause,
Sie sollen auf und davon – ein glänzendes Heiratsprojekt
vermutlich – man kennt ja die Geschichte –

RUDOLF  Aber Sie wissen ja gar nicht –

DER BARON  Ich weiß alles. Mir genügt ein halbes Wort. Sapristi! Ich habe im harten Kampf des Lebens gelernt, die
Menschen zu durchschauen. Es handelt sich um Silvia. Was
wird aus dem Mädel?, sagen Sie sich. Ein Kavalier läßt
seine Geliebte nicht auf der Straße liegen.

RUDOLF  Es handelt sich nicht, um was Sie glauben, mein
Herr.

DER BARON  Natürlich nicht so mit dürren Worten. Sie sind
jung. Sie sehen die Dinge mit Gefühl. Meine Proposition
wird Sie überraschen. Aber ich verlange keine Entscheidung. Sie überlegen sichs. Ich formuliere meine
Empfindung in den allergewöhnlichsten Worten. Ich bin
bereit, Ihre – das heißt, meine – kurz, ich bin bereit, das
Fräulein Neuhaus zu heiraten.

RUDOLF  Mein Herr, ich wundere mich.

DER BARON  { Sie wundern sich. Das ist ein Detail. Für mich
handelt es sich einfach um eine Leidenschaft. Ich s c h l a f e
nicht, seit dieses Wesen mit mir unter einem Dach wohnt. }
Mein Schritt hat alles an sich, um Sie in Erstaunen zu setzen. Mein Name, meine Erscheinung, meine Position – in
meinen Augen wiegt die Schönheit das alles auf. So bin ich.
Wir Greifenklau sind keine banalen Menschen. Wir zahlen
mit unserer Person, wo es nötig ist.

RUDOLF  Aber mein Herr, Sie wissen ja doch gar nicht –

DER BARON   Alles weiß ich, alles, was vorliegt, selbstverständlich. Ich bin kein heuriger Has, mein lieber Reithenau.
Dergleichen Existenzen haben für mich keine Mysterien.
Sie hat einige Enttäuschungen durchgemacht, sie rouliert
auf der großen Heerstraße, sie besitzt ein kleines Vermögen, das Legat einer seligen Ziehmutter oder eines verstorbenen väterlichen Freundes – kurios, diese vielen Toten
immer! Es weht ein wahrer Leichenduft um solche Existenzen – aber ich heirate nicht die verstorbene Ziehmutter,
ich bin alleinstehend, mit meiner Familie brouilliert und bis
zum Wahnsinn verliebt in die kleine Person. Antworten Sie
mir doch!

NEUNZEHNTE SZENE

*Rudolf, Johann.*

RUDOLF  *nachdem er einmal auf- und niedergegangen*  Es scheint,
die Spatzen pfeifen es von den Dächern, daß ich ein ausge-
machter Narr bin!
JOHANN  Ja, warum leben Sie nicht allein mit ihr auf einer wü-
sten Insel?
RUDOLF  *dem Baron nachsehend*  Die Worte! die Worte! Wie einer solchen Figur das Zeug aus dem Mund herauskommt!
JOHANN  Sie befehlen, daß ich Ihnen den Brief vorlege? Was
ist es auch weiter, wenn Sie ihn sehn?
RUDOLF  Weiter – weiter?
JOHANN  Sie sind dann der Wirklichkeit um ein Stück näher.
RUDOLF  Wirklichkeit? Aha, es soll nur das nicht dazugehö-
ren, was das Leben lebenswert macht.
*Auf und nieder*
Der glaubt, mich zu kennen, und ahnt nicht einmal, wo-
vors mich jetzt schaudert. Wenn es so steht in der Welt –
dann weiß ich nicht, warum ich dastehe, warum ich Ehrfurcht vor meiner Mutter habe, warum ich der Herr bin
und das da mein Bedienter – { dann bin ich so unsagbar erniedrigt –}

JOHANN    Befehlen Sie, daß ich den Brief –

RUDOLF    *sich aufrüttelnd*  Her damit! Es schaudert mich davor, aber es zieht mich nach wie ein Lämpchen im finstersten Schacht. Her damit!

JOHANN    Ich bring ihn, ich hab ihn oben.

RUDOLF    *sieht ihn an.*

JOHANN    Ich hole ihn?

RUDOLF    Hol ihn und komm damit auf mein Zimmer.

JOHANN    *geht hinauf.*

RUDOLF    *wirft einen langen Blick auf Silvias Tür und geht hinauf.*


*Vorhang*


*Lauffers Abschied*


THEODOR    *von unten heraufspringend, als hätte er da gewartet, nicht weit vor.*

SILVIA    *aus ihrer Tür.*

THEODOR    *tritt zurück, stürzt dann hin, will ihr die Hand küssen.*

SILVIA    *fährt zusammen*  Herr Lauffer! Ich hab Sie nicht erkannt.

THEODOR    Ich komme von Ihnen Abschied zu nehmen.

SILVIA    Abschied? Ja warum denn, Herr Lauffer?

THEODOR    *geheimnisvoll*  Ich reise.

SILVIA    Aber ist das ein plötzlicher Entschluß? wie soll ich denn das verstehen, Herr Lauffer?

THEODOR    Das fragen Sie mich? wirklich? Sie – mich?

SILVIA    Es tut mir sehr leid. Es tut mir auch sehr leid, Herr Lauffer, daß unsere Stunden jetzt haben aufhören müssen. Ich weiß aber gar nicht, was die nächste Zeit mit mir geschieht. Ich danke Ihnen jedenfalls sehr, Herr Lauffer, für alles – für alles.

THEODOR    Habe ich wirklich ein ganz klein bißchen für Sie existiert, Fräulein Silvia? War ich für Augenblicke, beispielsweise am Klavier, ein ganz kleines Supplement Ihrer Existenz?

SILVIA    Ich bin Ihnen sehr dankbar, Herr Lauffer, für alles.

THEODOR   Ja? Haben Sie in Ihrer Engelsklugheit manchmal
geahnt, daß ich vielleicht so ganz ein verworfener Scherben
nicht bin, daß ich vielleicht der verschmitzte Bettler bin,
der zuweilen seine gesunde Hand in der Schlinge trägt?
Gott segne Sie für Ihren Blick – denn ich bin allerdings in
keiner Beziehung, der ich scheine. Ich gehöre einer mehr
als geachteten Familie an, mein wahrer Name – doch mein
Name tut nichts zur Sache… Kennen Sie das nagende Gefühl der Scham? die öde grausenhafte Erstarrung? Wie sollten Sie? Ahnen Sie, daß ein Mensch sich selber so verloren-
gehen kann, daß er bis auf seinen Namen vergißt? – Hier
steht ein solcher Mensch. Ich kann darniederliegen wie ein
Wrack. Aber es kommen andere Zeiten. Ich fühle, wie die
Flut steigt, ich bete in meinem Herzen einen Gott an, träl-
lere fröhliche Lieder, ich schüttle zentnerschwere Ketten ab
als wären es Flaumfedern – und daran sind Sie schuld, Sie,
Zauberin, Silvia, Sie!

SILVIA   Herr Lauffer –

THEODOR   Sie! – Sie treten zurück? Ich hoffe, Sie muten mir
keine unziemlichen Gedanken zu. Mein Name, daß Sie es
wissen, ist Emanuel Wefald. Ich bin der seit Jahrzehnten
verschollene Sohn des reichen Wefald in Wien. Ich hatte
mir allerdings im Heraufsteigen gewünscht, Ihre Hand mit
glühenden Küssen zu bedecken. Aber wozu? Genügt es mir
nicht, das Zittern Ihres Herzens zu fühlen? Rings um Ihre
Schönheit ist die zitternde Feuerluft, die mich emporträgt.
Um Sie herum ducken und biegen sich bange und selige
Augenblicke. Ich brauche Ihren Puls nicht, um zu fühlen,
wie Sie vor Liebe fiebern. – Und dafür muß ich Ihnen ja so
überschwenglich dankbar sein – denn damit haben Sie mir
ja die Welt wiedergegeben. Sehen Sie denn nicht meine
veränderte Haltung? mein von den Toten auferstandenes
Auge? Ich war nichts als eine offene Wunde, Sie haben sie
mir mit Taubenflaum gedeckt. Ich lag wie ein Aas im Bach
und vergiftete das Wasser des Lebens, Sie haben mir die
Morgensonne aufgeweckt auf öden Hügeln. Ich kehre
meiner Hölle den Rücken und wandere hinaus. Die unschuldigen Kinder auf der Straße lassen sich mit mir ein,

der wütende Hund, der mir begegnet, kuscht vor mir. Jetzt hab ich mich wieder. Jetzt lenkt mein Wille die Magnetnadel ab, jetzt zerteilt mein Blick die Wolke droben am Himmel, wie das Schwert einen Mantel zerteilt. – Gott segne Sie, Fräulein Silvia, Gott segne Sie!

SILVIA   Ja – und wohin reisen Sie denn, Herr Lauffer?

THEODOR  *große Bewegung*  Aber wäre es auch nur ein paar Meilen weit, und gesetzt es wäre das Schicksal Emanuel Wefalds, des wiedergefundenen, sich als Bauernknecht zu verdingen – kann es für ein neugeborenes Gemüt nicht eine Seligkeit sein, bei Sonnenaufgang den Deckel des Schweinekofens zu öffnen? Ist der Gott nicht überall für ein Herz, das ihn zu finden weiß? – Ich scherze natürlich. Beruhigen Sie sich darüber durchaus. Das ist alles in gutem Wege. Ich lasse Herrn Lauffer und seine prekären Schicksale hinter mir. Nochmals, Gott segne Sie, Silvia! Glücklich der Priester, sage ich, der Sie heute vor Nacht zusammengibt mit dem, den Ihr Herz liebt. Ich sage nicht mehr. Es gibt etwas – haben Sie je davon gehört? man nannte es Noyaden: er und sie, jung beide, schön – so jung und schön wie Sie und Ihr Geliebter – hüllenlos beide vor Gott und der Welt, man band Sie aneinander – Leib an Leib – ein wahnwitziger Gedanke! Hier oder nirgends, Fräulein Silvia, ist der Wirbel der Schöpfung; man band sie aneinander und warf sie in den Fluß... War es nicht eine von den verborgenen Taten der ungeheuren Liebe? Darüber wollen wir nicht rechten. Jedenfalls ist es Ihnen erspart geblieben, den Augenblick der höchsten Seligkeit zu überleben. – Gott segne Sie, Fräulein Silvia!

*Er geht schnell ab.*

SILVIA   *sieht ihm nach.*

MME LAROCHE   *an der Tür*  Wo ist er denn hin?

SILVIA   Er reist ab.

MME LAROCHE   Der Herr Rudolf reist ab? das ist ja das allerhöchste! was ist denn da vorgefallen?

SILVIA   Rudolf? Wer redet denn vom Rudolf? wer sagt denn, daß der Rudolf abreist?

MME LAROCHE   Mit wem hast du denn den Augenblick diskuriert? Von wem ist denn die Sprache?

SILVIA  Das war doch der Herr Lauffer, der reist ab.

MME LAROCHE  Und deswegen hast du Tränen in den Augen? Und wo steckt denn der Herr Rudolf? Schleicht sich aus dem Zimmer, sagt kein Wort?

SILVIA  Ich weiß nicht, wo er ist. Es ist etwas zwischen mir und ihm – Agathe, ich hab Angst.

MME LAROCHE  Was soll denn sein? um aller Heiligen willen, was denn? – Diese Aufregung den ersten Vormittag, wo er wieder da ist. Das muß ein Ende haben. Da werd ich mich ins Mittel legen.

SILVIA  Kein Wort, kein Sterbenswort! du redest kein Wort!

MME LAROCHE  Was, dastehen wie ein Haubenstock und zuschauen, wie du dich so abmarterst?

SILVIA  Glaubst du denn, liebhaben ist ein Kinderspiel.

# ZWEITER AKT

*Vorsaal*

*Silvia, Mme Laroche.*

MME LAROCHE *am Tisch stehend* Mir ist ein Stein vom Herzen, daß der Rudolf gerade für vier Uhr einen Gang aufs Amt gehabt hat. Wie sich das glücklich trifft!

SILVIA *im Sessel* Sein Ton – sein Blick – seine Stimme: alles fremd. Ich hätt manchmal aufschreien können vor Angst unterm Essen, unterm Reden. Etwas so Gespanntes hinter seiner Miene lauernd. Wie selig hab ich manchmal sein können, wenn mir sein Phantasiebild recht nah war, recht lebendig – und jetzt ist er selber da, und wie ist mir denn?

MME LAROCHE Kennst du ihn doch am End noch nicht so gut, wie du manchmal meinst?

SILVIA Kennen? Mein Gott, lieb hab ich ihn. Kenn ich ihn deswegen? Mir ist manchmal, als ob alle die vielen Worte, dies gibt, nur dazu da wären, daß man sich damit verwirrt. Kennt er mich? Kenn ich mich selber?

MME LAROCHE *geht nach dem Balkon* Jetzt schau nur, daß du den los wirst, der jetzt kommt. – Er muß jeden Augenblick da sein.

SILVIA Auf so was noch warten müssen!

MME LAROCHE Gut, daß du mich vom Dabeisein dispensiert hast; ich wärs nicht imstand, ich könnte meine Ruhe nicht bewahren! Die Kreatur! der Maulmacher, der Duckmäuser, der gezüngelte Verwalter! wie er mich unmöglich gemacht hat bei der ganzen Herrschaft! Wie er das alles eingefädelt hat! Aber darüber bist du dir wohl nicht im Zweifel, was das eigentliche Ziel ist von diesem Herrn seinen Nach-

stellungen? was dir diese Nachreiserei, diese neue Zudringlichkeit einträgt?

SILVIA  Was? Daß ich ihm ausgekommen bin, das kann er halt
nicht verschmerzen!

MME LAROCHE  Du? ja ja, das ist die Zuwaag. Aber das Eigentliche, das sind die zwanzigtausend Gulden – den Kerl mit
seiner niedrigen Gesinnung lehrst du mich nicht kennen –
das weiß ich, das könnt ich belegen – darauf nehm ich die
Hostie!

SILVIA  Wenn er dich hören könnte! Der Mensch, der für
meine Mutter gleich nach den Erzengeln gekommen ist.

MME LAROCHE  Der Pharisäer der! Er sollt mich hören! Ins Gesicht schleudr' ich ihm das – das und noch mehr! Denn eine
Gemeinheit verbindet sich bei Menschen dieses Kalibers
immer mit einer zweiten – doppelt genäht hält besser –,
und ich weiß auch die zweite geheime Schlechtigkeit, die er
in petto hat, so gut wie die erste offenkundige.

SILVIA  Agathe, ich glaub selber, daß er ein schlechter Mensch
ist – aber er glaubt das Gegenteil. Er hält sich für das unschuldige Opfer aller Intrigen, für den Düpierten, für den
Märtyrer. Wie er mir stundenlang in der Küche vorgeredet
hat! Und im Moment wo er sagt, glaubt er alles was er sagt.
Und der Glaube macht ihn stark, das hab ich oft gespürt.

MME LAROCHE  Der und ein Glauben?

SILVIA  Ein Glauben, daß er gut ist und die Welt schlecht. Eine
Einbildung, wenn du willst – sonst sag ich ja nichts.

MME LAROCHE  Lug und Trug. Lehr du mich die Welt kennen.
Feig und maulmacherisch, rachsüchtig und gemein, von
hinterrücks dir das Messer in den Leib stoßen – aber selber
nach hinten sich versichern, den Rücken sich decken, die
eine Schlechtigkeit mit einer zweiten ausfüttern – lehr du
mich den Halunken! Sag was du willst, dich in die Gewalt
bringen will er und das Geld, und nebenbei helfen, dich
mundtot machen: das ist der Preis, den er denen bezahlt, die
ihn dafür mit Macht und Einfluß unterstützen. So steht die
Sache: unter einer Decke spielt er mit denen –
*Schlägt sich auf den Mund*
Ja ich weiß ja selbst nicht, wie ich sagen soll, wenn du nicht
willst, daß mans Kind beim Namen nennt.

SILVIA Sag: mit dem Grafen Wessenberg; aber wenn du mir den Gefallen tun willst, redest du mir gar nicht von den Leuten. Ich will nichts von ihnen.

MME LAROCHE Eine andere in deiner Position würde aber etwas von ihnen wollen. Und recht hätte sie, das sag ich dir. Und Leute dieser Art haben eine Höllenangst vor Papier, vor der Öffentlichkeit, vor dem Skandal. Totmachen wollen sie dich, weil du vergiftete Waffen gegen sie in der Hand hast, und dazu ist der Sertos der Helfershelfer, und du und dein Geld das ist der Sündenlohn, mit dem sie zum voraus ihm die Seel abgekauft haben.

SILVIA Waffen? Du weißt recht gut, daß ich nichts mehr in der Hand hab. Waffen? Was will ich denn? Meine Ruh will ich! Liebhaben will ich den Rudolf und der soll machen mit mir was er will, meinetwegen mich zugrund richten! Aber von denen dort will ich meine Ruh! Was kümmern sie mich? Was gehen sie mich an? In die Welt gesetzt haben sie mich – aber haben sie mich vielleicht wollen?

*Steht auf*

Dank schuldig bin ich ihnen keinen. Mich erniedrigts zu denken, daß ich ihnen etwas schuldig bin. Ich wollt, ich könnt ihnen das Geld hinwerfen. Aber ich kann ja nicht.

MME LAROCHE Glaubst du, ich weiß das nicht, daß ich alte Person dir auch noch zur Last fall – glaubst du, ich mach mir keine Vorwürfe...

SILVIA Laß doch! Geh schon – hätt ich die einzige Person auf der Welt im Stich lassen sollen, die ein Herz für mich gehabt hat? Das ist einmal, wies ist. Aber hilf mir, das von mir weghalten: das was sich immer wieder an mich anhängen will, und es geht mich nichts an und hat mit mir nichts gemein: das was von da drüben kommt! Was geht mich die an, die wider Willen Mutter war und jetzt in der gräflichen Gruft in Staub zerfällt, und er, der andere, der noch spazieren geht, mein Vater? Was wollen denn die zwei von mir: und ein Menschen-Ich ist ein Heiligtum, was wollen diese fremden Menschen da – da dürfen sie mir nicht herein! Sie sind sich gewesen – was? das weiß der ewige Richter – und sind sich dann geworden: dafür gibts keinen Ausdruck, was die zwei füreinander waren, und ich bin die Frucht davon. Aber warum hab ich dabei sein müssen? warum hab ich das alles hören müssen? Gott im Himmel, warum hast Du Menschen, wie diese zwei sind, etwas in den Mund gelegt wie die Sprache? Sprache sollte sein wo Liebe ist, nirgends anders.

MME LAROCHE    Aber Silvia! wie du ein zweijähriges Kind warst, war ja d a s schon aus zwischen den zweien – eigentlich wars vielleicht schon aus in dem Augenblick, wo deine Mutter mit dir in Hoffnung war.

SILVIA    Weißt du, Agathe, was ich glaub? Diese Briefe, durch die ich auf alles gekommen bin, die hat sie mir aus unergründlichem Haß gelassen – aus Haß übern Tod hinaus.

MME LAROCHE    Aus Haß gegen dich?

SILVIA    Gegen mich, gegen ihren Liebhaber, gegen sich selber, gegen das Ganze.

MME LAROCHE    Meiner Seel, gedacht hab ich mirs schon oft, daß man solche Briefe nicht aus Vergeßlichkeit in der obersten Lad von einem Schreibtisch liegen läßt.

SILVIA    Und mir im Testament den Schreibtisch vermachen – sonst keins von den Möbeln als d e n Schreibtisch. Du hast diese Briefe nie gesehen – und jetzt wird kein Mensch auf der Welt sie mehr suchen –, das waren keine gewöhnlichen Liebesbriefe, das ist ein Ineinander, ein Stammeln, ein Aufschreien – ein Versinken der ganzen Welt!

MME LAROCHE    Solche Briefe haben die zwei sich geschrieben! – Silvia – jetzt weiß ich auch, das waren die Reden, die du im Scharlach unaufhörlich vor dich hingemurmelt hast. Mir sind ja die Haare zu Berg gestanden; ich war ja froh, daß die Pflegerin das Französische nicht verstanden hat. O Gott, hab ich mir gedacht, wie kommt das unschuldige Mädchen zu Gedanken, zu Wörtern, wo die alte Frau rotwerden möcht – es ist ja wie Feuer aus deinem Mund herausgekommen, ich hab nicht hinhören wollen und hab doch nicht weghören können.

SILVIA    Daß du mir das noch sagen mußt. Bald graust mirs vor mir selber!

MME LAROCHE    Kind Gottes, wenn sie hundertmal dein Vater

und deine Mutter waren – was gehen sie dich denn an? Du sagsts ja selber!

SILVIA  Ja ja, das sag ich freilich. Wenns nur wahr ist! Die zwei, die ineinander verliebt waren, daß man geglaubt hätte, es kann sie nur der Tod auseinanderreißen – die zwei hab ich ja nicht mit Augen gesehen und mit Ohren gehört. Von denen wüßt ich ja nichts, wenn mir nicht diese unglückseligen Briefe in die Hand gekommen wären. Aber die zwei, die weitergelebt haben – weitergelebt, wieder unter einem Dach sogar – und waren auf die Weise miteinander verbunden, auf die Weise! – und haben miteinander diskutiert und sich Tratsch erzählt und sich gestritten über Geldsachen, und haben sich im Grund so gut verstanden darüber, was denn das Wirkliche auf der Welt ist – dafür sollt ich sie vielleicht bedauern, aber ich kann nicht; später vielleicht – jetzt haß ich sie nur, tot und lebendig, wie sie sind. Ob sie mich haben in die Welt setzen dürfen oder nicht, darüber maß ich mir kein Urteil an, dafür ist mein Verstand zu schwach – aber ihr Geheimnis haben sie verstecken müssen; mit ihrem abgelebten Leben ein junges Gemüt vergiften, das haben sie nicht dürfen.

MME LAROCHE  Versteckst du dein Geheimnis? Das ist leicht gesagt.

SILVIA  Wenns so weit kommt, dann werd ichs verstecken, verlaß dich darauf, und wos niemand findt.

MME LAROCHE  Schlecht genug haben sie an dir gehandelt, armes Kind. Und was sind die lumpigen paar tausend Gulden im Vergleich zu dem riesigen Vermögen!

SILVIA  Denk ich an das? haß ich sie vielleicht darum? Sie haben an mir gehandelt, ganz wies zu der Wirklichkeit paßt. Denn ihre Wirklichkeit, die ist ja nicht Leben und nicht Tod. Zu der gehören alle, die leben und wissen nicht wofür, und das ganze Elend gehört dazu und alle, die sich ums Elend nicht kümmern – und alles ist Lug und Trug und könnte so sein und könnt auch anders sein, es ist aber so, weils so ist, und wenden kanns keiner, und wenn er darüber zugrund geht. Aber wenn man keine Seel im Leib hat, so schwimmt man obenauf. Und man möchte fragen: Wer oder was hält denn das alles zusammen, daß es nicht auseinanderfällt? – Da bekäm man keine Antwort. Vielleicht ist es das Geld, was solch eine Macht hat: mit dem Geld machen sie ihre Familien und ihr Oben und Unten und ihr Gut und Schlecht und bestimmen das was zusammengehört und was auseinander muß; – und mit den Wörtern machen sie auch viel. Im rechten Augenblick, siehst du nicht, hast dus nicht gesehn, da sagen sie was, es ist nichts Geglaubtes, es ist aber stark, wie ein Losungswort ist es, dem parieren links und rechts die Leute, und so halts wieder zusammen. Wenn aber eins fragen möcht: Was ist denn dahinter? so wär die Antwort: Es ist halt nichts dahinter. Und daß sie mir das hinterrücks ins Blut geimpft haben, tropfenweis, aber doch so, daß ich manchmal so niedrig werden kann, selber zu glauben, es ist halt nichts dahinter – dafür haß ich sie. – Was schaust du denn?

MME LAROCHE   Mir war, ich hab was gehört.

*Schaut*

SILVIA  *vorn*  Und darum hab ich einen Herrgott aus dem Rudolf gemacht, weil er ein Herrgott ist! weil er mich wieder hat fühlen lassen, daß ich eine Seele im Leib hab – weil ich etwas kann und hab, das stärker ist als das stärkste Gebet, den Gedanken: Er ist auf der Welt – was kann mir da geschehn?

MME LAROCHE  *rückwärts*  Jetzt sei aber ruhig, jetzt reg dich nicht auf. Der Sertos ist da. Ich hab ihn gsehn. Er kommt herauf.

SILVIA   Gut ists.

MME LAROCHE   Soll ich nicht doch dableiben? Wie ich sein schlechtes Gesicht wiedergesehn hab, ist mir angst worden, dich allein zu lassen –

SILVIA   O nein. – Wer mir den nochmal übern Weg schickt, das weiß ich nicht.

MME LAROCHE   Wer? Muß es darum für ihn aus sein, weils für dich aus ist?

SILVIA   Aber es ist gut so. Geschenkt wird mir halt nichts. Ich muß mir halt den Rudolf verdienen – wenn er auch nie was davon wissen wird!

*Geht ins Zimmer*

MME LAROCHE   Kind Gottes, doch wenigstens nicht in deinem
   Zimmer!

SILVIA   Im Gasthaus! Wo denn? Du bleibst ja im Zimmer daneben.

MME LAROCHE   *hinein.*

SILVIA   *wieder heraus, schließt die Tür hinter sich, entschlossen
   wartend.*


## ZWEITE SZENE

*Silvia, Sertos.*


SERTOS   *kommt herauf, geht entschieden auf sie zu.*

SILVIA   *sieht ihn plötzlich an. Er steht vor ihr. Sie tritt vor die geschlossene Tür.*

SERTOS   Du wirst mich nicht hier im Vorsaal empfangen?

SILVIA   Es muß Sie doch wundern, daß ich für Sie überhaupt
   zu sehen bin. In Innsbruck haben Sie nichts als die Tür meiner Wohnung gesehen. Hier bin ich im Gasthof. Es ist, als
   ob ich auf der Gasse mit Ihnen spräche.

SERTOS   Ich habe alles verziehen und vergessen. Es wird kein
   Vorwurf über meine Lippen kommen.

SILVIA   Was wollen Sie noch von mir?

SERTOS   Du bist meine Braut vor Gott und der Welt.

SILVIA   Das war ich nie, Gott sei Dank.

SERTOS   Die Gräfin, deine leibliche Mutter, hat nicht unsere
   Hände ineinandergelegt?

SILVIA   Was hat dieser schauerliche Augenblick, diese sinn-
   lose Gebärde einer Sterbenden, deren harte Seele Sie in un-
   erklärlicher Weise in Ihrer Gewalt hatten, was hat das alles
   mit Jetzt und Hier zu tun?

SERTOS   Jeder Mensch im gräflichen Haus betrachtet mich bis
   auf den heutigen Tag als deinen Verlobten.

SILVIA   Als was ich Sie betrachte, habe ich Ihnen in einem
   Brief gesagt, dem einzigen, den Sie von mir je bekommen
   haben. Daß Sie ihn bekommen haben, weiß ich, denn Sie
   haben ihn beantwortet, Sie beziehen sich immer wieder auf

ihn, wenigstens vermute ich es. Ihre letzten Briefe habe ich allerdings uneröffnet an Sie zurückschicken lassen.

SERTOS  Du wirst kein böses Wort von mir hören. Ich habe Schwereres durchgemacht, als du mir in diesen Minuten antun kannst. Ich weiß in diesem Augenblick nur, daß du meine Braut warst vor Gott und vor dir selber.

SILVIA  Wenn man den Glauben an einen Gott im Himmel so lebhaft in sich hätte, als hielte man ihn selber bei den Falten seines Mantels – man würde ihn fahren lassen und erstarren, sobald man die entsetzliche Gewalt der Äußerlichkeiten bedenkt. Ja, ich hätte mit kaltem Herzen Ihre Frau werden können, ich hätte es können –

SERTOS  Und du wirst es noch einmal können. Du wirst es noch, so wahr ich hier stehe!

SILVIA  Freilich, ich war etwas weniger als ein Mensch oder etwas mehr, ich weiß nicht. Ich war zugleich ein Kind und eine Frau, das ist grauenhaft, das zugleich zu sein. Ich war ohne Grenzen, ich fühlte alles so, daß ich daran fast zugrunde gehen mußte. Und ich hatte nichts. Alles sah mich an. Alles ging durch mich hindurch. Ich weinte in maßloser Zärtlichkeit um meine Eltern, um Eltern, die nie existiert haben. Ich lag nachts auf dem Boden und dachte an ihr Grab. Ich krümmte mich vor Gott, für die Bettler, für die Tiere. Und ich bäumte mich auf gegen die Öde der Wirklichkeit: mir war zumut wie einer Frucht, die sich selbst verzehren soll. Ich wollte geben was in mir war, ich wollte alles aus mir hergeben, was das Leben mir vorenthalten hatte: ein Kind – Gott verzeih mir, daß ich mir Sie als Vater dazu dachte. Auch war es kein Denken, nicht ebenso deutlich als diese Worte es möchten vermuten lassen. Die Worte sind schamlos. Das Denken ist schamhaft. Aber wenn ich mir gefallen ließ, daß Sie im Dunkel den Arm um mich legten, so war das eine heiligste Handlung.

SERTOS  Aber du hast indessen gelernt, dergleichen Handlungen zu entheiligen?

SILVIA  Gelernt? Ahnen Sie nicht, wie wenig das Geschöpf, das Sie als Braut bezeichnen, zu den Menschen gehörte? Ich war nicht von dieser Welt. Ich habe wenig in Büchern ge-

lesen, aber ich habe mir Menschen geträumt, einsame
Verzweiflung, die zu stillen ich mich hingab, unsagbare
Zartheiten, wortlose Umarmungen Todgeweihter; ich
vergaß mich im Dunkeln – aber ich schäme mich dieser
Kindereien: eine Fingerspitze eines lebendigen Menschen
machte sie zuschanden.

SERTOS    Worte einer Dirne! ohne Scham und Gewissen!

SILVIA    Gewissen! Verstehen Sie mich doch! Ich war so
stumpf, so niedrig, so erbärmlich, zu glauben, daß meine
Träume herrlicher seien als die Welt, daß das Leben mich
besudeln, aber diese Träume nicht antasten dürfe – und
damals gab ich mich mit Ihnen ab, damals ließ ich Sie meine
Hände anrühren und konnte es hören, wie Sie Pläne mach-
ten – verstehen Sie mich?

SERTOS    Nein, ich kann es nicht verstehen, warum du das
schmähst, was das Heilige, Reine, Unberührte in dir war.

SILVIA    Ich sehe, Sie verstehen mich nicht: seit ich ahne, was
das wirkliche Leben zu geben hat und was es fordern darf,
grauts mich vor meinem damaligen Wesen wie vor einem
Gespenst. Ich muß Gott auf den Knien danken, daß er mich
an den Haaren vor dem Abgrund zurückgerissen hat, in
den ich mit sehenden Augen hineinwollte.

SERTOS    Eine anständige Existenz an der Seite eines Mannes,
der dich heute noch, heute noch anzubeten fähig wäre!

SILVIA    Die unausdenkbare Lüge, die abscheuliche Preisgabe
meiner Seele! Zu denken, daß das Leben mich an meinen
Kindern hätte strafen können!

SERTOS    Wie du reden gelernt hast... Wie die erkünstelte Ge-
scheitheit eines Wüstlings aus deinem noch unschuldigen
süßen Mund mich anwidert!

SILVIA    Ein Wüstling? Der Mensch, den Sie nie mit Augen gesehen haben, dessen letzter Lakai zu sein Sie nicht wert wären...

SERTOS    Ich danke dir. Aber ich rede gar nicht von dem min-
derjährigen Bürschchen, mit dem du jetzt herumziehst. Ich
rede von dem abgewelkten Vergifter deiner Seele, dem
ersten. Der Erste ist es, der bei euresgleichen zählt.

SILVIA    Was soll euresgleichen heißen?

SERTOS  Ich dächte doch, du bist recht sehr die Tochter deiner
Mutter.

SILVIA  In bezug auf welchen Mann beschuldigen Sie mich
einer unfaßbaren Infamie?

SERTOS  Wer als er hat dich mir gestohlen! Unter einem Dach
mit mir, vor meinen Augen, vor den Augen seiner Frau
dich mir gestohlen, dich prostituiert.

SILVIA  Von wem reden Sie, wenn Sie nicht wahnsinnig sind?

SERTOS  Von dem Grafen.

SILVIA  Von dem Grafen?

SERTOS  Von deinem Verführer – oder weißt du einen anderen Ausdruck?

SILVIA  Von dem Mann meiner Schwester, von dem Schwiegersohn meiner Mutter?

SERTOS  Auch das, wenn du auf die Verwandtschaft zur linken
Hand Gewicht legst – um so abscheulicher wird freilich die
Sache selber.

SILVIA  Der Graf Karl – und ich? der und ich?

SERTOS  Spar dir die komödiantischen Ausrufe. Ich hab mir
geschworen, daß du kein böses Wort von mir hören sollst.
Ich achte in dir meine Verlobte.

SILVIA  Du achtest? du achtest? in mir –

SERTOS  Es scheint, wenn man aufs Lebendige kommt, findet
auch das Du seinen Weg auf deine Lippen.

SILVIA  Ich muß halb bewußtlos sein, daß ich es aussprechen
kann, ohne zu erstarren. Was haben Sie denn geredet, daß
ich halb bewußtlos bin – ah, mich so konfus gemacht haben? Ah! – der Graf Wessenberg und ich? etwas zwischen
mir und ihm?

SERTOS  Glaubst du, ich hab die Augen nicht gesehen, mit denen du über den Tisch hin ihn ansahst?

SILVIA  Ihnen trau ich es zu, daß Sie für den Ausdruck des
Grausens in der Miene einer Frau das Gegenteil herauszu-
lesen meinen.

SERTOS  Ein merkwürdiges Grausen – das dich nicht verhindert hat, ihn nachts auf deinem Zimmer zu empfangen.

SILVIA  In seinem eigenen Haus. Im Haus, wo ich aufgenommen war. Meinen leiblichen Vetter.

SERTOS   Verwandtschaften von dieser Seite pflegen weniger
Respekt einzuflößen. Für einen verlebten zynischen Wüstling muß eine junge Person deiner zweideutigen Herkunft
von einem eigenen Parfüm umschwebt sein.

SILVIA   Ein Mann, der mein Vater... der das Alter hat, um
mein Vater zu sein!

SERTOS   Der Graf, der berühmte elegante Herr – das sind um
zehn Jahr weniger.

SILVIA   Mein Gott!

SERTOS   Lüge nicht. Laß den aus dem Spiel. Du siehst, es
kommt heute kein Wort des Vorwurfs mehr über meine
Lippen. Die Sache fand ihr Ende, und als ich von der
Dienstreise in die Lombardei zurückkam – der Graf hatte
den richtigen Moment gewählt, mich, seinen Bediensteten,
aus dem Weg zu schaffen, aber er hatte nicht gerechnet, daß
seine Frau Augen und Ohren hatte –, als ich zurückkam,
fand ich weder dich noch die saubere Gelegenheitsmacherin Laroche mehr vor. Euch hatte die Gräfin indessen
hinausgejagt.

SILVIA   Mich? hinausgejagt – die Gräfin – mich...

SERTOS   Bei Nacht und Nebel. Aber allerdings – ich traf den
Grafen und die Gräfin in so guten Formen, in so ungeheu-
cheltem Verständnis, daß mir der Verdacht gekommen ist
– und das war einem Mann wohl zuzutrauen wie mein
gnädigster Graf einer ist, der gewohnt ist, die Menschen
wie Schachfiguren zu behandeln – mir ist wahrhaftig der
Verdacht gekommen, er sei der kleinen Niederträchtigkeit
sehr schnell überdrüssig gewesen und habe sich selber de-
nunziert und es seiner Gräfin überlassen, ihm auf gute Art
den unbequemen Gegenstand seiner Verführungskünste
vom Hals zu schaffen.

SILVIA   Vorwärts! Infamien müssen übers Gewöhnliche hin-
ausgehen, da werden sie lustig!

SERTOS   Denn sonst könnte ich mir nicht erklären, wenn ich
ihm nicht ein doppeltes Spiel zutraue, zu welchem Zweck
er dich, seine Geliebte, halb durch Caressen oder
halb durch Drohungen dazu gebracht hätte, genau in der
letzten Nacht in seinem Beisein seine und deine Briefe zu
verbrennen.

SILVIA    Seine und meine Briefe! Lustig! lustig…

SERTOS    Du redest dich um deinen Hals. Denn du warst dabei
nicht sehr sorgfältig. Sonst wären nicht halbverbrannte
Streifen in beiden Handschriften hier in meiner Brieftasche.

SILVIA    Sie haben sie aus dem Kamin gestiert…

SERTOS    Der Ofenheizer Xaver brachte sie mir.

SILVIA    Der Hausdieb Xaver! Wie ein Lump dem andern in
die Hände spielt! Und nachdem Sie das entdeckt hatten –
denn Ihr Freund, der Hausdieb Xaver, brachte Ihnen diese
Briefe doch gleich nach meiner Abreise –

SERTOS    Den nächsten Tag.

SILVIA    Bravo! Nachdem Sie das entdeckt hatten, blieben
Sie, was Sie sind, ein Bedienter des Grafen – die mangelnde
Livree tut nichts zur Sache –, kuschen sich gegen Ihren
gnädigen Herrn und erneuern von dort aus mir, dem da-
vongejagten Objekt seiner Debauchen, Ihre Anträge –
n a c h d e m  Sie das entdeckt haben!

SERTOS    – erneuere meine Anträge, wie ich sie heute hier erneuere, feierlich erneuere durch mein Herkommen, wo du
wieder allein und in Schande dastehst, und habe es mir
heute in heiliger Stunde, deren blutigen Ernst du zu fassen
nicht fähig bist, zugeschworen, deinem bübischen Liebhaber so zu vergeben wie dem gewissenlosen Verführer.

SILVIA    Ah!

SERTOS    Wenn du auch von hier bis zu deinem Sterbebette den
Augenblick nicht kennenlernen wirst, der dich genug über
dich selber hebt, um dich ermessen zu lassen, was in der
Brust eines Menschen vorgeht, der so handelt. Aber es ist
nicht dein Schicksal, zu verstehen, was du an Größe wie an
Niedertracht verschuldest – du bist ein Weib. Ich habe
selbst einen Kreuzweg zurückzulegen gehabt, bis ich ahnen
konnte, daß es mein und dein Schicksal ist, für ewig zu-
sammengeschmiedet zu sein –

SILVIA    Lassen Sie mich!

SERTOS    *zurücktretend*  – bis ich es begriff, daß du mir so wenig
entkommen kannst als deinem eigenen Schatten. Ich
könnte deinem gräflichen Verführer heute ebensogut ins
Gesicht lachen als ihn anspeien.

SILVIA   Indessen hast du den Ausweg gewählt, vor ihm Buk-
kerln zu machen.

SERTOS   Es reizt mich zum Lachen, wenn ich mir den Buben
vorstelle, dessen Mätresse du in Innsbruck wurdest und der
dich hier auf der Straße liegen ließ. Ich will seinen Namen
nicht wissen – aber die furchtbare Gewißheit, daß du zu mir
gehörst, wie ich zu dir, erfüllt mich mit einer solchen
namenlosen Ruhe, daß ich ihm lachend unter die Augen
treten könnte. Sein Fratzengesicht und gewisse nieder-
trächtige Gedankenverknüpfungen könnten mich vielleicht erbittern, aber der Gedanke, mit welcher Leichtigkeit die dämonische Willenskraft, die ich hier drinnen
trage, die Laffen seinesgleichen zu Paaren treibt, stimmt
mich zu verachtungsvoller Duldsamkeit. Ich sehe es von
hier, wie die Fuchtel seiner Mutter ihn von dir wegscheuchte
wie einen schulschwänzenden Buben. Aber die Zuträger
der Geschichte sind bei mir zu kurz gekommen. Ich
habe bis auf seinen Namen wiederum vergessen!

SILVIA   Sie lügen! Sie lügen! Er ist hier! Ich gehöre ihm! Sie
können mir nichts tun!

SERTOS   *betreten*   Er ist hier.

SILVIA   Hier! auf Hörweite!

SERTOS   Der Frau Mutter echappiert.
*Er geht auf und ab. Auf sie zu*
Dann ist es Zeit, daß ich dich von hier fortschaffe. Ich will
mir Verdienste um den dortigen Hausfrieden erwerben.

SILVIA   *triumphierend*   Er ist hier. Sie können mir nichts tun.
Ich rufe ihn.

SERTOS   Ruf ihn. Daß du einmal einen Mann Auge in Auge
stehen siehst mit deinem Lotterbuben, der sich, seit er hinter den Ohren trocken ist, nicht soviel als unter den Nagel
des kleinen Fingers geht selber erkämpft hat.

SILVIA   *Bewegung, ein paar Schritte.*

SERTOS   *ihr nach, ihr ins Auge*   Ruf ihn doch! Es soll mir eine
Lust sein, dir zu zeigen, wie billig ich dich ihm abhandle.
Ah, ich kenne diese aristokratischen Buben – sie sind von
ihren Wucherern her gewitzigt und man muß es sie fühlen
lassen, daß sie es nicht mit Moses Silberfinger zu tun haben.

Er ist reich und der einzige Sohn. Es könnte einem solchen Windhund durch den Kopf gehen, daß wir beide später einmal aus der Hinterhand gegen ihn spielen könnten!

SILVIA   Wir! Wir!

SERTOS   Warte! Ich werde ihm zum Schluß der Unterredung den Inhalt meiner Brieftasche zur Verfügung stellen. Wenn ich ihm die Briefe des ersten Liebhabers zum Andenken lasse, dann muß er doch wohl den Hut vor mir ziehen. Denn dann hat er ein Dokument, gegen das alles Schriftliche, was du allenfalls von ihm in Händen haben könntest, für jeden Richter annulliert wird. Du verstehst, daß ich bei dem Handel meine Würde in acht nehmen muß. Unsereins für einen vollen Menschen anzuschauen, ist ihm nicht so ohne weiteres gegeben.

SILVIA   *eingeschüchtert, drückt sich gegen die Tür.*

SERTOS   Ah – mit dir werd ich fertig.

SILVIA   *will fort.*

SERTOS   Ruf ihn doch! Wenn er mir zumutet, ich wolle an ihm erpressen, werd ich ihm den Inhalt meiner Brieftasche zur Verfügung stellen.

SILVIA   *steht starr.*

SERTOS   Mit dir werd ich fertig – wie ich mit deiner Mutter noch zu guter Letzt fertig geworden bin. Und die war noch aus einem anderen Stück Holz. Du fährst diesen Abend mit mir.

SILVIA   Sie wollen mich mitnehmen? Wer sind Sie denn überhaupt, der da mit mir spricht!

SERTOS   Der Mensch, vor dem du dastehst, wie Gott dich geschaffen hat.

SILVIA   Sie lügen, Sie wissen nicht die Wahrheit, die Wahrheit ahnen Sie nicht!

SERTOS   Ich dächte, ich habe dir den Beweis gegeben!

SILVIA   Sie lügen, Sie glauben selbst nicht daran.

SERTOS   Wenn mir jedes Mittel recht wäre, dich zurückzugewinnen, müßtest du mir da nicht um so mehr entgegenfliegen? Übrigens hab ich die Beweise hier.
   *Weist auf seine Tasche*

SILVIA   Die Briefe sind nicht von meiner Hand, kein Stück.

SERTOS  Ja!

SILVIA  Sie sind von der Hand meiner Mutter. Ich schwör es
Ihnen bei Gott – bei meiner Seligkeit, es ist die Handschrift
meiner Mutter – die Handschriften sind zum Verwechseln
ähnlich.

SERTOS  Sehr glaublich – wenn nicht die Briefe des Grafen
daruntergemischt wären. Gleichfalls französisch. Gleichfalls so schamlos wie die deinigen. Oder hat der Graf vielleicht einen toten Onkel, dessen Handschrift mit der seinigen zum Verwechseln ähnlich ist?

SILVIA  Die Briefe des Grafen sind echt und sind per Zufall
mit denen der Mutter durcheinandergekommen, wie ein
Erdbeben die alten Knochen auf dem Friedhof durcheinan-
derwirft.

SERTOS  Sehr glaublich! – und liegen mit alten Briefen deiner
Mutter durcheinander. Hätten sie nur nicht denselben Ton
– der noch die halbverbrannten Fetzen zu einem rasenden
Liebesgestammel macht, daß man meint, in ein Zimmer
geraten zu sein, wo ein Dritter nicht gewünscht wird.
Dann wäre es sehr glaublich!

SILVIA  Mein Gott!

SERTOS  Ungeschickte Betrüger! – Als ob übrigens nicht die
seinigen genügten, sie sind einigermaßen deutlich.

SILVIA  Die seinigen sind nicht an mich! Ich hab mit diesen
Briefen nichts zu schaffen. Es sind alte Briefe.

SERTOS  Man hat es eilig, alte Briefe um Mitternacht zu verbrennen! Und du verbranntest sie in seinem Beisein! in deinem Zimmer! Er mußte in dich hineinreden, es war dir anscheinend nicht leicht, dich zu trennen.

SILVIA  Wer sagt das!

SERTOS  Bemüh dich nicht, der Ofenheizer hat jedes Wort
durch den Kamin gehört.

SILVIA  Es sind seine Briefe an meine Mutter.

SERTOS  Bravo, auch das wäre ihr zuzutrauen – Aber mit welchem Recht in deinem Zimmer?

SILVIA  Das versteh ich nicht –

SERTOS  Wie? Was hatte nur der abgedankte Liebhaber der
Frau Mutter um Mitternacht auf deinem Zimmer zu suchen – wenn du nicht ihre Nachfolgerin warst?

SILVIA    Schweigen Sie! schweigen Sie! Er hatte –

SERTOS    – seinen Schlüssel, das vermute ich.

SILVIA    Mein Gott im Himmel, ich wills ja nicht sagen!

SERTOS    Du kannst dir ersparen, das mit Namen zu nennen.
Er hatte seine Gründe, eure Briefe vor seinen Augen verbrennen zu lassen, und du hattest die deinigen, ihm zu will-
fahren. Er ließ sie dich in dem Kamin deines Zimmers verbrennen, was ist natürlicher, – weil er dich auf deinem
Zimmer zu besuchen pflegte, und er hatte um Mitternacht
den Zutritt zu dem Zimmer, – nun, eben weil! Ach es ist ja
ein ewiger Zirkel!

SILVIA    Weil er mein Vater ist!

SERTOS    *tritt zurück*  Was?

SILVIA    Weil er mein Vater ist.

SERTOS    *höhnisch*  Du hast unter der Laroche zu lügen gelernt.
Wie eine rechte… Aber ich bin soweit, daß jede neue Nied-
rigkeit dich mir noch begehrenswerter macht. Ich werde
den Weg finden, das mit meinem Gewissen abzumachen.

SILVIA    Mein Vater! und wußte es! hat es immer gewußt, daß
ich da war, und heiratete meine Schwester, die Tochter seiner… – die Tochter meiner Mutter, und hatte es gleichgültig gefunden oder vielleicht amüsant, daß ich auch da war,
daß ich in dem Haus da existierte und herumging. Aber
dann fand ich die Briefe in dem Schreibtisch und da sah er
es an dem Abscheu in meinen Augen, daß ich es wußte, und
dann bekam er Angst – nicht um mich: er bekam Angst,
daß ich Ansprüche erheben könnte, daß ich unbequem
werden könnte, und da kam er auf mein Zimmer, einmal
und noch einmal, und schmeichelte mir und wollte mir
drohen. Und da verbrannte ich die Briefe vor seinen Augen
und dann jagte ich ihn hinaus und lief fort bei Nacht und
Nebel aus dem Haus herunter zu der alten Laroche und ließ
einspannen und fuhr davon –

SERTOS    Komödiantin! Lügnerin!

SILVIA    *ohne ihn zu hören*  Mein Vater – was soll denn das hei-
ßen: Vater! dieser – dieser!
*Aufwachend*
Der Gott, der mir den zum Vater und die zur Mutter gab –

von dem hatte ich freilich erwarten müssen, daß er Sie mir
zum Mann geben würde…

SERTOS  *auf sie zu*
Allerdings – und dazu wollen wir jetzt sehen.

SILVIA  Sie sind niemand, Sie sind nichts in meinem Leben!
Sie gehen, Sie verschwinden, Sie packen sich fort!

SERTOS  Du hast gelernt, aus dir herauszugehen. Es geht
nichts über eine Lehrzeit. Aber du gefällst mir darum nur
um so besser. Du ahnst noch nicht, was ein Mann ist! Jetzt
erst lohnt es die Mühe, dirs beizubringen.

SILVIA  Ich will nicht mit Ihnen allein sein!

SERTOS  Ruf ihn dir!

SILVIA  Agathe!
*Hinein, verriegelt*

SERTOS  *an der Tür* Du entgehst mir nicht. Mir zu gehören,
das ist das Fazit deines ganzen Lebens!
*Er hört Schritte, ordnet seinen Anzug, nimmt eine ruhige Hal-
tung an*

DRITTE SZENE

*Rudolf, Sertos.*

RUDOLF  *kommt herauf, gedämpft* Wer sind Sie? Was wollen
Sie hier?

SERTOS  Herr Rudolf von Reithenau, die Person steht vor Ihnen, die an Ihre Frau Mutter einen gewissen Brief gerichtet
hat.

RUDOLF  Ich weiß von diesem Brief.

SERTOS  Die Person hat nicht die Ehre, von Ihnen gekannt zu
sein, aber sie steht Ihnen dafür ein, daß man Sie nicht unrichtig informiert hat.

RUDOLF  *schweigt.*

SERTOS  *zu ihm hinübergehend, gedämpft* Herr Baron, ich bin
ein abhängiger Mann. Ich bin, heute noch, in Wessenberg-
schen Diensten. Ich habe mich mit diesem Brief in Ihre
Hände gegeben.

RUDOLF    Seien Sie überzeugt –

SERTOS    *verneigt sich*    Ich bin ruhig. Ich weiß, mit wem ich es
zu tun habe.

*Pause*

RUDOLF    Was wünschen Sie hier, Herr… Herr Sertos?

SERTOS    Ich – habe nicht gedacht, Sie hier zu finden. Ich hatte
mir ein Bild von Ihnen gemacht. Nun, ich sehe, es war
falsch. Vergeben Sie mir die Offenheit, Herr Baron. Ich bin
ein einfacher Mann.

RUDOLF    Sie haben gedacht, daß ich nach diesem Brief –

SERTOS    *verneigt sich*    Allerdings. Im Augenblick, wo Sie auf-
geklärt waren –

RUDOLF    – ohne weiteres –

SERTOS    Ich war voreilig.

RUDOLF    Ich habe Ihren Brief erst heute gelesen.

*Pause*

SERTOS    *einen Schritt näher tretend*    Herr Baron – ich habe mich
erboten, meine Behauptungen zu erhärten. Ich halte das
Beweismaterial zu Ihrer Verfügung. Wenn Sie sich an Papiere halten wollen, Herr Baron, und dann an Geständnis-
se, an Antworten, erpreßt im Verhör – hier ist das Zimmer,
stellen Sie mich ihr gegenüber, ich bin bereit. Befehlen Sie,
daß…

*Tut einen Schritt*

RUDOLF    *regt sich nicht.*

SERTOS    Wenn aber in uns vielleicht einmal der Mann den
Mann gefunden hat, zwei Blicke sich treffen, sich prüfen
und sich für recht erkennen, wenn wir vielleicht – verzeihen Sie mir die Anmaßung – hoch genug stehen, heilige
Rechte der Seele fast wortlos auszutragen, – dann, Herr
Baron, dann reisen Sie ab, nicht heute, nicht morgen, aber
reisen Sie ab und lassen mich allein mit meinem Elend,
aus dem ich ein Glück gemacht habe.

*Faßt seine Hand*

RUDOLF    *tritt zurück.*

SERTOS    *wischt sich die Stirne*    Sie lachen über mich. Sie haben
ganz recht. Ich bin gemartert von Unwissenheit. Ich mache
mich zum Narren vor Ihnen. Ich vergesse, welche Blöße

ich mir vor Ihnen gebe. Ich vergesse, daß ich dem Alter
nach Ihr Vater sein könnte.

RUDOLF    Sie mißverstehen mich. Ich habe Respekt vor jeder
wirklichen Empfindung.

SERTOS    Das ist ein großes Wort, junger Herr, das Sie da zu einem fremden Menschen sprechen. Darf ich appellieren an
die Region Ihres Herzens, aus der dieses Wort herausgekommen ist?*

---

* Hier endet der handschriftliche Entwurf. Zur Fortsetzung sind nur Einzelno-
tizen erhalten.

ZU ›SILVIA IM ‚STERN‘‹

Darauf die Szene Rudolf Silvia. Silvias Ton: »Mysterien«
[Roman Knut Hamsuns]

RUDOLF  Nur keine Fragen – kein Verhör – daraus würde sie
als meine Geliebte hervorgehen und wir wären beide erniedrigt; denn das fühle ich daß ich alles mir ihr tun kann –
es wird wohl die Schuld sein die sie mir so g a n z in die
Hand gibt.
S c h u l d , ihre Unreinheit, das ist es was so wollüstig mich
entzückt mir die Tränen in die Augen treibt. Ich habe nie
begriffen was Sünde sein soll – das ist es diese unheimliche
Vermischung mit anderen von denen ich nichts weiß, deren Böses und Dunkles in ihr fortvibriert, alle diese nicht-
aufgegangenen Rechnungen, dieses Unendliche das fordert – das haucht Wollust aus wie die faulenden Blätter im
Wald – wie die Jagdlust, wie meine wildesten Träume ––

Er hat Angst vor dem zweiten, dem höllischen Ingrediens
ihrer Liebe.

RUDOLF  Wenn ich jetzt hineingeh – wo ich ihren Leib nie gesehen habe als unter dem Blitze ihrer Seele – und sie weint
und umfaßt meinen Arm und ich seh sie ist schön sie ist
jung, ihre Locken fallen wollüstig an den Schultern nieder –
und ich zerstöre mir damit den Schlüssel zur Unendlichkeit
und e s straft mich indem es mich um eine Stufe erniedrigt,
daß ich nichts mehr weiß von unendlicher Sehnsucht,
nichts mehr weiß davon wie ein Blick eine ganze Seele zu
eigen geben kann – nichts weiß – schon jetzt gehen mir die
Worte aus… Daß mir die Phantasie ausgeht vor ihr – ich
zum Ehemann werde aus einem Anbetenden.

Szene Rudolf – Sertos.

Wie Silvias Sache bei Rudolf schon verloren ist, tritt sie
heraus. Er behandelt sie so schlecht, daß eine Ohnmacht sie
anwandelt, die Laroche ist dabei, verdirbt alles. Indessen
Rudolf abgeht, hat Silvia die Anwandlung überwunden,
tritt wieder hervor und will ihm nach. Madame Laroche
hält sie ab – wie es vor den Leuten aussähe. Auf Silvias Bitten eilt Madame Laroche den Rudolf suchen. Indessen
bringt Johann die verabschiedenden Zeilen.

Als die Laroche etwas Ungeschicktes vorbringt, fährt Rudolf ihr schneidend dazwischen; da ist Silvia tief in ihrer
Würde gekränkt und antwortet ihm schmerzvoll und zornig. Es ist zu bringen, wofür Silvia der Laroche dankbar
ist: für ihr unverfälscht natürliches Abreden gegen Sertos.

JOHANN  *erschreckt über Silvias Unglück und von ihrem letzten
Blick getroffen, als er ihr den Brief übergab, jetzt, gedächtnislos
ihre Partei nehmend*  Waren das die Gebärden einer Buhle-
rin? beträgt sich so eine verworfene Person? O Gott! wenn
sie nur nicht tot ist!
*zu Gott betend*

SILVIA  Versteh mich – ich hätte zu ihm sagen können: ich
habe dich geliebt und sonst niemanden auf Erden – aber
was konnte ihm das bedeuten ehe er mich besaß, ehe er
mich sterben sah – Ich habe dich geliebt, welche Fratze setzt
das auf, welch sinnlosen Kopf!

SILVIA  *unterschlägt den Brief, drängt Madame Laroche fort*  Geh
es wird ja alles gut werden… es wird natürlich alles gut
werden – solche Sachen sind Mißverständnisse…
*dann reißt sie den Brief auf; mit einem Blick*
Ich habs schon gelesen habs schon gelesen.

Vor dem Selbstmord eine Art Trance ein todsicheres
Schon-drüben-sein, vielleicht mit dem Baron.

SILVIA  *vor dem Selbstmord – nur bestrebt, allein zu sein*  Es ist alles ein finsterer Wahnsinn – meine Mutter schaut mich von
irgendwoher an – aber sie hat mich an Gott verzweifeln ge-
lehrt. Mein Vater was kann mein Vater mir tun der noch
unter den Lebendigen herumgeht und auf seinen Vorteil
bedacht ist – es ist alles absurd, grotesk – lächerlich –

Drinnen der Baron spielt Flöte, études.
An der offenen Tür die das leere Zimmer zeigt fällt Silvia
zusammen – verschüttet das Gift weil ihr schwarz vor den
Augen wird. –

Wie Silvia ohnmächtig ist, fühlt Baron ihre kalten Hände
dann sieht er das Giftfläschel am Boden – wankt zur Tür:
Sie hat Gift
Hat Angst, mit einem Leichnam allein zu sein, weint.

DER BARON  *zu der Ohnmächtigen*  Ich bin ein armer Teufel –
ein alter Mensch – der sich so etwas so gewünscht hat.
Sprechen Sie aber doch zu mir Fräulein Silvia –
KATHI  Sie wollen uns glauben machen Sie wären irgendwie
an der Ohnmacht schuld? Uje!
KATHI  Komödie vermutlich!
*die Ohnmacht Silvias*
DER BARON  *angstvoll*  Am End ist sie tot?
KATHI  Man soll den Lauffer schicken.

Antwort: Der ist auf und davon
Baron von Kathi gepackt und geschüttelt: Woher hat sie
das Fläschel gehabt?

Madame Laroche hat in der Schlußverwirrung das große
Wort

MME LAROCHE  *bringt Johann geschleppt den sie in verzweifelnder
Angst im Stall suchen gegangen war. Sie kommen, wie schon der
Baron um die Ohnmächtige bemüht ist*  Sagen Sie Ihrem
Herrn, was er angerichtet hat.

Schlußszene

JOHANN  Ich habs  gesattelte Pferde unten, ich reit um den
Arzt!
MME LAROCHE  Sie! für die welche Sie gemordet haben!

Adjunkt – Rudolf

DER ADJUNKT  Wir stehen einander nackt gegenüber – Genuß!
Genuß macht uns nackt wie Tote. – Dostojewskij: Unsere
Aufgabe ist den Knäuel unseres vergangenen Lebens auf-
zuwickeln.
*Er hat die Türe versperrt, Johann draußen*
Wir können aufhören uns zu schämen. Sie haben kein Unrecht begangen; Sie waren eben eine solche Aggregation
gärender Materie – daß es Ihnen gegeben war, dieses Bauernmädchen so nebenbei abzufögeln – aber mir war es gegeben in diesem Bauernmädchen mein Alles zu haben,
mehr als die Sterne. – Eine Erklärung
RUDOLF  Lassen Sie mich zu meiner sterbenden Frau – nachher alles andere
DER ADJUNKT  Sehr schön – Ihre Frau – die Sie allein gelassen
haben – sehr glaublich
RUDOLF  Ein Mißverständnis
DER ADJUNKT  Lump! wäre eine heilige, eine feste Sache in
dir! Ich muß dir an den Leib ich muß sie herausgraben aus
dir die eine feste Sache. Aber versteh mich wohl: nicht

schwören! Du hast bei deinen Lebzeiten genug falsch geschworen.

DER ADJUNKT   Ein Mann hätte ich sein müssen! ein ganzer
  Mann – Glauben – da hätt ich aber keine liederliche Mutter
  und keinen Totschläger als Vater haben dürfen… Glauben
  das ist es! So aber muß ich mir die Wahrheit aus einem
  Menschen herausgraben! Aber gibts denn Wahrheit – sind
  das nicht lauter Schalen, Schalen – kann man darüber nicht
  wahnsinnig werden? – Glauben das springt aus der tiefsten
  Seele hervor wie der Mord, wie die tiefste Lust…
  Bei dir ist gerade die Seele stumm, ich hab mich geärgert.

DER ADJUNKT   Ich müßte ein Verhör veranstalten – müßte
  euch unter der Pistole einander gegenüberstellen – und
  wüßte ich dann die Wahrheit? Wahrheit ist magischer
  Gebrauch der irdischen Dinge ist beflügelte Seelenkraft –
  ist aus einem Stück – ich Elender weiß es – und habe es
  nicht – lebe und mach einen stümpferhaften viehischen
  Gebrauch vom Leben…

*Sein Gedankengang*
Es soll mir genügen daß jene andere vor Gott Ihre Frau ist,
um zu glauben Sie hätten mir Kathi nicht abspenstig gemacht – die doch so gut wie verlobt mit mir war.

RUDOLF *packt Johann* Es ist etwas los – es ist etwas geschehen
  mit der Silvia.
JOHANN   Das werden Sie sehr wohl wissen – [der] das arme
  Mädl so weit gebracht hat.

JOHANN   Ihre – die Fräulein – die Frau liegt ohnmächtig
RUDOLF   Liegt ohnmächtig
JOHANN   Es ist eine Flasche da – nachdem sie Ihren Brief gele-
  sen, hat sie das Fläschchen ausgetrunken

RUDOLF  Den Brief worin ich ihr

JOHANN  Worin Sie ihr den Abschied geben

RUDOLF  Nachdem ich mich mit ihr unter falschem Namen

JOHANN  Unter Ihrem Namen aber durch einen falschen Priester

RUDOLF  Einen als Priester verkleideten Diener – wo ich den
Halunken herhatte – aber du warst es nicht –

JOHANN  Wie junger Herr?

RUDOLF  Mich habe trauen lassen. – Da werden wir wohl zurück müssen

JOHANN  Ja jetzt müssen wir zurück

RUDOLF  Denn wenn ich sie jetzt ließe da wäre ich ein Schur-
ke, nicht? Nachdem sie doch das Fläschchen

JOHANN  Nicht um das Fläschchen – um das andere geht es
– – –


RUDOLF  *auf den Tisch gestützt, ins Finstere starrend*  Sie stirbt
und schreit nach mir!


RUDOLF  *packt Johann an der Schulter*  Wenn ich sie lebendig
finde – ob sie das gelogen hat oder nicht daß ich ihr Mann
bin – so heirat ich sie!!


Alles das was man Lügen nennt ist so gleich! sie gehört zu
mir!


..fühlt sich Rudolf von der Seele Silvias zurückgerissen.
Rudolf mit geschärftem Sinn hört das Heranreiten und hört
es ist ein fremdes Pferd, nicht der Fuchs Harald, das regt
ihn auf. Er sagt immer wieder: das ist ein fremdes Pferd;
denn es ist jemand abgesessen; wo ist der hingekommen.


RUDOLF  Alter Mann – ich hab mein Liebstes auf der Welt von
mir losgerissen, wie einen Finger mir abgehauen – darum

reißt es so an mir – darum saust die Welt so h o h l in meinen
Ohren... horchen wir zusammen ob nichts von drüben
kommt uns trösten...
Aber es kommt etwas es kommt näher; hörst du denn
nicht, auf mich kommt es zu... hörst du denn nicht ein
Pferd – unten steht ein Pferd

RUDOLF  Kann einen Erleuchtung so ganz verlassen – Ich sah
sie da war ich in einer andern Welt mit ihr. Jeder Schlüssel
gibt mir die Unendlichkeit zurück – an jedem Fensterkreuz
hängt der Himmel.

Jetzt kommts wieder – das ist Botschaft von ihr... Ich hab
nicht den Mut gehabt sie mir zu gewinnen – und dahinter
erst lag dieses Wunderland. – Wenn der Alte mit dem Gesicht dessen Fältchen zittern wie kleine Wässerchen – wenn
der wie ein Engel aus dem Paradies mich entzückt – was
hätte ich leben können – ich will zurück *(ans Fenster)*: Johann! herbei mit den Pferden ich will zurück – ich will ihr
entgegen. Hier im Innersten glaub ich an sie! *(abermals
von der Tür zurück ans Fenster)*: Aber das ist ja f r e m -
d e r Hufklang, Herrgott was ist denn das! Aber das ist ja
die...

DER BARON  *von oben heruntersteigend*   Es ist nichts, der Arzt
ist zufrieden – Sie können ruhig wieder fort – ich werde sie
heiraten...

DER BARON  *im Schlafrock*   Ich heirate sie... mir ist die ganze
Welt verwandelt, seit ich spüre daß es m ö g l i c h ist – ich
begreife Sie sind reich – aber ich bin zu nichts da als ihr zu
dienen. – Sie soll etwas Geld haben. Sie ahnen nicht was da
in mir vorgegangen ist; dieses Gesicht ist nur eine Larve –
ich habe die Seele eines schüchternen Knaben – ich fühle auf
jeder Treppenstufe Wunder – ich werde dem Sonnenauf-

gang entgegen die Flöte spielen… Ich spüre die schlaflose
Nacht nicht: das Leben ist wundervoll.


Ahnen Sie was eine einzige wirkliche Gebärde ausmacht:
Sie sank wirklich gegen meine Brust zu wie eine geknickte
Lilie – O was kann das Leben aus uns machen wenn es uns
anrührt! ich begreife Märtyrer!


Madame Laroche – Rudolf


MME LAROCHE   Was haben Sie vorzubringen? wie können Sie
   gutmachen?
RUDOLF   Nichts hab ich vorzubringen.
MME LAROCHE   Sie ruft mich
   *stürzt ab*
   – sie will heraus – sie ist schon auf –


Silvias Zimmer, ein Paravant, an der Tür zuerst Baron –
Madame. Silvias Stimme: Sie glaubt es ist Rudolf, will aufstehen. Die Stimme: geheimnisvoll wie Aglavaine, da Rudolf flüsternd; dann Dämmerung, Lampe ausgelöscht.


Madame erzählt nur die gräßlichen Symptome der Nacht
um Rudolf zu zerschmettern / zu cajolieren –
Silvia weiß dann nichts mehr von allem Finsteren: in ihr hat
sich alles gewendet alles in sein Gegenteil verkehrt: Sertos
lag auf ihr und würgte sie; dann wurde das eine Höhle aus
der hinten der Tag hervorbrach – Die Nacht: furchtbares
Zudringen von Vater, Mutter und Sertos dann gräßliche
Narrheit.


SILVIA   Du mußt mir zuhören – ich muß dir erzählen – der
   Sertos wird kommen – noch bevor ich fort bin.

SILVIA   Der Baron war bei mir
*ungeduldig abwehrend*


– ja der Baron und Herr Lauffer – und auch Sertos – das ist
der Mensch den du gesehen hast. Ich weiß schon daß sie
nicht wirklich bei mir waren. Aber sie waren bei mir, einer
nach dem andern und ich habe mit jedem geredet. Jedem
seine Sprache habe ich verstanden, in mir haben sie mit ge-
löster Zunge gesprochen – und jedem seine Sprache war
seine Seele und sein guter Wille.


SILVIA   *intensivster Widerstand, direkte Liebesworte zu sprechen*
Das sind die Worte meiner Mutter an meinen Vater immer
wollen sie mir in den Mund zur Strafe! Aber wenn ich
durch das Letzte hindurch bin dann ist alles gut, dann
trinkst du mein Blut; ich konnte es schon voraus fühlen: alles wurde so durchscheinend, der Lauffer, der Baron – aus
ihnen allen neigtest du dich mir entgegen…
Im Anfang herausgeführt – will sie von ihm weg, schämt
sich, kriecht in die Sessellehne…
Sie glaubt der Inhalt des Ganzen sei, ihm Adieu zu sagen, so
faßt sie auch Johanns Handkuß auf.


SILVIA   *sagt glühende Liebesworte; dann sagt sie*   Sst! das sind die
Worte der verbrannten Liebesbriefe meiner Mutter, ich
darf nichts dergleichen s a g e n, mir ist der Mund verboten… nur dies: daß ich dich so lieb habe – daß es mich reißt
und dich zu mir reißen muß – daß diese Möbel da, alles wie
aufgerissene Lippen sind, wie Mund der sich in Mund
schlingen wird, daß es nichts gibt, was nicht i c h und d u
wären.


RUDOLF   … auch das Herz ist zuweilen wahnsinnig…

Schluß

DER DOKTOR  *ein Geistlicher*  Wenn vielleicht sie jetzt stürbe so würde sie verstehen daß was sie gestern quälte nur ihr stärkstes Leben war – da sie morgen leben wird wird sie sich sagen daß es ein Traum eine Vorahnung der unendlichen Seligkeit war was sie heute durchzuckte. Tod? Leben? Junger Mensch ich sehe viele Leute sterben – und viele leben.

RUDOLF  Was tut sie jetzt? sie atmet so seltsam? sie umklammert meine Hand? Was war das früher? hat sie phantasiert? war's sie? war's ein Geist?

DER DOKTOR  Was alle Menschen tun. Sie fängt ein Stück der Ewigkeit mit einem hinten vorgehaltenen Tod auf.


DER DOKTOR  Sie schläft. Aber sie schläft herüber ins Leben…

RUDOLF  *will es nicht glauben*  Sie soll ins Schlössel gebracht werden.


Silvia und Rudolf nun in umgekehrter Rolle: »Wie wollen Sie mir beweisen, daß diese Worte die Sie brauchen – nicht eben Worte sind die Sie brauchen.« So ähnlich hat er früher zu ihr gesprochen. Sie bleibt zunächst ganz starr gegenüber seiner Verzweiflung.


DER DOKTOR  *zu Silvia*  Sie leben

SILVIA  Das weiß ich besser daß dort wo ich bin Ihre Worte nicht gelten. Hier ist was im Leben nie ist, Seele zu Seele direkt, die Maske des Leibes mag ich wohl umhaben aber ich spüre sie nicht.


SILVIA  *zum Doktor*  Sie verstehen das Leben – aber die Welt in der ich bin verstehen Sie nicht… diese Stunde ist mir gegeben mich ihm so entgegenzuheben… und er wird meinen Grabhügel wegblasen.
I h r hört die Flöte von dem lächerlichen Baron – aber i c h höre die Geigen dazu und unsagbare Harmonien…

Versteh mich es ist noch eine Welt gewickelt in diese die
wir Leben nennen, gewickelt wie eine alberne Verwirrung
aus Bettlaken... ich verstehe was es heißt s e g n e n : Wenn
ich jetzt meine Hände über dich hebe: du wirst mich fort-
leben machen.

Du darfst nicht allzunah meinem Grab wohnen... mußt
geritten kommen zu abend.

Silvia die meint sie wird jetzt an Herzlähmung sterben, sagt
ihm alles was sie tun wird wenn sie tot ist: Zu ihm fliegen,
dicht über seinem Kopf singen, über ihm schweben wenn
er schläft...

Siehst du ich wollte gestern mich auf deine Schwelle legen,
aber da kam der Diener.

SILVIA   Ein Ruf in deinem Munde bin ich dann, ein leises »Silvia«... das ist alles dann, ein kleines unsichtbares Wesen
unser Kind.

SILVIA   Du mußt nicht allzunah meinem Grabe wohnen,
sonst zög ich dich herüber... du mußt ja leben sonst er-
lischt die doppelte Flamme... du mußt geritten kommen
gegen Abend dann absteigen, die Diana steht allein beim
dunklen hohen Baum, du kommst zu mir da heb ich mich
dir entgegen – da bin ich an deiner Brust
*sie hebt sich aus dem Sessel und fällt an seine Brust*

So hat Rudolf ihre Kraft über ihn gespürt...

SILVIA  Jetzt bin ich hier und drüben zugleich, daß es das gibt!
Ich will dir alles sagen. Später kann ich dir nichts mehr sa-
gen, aber fühlen wirst du mich. Ich hab eine böse Mutter
gehabt und einen schlechten Vater. – Aber sie war eine
Gräfin und er ein Graf – und Rudolf, wenn wir beide im
Leben wären, wären wir sogar Verwandte weitschichtige.
Da hätten wir uns »Du« sagen dürfen vor die Leut. Eines
bin ich froh: daß ich deine Mutter nicht zu sehen brauch.
Ich hätt so Angst.

*Wie Johann ihr die Hand küssen kommt*
Immer beim Herrn bleiben; er braucht einen treuen Menschen und er verdient daß man ihm treu ist.

*Nachdem sie ihn geküßt*
Jetzt kann ichs ja sagen: du warst der einzige!
*Sie streichelt sein Gesicht*
– Weißt du, ich müßt mich ja zu Tod schämen daß ich das
alles geredt hab.

Silvia ist ganz schwach und zugleich ist sie d r ü b e n. Lange
vermag er nicht sie zurückzurufen – sie antwortet ihm wie
eine sanfte Tote. Sie spricht von sich selber wie von einer
anderen. Sie nimmt an daß er nur auf dem Wege von ihr
fort einen Augenblick innegehalten habe. Wie sie dann
endlich versteht, bleibt sie ganz fern von ihm und weint in
die Lehne ihres Sessels hinein.

SILVIA  Das hat alles so kommen müssen. Du mußtest mich
so weit treiben, s o n s t  t r i e b s t  d u  d i e  w a h r e  S i l v i a
n i c h t  a u s  d e m  f e i g e n  k l e i n e n  M ä d c h e n  h e r v o r,
und der böse Mensch mußte dir zum Schein helfen: alles
ging um den einen glühenden Augenblick in dem ich an
deiner Brust liege und nicht einmal begehre dich zu küssen… und der ist jetzt!

gegen Schluß

RUDOLF  Johann lauf hol einen Geistlichen und einen Myr-
tenkranz

JOHANN  Das ist das richtige Muß!

*pfeift*

Silvia im Stern. Zur Idee des Ganzen.

Alle treiben eine höchst ideale Kuppelei, die Natur zuerst und
die Menschen als ihre Werkzeuge: nämlich einander die Liebenden zuzuführen in ihrer schönsten Verklärung – ihr Gewand ihnen abzustreifen. Dazu hilft der Baron und Sertos,
hilft die Musik hilft Theodor mit dem Giftfläschchen helfen
Adjunkt und Kathi, die Nacht und der Morgen, helfen unbe-
wußt die Seelen der Liebenden selbst und ihre scheinbar wi-
dersinnigen Herzen. Die Schamhaftigkeit der Natur bedarf
der äußersten Umwege denn sie hat sich edle Geschöpfe aus-
gewählt deren Dialektik innerlich ist und deren Sittlichkeit
jedem Ding seinen Weg anweist.

Alt–Aussee, 12. September 07

Zuweilen gehen einem abstrakte Gedanken über die eigene
Arbeit, ihre inneren Zusammenhänge und die Fäden auf, die
zwischen der Arbeit und dem Ganzen der Welt laufen, – und
erleuchten die Gestalten so unerwartet von oben, daß sie aus
flachen schattenhaften zu plastischen Gebilden werden: dieser erhellende Gedankenblitz ist aber vielleicht nur die Begleit-
erscheinung eines tieferen Vorgangs; in der Tiefe des Gemüts
organisieren sich die Gestalten und die Handlung, ziehen Le-
benselemente und Kräfte an und in sich und dieser Vorgang
wirft nach oben hin ein Wetterleuchten. – In der Komödie
handelt es sich um Lebenskunst im tiefsten Sinn. Haupt-
mannsche Dramen z. B. sind ideenlos im höheren Sinn (hierin
den Schillerschen nicht unähnlich, nur ist hier alles den Gestalten geopfert wie dort den Tendenzen); die Figuren stehen
plump nebeneinander und ihre Wirkungen aufeinander sind
die trivialen; es sind sozusagen allgemeine Erlebnisse die sie
aneinander haben, nicht spezifizierte (dabei sind die Figuren,

statisch genommen, sehr fein spezifiziert). Daher sagt man, nicht unrichtig, wenn auch nicht tiefgehend, von ihnen: sie sind ohne Handlung. Das Gegenteil wäre Kleist – hier ist alles Handlung: Der Unterschied von Geschehen und Handlung, hier liegt das Geheimnis des Dramas. (In den Nachfolgern sowie in den Vorgängern Shakespeares überwiegt das Geschehen, bei ihm ist alles Geschehen Handlung geworden.) Handlung, das sage ich nicht als der erste, ist symbolisches Geschehen. Es ist die notwendige nicht die zufällige Lebensäußerung der Figuren (daher ist es ganz gleichgültig, ob es unter das Schema des Tuns oder des Leidens falle, – ja in den höchsten Beispielen, Lear, Penthesilea, ist es kaum zu sagen, ob es Tun oder Leiden sei. Handlung ist ein Geschehen, das den Figuren nicht von außen aufgedrängt wird, sie nicht intrigiert und zudeckt, sondern ihren Platz im Dasein und ihre Funktion im Dasein aus einer potentiellen zu einer aktuellen macht, wie für jede Figur im Schachbrett innerhalb des Spiels einmal der Moment kommt, wo sie durch den Platz, auf dem sie steht, und die Kräfte, die ihr zugeteilt sind, über ihr eigenes und über das Schicksal aller andern Figuren im Feld entscheidet.

Daß es sich in der Komödie um Lebenskunst im höchsten Sinn handelt, ist so zu verstehen: Durch Sein und durch Scheinen wirkt jeder Mensch im Dasein. Beide Formen sind aber nicht bestimmt einander aufzuheben, sondern einander zu unterstützen. Der das Leben instinktiv oder bewußt als Kunst treibt (wohin jedes schöpferische Individuum zu rechnen ist), muß sich an den Schein halten, weil er das fremde Sein nur in dieser Form in sich aufnehmen kann. Form ist Maske, aber ohne Form weder Geben noch Nehmen von Seele zu Seele. Darum ist Rudolf, der meint dem Leben Larve auf Larve abreißen zu müssen und das wahre Gesicht zu sehen, im Unrecht, und Silvia hat recht, deren Instinkt, von der Liebe befeuert, sie treibt die Form zu realisieren (und wäre es indem sie ihn und sich in Leiden verstrickt), in welcher sie sich ihm ganz geben, er sie grenzenlos empfangen kann. (Etwas Ähnliches scheint mir in »Käthchen von Heilbronn« den scheinbar naiv-verworrenen Geschehnissen zugrundezuliegen.)

Motto zu Silvia
Ich getraue mir zu behaupten, daß nur dieses allein wahre
Komödien sind, welche soviel Tugenden, als Laster soviel
Anständigkeiten als Ungereimtheiten schildern weil sie eben
durch diese Vermischung ihrem Originale, dem menschlichen Leben, am nächsten stehen. Noch einmal also mit einem
Worte: das Possenspiel will nur zum Lachen bewegen, das
weinerliche Lustspiel will nur rühren, die wahre Komödie
will Beides.

Lessing 1754

Figuren: Silvia, Mme. Laroche, – Baron, Lauffer, der Witwer,
der Wirt, – Rudolf, sein Diener, Rudolfs Mutter. – Der Baron
50, der Wirt 50, der vazierende Hofmeister, angestellt in einer
Leihbibliothek, 38, der Junge (der eitle freche Kerl, falscher
Biedermann) 29; einer, der fortgesetzt nur unangenehm mit ihr ist und ihr dann plötzlich eine glühende Liebes-
erklärung macht. – Les faux bonshommes.
Rudolf eine Mischung aus einem lieben und einem dummen
Kerl. Rudolfs Wille zur Ganzheit, hochgespanntes Verant-
wortlichkeitsgefühl, furchtbare Schärfe, mit der er sich seines
falschen Schrittes bewußt wird. Er kann sich nichts verzei-
hen, erträgt keine Auseinandersetzung, hat ein überscharfes
Ehrgefühl. War verschüttet und hatte Schüsse durch die
Lunge. Er hat sich schon mit 19 als Familienchef gefühlt.
Er ist hochmütig und liberal, ja radikal in seinen Ideen. Grausen vor dem encaillement, vor Mitschuldigen. – Rudolf
war neun Monate abwesend; Wirt: »a gspaßige Zeit«.
Silvia: eine inkonsistente kleine Person, rührbar von jedem
Mann, unruhig; Frisieren, Lesen, Klavierspielen, Ausgehen,
Kaufen, Verkaufen. Äußerst suggestibel und labil – daher
empfindet jeder sie als preisgegeben. Ihr Charakter, äußerst
schamhaft und dabei nach außen, aus Angst, besonders zu erscheinen, aus Höflichkeit von äußerster Kondezendenz, so
daß sie wie kokett erscheinen könnte. Sie hat keine große
Denkfähigkeit. – Sie hat wenig Männer gekannt, ist sehr neugierig; da sie ihr Herz völlig unberührt fühlt, getraut sie sich
alles zu tun. – Silvia von den Männern: mit dem einen hat sie
Mitleid, der andere erregt ihre Neugierde, von dem dritten
läßt sie sich, sie weiß selbst nicht wie, gern befehlen (das ist
der Witwer) – aber dahinter ist doch der Glauben an Rudolf.
Von einem sagt sie: »reden wir nicht von dem...!« – Die
Menschen, sagt sie, kommen ihr vor wie Schauspieler, die
lauern, einander recht Gelegenheit zum Spiel zu geben. Sie

geht auch gern ins Theater. Ihre Gewohnheit, manchmal in-
nezuhalten, nachzudenken, sich etwas sehr intensiv auszu-
denken. – »Ich kann alles sagen, aber das Eigentliche – kann
ich das dem Rudolf sagen? nein, auch nicht. Ich kann nur in
dem Stück, in dem wir alle stehen… – du verstehst mich
nicht! – in dem Stück, worin wir alle stehen und je nachdem
die Handlung läuft (also etwa in der Ehe), meine Rolle so spielen, daß er dabei sehnsüchtig ahnend das höchste Glück empfängt. Im Kuß bin ich nicht – und im Kind bin ich auch nicht
ganz und gar, mit Haut und Haar – es ist alles wie eine Zwiebel, Häutchen über Häutchen.« – Silvias innerer Zustand: ihre
eine Erfahrung mit einem Mann, eben jenes im Stich Gelas-
senwerden von Rudolf. Ihr ganzer Trieb: aus den Männern
heraus diesen einen zu verstehen: sie will das Erlebnis wiederholen, um es ertragen zu lernen, sie erzählt es Franz. Sie
will die Männer durch und durch schauen, ganz spüren – auch
ihre Sinne, ja ihre Gutherzigkeit kommen dabei ins Spiel, nur
nicht das Eigentliche. So sagt sie sich, wenn man das Eigentliche erstickt, kann man die Frau von dem werden, der einen
am notwendigsten braucht; das wird der sein, der einen am
stärksten begehrt. – Sie hat dem Baron weisgemacht, sie habe
schon Liebhaber gehabt: um ihn loszuwerden, um sich seiner
zu erwehren; sie hat allen Hoffnungen gemacht, das liegt in
ihrer Natur (Lauffer spricht es aus).
Der eigentliche Inhalt: das Ungeheure der Erwartung, das
Furchtbare und Prüfende der Realisierung.
Der Baron: seine Geringschätzung der Weiber, seine eisige
Verachtung des Krieges. Er haßt alles, am meisten Idee, Würde, Konsistenz, Tugend. – Zwischen ihm und Rudolfs Mutter eine Verbindung: er hat deren verstorbene Schwester ver-
letzt und geschädigt. – Phantastische Sparkünste des Barons:
was er dem Abschreiber abzieht, dem Wäscher abzieht. Der
Baron ist ganz herzensdürr und eitel, ihm kommts vor allem
darauf an, sie zu kompromittieren, er malt sich ihr tränen-
überströmtes Gesicht aus. Er sagt, er könne, wenn er wolle,
erreichen, daß sie die Nichtexistenz dieses Rudolf zugebe. –
Zug für den Baron: er proponiert einem andern (einem einfa-
chen Menschen) etwas sehr Unfeines, dabei raffiniert Bösar-

tiges. Wie der ihn nicht verstehen will, ärgert sich der Baron über die Ordinärheit des andern. – Der Baron als Protektor gegenüber den Behörden in der Erbschaftssache und als Vermittler, Ratgeber; äußerst eifersüchtig auf jede Einmischung anderer, er ist ein Tyrann und Pedant. – Baron hat von der Laroche ohne Silvias Wissen Ohrgehänge zum Verkaufen übernommen, d. h. sie der Laroche gegen deren Willen abgenommen. Baron hat der Laroche auf ein Armband zehn Gulden geliehen; die Laroche sagt, der Witwer (Schwiegersohn des Wirtes) hätte es gegeben, aber sie seien zu delikat, es von dem anzunehmen. – Szene, wo der Baron aus dem Witwer, einem verschlossenen Menschen, so viel heraushorcht, als er will und brauchen kann. – Die Konstruktion durchzudenken analog zu den »Lustigen Weibern«: der Baron, der von allen geprellt wird, als Mittelpunkt; der Wirt, der aus allem Vorteil ziehen will und dem das Mädchen auch gefällt.

Unter den Geschöpfen im »Stern« ein Hypochonder und Spintisierer von unbestimmbarem Alter, der alles spürt, von allem beschwert ist, aus allem sich was deutet, voll Vorahnungen steckt, viel Unglück gehabt zu haben vorgibt. Silvias Hand tut ihm wohl, wenn sie sie ihm auf die Stirn legen würde. Dies stiftet der Baron an, im Augenblick wo Rudolf hereintritt. Die Laroche tritt dazwischen, reprehendierts. Silvia: »Du weißt doch, daß ich nichts mit ihm gehabt hab. Neugierig war ich halt.« Dieser Hypochonder kompromittiert sie am meisten, weil er Geheimnisse mit ihr hat. Sie gesteht auch zu, daß sie ein Einverständnis mit ihm hat. – Er hat einen unstillbaren Hunger des Herzens, so wie Wahnsinnige, die schließlich Gras und Erde fressen. – Er macht Abschreibarbeiten für einen Advokaten. – Eine ganz doppelte Natur: unermeßlich im Träumen, hilflos und der Suggestion unterliegend im Praktischen, das ihn verwirrt. Das Gefühl »wo bin ich?« Das Gefühl des déjà-vu, der Zerrüttung, des sich selbst Verlorengehens, der panischen Angst. (Er prophezeit für heute einen sonderbaren Tag – schreckhaft; sie erblaßt.)

Die Gestalt des Wirtes: der komisch fatalste von allen den Silvia umgebenden Männern. Sein Schema ist dieses: in allem die bösartige Unlogik eines Kindes, ein achselzuckendes »Ja, das paßt mir so«, »Ja, da bin ich kurios«, – »Ja, da is mit mir nix zu machen.« Er sieht, wittert, erzeugt überall Zweideutigkeiten.

Ein mit seiner Frau in unglücklicher Ehe lebender Schwiegersohn des Wirtes ist der Vater des Kindes, durch das Silvia so ins Gerede kommt. Sein Charakter ist der, daß er sich Rechte anmaßt. Er geht davon aus, daß die Weiber betrügen und daß man sie mit fester Hand halten muß. Er macht ihr Eifersuchtsszenen, besonders seitdem er spürt, daß sie unter einer Halluzination steht, überall meint, den Rudolf gesehen zu haben, auf der Bahn, in der Tramway – er liebt und haßt sie zugleich. Er spürt, daß sein Wille allein sie ihm geben kann. Jetzt wird er sie kriegen, dadurch, daß er ihr Charakterlosigkeit vorwirft. Er begleitet sie von jetzt an immer. Ihr Kampf um ihr Mädchentum.

Der fünfte Verehrer, ein Musiker, ein Halbtier, der meint, man müsse ihn verstehen, wenn er nichts sagt (er ist der Liebhaber der Magd oder der Wirtstochter).

Der Lügner, Bibliothekar (Diener in der Hofbibliothek), der an seine Lügen selber glaubt. Seine Floskeln, »Weine, Weib, und du wirst siegen!« – »weiße Hände kränken nicht«.

Der eitle freche Kerl, der lügen muß, um sein Prestige zu wahren. – Ein ganz junger Bursch, gewesener Flieger, aus Wiener-Neustadt, derzeit wegen einem Kopfschuß beurlaubt – der von ihr verlangt, daß sie ihr ungegebenes Versprechen halte, ihm alles zu sein. – Mit jedem hat sie sich verstrickt, immer war irgendeine Situation das, woraus der Betreffende große Rechte ableitet. Alle schauen immer nach der Tür zu Silvias Zimmer. Jeder schimpft, daß der andere nichts zu tun habe. – Einer der Intrigenführer, der dem Rudolf, ohne ihn zu kennen, verspricht, ihm das Mädel, dessen er selber überdrüssig, zu verschaffen (wofür er ihm die Magd unterschieben will). Lauffer kennt das Schiffbrüchige im Praktischen aller dieser Existenzen, auch der seinen… er lebt fast in Angst vor Realisierung – der Traum ist sein Element.

Akt. I.   Silvia und die Figuren. Sie fährt in die Stadt.
Akt. II.  Rudolf und die Figuren.

Akt III.  Erster Umschwung.
Akt IV.  Silvias Grausen vor den Figuren. Zweiter Um-
         schwung.
Akt. V.

Er will sie gleich wegholen, ohne heraufzukommen. Es ist
etwas dazwischengekommen. Der erste Zwischenfall.
Die ganze Handlung eine solche, die sich in zwei Stunden im
Leben abspielt, bei jedem kleinen Schritt vorwärts ein retar-
dierendes Motiv durch einen Gegenspieler. – Rudolf kommt,
da hat er schon knapp vor der Ankunft was gehört, wie sie
sehr frei gegen Männer gewesen – so ist er zurückhaltend. Er
zieht sich gleich wieder zurück – das gibt Gelegenheit. Dann
sucht sie ihn – findet ihn nicht. Einer von den Tratschern erzählt ihr die Art Unterhaltung, die Rudolf auf seinem Zimmer mit einem andern dieser Herren gehabt habe – jetzt zieht
sie sich gekränkt zurück, schickt die Laroche zu ihm, die alles
noch mehr verwirrt.
Anfang: Baron stellt Lauffer (identisch mit dem Hypochonder) auf Wachposten, was Wahres an dem Gerücht von der
Ankunft des Herrn Rudolf sei, – er solle die Laroche abfan-
gen.
I. Rudolf ankommend will erfahren, wo Silvia ist. Lauter
Mißverständnisse. Er will ihre Adresse erfahren, rast nach
Wien mit einem Auto, sie indessen heraus. – Sie überlegt sich
nichts, will nichts überlegen, sich nur auf ihre Natur und sein
Herz verlassen. – Die Rückmeldungen dessen was er gesagt
habe und die vehementen Rückwirkungen auf Silvia, der nun
plötzlich die früher dargebotenen Möglichkeiten keinen Spaß
machen, die sich aber mit Vehemenz von einem Schein-Ent-
schluß zum andern wirft.
Diener verrät, Rudolf fürchte sich vor Wien, weil es ein solches Tratschnest sei, deshalb ist er auch in der »Birn« vis-à-vis
abgestiegen. – Tratsch: Rudolf sei in der »Birn« nicht allein,
sondern mit einer Dame abgestiegen. (Die Dame ist aber Rudolfs Mutter, die inkognito mitkam.) Es sei, entwickelt sich
der Tratsch weiter, eine verheiratete Frau, – eine ältere Person, von der sich Rudolf aushalten lasse. – Tratsch: Rudolf sei

schon gestern abends dagewesen, auf der Stiege wieder umgekehrt, da ein anderer bei Silvia gewesen. Dieser Tratsch
entstand daraus, daß der Witwer abends noch ein wenig bei
Silvia sitzenblieb, bis sie ihn wegschickte (was die Laroche
dem Baron erzählte).
Silvia hat eine Tante beerbt, d. h. eine Ziehtante, dadurch
konnte sie die Zeit über leben. Sie haben den Witwer dorthin
eingeladen, ihnen die Sachen zu schätzen. – Laroche erzählt:
angekündigt ist: der Bediente mit einem Brief und noch
jemand mit ihm, der ihr zu gefallen wünscht. – Dem Bedienten
hat man über das uneheliche Kind geschrieben. –
Empfindlichkeit der Laroche und Auszankerei; sie hat keine
Tochter, sie ist die rechte Tante. – Silvia bei der Türe heraus,
sooft sie spürt, daß keiner da ist. – »Hast dir nicht von ihm die
Händ küssen lassen?« – »Ja, ja, hab mir die Händ küssen lassen.« (Cressida!) Zwischen Akt II und III entsteht der »Zwischenfall« dadurch, daß man Silvia, die nach Rudolfs eiligem,
verstörtem Abgang einfach hinüber (in die »Birn«) will, ein-
redet, sie werde ihn dort mit einer Dame finden. Botschaften
hin und her. Fortwährend echt wienerische Schwierigkeit: B
übernimmt eine Post nicht, weil man sie vorher dem A aufgetragen. B ist beleidigt, weil es jetzt so ausschauen könnte, als
ob… – Baron als Drahtzieher und Zerstörer jeder Brücke
immer aus seinem Zimmer hervor. Die Intrige des Barons
verschärft dadurch, daß er mit dem Vorgeben, er kenne Rudolfs Mutter und habe sie heute hier gesprochen, eine für ihn
selbst unmögliche Situation geschaffen hat und alles tun muß,
damit die Mutter nicht ins Haus kommt. Darum muß er gegenüber Rudolf sagen, Silvia sei eine solche, daß Rudolfs
Mutter unmöglich sie empfangen könne. – Rudolfs Mutter
erstaunlich jung, sehr hübsch. – Retardierung durch die
Form, daß die Mutter Rudolfs zuerst Silvia vormittag empfangen wollte, dann sie aber auf fünf Uhr zu Tisch einlädt.
Ein Zettel von Rudolf geht verloren oder es wird damit Miß-
brauch getrieben. – Diener: »Ja, man kann doch nicht wissen.« (Der Zensurhofrat in Grillparzers Memoiren.) Dieser
Diener richtet darum eine wichtige Botschaft von Silvia an
Rudolf nicht aus.

Peripetien: Nachdem sie ihn schlecht behandelt hat, weil er
ihr zu selbstverständlich gekommen, und ihn dadurch in Irrtümer verwickelt hat, fühlt sie plötzlich, daß sie wieder ganz
gefangen ist und nicht mehr zurück kann – jetzt will sie zu-
sammenpacken und flüchten. – Ihre Position in der vorletzten
Phase: sie habe eben Männer kennengelernt, wisse Männer zu
schätzen, das danke sie natürlich ihm, er habe seinerzeit sie
geweckt.

Silvia bittet ihn, etwas lauter zu reden, dann:

> Wie ist mir eine Stimme doch erklungen
> im tiefsten Innern
> und hat mit einem Male mir verschlungen
> all mein Erinnern –

sie will ihn aufheitern durch ein frivoles Liedchen – es wirkt
irritierend auf ihn. – Jenes laszive Schlafliedchen (von Mo-
zart) auf dem Klavier aufgeschlagen. Dieses Liedchen trällert
sie und einer der Verehrer. – Silvias Liedchen:

> Geliebter, wo zaudert
> dein irrender Fuß?
> Die Nachtigall plaudert
> von Sehnsucht und Kuß.
> Es flüstern die Bäume
> im silbernen Schein,
> es schlüpfen mir Träume
> zum Fenster herein.
> Ach, kennst du das Schmachten
> der klopfenden Brust,
> dies Sinnen und Trachten
> voll Qual und voll Lust?
> Beflügle die Eile
> und rette mich dir,
> bei nächtlicher Weile
> entfliehn wir von hier!

Szene, wo Rudolf den Bedienten schickt, Silvia auszuholen.
Silvia läßt sich das zweijährige Kind zum Spielen heimlich
bringen. Der Hypochonder in seiner geheimnisvollen Weise
spielt, er wäre ihr Mann (wie Joseph) und das Kind wäre ihr
Kind: »Es ist auch ihr Kind – der Idee nach«, sagt er, »wenn
ichs nur so sagen könnte, wie's mir ist.«

Rudolf sucht, da er sich selbst zum Schatten geworden, den
Anstand eines Schattens zu retten. Er konzediert allen alles, er
erwartet und akzeptiert alles von der menschlichen Natur.
(Episoden vom Rückzug, die er einfügt: die Tiroler Magd,
die sie als Diebe behandelte, und sie ließen sichs gefallen. – Er
nimmt als selbstverständlich an, daß sie mit allen diesen Herren jetzt hause, und daß er störe und um Verzeihung bitten
müsse. – Bei ihm perte du sentiment de la valeur.) – Umschwung: der Gedanke, sie habe sich aus Armut einem dieser
Menschen verkauft; – sie scheint es halb und halb zuzuge-
ben.
Die Entscheidung fällt so: Rudolf hat alles ertragen, solange
er glaubt (was sie ihn glauben machen will), sie sei ein Weib
(beim Abschied flüsterte sie ihm zu: »noch nicht«) – jetzt da er
erfährt, sie ist Mädchen, kann er es nicht ertragen, sie einem
zu lassen. Es dämmert ihm zuerst auf, dadurch daß Laroche
ihm sagt, sie sei in einem Zustand, der nicht zu lange so fort-
dauern dürfe.

# CRISTINAS HEIMREISE

## KOMÖDIE

*Personen*

DON BLASIUS, der Pfarrer von Capodiponte
CRISTINA, seine Nichte
PASCA, deren Magd
FLORINDO
TOMASO, ein Schiffskapitän, aus Hinterindien zurückgekehrt
PEDRO, ein Mischling, dessen Diener
ANTONIA, eine leichtfertige Person
TERESA, ihre junge Schwester
DER WIRTSSOHN
DER HAUSKNECHT } im Gasthof zu Ceneda
EIN KÜCHENMÄDCHEN
EIN BEDIENTER
EINE BÜRGERSFRAU
ROMEO, ein altes Faktotum
EIN FREMDER ALTER HERR
EINE JUNGE DAME, seine Begleiterin
EIN PFERDEKNECHT in Cristinas Dienst
Mehrere alte Weiber, mehrere halbwüchsige Buben,
Musikanten, ein Barkenführer und dessen Gehilfe, Reisende

# ERSTER AKT

*Ein offener Platz in Venedig, der rückwärts an die Lagune stößt.
Seitengäßchen links und rechts. Eines der kleinen Häuser rechts hat
einen Balkon. Gegen Abend, es dämmert. An einigen Fenstern ist
Licht.*

*Pedro kauert nach Art der Orientalen vor dem Hause rechts unter
dem Balkon und kaut an Nüssen, die er aus seiner Tasche holt. Er ist
europäisch gekleidet, in eine Art Livree. Aber seine Gesichtsfarbe
und namentlich sein Haar wirken sehr fremdartig. In der Ecke links
steht ein kleiner Bub, der aufpaßt.*

*Von rechts kommt ein altes Weib auf einen Stock gestützt über den
Platz geschlürft. Sie schiebt sich mißtrauisch vorwärts mit Seiten-
blicken auf Pedro. Der kleine Bub winkt ihr: alles in Ordnung.*

*Teresa, ein Geschöpf von fünfzehn Jahren, lehnt sich aus dem Fen-
ster neben dem Balkon des kleinen Hauses vor und betrachtet, aus einem Teller essend, Pedro.*

DIE ALTE *zu dem kleinen Buben* Für wen wartest du hier?

BUB Für den Herrn Florindo doch.

DIE ALTE *schlägt ihn mit dem Stock* Du sollst keinen Namen in
den Mund nehmen.

BUB Aber zu dir, Großmutter!

DIE ALTE Lern den Mund halten. Für wen wartest du hier?
*Hebt den Stock.*

BUB Für niemanden, ich steh nur so da.

DIE ALTE Marsch jetzt, klopf ans Fenster, gib's Zeichen!
*Sie verschwinden beide links um die Ecke.*

DON BLASIUS *tritt aus dem Gäßchen rechts auf und spricht zurück
nach der Richtung, von wo er gekommen ist* Hier? Dieses
Haus? Über dem Platz? Die andere Ecke? Diese Ecke?
Danke! Wie? Das erste Haus, wenn ich mich links umdrehe. Ist dieses da gemeint? Eine sehr umständliche Bauweise
herrscht in dieser Stadt. Das erste Haus, wenn ich mich
links umdrehe. Das mag dieses sein oder dieses, oder das
dort. Da ist jemand.

*Pedro ist aufgestanden, hat den Rest der Nüsse aus dem Hut in*
*seine Rocktasche gebracht, sich abgeputzt, den Hut etwas in den*
*Nacken aufgesetzt und steht jetzt da, jeder Zoll ein Europäer,*
*verbindlich und bereit, sich in ein Gespräch einzulassen.*

DON BLASIUS  Könnte der Herr mir vielleicht sagen –
*Der Schein der Laterne fällt auf Pedros seltsames Gesicht, der mit*
*Schwung den Hut abgenommen hat.*

DON BLASIUS *fährt zurück*  Was ist denn das?

PEDRO  Das ist Signor Don Pedro, ein junger ausländischer
Europäer, in Erwartung auf seinen großen Freund, den
großen Kapitän Tomaso, da innen.
*Zeigt nach rückwärts*
Nur herein, hohe Würde. Sie sind sichergewiß oben erwar-
tet. Ihre Sprüche sind sichergewiß benötigt, damit alles gut
vonstatten geht. Mein Kapitän wird Sie mit brüllender
Freude begrüßen.

DON BLASIUS  Dein Kapitän? Mein Sohn, ich habe in meinem
ganzen Leben nichts mit einem Kapitän zu schaffen gehabt.

PEDRO  Ich werde Sie geehrt, nicht Du, hohe Würde!
*Er lacht zufrieden*
Nicht Diener, europäischer Begleiter, Sekretär, Freund.
*Er nimmt ein Lorgnon an die Augen*
Schon lange keinen katholischen Vater in zutraulicher
Weise gesprochen. Meine heiligen Erzieher waren Väter,
heilige Gesellschafter Jesu. Drüben. Zu Hause. Java. Sie
haben gehört?

DON BLASIUS  Schön, schön, mein lieber Sohn. Aber ich suche
hier ein Haus –

PEDRO *verbindlich*  Häuser in Menge. Ein Stück Haus, zwei
Stück Haus, drei Stück Haus!

DON BLASIUS  Ich suche ein bestimmtes Haus, in welchem
ehrbare Leute wohnen, bei denen meine Nichte zu Gaste
ist. Ein junges Mädchen vom Lande, das ich abzuholen
komme.

PEDRO  Schönes junges Mädchen! Weiß, ganz weiß! Hier zur
Stelle.
*Zeigt auf das Haus mit dem Balkon.*

DON BLASIUS *zweifelnd*  Meine Nichte Cristina, die Tochter
meiner verstorbenen Schwester.

PEDRO  Hier ist es, sichergewiß. Eine Wenigkeit von Minuten und sie wird liebevollen Gruß mit Ihnen tauschen.

DON BLASIUS  Weiß, ob sie weiß ist? Natürlich hat sie keine bunten Wangen, ist ja kein Vogel.

PEDRO  Hier! Ich eile zu melden.

*Ruft nach oben*

Hoh, hoh. Nichte von Ehrwürdigkeit!

*Sieht nochmals den Pfarrer erfreut und blinzelnd an*

Schön für meinen Kapitän, ich laufe, ich melde.

*Bleibt stehen, reibt sich die Hände.*

DON BLASIUS  Wie? Was? Nochmals, mein lieber Sohn, was habe ich mit Ihrem Kapitän zu schaffen? Was ist schön für Ihren Kapitän?

PEDRO  Geistliche Verwandtschaft. Gut. Gesund ist das für meinen Kapitän.

DON BLASIUS  *für sich*  Ich werde gut tun, mich diesem Fremden aus dem Weg zu halten. Kein Mensch, der mir Auskunft geben könnte. Und doch hat man mir gesagt, es wäre auf diesem Platz.

*Ruft aufs Geratewohl*

Cristina! Cristina!

PEDRO  *an seiner Seite, wichtig*  Mein Rat: eine Wenigkeit von Minuten abwarten. Vielleicht besser.

*Er lacht bedeutungsvoll.*

DON BLASIUS  Mir scheint, ich höre jemand.

PEDRO  *immer an seiner Seite, während der Pfarrer immer ängstlich seinen Platz wechselt*  Sie kennen den Herrn Florindo? Wie? Nicht den Herrn Florindo hier? Schönen großen Herrn Florindo? Er ist es, der uns bekannt geführt hat mit der achtenswerten Nichte. Aufeinander geführt. Er ist ein großer Freund von meinem Kapitän. Oft zusammen gespielt, zusammen getrunken. Auch mein großer Freund. Ich habe ihn vor kurzem dort in ein Haus gehen sehen. Nicht allein.

*Vertraulich*

Florindo und ein Stück Frau jede Nacht, das ist eine Wenigkeit. Vielleicht zwei Stück Frau jede Nacht.

*Lacht vergnügt.*

DON BLASIUS  *ängstlich nach oben lauschend*  Mir ist, als hätte ich ihre Stimme gehört.

PEDRO   Sichergewiß.

DON BLASIUS   Wäre es doch richtig? Mein Gott, sie ist ja hierher gekommen, um sich zu verheiraten. Warum sollte es
nicht ein Kapitän sein? Wenn er nur sonst ein braver, recht-
licher Mann ist.

PEDRO   Heute sind wir zum erstenmal bei ihr.

*Don Blasius sieht ihn an.*

PEDRO   *mit den Augen zwinkernd*   Auf Besuch.

DON BLASIUS   Wie denn? Wie denn?

PEDRO   Wie denn?

*Freut sich.*

DON BLASIUS   Ich kann mir nicht denken, daß meine Nichte
zu so später Stunde –

*Auf das Haus zu.*

PEDRO   *hält ihn ab*   Besser warten.

DON BLASIUS   Mein Sohn! In Kürze: Was hat Ihr Herr dort
oben zu schaffen?

PEDRO   *beruhigend, wichtig*   Mein Kapitän weiß, wie es zu tun
ist. Mein Kapitän ist ein reicher Kapitän und ein guter Kapitän. Er weiß so gut hier in Europa wie in einem anderen
Lande. In einem anderen Lande ist es schneller. Auf den Inseln drüben ist es oft sehr schnell. Bei Häuptlingsfrauen kann
es sehr schnell sein. Aber hier in Europa ist es mit vielen
Vorschriften. Man muß wissen, die achtungsvollen Komplimente, die vorgeschriebenen Geschenke, die Ehrenbe-
zeugungen, zuerst die kleinen Küsse – so und so.

*Er küßt affektiert seine Hand.*

DON BLASIUS   *sehr erschrocken*   Was macht Ihr Herr dort oben?

PEDRO   Mit der schönen, jungen Dame, Nichte von Ihrer
Würden, meinen großen Freund, Nachtmahl verzehren
und dann in hochachtender Weise anbeginnen die sehr gute
Sache.

DON BLASIUS   Ich verstehe Sie nicht. Ich verstehe Sie nicht. Da
sei Gott vor, daß ich Sie verstünde.

PEDRO   Sichergewiß.

DON BLASIUS   Da sind höllische Künste im Spiel, ich muß hinauf.

PEDRO   *ärgerlich, heftig, hält ihn auf*   Später die Segenssprüche!

Mein Kapitän wird brüllende Freude empfinden über Ihre
Segenssprüche, aber nachher.

DON BLASIUS  Lassen Sie mich. Ich schreie um Hilfe! Mein
Gott, es muß doch hier im Ort einen Nachtwächter geben.

PEDRO  Was könnte der helfen? Warum so aufgeregt?
*Wirft seinen Mantel auf die Stufen vor dem Haus und drückt den
Pfarrer mit sanfter Gewalt auf diesen Sitz nieder.*
Es ist Weisheit, seinen achtenswerten Sitz zu gebrauchen in
der Stunde der Überraschung.

DON BLASIUS  *ohnmächtig, sich seiner zu erwehren*  Ich un-
brauchbarer alter Mann.
*Ringt die Hände.*
*Teresa erscheint wieder am Fenster, neugierig.*

PEDRO  *erblickt sie, erfreut, eifrig*  Da! Hoh! Ein Stück Onkel
sind angekommen. Schnell kommen Sie herunter, kleines
Fräulein, einen Salaam zu machen dem hochehrwürdigen
Onkel. Eilig! Eilig!
*Er klatscht in die Hände.*
*Teresa oben vom Fenster weg.*

DON BLASIUS  *der mit verdrehtem Kopf, da Pedro ihn nicht aufste-
hen läßt, hinaufgesehen hat*  Ganz und gar ist dieses junge
Mädchen nicht meine Nichte Cristina. Ist es diese, von der
Sie gesprochen haben? Ist es diese, bei der Ihr Kapitän zu
Besuch ist? Sagen Sie mir das, werter Herr, und ich will Sie
dankbar in mein Gebet einschließen.

PEDRO  *hält ihn*  Schwester Ihrer Nichte, sichergewiß. Oben
zwei Stück schöne weiße Mädchen.

DON BLASIUS  Meine Nichte Cristina hat keine Schwester.
*Entspringt ihm.*

PEDRO  Schade! Oh, mein Kapitän wäre munter wie ein Floh
über achtenswerte Verwandtschaft.
*Hält ihn am Rock.*

DON BLASIUS  Lassen Sie mich meines Weges gehen.
*Reißt sich los.*

PEDRO  *läßt ihn*  Oh, vielmals schade. Sie dürfen achtenswerten Irrtum nicht übelnehmen. Ich wünsche Ihnen zudringlich alles Gute.

*Verbeugt sich hinter dem abgehenden Pfarrer her. Pfarrer verschwindet links um die Ecke.*

*Teresa aus der Haustüre.*

PEDRO *sich brüstend, sein Lorgnon am Auge* Mein Freund! Nummer eins heiliger Mann, Nummer eins starker Zauberer für Segenssprüche. Nicht von Ihrer Verwandtschaft? Vielmals schade! Ich war im Irrtum!

*Teresa amüsiert sich über ihn.*

PEDRO *mit gekrümmtem Zeigefinger auf sich zeigend* Signor Don Pedro, der junge, ausländische Europäer von gestern abend. Des Kapitäns dort oben sein treuer Freund.

*Teresa platzt heraus.*

PEDRO *für sich* Sie ist für meinetwillen herunter gekommen, sichergewiß. Sie hat zugehorcht und meine Gestalt und meine freundliche vorlaute Art, als ich mit dem heiligen Vater sprach, hat sie gewärmt. Sie lacht auf mich, sie macht einladende Blicke auf mich!

*Sich ihr nähernd wie ein Pfau, den Hut im Nacken, das Lorgnon vor der Nase, mit umständlicher Beredsamkeit*

Ein Stück Haus, ein Stück Haus, ein Stück Haus. Eine Wenigkeit sind davon zu dieser Stunde, wo nicht ein Stück Mann mit ein Stück Frau hochachtungsvoll beisammen.

*Er nähert sich ihr mit Grazie und Entschiedenheit. Teresa schüttelt ihn ab.*

PEDRO *für sich* Nicht leicht der europäische Anfang. Oh!

*Mit einem neuen Anlauf zur Beredsamkeit*

Mein großer Freund, der sehr reiche Kapitän, ist zu dieser Stunde achtenswert verheiratet. Da hier bei.

*Zeigt aufs Haus*

Mein Freund, der Herr Florindo, ist zu dieser Stunde achtenswert verheiratet. Da hier bei.

*Zeigt nach dem Gäßchen links.*

TERESA *schnell* Was ist? Wie?

PEDRO Nur bloß armer ausländischer Signor Don Pedro bis zur Stunde ungeheiratet.

TERESA *neugierig* Wie ist das mit dem Herrn Florindo? Was ist mit ihm?

*Pedro zeigt hinter sich.*

TERESA  Dort?

PEDRO  Zwei Stück Haus hinter der Ecke. Ich kann zeigen, ich will gerne zeigen.

TERESA  Da ist die hübsche Schneidersfrau. Du hast ihn zu ihr hineingehen sehen?

PEDRO  *nickt lebhaft*  Sie hat ihn gewartet am Fenster, versteckt, versteckt. Er ist gekommen, Nummer eins leise, leise, brüllend froh, daß ihn niemand sieht. Ich bin sogleich vorgegangen und habe ihn zudringlich gegrüßt als sein großer Freund. Er hat gesagt, er kann sich mit mir nicht aufhalten zu seinem brüllenden Leidwesen. Der Grund ist ein hochachtungsvolles Geheimnis. Ich habe ihm zu verstehen gegeben, daß ich weiß, was das Geheimnis ist. Er hat gesagt, ich bin Nummer eins gescheiter, vornehmer junger Mann und er gibt mir silbernes Geld, damit nicht über meine Zunge springt, daß ich ihn dort gesehen. Ich habe das Geld genommen, ich habe noch gesagt, ich bin ein europäischer Gentleman, er muß sich mit mir die Hand schütteln, niemals daß es werde über meine Zunge springen. So hat er sich mit mir geschüttelt, wie zwei europäische Herren es sich immer machen, und ist sehr erleichtert von mir mit seiner schönen weißen Freundin ins Haus gegangen, anzubeginnen das gleiche,

*Er grinst*

was ich mir wie ein verdursteter Affe wünsche mit meiner jungen, weißen, mager-fetten Schwester hochachtungsvoll anzubeginnen hier zur Stunde.

*Verbeugt sich.*

TERESA  Du wärst mir der rechte!

*Halb für sich*

Geht er jetzt richtig mit der Schneidersfrau? Das muß meine Schwester erfahren. Es gibt nichts, was sie so ärgern könnte.

*Will gehen.*

PEDRO  *der durchaus nicht gewillt ist sie fortzulassen*  Jetzt nichts von achtenswerter Schwester!

TERESA  *macht sich frei*  Freilich, gleich komme ich wieder.

PEDRO  Sichergewiß?

TERESA    Ganz bestimmt!

*Will hinein.*

PEDRO    Ich gehe mit!

TERESA    Wo denkst du hin? Wo dein Herr oben ist! Du wartest schön hier.

*Läuft ins Haus.*

PEDRO    Und du kommst gleich? Ich bin vielmals in Erwartung.

*Er bereitet aus seinem Mantel eine Lagerstätte an der Mauer. Befriedigt*

Vielmals schwer der europäische Anfang. Aber nur im Anfang. Dann ist alles wie bei uns. Sie wird bringen Süßigkeiten und hochachtendes Fußbad, anzubeginnen die Zärtlichkeiten mit ihren süßen Freund Don Pedro. Ich will bereit sein.

*Er zieht seine Schuhe aus.*

Hier kommen ihre achtenswerten Füße die Treppe herunter.

*Er sitzt mit gekreuzten Beinen auf dem Mantel und wiegt sich vor Vergnügen und Erwartung.*

*Der Kapitän, dessen breitbeinige schwere Tritte die hölzerne Wendeltreppe erdröhnen ließen, tritt wuchtig aus der Tür und stolpert über den Dasitzenden.*

PEDRO    *springt in großer Enttäuschung auf*    Hoh!

*Kapitän, der ohne Hut und Mantel ist, stampft mit zorndunklem Gesicht auf und nieder. Sein Fuß verwickelt sich in Pedros Mantel, er schleudert ihn mit Wut zur Seite.*

PEDRO    *sieht sich ängstlich nach der Treppe um*    Hoh! schlecht gewählte Zeit für mich. Eine Wenigkeit von Minuten früher wäre besser gewesen.

*Er geht dem Kapitän nach, grinst verbindlich*

Wer genossen hat, worauf sein Herz hochachtungsvoll war gerichtet, dem ist Glück zu wünschen und seine ergebenen Freunde müssen zudringlich erfreut sein, bis in die Tiefe ihrer Eingeweide.

*Kapitän, der nicht bei Laune ist, gibt ihm kurzweg einen Tritt.*

PEDRO    *zurückspringend*    Hoh! Mein Glückwunsch war zu früh.

*Indem er mit Bedauern seine Schuhe wieder anzieht, zum Kapi-*
*tän, wissend und wichtig*

Der europäische Anfang ist vielmals schwere Kunst, ich
weiß, wie werde ich es nicht wissen! Ich sitze hier vor einer
Wenigkeit von Minuten im Gespräch mit meinen großen
Freund, eine geistliche hohe Würde, und werde zudringlich
geehrt von schöne, junge weiße Schwester-Mädchen. Ich
nehme ihre Anträge mit Sanftmütigkeit entgegen, wodurch sie fällt in ein Außersich von Stolz hinein. Und in ihren Stolz – was soll bedeuten? – muß sie sich weglaufen und
alles zuerst von sich geben in die Ohren von achtenswerter
Schwester, bevor sie sich mit mir heiratet?

*Schüttelt vielmals bedauernd den Kopf*

Nummer eins umständliche Gebräuche. Sichergewiß auch
bei meine Kapitän ein ähnliches Hindernis angekommen.

KAPITÄN  *horcht auf*  Was? Das steckt hinter dem Getuschel?
Das Kind hat sich über dich zu beschweren gehabt! So be-
trägst du dich in meinem Vaterlande! Dazu habe ich diesen
gelben Unflat mit mir übers Meer geschleppt?

*Ein Fußtritt, der sein Ziel nicht ganz erreicht.*

Wo dem Fräulein oben das Kind wie ein Heiligtum ist! Da
möchte sich das mißratene, schlecht getaufte Schwein
daran vergreifen! Ja wer hält mich denn ab –

PEDRO  Ich schwöre meinen heiligen Schutzpatron –

*Er hat sich auf den Prellstein gesetzt.*

Ich schwöre, sie hat den Anfang gemacht. Sie ist für meinetwillen herunter gekommen. Sie hat auf mich gelacht.
Sie hat ihre Arme so um Pedros Hals gemacht. – Pedro war
brüllend in Verlegenheit von ihrer affenmäßigen Liebes-
anzeigung.

KAPITÄN  Verdamm mich Gott, verdamm mich Gott, verdamm mich Gott!

*Stampft auf.*

*Teresa aus dem Haus.*

PEDRO  *schleicht sich an sie*  Jetzt nicht, jetzt keine Zeit für uns!

TERESA  Wer will was von dir, häßlicher Teufel?

*Schmeichelnd*

Herr Kapitän, ich weiß mir ja gar nicht zu helfen.

*Pedro zieht sich gekränkt zurück, frißt Nüsse.*
*Kapitän mit zornigem Gesicht kehrt ihm den Rücken.*

TERESA *schleicht sich an ihn wie ein Kätzchen* Herr Kapitän, das ist nicht schön von Ihnen, daß Sie Ihren Ärger an mir auslassen wollen. Ich dächte, es ist eine andere Person, die sich schandbar gegen Sie benimmt.

*Kapitän brummt etwas Unverständliches.*

TERESA *tückisch* Mitten unterm Essen, wie Sie gerade recht gemütlich werden wollten – Ihnen so zu begegnen! Nur, daß sie Ihnen nicht geradezu die Türe gewiesen hat. Wo Sie das schöne Nachtmahl und alles im voraus bezahlt haben! Und das um eines Menschen willen, der sich nicht so viel aus ihr macht, nicht so viel, das kann ich Ihnen sagen.

KAPITÄN  Verdamm mich Gott, wenn ich weiß, was in Ihr liebenswürdiges Fräulein Schwester gefahren ist. Verdamm mich Gott! verdamm mich Gott! verdamm mich Gott!

TERESA  Sie wissen es nicht? Daß mir das hat passieren müssen! Denk ich denn an so was? Ich komme hinauf um eine Krachmandel, und wie ich hineinkomme, merke ich an Antoniens Gesicht, daß ich doch gestört habe, und in der Verlegenheit, wie man nur so was spricht, erzähl ich, daß der Herr Florindo, Ihr Bekannter, der Sie bei meiner Schwester eingeführt hat, heut da drüben dem Schneidermeister, – na kurz und gut, Sie verstehen mich. Ist das so was Schlechtes dabei? Mein Gott, hätt sie mich nur nicht hereingelassen.

KAPITÄN  Verdamm mich Gott, das hätte sie mögen. So war es nicht wegen des Burschen da? Nun verdamm mich Gott, Geschichten müssen Sie erzählen und gerade im rechten Augenblick.

TERESA  Wo sie einen Freund hat wie Sie, Herr Kapitän, braucht sie da der Schneidersfrau neidisch zu sein! Aber wenn man bloß des Menschen Namen nennt, das fährt ihr in die Glieder wie Rattengift. Hören Sie sie da droben herumrumoren? Und er – was meinen Sie? Luft ist sie für ihn. So treibt sies jedesmal, wenn sie hört, daß er gewechselt hat. Das ist so ungefähr alle zwei Monate. Und das um eines Menschen willen, der sich nicht so viel aus ihr macht.

*Leise*

Der schon, wie er ihr Liebhaber war, jedesmal wenns dunkel auf der Treppe war, mir nachgeschlichen ist.
*Antonia am Fenster oben, verstohlen horchend.*
Wenn ich dächte, daß sie gehört hätte, was ich gesprochen habe, brächten mich nicht zehn Pferde ins Zimmer hinauf. Ich weiß nicht, was ich hab, daß ich gerade zu Ihnen so aufrichtig sein muß, Herr Kapitän.
*Kapitän glotzt sie an.*

ANTONIA *abermals ans Fenster tretend* Komm hinauf, du, ich brauch dich.

TERESA Wenn sie mir was tut, werden Sie mir zu Hilfe kommen, Herr Kapitän?

KAPITÄN Schon gut. Die Neuigkeit, die den Herrn Florindo betrifft, geht mich nichts an. Aber sie hätte zu einer passenderen Stunde dem Fräulein Schwester ins Ohr gesagt werden mögen, sage ich.

ANTONIA *oben scharf* Kommst du?

TERESA *läuft ins Haus* Herr Kapitän!
*Gleich darauf hört man im Hause Lärm. Man hört einzelne Worte von*

ANTONIAS STIMME *sehr scharf* Meine Sache... in den Mund nehmen, was? Du hast es nicht getan, was?
*Dazwischen*

TERESAS SIMME Laß meine Haare, laß mich aus!
*Kapitän eilt ins Haus. Pedro horcht zu, amüsiert sich. Tanzt einen Tanz, der die Vision des Waldes auf Java hervorruft. Um die Ecke links kommt die Alte, spähend, sehr rasch. Verschwindet vorne links. Darauf kommt Florindo mit der Schneidersfrau, die an seinem Arm hängt und sich ein schwarzes Tuch übers Gesicht zieht. Pedro hält inne, nimmt eine sehr unbefangene Miene an, als hätte er keinen Augenblick die Haltung eines wohlerzogenen Europäers verlassen, lehnt an der Haustüre. Oben wird es stiller.*

DIE SCHNEIDERSFRAU *flüstert* Noch ein Stück begleit ich dich, Schatz.

FLORINDO Ich sollte dirs nicht erlauben, du weißt, wie die Nachbarn böswillig sind.

PEDRO *tritt grüßend aus dem Dunkel* Guten Abend, Herr Florindo!

*Die Schneidersfrau schreit auf, klammert sich an Florindo.*
Schon abgeendigt Ihre angenehme Stunde mit der schönen
Freundin? Pardon! Es ist Ihr ergebener zudringlicher
Freund Don Pedro, der sich die Ehre gibt, Sie zu begrüßen.

FLORINDO    Zum Teufel mit dir!
*Zu der Frau*
Sei doch ruhig.
*Zu Pedro*
Verzieh dich, olivenfarbiges Scheusal!

PEDRO    Ich werde Sie geehrt, Herr Florindo. Ich bin traurig,
daß Sie sich vergessen gegen einen Gentleman Ihrer eigenen Farbe.

DIE SCHNEIDERSFRAU    Fühl, wie mein Herz klopft. Bis in den
Hals hinauf.
*Pedro ist bereit, sich davon zu überzeugen.*

FLORINDO    *stößt ihn weg* Vieh! Hast du nicht Geld bekommen, damit du verduftest, damit man deine Visage nicht
mehr sieht?

PEDRO    *geht lebhaft gekränkt zurück* Hoh! Ich will mir aufmer-
ken in mein Notizbuch: Nummer eins, böser Laune sind
europäische Herren nachher so wie vorher. Wieso?
*Oben anschwellender Zank, auch die Stimme des Kapitäns, der
Frieden stiften will. Die Schneidersfrau, nach einem Kuß, läuft
ab. Florindo sieht ihr nach, zieht dann seinen Mantel fest um sich,
will quer über die Bühne. Pedro tut, als sähe er ihn nicht, schaut
angelegentlich mit dem Lorgnon nach der anderen Seite.*

TERESA    *fährt wie eine aus dem Rohr geschossene Kugel aus der
Haustür und wirft sich an Florindos Brust* Ah! wer immer Sie
sind, mein Herr, nehmen Sie sich einer armen Waise an, die
von ihrer leiblichen Schwester grausam behandelt wird –
ah! Sie sind es, Herr Florindo?
*Knixt*
Oh, mein Gott, hätte ich geahnt, daß Sie es sind. Nein, was
für ein Zufall! Da muß ich mich ja zu Tode schämen. Lieber
hätte ich alles stillschweigend ertragen, als gerade Ihnen –
*Sie weint.*
*Antonia aus dem Hause, hinter ihr der Kapitän, der jetzt seinen
Hut auf dem Kopfe und seinen Mantel um hat. Er hält eine Kerze
in der Hand, die er nach einer Weile an Pedro gibt.*

ANTONIA  *indem sie die Hand auf Teresas Schulter legt*  Du gehst ins Haus.

FLORINDO  Was ist mit dem Kind?

ANTONIA  *stößt Teresa fort, finster*  Was immer es ist, dich wirds nichts angehen, denk ich.

FLORINDO  Muß sie sich vor dir auf die Gasse flüchten?

ANTONIA  *etwas näher zu ihm tretend*  Verliebt in dich ist der Balg, bis über die Ohren. Deswegen hat sie die ganze Komödie aufgeführt. Hinter der ihre Schliche komm ich noch.

FLORINDO  Die Kleine? In mich?
*Wirft einen langen Blick auf Teresa, die sich kokett an der Haustür herumdrückt*
Sie ist größer und voller geworden. Sie sieht gut aus.

ANTONIA  Meinst du vielleicht, ich kümmere mich, was du anstellst und mit Gott weiß welchem Weibsbild du dich herumziehst, und wenns auch im nächsten Hause um die Ecke ist? das kümmert mich nicht so viel. Bist du fertig mit mir, so bin ich noch früher fertig mit dir.
*Dreht sich um, jagt Teresa ins Haus.*

FLORINDO  Häßlich bist du, ganz häßlich, wenn du so zornig bist. Schade um dich. Ich beneide deinen jetzigen Liebhaber nicht. Ist es der dort hinten?

ANTONIA  Was hast du mit meinem Liebhaber zu schaffen? Wer heißt denn dich da in meine Sache die Nase zu stecken? Meinst du, ich wäre ein Fressen für jeden solchen säbelbeinigen, hinterindischen Branntweinsäufer, den du mir präsentieren tätest?

FLORINDO  Was, der Herr Kapitän, der fünfunddreißig Jahre nicht in Europa war?
*Pedro beleuchtet eifrig den Kapitän.*

KAPITÄN  *vortretend*  Jawohl, ich bin es. Guten Abend, Herr Florindo!

FLORINDO  Was, und mit einem solchen Herrn, mit meinem Freund, dem Kapitän Tomaso, getraust du dich so umzuspringen? Das ist ja –

KAPITÄN  Herr Florindo, wenn ich Sie eines bitten darf, nur keine harten Worte um meintwillen. Ich konnte allerdings nicht früher als bis vor einer Viertelstunde ahnen, daß ich dem Fräulein mißliebig wäre.

FLORINDO   Was? Bis vor einer Viertelstunde katzenfreundlich zu ihm und mit einem Male so? Das sieht dir gleich.

KAPITÄN   Ich konnte bis dahin das Beste hoffen.

PEDRO   Sichergewiß! Wir waren in der Hoffnung.

*Kapitän stößt ihn weg.*

FLORINDO   Weißt du, daß ich mich dem Herrn Kapitän verantwortlich fühle? Und wäre ich nicht auf dem Nachhauseweg und dazu hungrig, daß mir blau vor den Augen ist, so hätte ich gute Lust, dir meine Meinung zu sagen.

ANTONIA   Gegen mich kommt keiner auf, auch du nicht. Ich kann ja so zornig werden, so zornig, daß es mich schmeißt nach links und rechts, wenn es über mich kommt.

FLORINDO   *gedämpft*   Weibsbild, das du bist! Mit einem schönen, engelhaften Leib, wie du ihn hast, geschaffen, einen ordentlichen Kerl um den anderen glücklich zu machen! Wenn ich denke –

ANTONIA   Wenn du sonst nichts für mich übrig hast als deine Gedanken, so laß mich in Frieden.

FLORINDO   *zornig*   Ja! Ja! Ja! Scheusälige Disharmonien greifen auf einem gottgegebenen Instrument fort und fort, daß einen das Grausen angeht.

*Teresa erscheint auf dem Balkon.*
*Pedro macht ihr viele Zeichen, die sie nicht beachtet.*
*Antonia kehrt sich verstockt weg.*

FLORINDO   *sieht auf Teresa, halb für sich*   Wie dafür das Geschöpf dort aufgeblüht ist. Von weitem noch hager und in der Nähe schon üppig wie eine junge Ente. Jetzt erst tritt mirs vor die Seele. Sie muß jetzt das sein, was die damalige war. Ewige entzückende Überraschungen.

ANTONIA   Was willst du? Hat mich vielleicht ein anderer zu dem gemacht, was ich bin?

*Bringt ihr Taschentuch an die Augen, das sie lange gesucht hat.*
*Tritt näher an ihn*
Der Balg da droben hat kein Herz! Die wird die Männer um den kleinen Finger wickeln.

FLORINDO   Himmel Herrgott – was du bist? Das ist eine Infamie! Meine Geliebte warst du, dafür bitt ich mir Respekt aus –

ANTONIA   War ich! War ich! Brauchst mirs nicht ins Gesicht zu schrein, daß es vorbei ist damit.

FLORINDO   – Respekt aus, so als wenns die Gegenwart wäre.

ANTONIA   O Gott, o Gott!

*Zu Teresa*

Daß du mir verschwindest!

*Teresa verschwindet. Bringt abermals ihr Taschentuch an die Augen.*

KAPITÄN   *benützt diesen Moment, um näher zu treten*   Herr Florindo, ich werde mich nun nach alledem auf den Heimweg machen. Ich empfehle mich Ihnen.

FLORINDO   Was? Das Feld räumen wollen Sie jetzt, wo ich auf dem besten Weg bin, Ihnen für eine Furie ein gutes, liebes Mädchen in die Hand zu spielen? Wo ich mich abmühe, hungrig wie ich bin –

KAPITÄN   Sie nehmen um meinetwillen mehr auf sich, Herr, als gebührlich ist.

FLORINDO   Das mag sein, aber das bekümmert Sie nicht. Sie haben sich mir anvertraut. Ich bin es Ihnen schuldig, daß Sie einiges Vergnügen finden, wie Sie es nach meinem Reden zu erwarten berechtigt waren.

KAPITÄN   Unsere Bekanntschaft ist jung, Herr. Ich glaube, Herr, Sie irren sich in mir. Es kommt mir nicht so sehr auf das an, was Sie meinen.

FLORINDO   Was denn, Kapitän? Sie mögen das Mädchen nicht? Zum Teufel mit Ihnen, Kapitän, wenn Sie nicht wissen, was Sie wollen.

KAPITÄN   Ich will sie wohl, Herr, aber ich will sie nicht wider ihren Willen. Es kommt mir, verdamm mich Gott, beiläufig mehr auf ihre gute Laune an als auf alles andere.

FLORINDO   Lassen Sie das meine Sache sein.

KAPITÄN   Ich bin Ihnen dankbar für Ihren guten Willen. Aber Sie müssen wissen, alle Gewalt geht mir wider den Strich. Überredung ist auch Gewalt. Sehen Sie, Herr, seit meinem vierzehnten Lebensjahr bis auf den heutigen Tag habe ich mich unter halben und ganzen Bestien herumgetrieben. Ich habe Gewalt gelitten und Gewalt geübt. Bei Tag und Nacht, fünfunddreißig geschlagene Jahre, Herr! Aber ich bin darüber nicht zum Vieh geworden, verstehen Sie mich, Herr? Ich hatte, verdamm mich Gott, auf das Mädchen in einer anderen Weise ein Aug geworfen.

ANTONIA    Verhandel du mit dem, was du willst. Ihr habt die Rechnung ohne den Wirt gemacht.
*Will gehen.*

FLORINDO    *dreht sich um*    Du bleibst da, wenn ich bitten darf.

KAPITÄN    Ich möchte Sie bitten, Herr, lassen Sie das Mädchen. Das Mädchen ist im Grunde ein gutes Mädchen, das ist mir wohl bewußt. Wenn sie lacht und freundlich ist, geht einem das Herz auf. Es verdrießt mich, daß ich nicht mit ihr umzugehen verstehe. Aber ich nehme es ihr nicht für übel. Sie hätte das früher sagen mögen, daß ich ihr nicht passe.

FLORINDO    *zu Antonia*    Da! Da! Eine Seele von einem Menschen! Bewahre mich Gott vor engherzigen Halunken.
*Er schlägt dem Kapitän auf die Schulter. Zu Antonia*
Wirst du niemals lernen, Qualität in einem Mann zu spüren?

KAPITÄN    Herr, mir ist bewußt, daß was dahinter ist hinter einem Menschen. Der ist ein Vieh, der nur bis an die Haut sieht und nicht weiter. Vor dem spucke ich aus. Unter solchem Viehzeug war ich fünfunddreißig Jahre lang, verdamm mich Gott, aber ich habe mir eine Sorte von Seele im Leibe bewahrt. Meinen Sie, es geschieht um nichts und wieder nichts, Herr, wenn einer nun solch ein Geschöpf da mit sich herumschleppt? Wenn ich Ihnen sage, daß sich mir in diesem gelben Schlingel in der bösesten Stunde meines Lebens der lebendige Herrgot leibhaftig geoffenbart und mir mit den Pfoten dieses Affen da ein Messer zugeworfen hat, welches mir sehr nottat, da an jeder meiner Gliedmaßen ein malaiischer Seeräuber hing und sich bemühte, mich ins Jenseits zu befördern – verdamm mich Gott!

FLORINDO    *noch während der Kapitän spricht, zu Antonia, indem er sie etwas nach links genommen hat, halblaut*
Mißfällt er dir?
*Ohne die Antwort abzuwarten*

Ist nicht wahr! Redst dirs ein. Ein Kerl wie Gold: Fünfunddreißig Jahre hat er mit Geschöpfen vorliebnehmen
müssen, was ihm das Herz zusammenkrampfte, sooft er
der Natur den Tribut darbrachte. Könntest ihn selig machen und mit ihm glücklich sein. Schmelzen an selbstent-
zündetem Feuer: lerns von den Ehefrauen. Über was
fauchst du? Daß ichs nicht bin? Wär ich noch der von damals? Pah! Bist dus vielleicht noch? Ist nicht heute die
Kleine dort oben mehr als du selber? Aber in dir hast du
heute zehnmal mehr wie damals. Weil eins nach vorwärts
lebt und nicht nach rückwärts, das weiß ich aus mir. Hals-
starrig, boshaft dich verkrampfen in dich selber. Eine Gemeinheit ist es. Ein Wüten gegen die eigene Seele, mir das
aufzuspielen! Wo ich weiß, wie du sein kannst –
*Sanfter, er streichelt mit den Fingerspitzen ihre Wange. Sie weint.*
Oder weiß ichs vielleicht nicht? Weil es aufgehört hat – darüber weinen! Ein schöner Grund. Daß es da war, daß es uns
gewürdigt hat, einander zum Werkzeug der namenlosen Bezauberung zu werden. Mich für dich, dich für mich. Darüber
sollst du mir staunen –

ANTONIA *leise* Sei still. Die dich erhört, die ist schon betrogen.
Aber die dich hat, der ist wohl.
*Seufzt.*

FLORINDO  Betrogen? Heißt mich dein Gedächtnis einen Betrüger?

ANTONIA *mit getrockneten Tränen, verändert* Bist hungrig, armer Kerl. Hat dir die Person nicht einmal ein Nachtmahl gegeben. Ich hab ein schönes Essen droben. Wein, Kerzen.
Komm hinauf.

FLORINDO  Wenn ichs tu, so geschiehts dem Herrn zuliebe.
Wird er dich lachen sehen?

ANTONIA  Du machst einen taumelig mit Reden.

FLORINDO *bereit, hinaufzugehen* Wir wären unser vier, wir
könnten lustig sein.

ANTONIA  Das nicht! Die soll nicht dabei sein!

FLORINDO  Wir werden sehen.

ANTONIA *heftig* Ich will nicht, daß du kommst, wenn es um
des Mädchens willen ist.
*Sie zieht ihn mit sich.*

FLORINDO   Wärst erst recht nur du, was ich bei ihr suchte.
Kommen Sie nur mit, Herr Kapitän.
*Ins Haus mit Antonia, die Tür fällt zu.*
PEDRO  *eilt an die Tür*  Die Klinke geht nicht. Es ist ein künstli-
cher Verschluß. In Europa alles sehr künstlich. Oh!
*Klopft und rüttelt.*
KAPITÄN   Rüttel nicht an der Tür. Klopf nicht.
PEDRO   Mein Kapitän muß hinein. Der Herr Florindo hat
hochachtend eingeladen.
KAPITÄN   Laß ihn machen. Zeit muß er haben, der gute, mun-
tere Bursch. Er ruft mich schon, wenn die rechte Zeit ist.
PEDRO   Er hat gesprochen: Kommen Sie mit, Herr Kapitän,
sichergewiß.
KAPITÄN   Kommen Sie nach, war der Sinn davon, und das
nicht zu schnell. Lassen Sie mir Zeit, Kapitän, Ihnen das
Mädchen vollends gut zu machen, und Sie sollen Ihre Freude
erleben.
PEDRO   Das hab ich nicht gehört.
KAPITÄN   Das will ich dir glauben, daß dus nicht gehört hast.
Meinst du, wir Europäer brauchen einander alles wörtlich in
die Zähne zu schleudern wie ihr in eurer gottverdammten
Affen- und Tigersprache? Hier bei uns liegt das Feinste und
Schönste zwischen den Wörtern. Armes Vieh! Wie soll das
in deinen Schädel?
*Wie zu einem Kind*
Er ist mein Freund, der da droben. Dafür hab ich ihm
nichts gegeben. Das kauft sich nicht um Geld oder Tausch-
ware. Sympathie heißt das Wort. Merk dirs. Und er
will, daß wir es gut haben, verstehst du? Daß die Mädchen
freundlich auf uns lachen, verstehst du?
*Pedro grinst.*
KAPITÄN   Warum will er das? Weil ihm wohl wird, wenn er
sieht, wie andern wohl wird. Weil er ein guter Mann ist.
Weil er kein enges, neidisches Herz hat. Verdamm mich
Gott, hab ich den muntern Burschen liebgewonnen.
*Geht auf und ab.*
PEDRO  *Nach oben, freudig hüpfend*  Oh, es ist noch nicht aus
für uns heute. Ist noch nicht jeden Tag sein Abend heute
abend!

KAPITÄN *auf und ab*  Europa! Es möchte einer die alten Steine küssen, mit denen dein Boden bepflastert ist. Du bist das Wunderland, nicht die gottverdammten giftigen Sümpfe da drüben.

PEDRO *zu ihm, dicht bei ihm, leise, angelegentlich*  Ich sage: werden wir abermals lange zu warten haben auf sehr gute Sache?

KAPITÄN *aufgeräumt*  Je länger, je besser wirds. Meinst du, es sei eine Kleinigkeit, ein Weibsbild vom Weinen wiederum zum Lachen bringen? Was für ein Vieh ist unsereins gegen einen solchen leichten, geschickten, liebenswürdigen Burschen. Aber dann! Gesellig soll es zugehen da oben, und ich will alles bezahlen. Verdamm mich Gott, wenn ich den braven, generösen Burschen nur eine Flasche Wein mir halbieren lasse.

*Singt vergnügt*

Im Dunkeln geht das Vieh auf seinen Fraß
Und seine Lust,
Trübselig, finster und allein,
Wir aber sollen bei der Kerzen Schein
Mit munterm Sinn und froher Brust
Die unsrige mit unsern Freunden teilen,
Auf daß Gott Bacchus und der Grazien Schar
Mit Anstand unter uns verweilen.

Es soll immer besser werden, je weiter wir landeinwärts kommen. Da, sperr die Nüstern auf, zieh die Luft ein: die kommt von drüben. Da sind Wiesen, Berge, Dörfer. Da sind wir zu Haus. Geschöpf, ich will nicht vergessen, daß wir aneinandergedrückt wie zwei zitternde Büffelkälber, gerüttelt von Fieber und Todesangst ihrer fünfzig greuliche Nächte miteinander verbracht haben. Ich will gut sein zu dir im Lande meiner Väter.

*Pedro sieht ihn zwinkernd an.*

Tut das Warten dir an? Sind deine Augen zu leer? Ist dein Hirn zu arm, um sich mit Gedanken wach zu halten? Geh nach Haus oder leg dich indessen. Da leg dich.

*Pedro wickelt sich in den Mantel, legt sich auf den Boden, schläft sofort ein.*

KAPITÄN  *geht behaglich auf und ab, halblaut singend*
    Auf, auf, du Bootsmann, und auf, du Jung,
    Auf nach Bilbao!
    Kathrinchen hat von uns genung,
    Auf nach Bilbao!
    Sie mag nicht den Gestank von Teer,
    Auf nach Bilbao!
    Sie nimmt sich einen Schneider her,
    Auf nach Bilbao!
*Pedro stöhnt aus dem Schlaf.*
*Florindo öffnet oben das Fenster, sieht heraus.*

KAPITÄN  *stellt sich ins Licht, vergnügt*  Hier zur Stelle, hier zur
    Stelle!

FLORINDO   Sie hätten mitkommen müssen, Kapitän!
*Verschwindet.*
*Es wird oben finster, man hört das Lachen einer Frauenstimme
und das Zuschlagen einer Tür.*

KAPITÄN  *erwartungsvoll, dann verdutzt*  Nichts mehr?
*Stille.*
    Sie hätten mitkommen müssen. Das soll wohl heißen: jetzt
    ist es zu spät, Sie brauchen sich nicht mehr heraufzube-
    mühen. Ich will nicht hoffen, lieber Herr! Ich will nicht
    hoffen!
*Er rüttelt, pocht gemäßigt*
    Das wäre wider die Abrede.

TERESA  *an dem anderen Fenster, aus dem Dunkeln den Kopf vor-
    steckend*  Alter Seeräuber, pack dich nach Hause. Da hättest
    du früher aufstehen müssen.
*Wirft das Fenster zu.*

KAPITÄN  *zornig*  Was?
*Pocht stärker*
    Still, da kommen Leute.
*Cristina und Pasca kommen von rechts. Vor ihnen ein halbwüch-
siger Bursche mit einer Laterne. Cristina trägt die Tracht eines
reichen Bauernmädchens mit goldenen Ohrringen und vielen silbernen Nadeln im starken Haar. Pasca ist bäurisch, aber einfach
gekleidet.*

PASCA  *im Auftreten*  Gehen wir nur schnell. Gewiß ist der
    hochwürdige Herr noch wach und wartet auf uns.

CRISTINA  *bleibt stehen*  Siehst du, ich hab dirs gesagt. Der eine
liegt auf der Erde und der andere will da ins Haus. Gewiß
um einen Arzt. Frag doch.

*Pedro stöhnt.*

CRISTINA  *halblaut*  Hörst du? Wenn du nicht fragst, frage ich.
Sie haben ein Unglück da, Herr? Schließt man Ihnen denn
nicht auf? Können wir Ihnen helfen?

KAPITÄN  Hier ist nichts, was Sie bekümmern dürfte, Fräulein.

*Er nimmt den Hut ab.*

PASCA  Siehst du, jetzt komm schnell, es wird ein Betrunke-
ner sein.

*Zum Kapitän*

Entschuldigen Sie unseren Irrtum, mein Herr.

*Will weg mit Cristina.*

KAPITÄN  *den Hut in der Hand*  Sie sind nicht aus dieser Stadt,
Fräulein?

CRISTINA  Freilich nicht. Wir sind vom Land. Aus dem Gebirge sind wir her. Mein Onkel, der Herr Pfarrer, ist eben
heute angekommen, uns nach Hause zu holen.

PASCA  Komm! Komm!

*Pedro stöhnt abermals.*

CRISTINA  *erschrickt*  Was hat er denn?

KAPITÄN  Nichts. So wenig als ein Jagdhund, wenn er hinterm Ofen liegt. Seien Sie ruhig.

*Stößt Pedro mit dem Fuß*

Auf, zeig dich, rühr dich!

*Pedro hebt sich auf mit dem Mantel, der ihm noch über den Kopf
hängenbleibt. Stöhnt stärker.*

KAPITÄN  Er hat lebhafte Träume, weiter nichts. Auf mit dir,
wach, wach.

*Zieht ihm den Mantel ab. Man sieht Pedros recht befremdliches
Gesicht. Pasca stößt einen Schrei aus und flüchtet mit hochgeho-
benen Röcken nach links. Der Bursche mit der Laterne entspringt, Cristina tritt schnell nach rechts hinüber.*

CRISTINA  Mein Gott und Herr!

KAPITÄN  Nichts, nichts. Der beste Bursche von der Welt. Ein
harmloser Malaie! Sein Vater war ein Europäer wie Sie und
ich.

PEDRO  *auf Pasca zu, noch halb im Traum*  Nicht laufen, soll
Pedro dich fangen? Oh!
*Pasca schreit abermals.*
*Kapitän faßt Pedro beim Halskragen wie einen Hund. Pedro will*
*trotzdem Pasca nachlaufen.*
Mir geschenkt, für mich gekommen! Mein schönes, wei-
ßes Mädchen!

CRISTINA  *ruhig näherkommend*  Siehst du denn nicht? Es ist ein
ausländischer Mann, weiter gar nichts.

PASCA  Der leibhaftige Teufel ist es.

PEDRO  *betrachtet Cristina*  Meinen Kapitän sein bekommenes
Geschenk. Oh! Oh!
*Bewundernd.*

CRISTINA  *neugierig*  Was sagt er?

PASCA  Zu mir jetzt, oder ich laß dich allein.

CRISTINA  *gleichmütig*  Komm ja schon.

KAPITÄN  Oh, mein Fräulein –

CRISTINA  *bei Pasca links*  Wenn man einmal eine Merkwür-
digkeit zu sehen bekommt –

PASCA  Ist nicht die anständigste Gelegenheit. Daß du das
nicht selber fühlst.

CRISTINA  Geh du, geh du, der gutmütige alte Herr.
*Sie wenden sich zum Gehen.*

PEDRO  *ihnen nachsehend, äußerst enttäuscht*  Wohin die beiden?

KAPITÄN  *ihnen nachsehend, die um die Ecke verschwunden sind*
Ja, wohin?

PEDRO  Ich muß zurückholen! Eilig! eilig! Hallo! Unsere
Mädchen.

KAPITÄN  *reißt ihn derb zurück*  Vieh, was ist in dich gefahren?
Soll ich dir Wasser über den Schädel gießen?
*Stößt ihn nach hinten. Vor sich*
Aus dem Gebirge! Das will ich glauben, das ist nicht gelogen. So trug sich meine selige Mutter, mit solchen silbernen Nadeln im Haar. Das Mädchen vergesse ich nicht, und
wenn ich sie bis an mein Totenbett nicht wiedersehe.

PEDRO  Mein Traum war vielmals schön. Herr Florindo ist
gekommen auf uns gegangen und bringt an jede Hand eine

Frau für uns beide. Das habe ich geglaubt anzubeginnen
mit die zwei Damen vorüber. Ich war hochachtungsvoll in
Erwartung. Viemals schade.

KAPITÄN *ohne auf ihn zu hören* Eine Jungfrau ist sie, das steht
ihr im Gesicht geschrieben. Was geht das mich an? Aber,
verdamm mich Gott, wenn ich wo anders sterben will als
in einem der sechs oder sieben Dörfer dort droben, wo die
Frauen ihr Haar mit genau solchen silbernen Nadeln an ihren Kopf stecken.

PEDRO *schleicht sich um ihn herum, sucht ihm ins Gesicht zu sehen* Oh! Mein Kapitän Nummer eins traurig. Kapitän, da
hinauf! Herr Florindo ist in Erwartung.
*Rüttelt an der Tür.*

KAPITÄN *vor sich* Ich will heim und ein niedriges, unbeschol-
tenes Frauenzimmer ehelichen. Verdamm mich Gott! Und
wäre es keine bessere als die Figur da, die als Begleiterin
hinter dem schönen jungen Geschöpf daherkreuzte. Und
wenn ich mit der einen Buben gemacht habe, der soll ein
anderer Kerl werden wie ich und einmal ein solches Geschöpf zur Frau kriegen. Verdamm mich Gott, das soll er,
wenn ich längst im Grabe liege.

PEDRO *zupft ihn* Wir müssen rufen. Wir müssen unsere Gegenwart zudringlich in Erinnerung bringen.

KAPITÄN Nichts da, wir gehen heim.

PEDRO *traut seinen Ohren nicht* Heim?

KAPITÄN Schlafen, hab nichts zu suchen da droben. Ich
wünsch dem muntern Burschen einen vergnügten Abend
und ein fröhliches Erwachen. Wir reisen morgen. Ich will
mich nach der Gelegenheit erkundigen, dort hinein, land-
ein, bergauf. Dort wollen wir begraben sein, mein alter
Affe.
*Singt*
    Auf, auf, du Bootsmann, und auf, du Jung,
    Auf nach Bilbao!
*Geht breitbeinig ab nach rechts.*

PEDRO *nimmt seinen Mantel auf, seufzt* Ich sage: Es hat vielmals schwer, in Europa richtig anzubeginnen die sehr gute
Sache.

*Zwischenvorhang fällt vor, hebt sich gleich wieder, es ist heller Tag, früher Morgen. Cristina und Pasca, sowie ein halbwüchsiger Bursche kommen aus dem Gäßchen links und bringen nach und nach ihr Reisegepäck, das sie aufschichten: es sind Reisesäcke, Körbe, Taschen und Päcke in bunten Tüchern, zuoberst ein Vogelbauer mit einem lebendigen Vogel.*

CRISTINA  So ziehe ich in Gottes Namen ab, ledig wie ich gekommen bin.
*Lacht.*

PASCA  Ist deine Schuld.

CRISTINA  Schuld? Und wenn! Ist denn vielleicht Heiraten gar so was Schönes?
*Pasca zieht ein Gesicht.*
Die mich hätten haben wollen, die haben mir nicht gepaßt, und die mir gepaßt hätten –

PASCA  Nun?

CRISTINA  Das ist mir nur so aus dem Mund gegangen. Kein einziger hätte mir gepaßt.

PASCA  Erbsenprinzessin. Der hübsche Lelio, wie er hinter dir her war!

CRISTINA  Wird schon eine andere finden. Der nimmt jeden Docht, wo ein Öl dran ist. Einen Zaunstock so gut wie mich. In Gottes Namen, das Vogelfutter vergessen! In der Gewürzlade droben. Holst dus?

PASCA  Ich hols schon. Verschmudel dir das schöne Kleid nicht, sonst wärs noch besser im Koffer gewesen. Die werden lachen zu Haus, wenn du ankommst im Staatsgewand und ohne Bräutigam!
*Geht ab.*

CRISTINA  Sollen –! Wären jeder zu Tod froh, wenn ich ihrer einen nähme, die groben Klötz.
*Kniet nieder, macht sich um das Gepäck zu schaffen.*

FLORINDO  *ohne Rock, mit offenem Haar, stößt ein Fenster auf und sieht hinaus*
Was ist das für eine Stimme? Das ist die Stimme eines Engels. Sie wühlt mich um und um, diese Stimme.
*Cristina dreht sich um, bemerkt ihn, setzt sich auf den Koffer,*

*streift ihr Kleid zurecht. Da Florindo den Blick nicht von ihr ab-*
*wendet, dreht sie sich um, macht sich mit dem Vogel zu tun, dem*
*sie den Finger hinhält, und schließlich drückt sie die Lippen an das*
*Gitter des Käfigs. Florindo springt vom Fenster weg und kommt*
*sogleich unten zur Tür herausgelaufen, mit unordentlichem*
*Haar, seinen Mantel übergeschlagen, den er mit beiden Händen*
*zusammenhalten muß. Er bleibt vor Cristina stehen, verzehrt sie*
*mit den Blicken.*

FLORINDO   Der Vogel hat zu viel! Das unvernünftige Tier
verdient nicht dieses Übermaß von Glück. Ich will nicht,
daß Sie ihn vor meinen Augen küssen.
*Läuft ins Haus zurück.*
*Cristina errötet bis über die Ohren. Pasca kommt.*

PASCA   Was stehst du denn so da? Ist was passiert?

CRISTINA   *schnell*   Ach, gar nichts. Nein, was das Schiff lange
ausbleibt. Du, wer wohnt denn eigentlich in dem Haus da?

PASCA   Wie soll ich das wissen?

CRISTINA   Spaßiges Leben in der Stadt. Da hat man drei Wochen gewohnt und weiß nicht einmal, wer um die Ecke der
Nachbar war.

PASCA   Was kümmerts dich? Siehst wahrscheinlich die Stadt
nie wieder, geschweige das Haus da.

CRISTINA   Freilich. Es hat halt einer herausgesehen – und
weißt du, was ich glaube? Daß er mit dem gleichen Schiff
fährt wie wir. Wie käme denn sonst so ein Herr dazu, so
früh aufzustehen. Wart, ich muß –

PASCA   Was, Teufel?

CRISTINA   – schaun, ob ich die Haare ordentlich hab. War
stockfinster, wie ich mich frisiert hab.
*Läuft ab nach links.*
*Florindo mit Teresa am Fenster.*

FLORINDO   Die, die! Jetzt ist sie dort ins Haus!

TERESA   Er hat schon wieder eine ausspioniert!

ANTONIA   *unsichtbar hinter ihnen*   Die ist nicht für dich.

FLORINDO   Was sagt sie? Ich habe nicht lange Zeit.

TERESA   Das ist die Pfarrersnichte aus dem Gebirge.
*Pasca sieht hinauf.*

FLORINDO   *leiser*   Was sucht die hier?

TERESA  Einen Mann.

FLORINDO  Und hat keinen gefunden? Die?

TERESA  Weiß nicht! Sie soll eine Waise sein und viertausend silberne Dukaten Mitgift haben. Dazu auch noch ein Wirtshaus, das jahraus, jahrein hundert Dukaten trägt.

FLORINDO  Wäre sie bettelarm und die Nichte des Schinders –

ANTONIA  *erscheint hinter ihm*  Da laß du deine Hand davon. Das sind anständige Leute.

*Geht weg.*

FLORINDO  *indem er sich jäh zu ihr umdreht*  Und was bin ich?

TERESA  Wenn du nur den Mund aufmachst –

FLORINDO  Meinst du, ich kann nicht so gut den Ehrenmann spielen als einer von den braven, soliden Schmierfinken, die alle vierzehn Tage ihr Hemd wechseln? Meinen Rock, meinen Mantel, ich hab jetzt Eile!

*Teresa schlägt die Hände über dem Kopf zusammen.*

*Beide weg vom Fenster.*

CRISTINA  *kommt langsam zurück zu Pasca*  Da kommt's Schiff, und der Onkel noch nicht da.

*Die Barke legt rückwärts an.*

PASCA  Er kommt noch zehnmal.

CRISTINA  Und der junge Herr auch, willst du wetten?

PASCA  Ja, der wird gerade auf dich warten!

CRISTINA  *zornig*  Mußt du mir Kleie in mein Mehl mischen? Mußt? Mußt? Ist er nicht da, so kann er noch kommen. *Singt halblaut*

　　Ist er nicht da, er kommt schon noch,
　　Hab ihn doch eingeladen!
　　Und will er nicht kommen, so denk ich an ihn,
　　Das wird ihn schon zu mir herziehn,
　　Als wie an einem Faden.

*Verschiedene Reisende kommen mit Gepäck, das von einer alten Frau und einem Burschen geschleppt wird. Das Gepäck wird neben dem Gepäck der anderen abgeladen. Cristina bringt ihren Vogel in Sicherheit.*

FLORINDO  *an dem zweiten Fenster, wird von Teresa frisiert* Schnell, Kleine, mach schnell, kriegst was dafür.

TERESA  Sei ruhig, sonst dauerts noch länger.

*Cristina hält sich abseits der Leute, geht auf und ab.*
*Trällert ihr Liedchen*

BARKENFÜHRER *kommt nach vorne* Wer sind die drei Personen, die ihre Plätze vorausbezahlt haben? Ein geistlicher Herr und zwei Frauenzimmer.

CRISTINA *eifrig* Das sind wir! Der geistliche Herr ist mein Onkel. Er ist gegangen, die Messe lesen. Er wird gleich zurück sein. Das hier sind unsere Sachen.

*Der Barkenführer nimmt einen Teil von Cristinas Gepäck, trägt es nach rückwärts. Die abreisende Familie ergreift ihre Gepäckstücke und eilt auf die Barke zu, sich Plätze zu sichern. Pasca desgleichen, einen großen Pack tragend. Man sieht, wie sie sich um die Plätze streiten. Florindo, ohne Hut und Mantel, aber frisiert und vollständig angekleidet, kommt rasch aus dem Haus heraus und läuft zu den Streitenden hin.*

CRISTINA *hält sich abseits links vorne und summt ihr Liedchen vor sich hin* ... als wie an einem Faden.

BARKENFÜHRER *geht auf Cristina zu, zieht die Mütze* Ich soll sagen, daß die Barke für das Fräulein und ihre Begleitung reserviert bleibt. Der Herr dort hat alle übrigen Plätze bezahlt.

FLORINDO *vor dem Hause, ruft hinauf* Teresa! Meinen Hut, meinen Mantel, sofort!

TERESA *am Fenster* Sie läßt mich nicht.

ANTONIA *am Fenster* Ich lasse sie nicht. Du kommst herauf. Das tust du mir nicht an.

*Florindo kehrt dem Hause ohne Antwort den Rücken.*

CRISTINA *zu Pasca, die von rückwärts zu ihr kommt* Nun, hab ich recht?

FLORINDO *tritt schnell zu ihr* Worin recht, schönes Fräulein?

PASCA Daß Sie ein hübscherer junger Mann sind als alle ihre Verehrer, die sie in Venedig gehabt hat.

CRISTINA *versucht ihr den Mund zuzuhalten* Hat dich die Tarantel gestochen, du Hexe?

FLORINDO Warum, schöne Cristina, sind Sie böse darüber, daß ich es erfahren soll, wenn ich Ihnen ein wenig gefallen habe, während ich vieles darum geben würde, Sie wissen zu lassen, wie reizend ich Sie finde?

CRISTINA  *zu Florindo*  Erstens, woher wissen Sie meinen Namen, mein Herr? Wir haben einander doch nie gesehen, und zweitens –

FLORINDO  *einen Schritt näher*  Zweitens?

CRISTINA  – zweitens ist von all dem gar nicht die Rede, sondern es kann nur davon die Rede sein, daß wir Ihnen sehr verbunden sein müssen.

*Knixt*

dafür, daß Sie uns die Reisegesellschaft vom Hals geschafft haben, und hauptsächlich wird Ihnen mein Onkel, der Herr Pfarrer von Capodiponte, sehr verbunden sein, denn er verträgt das Fahren auf dem Wasser schlecht. Aber es ist sicherlich eine große Unbescheidenheit, wenn wir es auf uns beziehen, denn natürlich sind Sie es gewöhnt, bequem zu reisen, und haben es um Ihrer selbst willen getan. Und Sie möchten uns wohl gerne auch los sein.

*Antonia und Teresa auf dem Balkon.*

ANTONIA  *angstvoll*  Ruf ihn um alles in der Welt, ruf ihn.

TERESA  *nicht sehr laut*  Florindo! Geh, Florindo!

FLORINDO  *ohne es zu beachten, erwidert auf Cristinas Rede*  Erstens glauben Sie selbst kein Wort von dem, was Sie da sagen, und zweitens –

PASCA  *die vorkommt*  Herr, ich glaube, man ruft Sie.

FLORINDO  *ohne sich umzudrehen*  Nicht im geringsten.

*Fortfahrend zu Cristina*

Zweitens habe ich die Barke sicherlich nicht zu meiner Bequemlichkeit gemietet, denn ich fahre gar nicht mit.

*Cristina stampft zornig auf.*

Und dafür wollen Sie mir zürnen, weil mir jedes Mittel recht war, das mir die Möglichkeit gab, mich Ihnen zu nähern? Ich stehe da oben und glaube zu träumen – und mich verzehrt das Verlangen, zu wissen: wer ist sie, wo kommt sie her, wo fährt sie hin?

CRISTINA  *zu Pasca, die indessen einen Gang gemacht hat und nun wieder nach vorn kommt*  Pasca, er fährt nicht mit.

*Kehrt sich ab, macht sich mit ihrem Vogel zu schaffen.*

FLORINDO  *zu Pasca*  Ich sehe, das Fräulein würdigt mich keiner Antwort. Aber Sie, gute Frau, werden um so viel menschlicher sein, als Sie älter und erfahrener sind. Ich höre, das Fräulein ist vom Lande hereingekommen, um sich zu vermählen. Vielleicht hätte ich gnädige Frau sagen müssen? Nein? Aber verlobt? Wie? Und ihr Bräutigam nicht da, um sie zu begleiten? Er muß krank sein, auf den Tod krank, der arme Mensch –

*Cristina lacht.*

FLORINDO Spannen Sie mich nicht auf die Folter, liebe gute Frau, denn wenn ich annehmen dürfte, sie wäre frei –

CRISTINA Was hat es für einen Zweck, wenn wir Ihnen noch so viel Fragen beantworten, da wir doch nach fünf Minuten Abschied nehmen und einander voraussichtlich nie im Leben wiedersehen werden? Und da kommt auch schon der Onkel.

*Läuft dem Onkel entgegen, in die Gasse links.*

PASCA *bemerkt, daß der fremde Bursche im Begriff ist, eines ihrer Gepäckstücke fortzutragen, stürzt ihm nach* Heda, Bursche! Das Stück da gehört zu unserem Gepäck. Paß auf, bevor du fremder Leute Sache auf deinen Karren lädst.

FLORINDO *sieht Cristina nach* Ich habe fünf Minuten vor mir. Grenzenlos. Man könnte mir geradesogut sagen, ich habe noch fünf Minuten zu leben. Ich fasse das eine ebensowenig wie das andere. Jetzt ist sie um die Ecke. Jetzt schiebt sich etwas dazwischen. Eine Mauer, ein Haus, der Tod, die Hölle, das blödsinnige Chaos. Ich kann nicht aushalten, sie nicht zu sehen.

*Deckt sich die Augen mit der Hand.*

*Teresa tritt aus der Haustür mit Florindos Hut und Mantel. Hinter ihr Antonia, in unordentlichem Morgenanzug, das Haar in Papilloten.*

ANTONIA *angstvoll* Wie er der Kreatur nachsieht! Er wird doch nicht – er wird doch nicht!

TERESA Er wird, da sei du sicher.

FLORINDO *reißt die Hand von den Augen* Da ist sie wieder – wie sie alles anstrahlt – der alte Mann neben ihr sieht aus wie ein Heiliger – es könnten einem die Tränen in den Hals steigen über den letzten Straßenbettler, woferne er neben ihr ginge.

ANTONIA *flüsternd* Jetzt ist er allein. Geh doch hin. Fällt dir denn nichts ein, daß man ihn aufhalten kann? Eine Ausrede, ein rechter Streich? Tereserl, mein goldenes Tereserl, fällt dir denn gar nichts ein?

TERESA Jetzt bin ich dein goldenes Tereserl. Sonst haust du mich fürs gleiche.

PASCA *bei Florindo, leise* Sie haben Bekanntschaft dort!

FLORINDO Nicht der Rede wert. Es sind Verwandte, zwei Waisen.

PASCA Man möchte mit Ihnen sprechen, scheints.

FLORINDO Ich war früher zu Besuch bei ihnen. Von Zeit zu Zeit such ich sie auf. Christenpflicht! Im Vertrauen, liebe Frau, die eine davon ist krank.

PASCA Krank?

FLORINDO *zeigt auf seinen Kopf* Beachten Sie sie gar nicht.

PASCA Ja, an ihrem Blick ist etwas nicht richtig. So was seh ich gleich.

FLORINDO Sie hat viel Unglück mit Männern gehabt.

PASCA Ah, sie ist Witwe?

FLORINDO *zerstreut* Ja, fortwährend.

PASCA Wie?

FLORINDO Bitte sehen Sie gar nicht hin, das ist das Beste.
*Er geht rasch auf Teresa zu, und indem er den Hut und Mantel sehr schnell an sich nimmt, flüstert er ihr scharf und in einem Ton, der keinen Widerspruch verträgt, zu*
Und nun verschwindet ihr, schleunig, schleunig.
*Dann geht er Cristina und dem Pfarrer entgegen, die im gleichen Augenblick von links auftreten.*
*Teresa drängt ihre Schwester ins Haus und schließt die Türe.*

DER PFARRER *kommt mit Cristina von links, nimmt vor Florindo den Hut ab* Gnädiger Herr, ich habe Ihnen sehr zu danken.

FLORINDO Hochwürdiger Herr, ich sehe, daß Sie mich für einen Edelmann halten. Aber ich bin einfach Schreiber bei einem Advokaten. Ein bescheidener, bürgerlicher Mensch.

CRISTINA Ach, da bin ich aber sehr froh!

DER PFARRER Warum bist du darüber froh, mein Kind?

PASCA Nun, sie meint wohl, daß der Unterschied zwischen einem Advokatenschreiber und der Tochter eines reichen Pächters kein gar großer sein wird.

CRISTINA *wird sehr rot* Schweig doch! Ganz einfach: ich bin nicht gerne in Gesellschaft von Leuten, die sich für mehr halten als ich bin. Nur so beiläufig gesagt. Denn ich weiß wohl, daß man auf der Reise mit allen möglichen Menschen zusammenkommt.

DER PFARRER  Ja, meine liebe Cristina, wie du siehst, hat ja auch dieser Herr sich freigebig und großmütig uns gegenüber benommen, ohne zu wissen, wer wir sind.

*Antonia und Teresa wieder am Fenster.*

CRISTINA *ohne auf sie zu achten*  Nun weiß ich doch, für was ich nach Venedig gegangen bin.

*Pasca sieht sie an.*

CRISTINA  Paß nicht auf, was ich rede.

DER PFARRER *zu Florindo*  Nein, wirklich, mein Herr, es geht nicht.

FLORINDO  Es geht nicht? Da es nur von einer Entscheidung abhängt, die Sie im Augenblick zu treffen die volle Freiheit haben?

DER PFARRER  So kommt es Ihnen vor, junger Herr. Man ist niemals so frei, als es den Anschein hat. Auch in den unscheinbaren Dingen gibt es eine göttliche Ordnung, die man nicht ungestraft –

FLORINDO  Die Sie doch sicherlich nicht verletzen, wenn Sie Ihr Fräulein Nichte hier lassen. Im Gegenteil. Insofern Sie sich vorgesetzt hatten, durch den Aufenthalt des Fräuleins in der Stadt ein gewisses Ziel zu erreichen, so verletzen Sie ja selbst die von Ihnen selbst gesetzte Ordnung dieser Angelegenheit, wenn Sie diesen Aufenthalt so einrichten, daß er seinen Zweck unmöglich erfüllen kann.

DER PFARRER  Sie haben durchaus recht, mein Herr –

FLORINDO  Nun also, Herr Pfarrer, nun also!

DER PFARRER  Da wir aber nun einmal –

FLORINDO  Wie, Herr Pfarrer? Wo ich Sie in Gedanken so einsichtig, so weitherzig finde, sollte ich denken, daß Sie im Praktischen ein Starrkopf wären? Daß Sie diese übereilte Abreise nicht aufschieben werden, mir nicht die Ehre erweisen werden, in Gesellschaft der jungen Dame mit mir zu speisen?

DER PFARRER  Mein Herr –

FLORINDO  Erlauben Sie mir, daß ich Leute rufe, die im Fluge
Ihre Koffer in Ihr Logis zurücktragen. Heda!

DER PFARRER  – mein lieber, junger Herr –

FLORINDO  Es wird sogleich geschehen.
*Eine alte Frau anrufend, die herumlungert*
Du sollst Leute herschicken, bist du taub?

ANTONIA  *am Fenster hinter Teresa*  Was tut er denn, was geschieht denn?

DER PFARRER  *sanft abwehrend*  Die kleinen Entscheidungen
des Lebens, mein Herr, die kleinen, unscheinbaren Entscheidungen: da gilts jedesmal den Rubikon zu überschreiten, da heißt es: Hier ist Rhodus, hier springe. Aber wer
sollte sich anmaßen, immer das Rechte zu treffen?

FLORINDO  Sag ich es nicht? Ihr Onkel ist ein Weiser, mein
Fräulein! Ich hole selber Leute her! Dieser Koffer –

DER PFARRER  Halt, halt, mein Herr. Da eben gilt es: da gilts
wie beim braven gehorsamen Pferd, den letzten Anzug des
Zügels zu fühlen. Denn eine Hand am Zügel ist immer da.
So lassen Sie uns nur gewähren, mein Herr, in unserer
bescheidenen Ordnung oder Unordnung, und wenn es
diesem guten Kinde bestimmt ist, auf der Heimreise den
Gebieter ihres Lebens zu finden, so wird sie ihn auf der
Heimreise finden, und vielleicht auch wird er eines
schönen Tages aus dem Nachbardorfe auftauchen oder gar
aus unserem eigenen Sprengel. Nicht wahr, Cristina?

CRISTINA  *küßt ihm die Hand*  Du hast in allem recht, Onkel,
was du tust!

DER PFARRER  Geh nur, mein Kind, unterhalte dich mit diesem
Herrn. Ich will mich umsehen, ob alles in Ordnung ist. Im
letzten Augenblick wollen wir dich rufen.
*Geht mit Pasca zu der Barke.*

CRISTINA  Der Onkel hat ganz recht. Was würde denn auch
anders werden, wenn wir gleich ein halbes Jahr hier blieben? Haben mir nicht meine Bekannten alle gesagt, daß sie
entzückt von mir sind, und jetzt hat nicht einmal ein einziger um fünf Uhr früh aufstehen wollen, um mir Lebewohl
zu sagen.

FLORINDO   Pfui über den Lumpen, der Worte in den Mund
nimmt, deren inneren Gehalt er nicht Manns genug ist,
einmal im Leben durch und durch zu fühlen. Wenn ich entzückt bin – so wie ich mich
*Einen halben Schritt näher, ganz nahe*
an Ihnen entzücken könnte, einzig schönste Cristina –
*Er hält inne*
so fährt mir das Wort – das Wort allerdings nicht über die
Zähne –
*Er hält wieder inne.*

ANTONIA   *am Fenster hinter Teresa*   Schau hin, was tut er denn?
Er redet in sie hinein.

TERESA   Kneif mich nicht, kneif mich nicht!

ANTONIA   Erst sinds die Ohren. Rührt er ihre Hand an? –

TERESA   Au!
*Stößt Antonia weg.*

FLORINDO   *wirft einen wütenden Blick über die Schulter nach den
Mädchen, dann hüllt sein Blick Cristina ganz ein*   – Aber die
Essenz davon, das Ding selber, wovon das Wort nur die
Aufschrift ist, die kocht und gärt in meinen Adern, die kann
mich gelegentlich aus dem aufrechten Stehen hinwerfen,
als wären mir die Bänder der Knie gelähmt, die macht aber
vielleicht dafür einen Menschen aus mir, der mit geschlossenen Augen, wie ein Verzückter, ins Feuer oder ins Wasser
läuft; einen Menschen, Cristina, der über der Seligkeit eines
Kusses weinen kann wie ein kleines Kind, und wenn er im
Schoß der Geliebten einschläft, von seinem Herzen geweckt wird, das vor Seligkeit zu zerspringen droht; der wie
ein Nachtwandler über die abscheulichsten Abgründe des
Lebens hin springt und nicht eine Sekunde eher in den
schlaffen, erbarmenswerten Zustand der Wirklichkeit zusammensinkt, als bis –
*Er schließt die Augen.*

CRISTINA   Als bis er sein Ziel erreicht hat, meinen Sie doch?
Aber Sie haben es ja noch nie erreicht, dieses Ziel. Also
müssen Sie noch nie von einer Frau so sehr entzückt gewesen sein.

FLORINDO   Wie? Wie meinen Sie das?

CRISTINA  Nun, wenn Sie vom Ziel reden, da meinen Sie doch
wohl nicht nur so mit einer beisammen sein und ihr den
Hof machen, sondern Sie meinen doch das letzte Ziel.

FLORINDO  Allerdings meine ich das letzte, süße Cristina!

CRISTINA  Jetzt bin ich irre. Was verstehen Sie denn darunter?

FLORINDO  Muß ich Ihnen das sagen, Cristina? Ich denke, Sie
verstehen mich sehr gut ohne Worte. Nicht wahr?

CRISTINA  Nun ja freilich, was könnten Sie auch anders meinen?

FLORINDO  Nicht wahr, zwischen dem Wesen, das entzückt,
und dem Wesen, das fähig ist, Entzückung zu fühlen –

CRISTINA  Freilich, zwischen Mann und Frau, das ist doch
ganz klar.

FLORINDO  Ich denke wohl, es ist klar. Wollten Sie ihm einen
Namen geben?

CRISTINA  Nun, eine ordentliche Trauung in der Kirche, mit
Zeugen und allem, wie es sich schickt.

FLORINDO  *tritt zurück*  Allerdings.
*Er ist stumm.*

CRISTINA  *munter*  Sehen Sie, jetzt wird Ihnen die Zeit mit mir
schon lang, und die Bootsleute sind immer noch nicht fertig unten. Da dürfen Sie nichts über junge Herren sagen,
die mir doch durch vierzehn Tage den Hof gemacht haben.

FLORINDO  Die Affen die, die Schmachtlappen!

CRISTINA  Sie schimpfen auf sie und kennen sie gar nicht. Wie
würden denn Sie es machen?

FLORINDO  *flüsternd*  Fragen Sie mich das? Sind Sie wirklich
dieses Kind? Worte sind gut, aber es gibt was Besseres.
*Er faßt ihre Hand*
Ich will das nicht reden.

CRISTINA  *entzieht ihm die Hand wieder, ohne Heftigkeit*  Natürlich. Es hat keinen Zweck, daß Sie mir das erzählen. Das
verstehe ich schon, daß es was anderes ist, ob man was tut
oder davon redet. Ach ja!
*Der Pfarrer hinten ist beschäftigt, sich durch den Gehilfen des
Barkenführers Geld wechseln zu lassen.*

FLORINDO  *vor sich*  Der erste, der einzige sein. Ungeheuer!

CRISTINA  Aber sehen Sie, mein guter Onkel ist noch immer

beschäftigt. Sagen Sie es mir doch immerhin, wie Sie es machen würden. Ich habe dann etwas, woran zu denken mich unterhalten wird.

FLORINDO  Meinst du, es käme mir ein, dazu einen Plan zu fassen? Wo ich ersticke in Rauch und Flammen, da finde ich den Weg zur Dachluke, und müßte ich wie die Katze mit den Nägeln eine lotrechte Wand hinauf. Bei dir sein, an dir hängen von früh bis Abend, von Abend bis Morgen – warum? Weil mein Leben wäre in dieser Sklaverei, mein Leben in dieser Eifersucht, denn ich wäre eifersüchtig, verstehen Sie mich, Cristina, zu eifersüchtig, zu maßlos begehrlich wäre ich, um Ihnen einen Atemzug zu erlauben, dessen Zeuge ich nicht wäre!

DER PFARRER  *kommt zu Cristina vor*  Mein gutes Kind, hast du daran gedacht, dieser guten alten Frau, die dein Zimmer besorgt hat, ein kleines Geschenk zu machen? Ich sah sie dort stehen.

CRISTINA  Ich habe ihr gegeben, vielleicht gib du ihr noch etwas.
*Zu Florindo, schnell*
Sprechen Sie nur weiter.

FLORINDO  Ich würde mich an Sie klammern. Verstehen Sie, was das heißt? Mit den Augen Ihre Augen suchen, bei Tag und bei Nacht.

DER PFARRER  *kommt abermals*  Meinst du, daß so viel genügen wird?
*Zeigt Cristina einige Münzen in der hohlen Hand.*

CRISTINA  O ja, Onkel, sicherlich.

FLORINDO  Bei Tag und bei Nacht.

CRISTINA  O weh, Herr! Wenn Ihre Geliebte Sie so reden hören könnte.

FLORINDO  Ich rede doch und bin sicher, Sie haben einen Freund.

CRISTINA  *heftig*  Nein!

FLORINDO  Vielleicht nicht hier, vielleicht zu Hause. Aber das schreckt mich nicht ab – ich könnte Sie in seinen Armen wissen und Gott danken, woferne ich nur wüßte, daß er Sie grenzenlos glücklich macht.
*Der Pfarrer und Pasca sind eingestiegen.*

PASCA *ruft* Cristina!

CRISTINA  Ich werde gerufen, ich muß gehen.

FLORINDO  Kann der Himmel so etwas zulassen? Sollen wir so aneinander vorbei?

CRISTINA  Was ist das für Sie! Aus den Augen, aus dem Sinn!

FLORINDO  Jedes Wort, jeder Blick bleibt da!

*Er preßt seine Hand auf sein Herz.*

CRISTINA  Ich weiß kein Wort von allem, was Sie geredet haben. Ich habe Sie immer nur angeschaut.

FLORINDO  *nimmt ihre Hand*  Süßer Engel! Wirst du mir schreiben?

CRISTINA  *schüttelt den Kopf.*

FLORINDO  Nein? Keine Zeile, kein liebes, zärtliches Wort? Hartherzige! Pfui! Jetzt erkenne ich Sie. Kokett und prüde! Alles nehmen, nichts geben!

DER PFARRER  *in der Barke*  Cristina, es ist die höchste Zeit!

CRISTINA  Geben? Ich möchte Ihnen alles geben, was ich habe. Ich komme schon, lieber Onkel, ich komme.

FLORINDO  Alles? Ja? So schreibe nur, und ich schreibe wieder.

CRISTINA  Capodiponte heißt das Dorf, über Ceneda kommt man hin.

FLORINDO  Du schreibst mir, Süße! Meine Adresse! Da!

*Will hastig ein Blatt aus seinem Notizbuch reißen.*

CRISTINA  O weh!

FLORINDO  Du willst nicht, böses Herz?

CRISTINA  Mein Gott!

FLORINDO  Sag ja!

*Preßt ihre Hand an die Lippen.*

CRISTINA  Küssen Sie nicht die Hand, sie ist es nicht wert. Sie hat nicht gelernt zu schreiben. Ich werde fort sein und dann auch ganz fort. Wie wenn ich tot wäre.

*Florindo nagt die Lippen vor Zorn.*

CRISTINA  Ein letztes gutes Wort!

*Nach rückwärts*

Ich komme!

FLORINDO  Ich habe vor dieser Stunde nicht gewußt, was es heißt, ein Wesen liebhaben. Ich laß dich nicht.

CRISTINA  *reißt sich los*  Und ich könnte Sie recht liebhaben,
wenn Sie mein Mann wären.

*Reißt sich los, läuft zum Boot.*

*Florindo ihr nach, bietet ihr die Hand zum Einsteigen.*

ANTONIA  *am Fenster, hinter Teresa*  Steigt er zu ihr ins Boot?
O mein Gott, dann hat er sie auch. Ich weiß doch, wie wir
sind.

*Beide gehen vom Fenster weg.*

*Florindo behält Cristinas Hand, solange es möglich ist. Dann,
wie das Schiff sich längs des Ufers hinschiebt, berührt er noch, auf
dem Boden kniend, vornübergebeugt, den Rand des Schiffes. Als
ihm auch dieser entgleitet, kauert er noch eine halbe Sekunde wie
betäubt. Dann rafft er seinen Mantel zusammen, drückt seinen
Hut in die Stirn, und ohne sich nochmals umzuwenden, will er
fort, nach rechts hin. Antonia und Teresa treten aus dem Hause.
Antonias Blick ist unverwandt auf Florindo gerichtet.*

FLORINDO  *wie er sie sieht, wirft ihr einen halb zerstreuten Blick zu
und wechselt die Richtung, ihr auszuweichen. Dann kehrt sich
sein Blick wieder ganz nach innen. Er wiederholt vor sich*  Ihnen
alles, was ich habe –

*und drückt sich in Wut den Hut tief in die Stirne. Ein Bube
kommt gelaufen mit einem Brief von links her, geradewegs auf
Florindo zu.*

BUBE  Da finde ich Sie endlich, Herr Florindo. In der ganzen
Stadt laufe ich Ihnen nach. Von einem Spielsaal, einem
Kaffeehaus in das andere.

*Florindo beachtet ihn gar nicht.*

Alle Leute habe ich nach Ihnen gefragt. Überall haben wir
Vermutungen angestellt, wo Sie könnten übernachtet ha-
ben. So nehmen Sie doch meinen Brief. Er ist von der
Dame, Sie wissen schon, von welcher.

FLORINDO  Ich weiß von keiner Dame.

*Er blickt sich zweimal jäh nach dem Meer und der Barke um.*

BUBE  Bei der Sie bis vor zwei Wochen fast jeden Vormittag
verbracht haben, wenn unser Herr, der Advokat, bei Gericht zu tun hatte.

FLORINDO  Ich weiß von keiner Dame.

BUBE  Das ist stark. Bin ich es nicht selber, der Ihnen immer
die Türe aufmachte?

FLORINDO *höhnisch* So?
*Er nimmt den Brief.*

BUBE  Nun also!
*Florindo schmeißt ihm den Brief vor die Füße.*
Soll ich das ausrichten?

FLORINDO  Du kannst ausrichten, daß ich mich empfehlen
lasse und daß ich im Begriffe bin, abzureisen.

BUBE  Gut! Schön! Sie sind im Begriffe, abzureisen! Meinetwegen! Aber Sie haben eine Zeit vor sich. Sie reisen nicht in
dieser Stunde ab.
*Er hebt den Brief auf und präsentiert ihn aufs neue. Florindo will
fort, der Bube hängt sich an ihn.*

FLORINDO  *packt ihn an der Schulter* Wer sagt dir, daß ich nicht
in dieser Minute abreise?
*Er wirft den Buben zu Boden, reißt sich den Hut vom Kopfe,
winkt damit gegen die Barke hin und schreit*
Achtung!

ANTONIA  Was macht er denn?
*Versteht seine Absicht und schreit auf. Florindo nimmt einen
kurzen Anlauf und springt.*

TERESA  *zu Antonia* Was schreist du? Du wirst es doch wis-
sen, daß der einer hübschen Person nichts abschlagen kann.
*Antonia kehrt ihr Gesicht gegen das Meer.*
*Aufschrei in der Barke.*

TERESA  *sieht hin* Er ist drin! Was weiter! Der kommt schon
wieder!
*Vorhang.*

*Vorsaal im Gasthof zu Ceneda. Rechter Hand mündet die Treppe.*
*Links mündet ein Korridor, der zu anderen Gastzimmern führt.*
*Rückwärts zwei Zimmertüren. In der Ecke links rückwärts führts*
*zur Küchenstiege. In der Mitte des Saales eine lange Wirtstafel, ge-*
*deckt für zehn oder zwölf Personen. Vorne links ein kleiner Tisch*
*an der Wand, nicht gedeckt.*
*Abendstunde, kurz vor dem Lichteranzünden. Der alte Romeo und*
*ein Bursche tragen die aus dem ersten Akt bekannten Gepäckstücke*
*nach links hin. Sie kommen später wieder zurück.*

FLORINDO  *gefolgt von dem Hausknecht, kommt die Treppe herauf.*
 *Eilig*  Den Gartensalon mag ich nicht! Ihr hattet doch noch
 ein nettes Zimmer, wo ich immer mit meinen Gästen zu
 Abend aß.
HAUSKNECHT  Wie soll ich wissen, wo Sie immer –
FLORINDO  *sieht sich um*  Dort, richtig!
 *Öffnet die Tür weiter rückwärts rechts*
 Ausräuchern da! Die Fenster aufmachen! Einen ordentli-
 chen Spiegel hinein!
WIRTSSOHN  *ist unterdessen von unten eilig gekommen*  Wenn Sie
 gehört hätten, Herr Florindo, wie der Vater sich gefreut
 hat –
FLORINDO  Eure besten Möbel. Euer bestes Tischzeug. Vier
 Gedecke! Kerzen, soviel Ihr Leuchter auftreiben könnt.
 *Hausknecht zeigt auf die Wirtstafel, brummt etwas.*
WIRTSSOHN  *halblaut*  Wie der Herr Florindo befiehlt, so
 wirds gemacht.
 *Hausknecht zuckt die Achseln.*
FLORINDO  Dieses Zimmer daneben nehme ich für mich.
 *Geht hinein, wirft seinen Mantel ab, kommt gleich wieder her-*
 *aus.*
 *Der alte Romeo und der Bursche sind dazugekommen. Auch noch*
 *andere Hausburschen. Möbel werden aus dem rückwärtigen*

*Zimmer heraus und andere in dasselbe hineingeschleppt, Spiegel, Stühle usw.*

FLORINDO    Wasser, ich will mir die Hände waschen.

HAUSKNECHT    *übellaunig*    Wasser gibts in jedem Zimmer.

FLORINDO    *zum Wirtssohn*    Welches Zimmer habt Ihr dem Herrn Abbate gegeben?

WIRTSSOHN    Wie Sie befohlen haben, das Eckzimmer dort hinten im Korridor. Das schöne Fräulein, seine Nichte, hat das Zimmer gegenüber.

FLORINDO    *tritt zurück, sieht hin, dann den Hausknecht packend* Ein Waschbecken hierher.

*Hausknecht geht in das vordere Zimmer, bringt ein Waschbecken und ein Handtuch. Florindo läßt es ihn halten, wäscht sich die Hände.*

WIRTSSOHN    *indessen*    Wenn Sie gehört hätten, Herr Florindo, wie der Vater sich gefreut hat, daß Sie uns wieder einmal beehren. Wenn ihn etwas gesund machen könnte, hat er gesagt, so wären es solche Gäste. Und was denn diesmal für schöne Damen in Ihrer Begleitung wären, hat er gefragt. Und hat sich halbtot lachen wollen, wie ich ihm gesagt habe, daß es ein Landgeistlicher und seine bäurische Verwandtschaft ist, für die Sie das Souper mit Champagner und Fasanen geben. Wenn Sie weiter keine Befehle hätten, so würde ich unterdessen den Wein aus dem Keller holen.

FLORINDO    *trocknet sich die Hände*    Gut, oder vielmehr, warten Sie. Wie macht Ihr hier den Salat?

WIRTSSOHN    Sie werden nicht unzufrieden sein.

FLORINDO    Nichts, Sie sind mir zu jung. Das Küchenmädchen will ich sehen, die den Salat macht. Herauf mit ihr.

*Hausknecht trägt indessen das Waschzeug ab, kommt sogleich wieder.*

WIRTSSOHN    Sofort!

*Läuft ab.*

FLORINDO    *zum Hausknecht*    Musik brauche ich. Ein Quartett, das sich hören lassen kann.

*Hausknecht steht stocksteif.*

*Der alte Romeo, einen großen Spiegel auf dem Rücken, hat sich diensteifrig genähert, hört zu.*

FLORINDO *zum Hausknecht* Vier Musikanten brauch ich! Setz dich in Bewegung.

*Schüttelt ihn.*

HAUSKNECHT Gibts hier nicht!

DER ALTE ROMEO Lassen Sie mich die Musikanten besorgen. Lassen Sie mich die Ehre haben, Sie zu bedienen. Ich kenne Ihren Geschmack in jeder Beziehung. Sie haben hoffentlich die Güte, sich des alten Romeo zu erinnern?

FLORINDO Was, du bist ja der Vater der drei hübschen Mädchen?

ROMEO Zu dienen. Lassen Sie mich die Ehre haben. Ich bringe Ihnen das Quartett zusammen.

*Lädt unversehens dem mürrisch dastehenden Hausknecht den Spiegel auf den Rücken*

Der sonst die erste Violine spielt, ist allerdings krank. Aber meine älteste Tochter Lucretia steht unter der Protektion eines herrschaftlichen Kammerdieners, und dieser Herr hat einen Neffen, der ein ganz vorzüglicher Virtuose ist. Ich eile – nur die obligate Flöte, falls Sie diese befehlen, wird schwer zu finden sein.

FLORINDO *wirft ihm Geld zu* Hoffentlich hat deine jüngste Tochter einen obligaten Liebhaber, der die Flöte spielt.

ROMEO Sie scherzen, Hochverehrter. Meine Tochter Annunziata ist im Augenblick nicht in der Lage. Sie hat vor acht Tagen reizenden Zwillingen das Leben geschenkt und befindet sich, den Umständen angemessen, wohl.

*Zum Hausknecht*

Sogleich, mein Freund.

*Zu Florindo*

Meine Töchter, Herr Florindo, wetteifern in der Verehrung für Sie. Da sie sich alle drei rühmen, Ihre nähere Bekanntschaft genossen zu haben, so geraten sie oft in Streit darüber, welche sich in dieser Beziehung einen Vorzug zuerkennen dürfte. Und meine Tochter Lucretia nennt Sie nie anders als ihren Doyen, und das mit vollem Recht. Denn Sie waren, Herr Florindo, der erste in der Reihe ihrer verehrungswürdigen Beschützer.

*Zum Hausknecht*

Sogleich.
*Zu Florindo*
Ich eile, Ihnen die Musik der Sphären zu Füßen zu legen.
*Eilt ab.*
*Das Küchenmädchen ist von der Küchenstiege her aufgetreten.*
*Hausknecht, den Spiegel auf dem Rücken, will Romeo aufhalten.*

FLORINDO    Halt, jetzt geht der.

*Hausknecht, sehr unwillig, entlädt sich des Spiegels, lehnt ihn*
*gegen die Wand.*
*Küchenmädchen knixt vor Florindo.*

FLORINDO    Du bist es, die den Salat macht. Du bist ja die
Agathe.

KÜCHENMÄDCHEN    Immer zu Ihrem Befehl.

FLORINDO    Du erinnerst dich meiner?

KÜCHENMÄDCHEN    Wie sollte denn das sein –

FLORINDO    Wie? nicht?

KÜCHENMÄDCHEN    Wie sollte denn das sein, daß ich mich
nicht an Sie erinnern täte?

FLORINDO    Also Agathe, wie wird der Salat für mich gemacht?

KÜCHENMÄDCHEN    Für den Herrn Florindo der Salat, in
den kommt das Weiße von acht Eiern, nicht zu fein geschnitten. Den Essig, bevor er auf die Eier kommt, gieße
ich auf eine Aromate aus, die ist aus einem Lorbeerblatt,
einem Zweiglein Thymian, einer Zehe zerdrückten Knoblauch, einigen zerdrückten Pfefferkörnern –

FLORINDO    Cayennepfeffer, keinen anderen.

KÜCHENMÄDCHEN    – und eine Prise Salz. Dann mach ich einen
feinen Brei, da kommt hinein Pimpernellen, Kerbelkraut,
Schnittlauch, Sardellen, spanische Zwiebel.

FLORINDO    Es ist gut. Du bist ein sehr braves Mädchen.

KÜCHENMÄDCHEN    Bei dem Salat haben Sie mir einmal geholfen, Herr Florindo!

FLORINDO    Ich hab es nicht vergessen.

KÜCHENMÄDCHEN    Wie gut Sie sind, danke vielmals.

FLORINDO    Denke an damals und lasse alle, die davon essen,
spüren, daß du ein gefühlvolles Mädchen bist.

KÜCHENMÄDCHEN    Danke vielmals!
*Läuft ab.*

HAUSKNECHT  Wünschen Sie vielleicht noch jemand vom Personal zu sprechen?

FLORINDO  Vorläufig nicht, auch du kannst verschwinden.

*Hausknecht zuckt die Achseln, geht.*

*Pasca kommt die Treppe herauf, ohne Atem.*

FLORINDO  Die liebe Pasca, und ohne ihr Fräulein!

PASCA  Zu der will ich eben. Und da muß ich einen solchen Schreck erleben. An mir zittert jedes Glied.

FLORINDO  Herrgott – Cristina ist etwas zugestoßen?

PASCA  Der? Mir ist er nach, im stockdunkeln Hausflur. Hinter einer Ecke hervor. Das Hinfallende könnte eins bekommen von solchem Schreck.

FLORINDO  Wer denn? Wer ist Ihnen nach?

PASCA  Wer? Der leibhaftige Teufel! Der Gelbe, von dem wir Ihnen erzählt haben, der von heute nacht.

FLORINDO  Pedro? Der aparte Diener des guten Kapitäns? Wie kämen die hierher? Sie müßten Extrapost genommen haben.

PASCA  Meinen Sie, so was braucht den Postwagen? Ich meine, so was fährt durch die Luft in einer Wolke von Stank und Schwefel. – Auf einmal spür ich, es ist etwas hinter mir. Ich will laufen, ich will die Treppe hinauf, da nimmts mich von rückwärts, tut seine Arme um mich und grinst mir über die Schulter. Jesus, Maria und Josef, wie ich nur losgekommen bin? Wie ich nur heraufgefunden habe?

FLORINDO  Die gute Pasca! Wie hat ers gemacht? So? Ich kanns begreifen.

PASCA  Herr Florindo, wenn das ein Christenmensch tut oder gar ein hübscher junger Herr wie Sie, aber so ein Tier! So ein gelber Teufel mit Wolfzähnen.

FLORINDO  Was das betrifft, der Pedro hat ganz hübsche Zähne und ist getauft wie Sie und ich. Fragen Sie den Kapitän.

PASCA  Da sei Gott vor! Mein Erlöser, was bringen denn die da geschleppt?

FLORINDO  Die richten das Zimmer her, in dem wir soupieren werden.

PASCA   Gar ein Extrazimmer. Nicht an der Wirtstafel? Gehts
so hoch her? Sind wir denn wirklich Ihre Gäste?
*Leuchter werden vorbeigetragen, einige angezündet.*

FLORINDO   *ruft hin*   Ich will mehr Kerzen! Unter dem Spiegel,
auf die Konsolen.

BURSCHE   Es kommen noch! Sie können noch zwei Armleuchter haben.

FLORINDO   Zwei Armleuchter! Ich will ihrer zwei Dutzend.
Wenn ihr sie nicht habt, so schafft sie. Die Stummeln da
hier herein in mein Zimmer. Die sind gut für die Musikanten, nicht für meinen Tisch.

PASCA   Musikanten haben Sie auch bestellt? Ja, soll es denn
werden wie auf einer Hochzeit, Herr Florindo?
*Starrt ihn an.*

FLORINDO   Da hinein die Leuchter! Hier hinein setze ich das
Quartett, in mein Zimmer.

PASCA   Tafelmusik so mir nichts, dir nichts? Meinen Sie, das
Mädel ist eine Gräfin?

FLORINDO   Ich kenne keine Gräfin, die wert wäre, ihr die
Schuhriemem aufzulösen, und für was halten Sie mich,
wenn Sie mir zumuten, daß ich eine Dame mit Wein be-
wirte ohne Musik dazu? Beide zusammen sind sie erst et-
was. Beide zusammen freilich sind sie recht viel. – Denn es
kommt ihnen nichts darin gleich, wie sie Gottes Geschöpfe
einander nahebringen – und Gottes Geschöpfe
*Er geht ein paar Schritte auf sie zu, sieht ihr von ganz nahe in die
Augen*
sind in wundervoller Weise geschaffen, einander nahe zu
kommen.
*Es werden einige Armleuchter brennend durchgetragen.*
So recht. Aber ich will noch mehr. Ich will doppelt so viele.
Taghell will ich das Zimmer.
*Er rührt Pasca leise an*
Pasca, wenn ich denke, daß ich sie noch nie bei Kerzenlicht
gesehen habe – ein Tag, Pasca – ein Tag, Pasca! Holen Sie
sie mir, liebe Pasca – holen Sie sie doch.
*Wirtssohn erscheint draußen mit einem Korb Bouteillen.*

FLORINDO   Nein, halten Sie sie noch auf. Da steht der Wirt mit

den Bouteillen, ich habe noch was anzuordnen. Aber dann
bringen Sie mir sie. Dann –
*Er hält ihre Hand*
Sind das die Hände, mit denen Sie sie aufgezogen haben?
Ich muß sie küssen.
*Er tut es leichthin, springt ab, kommt gleich wieder*
Sagen Sie ihr nichts von der Musik. Es soll eine kleine
Überraschung sein.
*Springt ab.*

PASCA  Einen solchen Menschen habe ich freilich noch nicht
gesehen. Gebe Gott, daß er es ehrlich mit uns meint. – Soviel Zimmer und überall Nummern darauf.
*Ruft Cristina.*

CRISTINA  *kommt von links heraus*  Bin da! Wo ist er?

PASCA  Der Herr Pfarrer? Ist er nicht zu den Hochwürdigen
ins Kloster hinüber?

CRISTINA  Ich frage nicht um den Onkel.

PASCA  *sieht sie an*  Der Herr Florindo ist dort hinunter.
*Cristina will wie schlafwandelnd gegen die Treppe hin. Pasca
ruft sie an, halb unwillkürlich, wie um sie zu wecken*
Du! Du!

CRISTINA  *sieht sie an, wie aus dem Traum, noch halb im Gehen*
Was?

PASCA  Fragst du? Wohin wollen deine Füße jetzt?

CRISTINA  Ja so!

PASCA  So hab ich dich nie gesehn!

CRISTINA  *nickt*  Ja! Ja!
*Wie im voraus aller Einreden müde*
Jetzt wirst du mir sagen, daß ich ihn erst seit heute morgen
kenne. Daß es ein wildfremder Mensch ist – es steckt gar
kein Sinn hinter diesen Redensarten. Oder wenn einer dahinter steckt, so kann ich ihn jetzt nicht herausfinden.

PASCA  Mutter Maria, dich hats. Wie hättest du dich lustig
gemacht noch gestern abend, noch heute in der Früh – Geb
Gott –

CRISTINA  Laß! Was hat er mit dir gesprochen?

PASCA  Er sagt ja freilich, daß er mit dem Gedanken umgehe
zu heiraten. Daß er schon öfter gesucht hätte, schon öfter
ganz nahe daran gewesen wäre.

CRISTINA  Nicht was er im Wagen gesprochen hat, davon
steht jedes Wort vor mir, als wenn ichs gedruckt sähe. Was
er jetzt mit dir gesprochen hat, will ich wissen.

PASCA  Allerlei Liebes und Gutes. Denk dir, er hat mir –
*Sie sieht auf ihre Hand.*

CRISTINA  Wiederhol nichts. Ein anderer bringts nicht so heraus wie er. Was war das letzte?

PASCA  Daß er dich noch nie bei Kerzenlicht gesehen hat.

CRISTINA  Beim Licht einer Kerze –
*Sie zittert ein wenig*
Hat er so gesagt?
*Sie sieht mit großen Augen ins Licht der einen Kerze, die dasteht
auf einem kleinen Gueridon an der Wand rechts. Dann löscht sie
sie plötzlich aus, heftig, wie in Angst*
Komm! Ich will fort. Die Leute sollen uns einen Wagen
einspannen.

PASCA  Was hast du denn auf einmal?

CRISTINA  Fort, schnell! Ich will nach Haus.

PASCA  Kind Gottes, morgen früh fahren wir nach Haus, so
Gott will. Jetzt übernachten wir hier. Was möchte der Herr
Pfarrer denken?

CRISTINA  Ja, der alte Mann ist müde, der muß hier schlafen.
*Ein kleines Schweigen.*
Mir ist schwindlig.

PASCA  Das ist kein Wunder in dem Halbdunkel. Komm, wir
wollen auf die Luft.

CRISTINA  Hinunter? Da begegnen wir ihm.

PASCA  Willst ihm denn nicht begegnen?

CRISTINA  Merk nicht auf, was ich rede.

PASCA  Also komm ins Zimmer. Wir machen uns Licht. Setzen uns hin, bis der Herr Pfarrer zurückkommt.
*Der Kapitän ist die Treppe heruntergekommen, erblickt Cristi-
na, bleibt diskret an der Eingangstür stehen.*

CRISTINA  Ins Zimmer? Dort ist er nicht. Dort kommt er auch
nicht hin. Was soll ich denn dort?

PASCA  *zieht sie fort*  Komm nur. Er hat Wein bestellt, Champagner, ich weiß nicht was. Daß du mir nicht mehr als ein
Glas trinkst.

CRISTINA  *halb für sich*  Wein? Was soll mir noch Wein tun oder nicht tun?

*Sie gehen links ab.*

*Kapitän ist links vorgekommen, steht ihnen im Weg, macht ehrerbietig Platz.*

KAPITÄN  *für sich*  Die sind da hier. Verdamm mich Gott, das macht mir Vergnügen.

FLORINDO  *schnell von unten, gefolgt von dem Wirtssohn, der ein Licht in der Hand hat, und dem alten Romeo, der einen großen Marktkorb voll Blumen trägt*  Sind die Geiger noch nicht da?

ROMEO  Sie kommen, sie kommen.

*Florindo geht nach rechts rückwärts.*

KAPITÄN  *links vorne*  Was? Der ist auch da?

*Florindo, schon in der Tür des Zimmers rückwärts, sieht hin, erkennt den Kapitän, geht aber ins Zimmer.*

Erkennt er mich nicht? Oder will er mich nicht erkennen? Den gleichen Gedanken mochte das junge Mädchen über mich gehabt haben. Wie hätte ich mich da schicklich betragen müssen?

*Die vier Musiker, geführt vom Hausknecht, kommen herein.*

HAUSKNECHT  *macht ihnen die Türe des vorderen Zimmers rechts auf*  Da!

*Hinter ihnen ist Pedro eingetreten. Er scheint Pasca nachzuspüren. Sieht seinen Herrn.*

PEDRO  Oh, mein Kapitän!

KAPITÄN  Ich möchte wetten, du weißt, was für Damen dahier sind.

PEDRO  *grinst*  Nummer eins, schöne mager-fette Witwenfrau, wo ich letzte Nacht hochachtungsvoll geträumt habe meine Verheiratung auf sie.

*Indessen kommt der Pfarrer von rückwärts herein, grüßt höflich die beiden Gestalten, die ihm den Rücken kehren, und geht links ab.*

KAPITÄN  Daß es eine Witwe ist, hat er schon herausbekommen. Aber daß er mir was melden würde, daran denkt die Kreatur nicht. Die Kreatur versteht es nicht besser, sie muß belehrt werden.

*Sehr gütig*

Die Damen sind unsere Bekannten seit der letzten Nacht,
da sie uns mit ihrem Gespräch beehrt haben. Es ist unter
Europäern Sitte, seine Bekannten jederzeit, wo er ihnen
begegnet, in schicklicher Weise zu begrüßen. Als mein
Diener hast du den Bekannten deiner Herrschaft Reverenz
zu erweisen. Solltest du früher als ich ihnen begegnet sein
oder sie von weitem wahrgenommen haben, so hast du
mich von ihrer Anwesenheit zu verständigen.

PEDRO *grinsend* Ich habe verstanden.

*Florindo tritt mit dem Wirtssohne aus dem Zimmer, wirft einen
flüchtigen Blick auf den Kapitän, geht, als bemerke er ihn nicht,
mit dem Wirtssohn redend, rasch gegen die Treppe. Man hört
drinnen die Musikanten stimmen.*

KAPITÄN *steht links* Es scheint, der junge Herr hat genug von
mir. Er will mich partout nicht sehen.

*Pedro, sobald er Florindo wahrgenommen hat, winkt und zeigt
seinem Herrn eifrig den Bekannten. Da der Kapitän stocksteif
stehenbleibt, stößt Pedro vor Ungeduld ein knurrendes »Oh« aus,
fast wie ein Hund, und zupft den Kapitän am Ärmel. Dann läuft
er zu Florindo hinüber, erwischt diesen, der eben in die Türe treten will, und begrüßt ihn mit Verbeugungen, auf seinen Herrn
deutend.*

FLORINDO *mit großer Leichtigkeit* Kapitän – So sind Sie es
wirklich? Mir war fast so. Es ist dunkel hier.

*Hausknecht kommt von rückwärts, stellt zwei Leuchter auf den
Tisch.*

KAPITÄN Guten Abend, Herr Florindo. – Ja. – Ich wollte Sie
nicht stören, Herr.

*Tritt weg, gibt Pedro einen Tritt*
So war es nicht gemeint.

*Pedro zieht sich verwundert und gekränkt zurück, interessiert
sich aber sogleich für die Geräusche, die durch die geschlossene
Tür herausdringen.*

FLORINDO *einen Schritt dem Kapitän nach* Sie sind mir böse,
Kapitän.

KAPITÄN Um welcher Sache willen sollte ich das sein, Herr?

FLORINDO Ich dächte, das wissen wir beide recht gut. Um der
Sache von gestern abend. Aber ich muß eben sagen: als ich
hineinging –

KAPITÄN   Herr, ich meine, Sie sind hineingegangen, um mir
einen freundlichen Dienst zu erweisen. Dafür danke ich
Ihnen, Herr.

FLORINDO   Meiner Seel, so wars, und dann –

KAPITÄN   Dann sind Sie auf eigene Rechnung droben geblieben. Das Frauenzimmer ist verliebt in Sie. Sie sind ein junger Mann, Herr, was soll ich mich da wundern?

FLORINDO   Das würde mich freuen! Erinnern Sie sich auch
nur. Ich rief Ihnen noch zu: Kommen Sie mit!

KAPITÄN   Erinnere mich. Und dann riefen Sie: Sie hätten mitkommen müssen. Sie hatten immer verdammt recht mit
allem, was Sie riefen, Herr.

FLORINDO   Ja, aber als ich rief: Kommen Sie mit, warum um
alles in der Welt, Kapitän, sind Sie denn dann nicht mitge-
kommen?

KAPITÄN   Die Frage, Herr, kann ich Ihnen beantworten,
wenn Sie mich verstehen wollen, Herr. Ich habe fünfunddreißig Jahre lang da drüben gelebt wie ein Vieh, lieber
Herr. Aus der Hand in den Mund, wenn Sie begreifen wollen, was das heißt. Und da hatte ich mir vorgesetzt, das
sollte ein Ende haben. Hier bin ich in Europa, mir sagt das
etwas, Herr! Hier ist eine höfliche Andeutung ebensoviel
wert wie drüben ein Messerstich in die Rippen.

FLORINDO   Aber es war wirklich mein Wunsch –

KAPITÄN   Immerhin, Herr. Ich habe es verfehlt. Ich werde es
noch öfter verfehlen, ich wünsche mir, es lieber nach dieser
Seite zu verfehlen als nach der entgegengesetzten, das ist alles, was ich mir wünsche.
*Er lacht gutmütig.*

FLORINDO   Wirklich? Sind Sie mir nicht böse? Das freut mich
von Herzen, Kapitän.

KAPITÄN   Herr, die Sache war danach, daß einer unter Umständen hätte ärgerlich sein mögen, und dann wäre er vielleicht versucht gewesen, auf Sie ärgerlich zu sein. Aber ich
war ganz und gar nicht ärgerlich, Herr.
*Reicht ihm die Hand*
Wollen Sie mit mir zu Nacht essen, Herr?

FLORINDO   *verlegen*   Mein lieber Kapitän –

KAPITÄN    Sie haben keine Lust, gut, Herr!

FLORINDO    Ich habe selbst Gäste, das ist es. Aber –

KAPITÄN    Sie sollen sich nicht stören, Herr.

FLORINDO    Auf nachher, wenn ich Sie dann noch finde.

*Geht ab, nach links.*

*Kapitän geht auf und nieder. Zieht seine kleine Pfeife heraus,
raucht. Hausknecht stellt Flaschen auf den Tisch. Pedro horcht
mit großem Interesse auf das Stimmen. Der Bediente der fremden
Herrschaft tritt auf. Er hat ein feistes Gesicht, einem Kirchendie-
ner nicht unähnlich.*

BEDIENTER    Meine Herrschaft läßt fragen, wo für sie gedeckt
wird.

*Hausknecht weist stumm auf die Wirtstafel.*

Wir wünschen nur eine einzige Fleischspeise und etwas
Gemüse. Den Wein führen wir selbst mit uns.

*Hausknecht schweigt.*

Haben Sie mich verstanden?

HAUSKNECHT    Ich bin nicht taub.

*Bedienter geht.*

KAPITÄN    *zum Hausknecht*    Was werde ich essen?

HAUSKNECHT    Was kommen wird.

KAPITÄN    *nickt gutmütig*    Wird es bald kommen?

HAUSKNECHT    Sie werden schon sehen.

KAPITÄN    *nickt*    Wer ist die Herrschaft, die noch zu Tisch
kommen wird?

HAUSKNECHT    Nummer dreizehn.

KAPITÄN    Was ist Nummer dreizehn?

HAUSKNECHT    Das Zimmer mit zwei Betten über dem Hüh-
nerstall.

*Der fremde alte Herr kommt, in das Mädchen eingehängt und von
dem Bedienten unterstützt. Er sieht sonderbar und ärmlich, aber
vornehm aus. Sie nehmen Platz am linken Ende der Wirtstafel.
Bedienter zieht aus der Tasche ein Fläschchen mit Wein und
schenkt dem alten Herrn einen Finger hoch ein, desgleichen dem
Mädchen.*

*Der Wirtssohn tritt eilig auf, geht eilig links hinüber. Kapitän hat
höflich seine Pfeife fortgetan, setzt sich ans rechte Ende der Tafel.
Pedro stellt sich hinter ihn, wie der andere Bediente hinter seinem*

*Herrn steht. Er setzt Brillen auf, die er vorher geputzt hat. Hausknecht stellt eine große Suppenterrine, die er von der Küchenstiege her in Empfang genommen hat, auf die Anrichte. Pedro serviert seinem Herrn. Wirtssohn kommt eilig von links, läuft ins Extrazimmer. Gleichzeitig fängt die Musik zu spielen an. Von links kommen Pasca und Cristina, hinter ihnen Florindo, der höflich auf den Pfarrer wartet, der einige Schritte hinter ihm zurück ist. Sie gehen vor der Wirtstafel über die Bühne. Als die Musik anfängt, bleibt Cristina freudig erschrocken stehen und schlägt wie ein Kind die Hände zusammen. Florindo springt vor, ergreift ihre Hand und führt sie aufs Zimmer zu, dessen Flügeltüren aufspringen. Strahlendes Licht fällt heraus. Man sieht den schön gedeckten Tisch, mit Lichtern und Blumen. Kapitän, als er Cristina erblickt, steht auf und verneigt sich.*

PEDRO *als er des Pfarrers ansichtig wird, hält im Servieren inne. Stellt den Teller, den er gerade in der Hand hatte, auf den Tisch und gibt lebhaft Zeichen von Freude. Da der Pfarrer ihn zuerst nicht bemerkt*
Oh, die Hohe Würde. Ich bin Don Pedro – der junge christliche Freund.
*Ergreift die Hand und schüttelt sie*
Hier ist mein Kapitän. Mein Kapitän wird brüllende Freude empfinden.

DER PFARRER  Es ist gut, mein Sohn, ich erkenne Sie wieder. Es ist gut, mein Freund, aber ich muß –
*Florindo, Pasca, Cristina in der Tür umgedreht, erstaunt. Pfarrer macht sich los, folgt den andern. Alle gehen hinein.*

PEDRO *will ihnen nach* Die Hohe Würde muß sich schütteln mit meinen Kapitän.
*Kapitän faßt ihn, zieht ihn zurück. Pedro gekränkt.*
Mein großer Freund! Nummer eins, heiliger Mann!

KAPITÄN *hat sich wieder gesetzt* So war es nicht gemeint! Verdamm mich Gott, verdamm mich Gott!

PEDRO *salviert sich* Der Herr ist meine Bekanntschaft. Ich habe gegrüßt. Ich habe in europäischer Weise zudringliche Freude geäußert.

WIRTSSOHN *eilt aus dem Zimmer rechts heraus, geht an die Anrichte hin* Es soll für hinein sehr schnell serviert werden, befiehlt der Herr Florindo.

KAPITÄN  *an seinem Platze, seufzt*  Merk auf: wenn jemand
   verhindert ist, verstehst du mich, beschäftigt, verstehst du
   mich, in Gesellschaft, verstehst du mich? Kurz und gut – es
   gibt Mittel genug, in einer schweigenden Weise seine ver-
   dammte Hochachtung auszudrücken. Hast du nie etwas
   von einer stummen Verbeugung gehört? Kann man nicht
   in hübscher, respektvoller Weise beiseitetreten, nicht in einer manierlichen Art andeuten, daß man sehr wohl die
   Ehre hat – aber nicht zu stören wünsche?

PEDRO  *nickt, hat aber nur den anderen Bedienten beobachtet, ruft*
   Oh! Meinen Kapitän sein Bratenfleisch.
   *Läuft dann hin, dem anderen Bedienten, der schon seiner Herr-
   schaft servieren will, die Schüssel zu entreißen. Indessen servieren der Wirtssohn, hinter ihm ein junger Bursche, hinter diesem
   der Hausknecht, alle drei dicht hintereinander und sehr eilig ins
   Zimmer hinein. Pedro serviert seinem Herrn.*

KAPITÄN  *neugierig auf eine der Schüsseln, die vorübereilt*  Was ist
   das?

WIRTSSOHN  *ohne sich aufzuhalten*  Alles extra, alles persönliche Bestellung von Herrn Florindo!

KAPITÄN  Wenn Sie es doch nur ansehen ließen!
   *Hält ihn auf, entzückt*
   Kleine Kürbisse, gefüllt!
   *Wirtssohn eilt ab.*
   Die gute Sache! Die hübsche Musik! Der nette Bursche.
   Wie er an alles denkt, wie er alles einzufädeln weiß.
   *Pedro und der Bediente raufen um die nächste Schüssel. Zugleich
   kommen die drei Servierenden aus dem Extrazimmer zurück,
   eilig.*

WIRTSSOHN  *bedient den Kapitän*  Der Herr Florindo lassen bitten, Sie möchten ihm die Ehre erweisen, sich zu bedienen.
   *Der fremde alte Herr ist eingeschlafen. Die junge Unbekannte
   stützt den Kopf in die Hand, hat ihren Stuhl vom Tisch wegge-
   rückt und starrt traurig ins Leere. Kapitän bedient sich. Die drei
   Servierenden eilig an die Anrichte, und von dort nachher wieder
   ins Extrazimmer.*

FLORINDO  *springt drinnen auf, läßt sich aus dem Nebenzimmer*

*eine Geige geben – das erste Musikstück ist zu Ende – und bedient*
*sich ihrer wie einer Mandoline, begleitet sein Liedchen hie und da*
*mit einem Griff, singt*

> Ei, das Vöglein wär wohl bei Troste,
> Daß es dem Käfig möcht entfliehn,
> Wenn Cristina es nicht kos'te,
> Wär das Vöglein wohl bei Troste,
> Daß es dem Käfig möcht entfliehn!

KAPITÄN *zurückgelehnt* Wie hübsch er singen kann. Was für
ein Vieh ist unsereins gegen solch einen Burschen.

FLORINDO *singt*

> Denn der Stunden sind nicht viele
> Für sein Leben ihm gewährt!
> Ach, für unsere schönsten Spiele
> Sind der Stunden uns nicht viele,
> Ach, nicht viele uns beschert!

*Die drei Servierenden haben mit dem Eintreten an der Türe ge-*
*wartet, bis er fertig ist, wollen jetzt hinein. Der alte Herr erwacht*
*mit dem Aufhören des Gesanges. Berührt das junge Mädchen am*
*Arm. Sie erhebt sich, führt ihn mit Unterstützung des Dieners*
*ab. Der Hausknecht und der Bursche kommen aus dem Extra-*
*zimmer, gehen an die Anrichte.*

WIRTSSOHN *eilig ihnen nach* Es wird nichts mehr serviert. Sie
stehen vom Tische auf. Der Herr Pfarrer ist müde und will
zu Bett.

*Eilt wieder hinein.*

*Gleich darauf erheben sich drinnen im Extrazimmer alle, treten*
*heraus. Wirtssohn leuchtet ihnen vorne mit einem mehrarmigen*
*Leuchter. Hinter ihm geht der Pfarrer mit Cristina, die eine*
*schöne Blume angesteckt hat. Pasca dicht dahinter. Florindo als*
*letzter. Der Kapitän steht auf, verneigt sich. Die Musik spielt*
*weiter.*

FLORINDO *nach rechts zum Hausknecht, der mit der Obstschüssel*
*im Wege steht* Die besten von den Früchten auf das Zimmer
des Fräuleins, zu ihrer Erfrischung.

CRISTINA *läßt die andern voraus, bleibt zurück, Florindo nach-*
*kommen zu lassen; im Gehen zu Florindo über die Schulter* Das
ist zuviel. Meinen Sie, daß ich in meinem Zimmer zur
nachtschlafenden Zeit Mahlzeiten halte?

FLORINDO   *den Blick in ihre Augen*   Zu viel?

CRISTINA   *senkt den Blick*   Haben Sie mir nicht schon die schönen Blumen geschenkt?

FLORINDO   Zu viel?

*Cristina sieht ihn an.*

*Florindo dicht an ihr, flüstert ihr noch etwas zu.*

*Kapitän setzt sich, trinkt sein Glas aus.*

*Am Ausgang links bleibt Cristina etwas zurück und läßt ihre Hand in der Florindos, der die Hand zweimal küßt, im Rücken des Kapitäns. Dann verschwindet Cristina leise. Florindo steht einen Augenblick regungslos, wie betäubt von Glück. Die Musik hat aufgehört. Die vier Musiker treten hintereinander aus der Tür von Florindos Zimmer.*

FLORINDO   *auf sie zu, gibt ihnen Geld*   Es ist gut, es war schön, ich danke euch, jeder von euch ist wert, Professor zu heißen, es war schön, es war bezaubernd. Ich bin sehr in eurer Schuld.

*Die Musikanten verneigen sich.*

KAPITÄN   *ist aufgestanden*   Punsch daher.

*Weist auf den Tisch links vorne.*

PEDRO   *zu dem Burschen, der rückwärts steht*   Punsch für meinen Kapitän! Sehr schnell! Sehr eilig! Laufen, laufen!

*Er geht langsam zu dem Tisch, rückt zwei Stühle für den Kapitän und Florindo.*

KAPITÄN   Sie werden mir nicht abschlagen, ein Glas Punsch mit mir zu trinken.

*Setzt sich.*

FLORINDO   Was Sie wollen, Kapitän.

*Setzt sich zum Kapitän*

Da gehen sie hin! Vier arme Teufel. Erbärmliche Existenzen, Gott weiß – und haben mir diese Stunde geschenkt.

*Punsch wird gebracht.*

KAPITÄN   *gießt ein für zwei*   Trinken Sie, Herr!

FLORINDO   Das ist recht.

*Trinkt einen Schluck, geht auf und ab. – Kapitän setzt sich.*

FLORINDO   *vor sich*   Namenlos. Ich war so unermeßlich glücklich diese halbe Stunde, daß ich sie nicht einmal begehrt habe. Die Musik war genug – der Blick des Mäd-

chens vor sich hin, wenn die Töne zärtlich wurden. Das
Gefühl ihrer Gegenwart. Es gibt etwas, das mehr ist als
Umarmungen.

*Setzt sich zum Kapitän.*

KAPITÄN   Sie trinken nicht?

FLORINDO   Lassen Sie mich nur, mir ist unsagbar wohl zumute. Da lebt man so dahin, einer neben dem andern, wofür
eigentlich? So scheintot immerfort, wo doch alles zum Leben will. Alles will sich verströmen in Liebe. Und dann ist
man mit einem zusammen in dieser Stunde, in einem Gasthaus. Sie sind mir sympathisch, Kapitän. Sie sollen leben,
Kapitän!

*Der aufwartende Bursche hat schon früher einen der Armleuchter
aus dem Extrazimmer gebracht, ihn den beiden auf den Tisch gestellt. Pedro steht hinter seinem Herrn.*

KAPITÄN   Ich danke Ihnen, Herr! Um Vergebung – darf der
Mensch da mittrinken? Erlauben Sie das? Danke!

*Pedro holt sich ein Glas.*

Im Grunde ist er sozusagen schuld daran, daß ich hier sitze
und das Vergnügen Ihrer Gesellschaft genießen kann –

*Eine Pause*

FLORINDO   Ich hätte sie nicht dürfen fortgehen lassen. Sie hätten weiterspielen müssen, nicht wahr, Kapitän?

KAPITÄN   Das schuld ich allerdings ihm allein. Ich weiß nicht,
ob ich es schon erwähnt habe: ich lag nämlich einmal gefangen, unter malaiischen Seeräubern, auf einer recht ekel-
haften Dschunke, das dürfen Sie mir glauben, Herr. Zwei-
undvierzig Tage und Nächte, Herr, ließen sie mich drunten
liegen im Gestank, Herr, zusammengeschnürt wie ein
Bündel. Dann war ich soweit, da hatte ich mit meinem linken Eckzahn da den Strick durchgenagt und eine Hand
freibekommen. Geduld hatte ich, Herr, denn es war immer
von vierundzwanzig Stunden nur eine Stunde gegen Morgen, wo ich unbemerkt nagen durfte. Dann kam noch eine
recht bewegliche kleine Stunde auf Deck. Da schaffte ich
ihrer sechs ins Jenseits. Das war eine nicht gerade unappe-
titliche, aber harte Handarbeit, Herr. Da lernte ich erstens
meine Sorte von Herrgott und zweitens diesen Burschen
da kennen. Oder sozusagen beide auf einmal.

*Zu Pedro*
Da trink, mein Alter, trink, wenns dir Freude macht.
*Zu Florindo*
Da wurde mir dieses ziemlich verunglückte Produkt eines
überseeischen Europäers verdammt nützlich.

FLORINDO  Ihr Leben? Dem da? Leben! Wie das zusammen-
gemischt ist aus Vergewaltigung, Unruhe, List, Betrug,
Verblendung – was es alles enthält! Und wie dann auf einmal da alles zergeht, hinschmilzt. Was habe ich bei Weibern
gesucht? Ich frage Sie! Sagen Sie mir um alles in der Welt,
was habe ich gesucht? Ich schäme mich. Es kann natürlich
sein, daß ich dieses e i n e ahnungslos gesucht habe.
*Die beiden anderen trinken schweigend.*
Daß es solche Wesen gibt! Von denen jeden Augenblick die
ganze Fülle der Liebe ausströmt. Die ganz da sind. Ich spreche, als ob man es sagen könnte. Sie sollen sie kennen lernen, Kapitän. Aber nicht eher, als bis sie meine Frau sein
wird. Heiraten Sie, Kapitän! Unsere Frauen sollen gute
Freundinnen werden.

KAPITÄN  Darauf wollen wir anstoßen. Um von mir zu sprechen, Herr. Es ist eben das, was ich im Sinne habe. Wer
hätte gedacht, daß gerade Sie mir zureden würden?

FLORINDO  Ja? Sie wollen, Kapitän? Wie klug sind Sie! Was
haben wir beide da vor uns! Es muß eine namenlose, endlose Seligkeit sein. Heiraten Sie ein braves Mädchen und
bleiben Sie ihr treu.

KAPITÄN  Was das betrifft, es wird mir leicht fallen. Ich bin
leicht doppelt so alt wie Sie, Herr.

FLORINDO  *nimmt seine Hand über dem Tisch*  Was tut das! Kapitän, was für ein Narr ich war! Ich habe in meinem Leben
dreißig oder fünfzig oder hundert Frauen näher gekannt,
Kapitän. Alle Frauen sind gleich.

KAPITÄN  Nun, verdamm mich Gott, Herr –

FLORINDO  Nichts. Es ist nur unsere schamlose Neugierde,
die uns vorspiegelt, sie wären verschieden. Es liegt etwas
Bubenhaftes darin, etwas Niederträchtiges.

KAPITÄN  Nun, da dächte ich doch, Herr –

FLORINDO  Nichts. Äußerlich sind sie verschieden, natürlich.

Aber ist es nicht der Gipfel des Widersinns, sich in den Genuß dieser Verschiedenheit setzen zu wollen, indem man eine nach der andern so schnell wie möglich auf den Punkt bringt, wo sie einander gleichen wie ein Ei dem andern? Zu dieser Einsicht müßte ein jeder Halunke zwischen seinem siebzehnten und dreiundzwanzigsten Jahre gekommen sein, wenn wir nicht größtenteils ausgemachte Dummköpfe wären. Aber nicht einer unter Tausenden, der ahnt, daß jenseits dieses Punktes erst das liegt, was das Leben lebenswert macht!

*Kapitän sieht ihn an.*

In der Ehe, guter Kapitän! In der Glückseligkeit unverbrüchlicher Treue! – Ahnt Ihnen nicht? – Sind Ihnen nie über die Fabel von Philemon und Baucis die Tränen in den Hals gestiegen? – Sie weiß es, Kapitän, daß ich sie zu meiner Frau machen werde. – Sie weiß es.

*Er hat Tränen in den Augen.*

*Pasca kommt von links, geht nach rückwärts zur Treppe.*

Gute Nacht, liebe Pasca, gute Nacht!

*Er muß die Augen schließen, so sehr überwältigt ihn etwas in diesem Augenblick.*

*Pedro ergreift hastig den Leuchter, will Pasca voranleuchten, wie er es früher den Wirtssohn hat tun sehen. Pasca, wie er ihr nach will, stößt einen Schrei aus, ergreift die Flucht.*

FLORINDO *springt Pedro nach, fängt ihn ab* Laß das sein, mein Freund. Sie fürchtet sich vor dir.

*Wieder am Tisch*

Die gute Person fürchtet sich dermaßen vor dem Burschen da, daß sie durchaus die Nacht lieber im Zimmer ihrer Herrin auf dem Fußboden verbringen wollte

*Er gähnt*

als unten in ihrem Bett. Es hat Cristina Mühe gekostet, sie zu überreden.

*Er gähnt*

Ich bin sehr müde, die Wahrheit zu gestehen. Sie nicht?

KAPITÄN  Mir ist gemütlich, ich sitze gern in einem Wirtshaus.

FLORINDO  Ich glaube, ich sage Ihnen gute Nacht, Kapitän, mit Ihrer Erlaubnis.

KAPITÄN   Wann sind Sie abgereist diesen Morgen? –

PEDRO  *fängt an zu singen*  Was soll mit dem –

KAPITÄN  *über die Schulter*  Halts Maul!

FLORINDO  *schon an der Tür zu seinem Zimmer*  Beinahe vor
Tag. Gute Nacht!

*Geht in sein Zimmer.*

*Hausknecht kommt mit einem alten Besen, fängt an auszukeh-
ren.*

KAPITÄN  *zu Pedro*  Schenk dir ein, es ist dir gegönnt.

*Zu dem Hausknecht*

Komm her, du!

*Vor sich*

Ich sitze gern in einem Wirtshaus. Das ist eine schöne,
freundliche Einrichtung.

*Zu dem Hausknecht, der mürrisch und heftig auskehrt*

Komm her, du.

*Gibt ihm Geld. Der Hausknecht nimmt es ohne Freundlichkeit,
fährt fort zu kehren.*

PEDRO  *singt*  Was soll mit dem betrunkenen Matrosen geschehn?

FLORINDO  *öffnet die Tür seines Zimmers*  Ich sehe Sie jedenfalls
noch morgen früh. Gute Nacht.

*Schließt zu.*

KAPITÄN  *singt halblaut, behaglich*

Im Dunkeln geht das Vieh auf seinen Fraß
Und seine Lust,
Trübselig, finster und allein.
Wir aber wollen bei der Kerzen Schein usf.

HAUSKNECHT  *hat einen kleinen Handleuchter geholt, stellt ihn vor
den Kapitän hin, bläst die Kerze an dem Armleuchter aus*  Da ist
Ihr Leuchter, Herr. Da ist Ihr Zimmerschlüssel. Es wird
Zeit, daß Sie schlafen gehen. Es sind noch andere Leute als
Sie im Haus.

KAPITÄN   Gut, gut, du hast recht, freundlicher Junge.

PEDRO  *singt*  Was soll mit dem betrunkenen Matrosen geschehn?

*Hausknecht legt ihm ohne Gutmütigkeit die Hand auf den Mund.
Pedro macht sich frei*

Was soll mit dem betrunkenen Matrosen geschehn?
*Dreimal*
Mädchen, ihr Mädchen?
Er soll, er soll sich Neu-Amsterdam besehn,
*Dreimal*
Mädchen, ihr Mädchen!

HAUSKNECHT    Daß man einem eingefangenen Vieh Men-
schenkleider anzieht und ihm Punsch zu saufen gibt, hab
ich noch nicht gehört.

KAPITÄN    Spaßvogel. An dir ist ein lustiger Unterbootsmann
verdorben.

PEDRO    *im Abgehen, singt. Der Hausknecht leuchtet ihm voran und
zieht ihn*    Was soll mit dem betrunkenen Matrosen geschehn?

KAPITÄN    *im Abgehen sich selber leuchtend, singt halblaut*
Wir aber wollen bei der Kerzen Schein
Die unsrige mit unsern Freunden teilen,
Auf daß Gott Bacchus und die schöne Schar
Mit Anstand unter uns verweilen.
*Gehen ab.*
*Nur ein schwaches Licht draußen im Treppenhaus. Florindo
öffnet leise die Türe, späht, ob alles still ist. Er ist in seinen Man-
tel gehüllt, drückt sich in die Tür, horcht. Dann läuft er blitz-
schnell, aber leise nach links hinüber.*

*Zwischenvorhang fällt vor, geht gleich wieder auf.*

*Der große Tisch ist abgedeckt. Die Leuchter sind fort. Nur draußen
im Treppenhaus ist schwache Beleuchtung von einer Laterne, die irgendwo hängen mag, wovon ein matter Schein hereinfällt. Der
Hausknecht putzt beim Licht eines Kerzenstummels Schuhe, deren
er einige Paare um sich versammelt hat. Der Bediente der fremden
Herrschaft tritt auf, von rückwärts her.*

BEDIENTER    Sie haben mich um zwei Stunden zu früh geweckt.
*Hausknecht, stumm, betrachtet den zuletzt geputzten Schuh*
DER BEDIENTE    Die Post geht heute um halb acht von hier ab
und nicht um halb sechs.

HAUSKNECHT  Ich weiß. Ich müßte ein Idiot sein, wenn ich das
nicht wüßte.

DER BEDIENTE  Und Sie haben mich trotzdem um vier Uhr
geweckt?

HAUSKNECHT  Natürlich, denn es war auf dem Brett aufgeschrieben, Nummer vierzehn um vier Uhr wecken.

BEDIENTER  Wer hat das aufgeschrieben?

HAUSKNECHT  Ich, denn Sie haben mir gestern abend gesagt:
Wecken Sie mich um vier Uhr, weil meine Herrschaft mit
der Post nach Mestre fahren will.

BEDIENTER  Ich habe Ihnen gesagt, wecken Sie mich um vier
Uhr, weil meine Herrschaft mit der Post nach Mestre fahren will?

HAUSKNECHT  Eben, genau, wie ich sage.

BEDIENTER  Das heißt doch natürlich: weil ich der Meinung
war, daß die Post vor sechs Uhr durchfährt.

HAUSKNECHT  Das tut sie auch, Montag, Mittwoch und Frei-
tag. Aber heute ist Donnerstag.

BEDIENTER  Immerhin. Es hätte Ihnen doch aufdämmern
können, daß ich mich irre.

HAUSKNECHT  Das war mir ganz klar. Ich bin kein Idiot.

BEDIENTER  Und da –

HAUSKNECHT  Ich bin nicht Ihr Kurier.
*Nach einer kleinen Pause*
Wünschen Sie noch etwas von mir?

BEDIENTER  *gähnt mißmutig*  Es ist unleidlich, um vier Uhr
geweckt zu werden, wenn man nicht abreisen kann.

HAUSKNECHT  Ich weiß das. Ich stehe alle Tage um diese Zeit
auf und reise niemals ab.

BEDIENTER  Übrigens: meine Herrschaft wünscht zu wissen,
ob außer ihr noch jemand von den Passagieren hier diesen
Morgen nach Mestre fährt. Wenn es etwa eine einzelne Person wäre und es wäre dieser Person genehm, mit meiner
Herrschaft eine Chaise auf Halbpart zu nehmen, so würde
meine Herrschaft diese Beförderung vorziehen. Ich weiß
nicht, an wen ich mich da wenden könnte.

HAUSKNECHT  Ich noch weniger.

BEDIENTER  Es muß Ihnen kurios vorkommen, daß wir heute

wieder nach Venedig zurückfahren, wo wir gestern von Venedig hierhergekommen sind.

HAUSKNECHT Es interessiert mich nicht.

BEDIENTER Ja, darüber, was meine Herrschaft für eine Herrschaft ist und welche Bewandtnis es mit dem Alten und mit der Jungen hat, darüber hat sich schon mancher den Kopf zerbrochen.

HAUSKNECHT *putzt eifrig* Ich nicht.

BEDIENTER Manche halten sie für die Tochter, manche für sein Mündel, manche für die Mätresse ganz einfach. Und manche, die möchten wieder, daß ganz was Besonderes dahinter stecken sollte.

HAUSKNECHT Wenn schon!

BEDIENTER Am meisten wundern sich die Leute darüber, daß einer wie ich bei einer so pauvren Herrschaft in Diensten steht.

HAUSKNECHT Mhm!

*Nimmt ein frisches Paar Schuhe.*

BEDIENTER Unangenehmer Mensch.

*Er möchte gehen, kann sich nicht entschließen.*

HAUSKNECHT Bestie! stehst du noch immer da?

*Mit einem Fußtritt nach einem der Schuhe.*

BEDIENTER Wie?

HAUSKNECHT Der Schuh.

BEDIENTER Sie wissen also nicht, ob jemand von euren Gästen –

HAUSKNECHT Von unseren Gästen? Meinen Sie wirklich, daß ich mich darum kümmere, was diese Leute tun? Sie kommen, man weist ihnen ein Zimmer an, sie machen Unreinlichkeit und gehen wieder. Es gibt nichts Dümmeres unter der Sonne als dieses ewige Ankommen und Wiederabfahren. Sie ekeln mich an, alle zusammen. Ich kann ihre Physiognomien nicht ertragen. Ich sehe ihnen niemals ins Gesicht. Aber mit ihren Schuhen muß ich mich, Gott seis geklagt, abgeben – das genügt. Da habe ich sozusagen den Abdruck ihrer läppischen Existenzen in den Händen. Es ist so widerwärtig, wie wenn ich ihre Gesichter in die Hand nehmen müßte. Wie die Idioten laufen sie einer hinter dem

andern her und vertreten dabei in idiotischer Weise ihr
Schuhwerk. Als ob alle ihre Wichtigtuerei etwas anderes
wäre als der bare Blödsinn. Das kann einem schwer etwas
anderes als den tiefsten Ekel einflößen. Sie sehen mich an.
Ich bin unrasiert. Allerdings. Es ist mein gutes Recht. Haben Sie noch nie von einem gehört, der sich aus Widerwil-
len über den gemeinen Anblick solchen Schuhwerks den
Hals mitten durchrasiert hat? Meinen Sie nicht, daß der
Mann besser getan hätte, unrasiert zu bleiben? Meinen Sie
nicht, daß er dadurch ein wahres Zeichen seiner Überlegenheit über dieses Gesindel

*Er stößt grimmig mit dem Fuß an die Schuhe*

geoffenbart hätte? Ich entwickle Ihnen meine persönliche
Religion. Das heißt wahrhaftig Perlen vor die Säue werfen.

BEDIENTER   Ein unangenehmer Mensch!

*Er geht hinunter.*

*Der Pfarrer kommt aus dem Gange links, vollständig angeklei-*
*det, aber ohne Schuhe.*

HAUSKNECHT   Noch einer! Sie können sich wieder schlafen
legen, Herr Abbate! Die Post geht in drei Stunden. Ich sage
Ihnen das, bevor Sie mich fragen.

DER PFARRER   Ich danke Ihnen. Aber Sie irren sich, ich bin
nicht der Post wegen aufgestanden. Ich fahre in einem eigenen Wagen. Einem kleinen Bauernwagen, der mich abholen kommen wird, mich, meine Nichte und die Magd
meiner Nichte. Es ist der eigene Wagen meiner Nichte.
Meine Nichte besitzt nämlich eine Gastwirtschaft und eine
Posthalterei dazu. Bitte, geben Sie mir meine Schuhe. Es
sind diese, die Sie gerade in der Hand haben.

*Hausknecht gibt sie ihm. Der Pfarrer zieht sie an, indessen der*
*Hausknecht weiterputzt.*

HAUSKNECHT   Sie können jetzt kein Frühstück bekommen, es
ist niemand auf.

DER PFARRER   Ich danke Ihnen, ich will kein Frühstück. Sie
müssen nur so gut sein, mir zu sagen, wie ich aus dem Haus
heräuskomme. Ich muß ins Kloster hinüber. Ich lese dort in
der Kapelle die Messe. Nachher komme ich zurück und
hole meine Nichte ab.

HAUSKNECHT  Gut, gut. Ich werde Sie hinauslassen.

DER PFARRER  Ich muß Sie aber noch um einen Dienst ersu-
chen, mein Lieber. Es wird später ein Bursch ankommen
und nach mir fragen. Eben mit dem kleinen Wagen wird er
ankommen aus dem Gebirg. Der Wagen ist gelb, und es ist
ein alter Fliegenschimmel vorgespannt, ein tüchtiges, braves Pferd, nur blind auf dem rechten Auge. Ich sage Ihnen
das alles, damit kein Mißverständnis unterläuft. Der Bursche soll nur ruhig warten. Er heißt Domenico. Sie brauchen meine Nichte wegen des Wagens nicht zu wecken, o
nein, das Kind soll sich nur ausschlafen. Sie werden das ja
gewiß alles recht ordentlich besorgen. Oder soll ich vielleicht noch sonst jemandem im Hause ein Wort darüber sagen? In einem Gasthof ist es immer besser, zu viel als zu
wenig zu tun.

HAUSKNECHT  Verlassen Sie sich!

DER PFARRER  Gut, gut, ich verlasse mich.

HAUSKNECHT  Warten Sie!
  *Geht nach rückwärts, pfeift.*

DER PFARRER  Aber ich muß jetzt gehen.

HAUSKNECHT  *geht nach rückwärts* Warten Sie!

DER PFARRER  Domenico heißt der Bursche; ein kleiner gelber
Wagen mit einem Schimmel. Und meine Nichte lassen Sie
nur ruhig schlafen.
  *Jemand kommt draußen die Treppe herauf.*

HAUSKNECHT  *sieht hin* Da ist er. Er sitzt schon seit einer hal-
ben Stunde auf der Treppe und wartet. Wenn Sie nicht so-
viel gesprochen hätten, hätte ich ihn gleich gerufen. Es ist
überflüssig, mit mir soviel zu sprechen. Ich bin kein
Schwachkopf.
  *Leuchtet dem Pfarrer bis an die Treppe zurück.*
  *Florindo kommt lautlos und sehr schnell aus dem Gange links.*
  *Mit offenem Haar, in Schuhen und seinen Mantel übergehängt.*
  *Hausknecht kommt zurück.*

FLORINDO  *als ob die nächtliche Unruhe ihn aus seinem Zimmer getrieben hätte* Wer ist das? Wer geht da?

HAUSKNECHT  Der Pfarrer ist das.

FLORINDO  Der Pfarrer? Empfängt der jetzt Besuche? Schläft
der nicht, jetzt mitten in der Nacht?

HAUSKNECHT   Sie schlafen ja auch nicht.

FLORINDO   Ich schlafe nicht, weil man mich nicht schlafen läßt. Weil in diesem Gasthause eine Unruhe ist –

HAUSKNECHT   Jetzt ist der Pfarrer aus dem Haus –

FLORINDO   Aus dem Haus?

HAUSKNECHT   Messe lesen, und der andere ist auch hinunter gegangen. Jetzt können Sie sich ruhig wieder niederlegen. *Fängt wieder an zu putzen.*

FLORINDO   Und Sie?

HAUSKNECHT   Ich mache hier meine Arbeit.

FLORINDO   Vor meiner Tür? Dann kann ich kein Auge zumachen. Sie werden Ihre Schuhe woanders putzen.
*Gibt ihm Geld. Hausknecht betrachtet das Geld beim Licht, zuckt die Achseln, packt sein Zeug zusammen in die Schürze.* Wohin?

HAUSKNECHT   Im Gang da.

FLORINDO   Dort werden Sie n i c h t Schuhe putzen.

HAUSKNECHT   Sie wohnen doch h i e r! Oder wohnen Sie vielleicht auch d o r t? Sie sind ein sonderbarer Herr.

FLORINDO   *leicht, aber drohend* Sie werden sich weder hier noch dort noch überhaupt in diesem Stockwerk aufhalten. Ich habe Kopfschmerzen, ich will hier niemand gehen hören. Keine Fliege will ich hören. Haben Sie mich verstanden?
*Hausknecht geht achselzuckend durch die Mitte ab.*

FLORINDO   Wohin?

HAUSKNECHT   Ich gehe über die Hintertreppe in den Hühnerhof. Wird Ihnen das vielleicht genügen?

FLORINDO   Ja.
*Hausknecht ab.*

FLORINDO   *allein* Ich habe mich nicht geirrt, als ich meinte, die Stimme des Onkels zu hören. Aber nun ist es um so besser. Wir sind dieser Stunde um so sicherer. Eine Stunde – sechzig Minuten. Sechzig Abgründe unsagbarer Seligkeit. Wiederum Schritte. Ich möchte das Vieh erwürgen, das mir eine von diesen sechzig Minuten stehlen kommt.
*Die junge Unbekannte, in einem sehr anständigen Morgenanzug, kommt von rückwärts her, ängstlich und als suchte sie je-*

*mand. Florindo drückt sich in die Tür zu seinem Zimmer und hält
den Mantel vors Gesicht.*

DIE UNBEKANNTE  *bleibt ziemlich weit rückwärts stehen, ängstlich* Wer ist dort? Mantovani, seid Ihr es? Warum bleibt Ihr
dort stehen? Der Graf ist auf. Warum laßt Ihr mich um
diese Zeit allein?

*Sie ringt die Hände*

Mantovani, warum gebt Ihr mir keine Antwort? Ihr seid
ein schlechter Diener!

*Sie tritt näher*

Wo seid Ihr denn?

FLORINDO  *öffnet mit der Hand nach rückwärts greifend seine Tür*
Was ist das? Was bedeutet das?

*Er verschwindet in sein Zimmer und drückt die Türe wieder zu.*

DIE UNBEKANNTE  Niemand! Ganz allein in der Welt!

*Ringt die Hände. – Der Bediente kommt von unten herauf, sieht
sie, ruft sie leise an.*

BEDIENTER  Pst! hier bin ich! Pst!

DIE UNBEKANNTE  *dreht sich um* Der Graf ist auf. So kommt zu
ihm. Schnell!

*Sie verschwinden rückwärts.*

*Florindo öffnet ganz leise, ganz vorsichtig die Tür, tritt dann
heraus, horcht. Stille.*

CRISTINA  *kommt von links im Negligé, offenes Haar, ein schwarzes Tuch um* Da bist du ja, Schatz!

FLORINDO  Um Gotteswillen, was für eine Unvorsichtigkeit!

CRISTINA  Ich hätte es nicht ausgehalten, noch länger nicht zu
wissen, wo du bist.

FLORINDO  Süßer Engel, wenn uns jemand hier sieht!

CRISTINA  Bin ich nicht deine Frau?

FLORINDO  Du Engel!

CRISTINA  Wie kannst du dich so fortstehlen von mir, Böser,
Guter!

FLORINDO  Du warst eingeschlafen in meinen Armen unterm
Sprechen, wie ein Kind! Du warst lieblich, wie kein Wort
es sagen kann.

CRISTINA  Aber du hast so fortgehen können? Ich wachte auf
mit einer Angst, einem Herzklopfen! Mein Herz hat gespürt, daß du nicht da warst.

FLORINDO   Ich hörte hier außen Stimmen. Ich glaubte die Stimme deines Onkels zu erkennen. Mir kam der Gedanke, er könnte an unserer Tür gehorcht haben.

CRISTINA   Wenn ich das dächte, sänke ich in den Boden. Glücklicherweise kann ich an nichts denken.

FLORINDO   Es ist alles gut! Er ist aus dem Haus gegangen. Wir sind ganz allein im Haus.

CRISTINA   So komm. Hab ich das jetzt gesagt? Hat mein Mund das gesagt? Zu einem fremden Mann? *Bedeckt ihr Gesicht mit den Händen.*

FLORINDO   Bereust du?

CRISTINA   *schüttelt den Kopf* Nur staunen, daß es möglich ist! Kannst dus denn begreifen?

FLORINDO   So nicht. Aber wenn ich ganz bei dir bin, dann ja.

CRISTINA   Schau noch einmal, ob niemand kommt. Schau! *Läuft lautlos ab nach links*

FLORINDO   Niemand, niemand.

*Ihr nach.*

*Eine ganz kurze Stille. Pasca und der Hausknecht kommen die Treppe herauf.*

HAUSKNECHT   Pst, pst. Hier geben Sie acht.

PASCA   *erschrocken* Mein Gott, was ist denn?

HAUSKNECHT   Sie sollen hier achtgeben, hier drinnen wohnt ein Herr, der Kopfschmerzen hat.

PASCA   Und wie finde ich zu meinem Fräulein? Es ist finster hier im Gang.

HAUSKNECHT   Sie haben ein kurzes Gedächtnis, gute Frau. Gegenüber dem Zimmer des Pfarrers. Auf Nummer sieben, dort im Gang rechts.

PASCA   Wie kann ich die Nummer sehen, wenn es so finster ist?

HAUSKNECHT   Da nehmen Sie mein Licht und gehen Sie leise hinein, wenn Sie durchaus wollen. Aber ich sage Ihnen, daß der Pfarrer befohlen hat, man solle sie schlafen lassen.

PASCA   Ich werde ihr lieber rufen.

HAUSKNECHT   Das unterstehen Sie sich nicht, gute Frau. Der Herr da drinnen will nicht einmal eine Fliege gehen hören. *Pasca nimmt das Licht zögernd.* *Hausknecht geht rückwärts ab.*

PASCA Und wenn es um nichts und wieder nichts ist, daß ich mich so ängstige? Ich will bloß an die Tür. In Gottesnamen! Besser bewahrt als beklagt.
*Sie geht links hinein.*
*Es dämmert.*

PASCA *kommt sogleich wieder verstört herausgestürzt, das Licht in der zitternden Hand* Oh, mein Gott! Meine Ahnung! Was tu ich denn jetzt? Meine entsetzliche Ahnung!
*Schlägt das Kreuz*
Das Mädel! Das Kind! Im Gasthaus! Mit dem fremden Menschen. Was tu ich denn? Was tu ich denn?

FLORINDO *ist gleich hinter ihr herausgetreten* Liebe gute Frau, hören Sie mich an, Frau Pasca!

PASCA *in Wut auf ihn zu* Du Schuft! Was hast du ihr eingegeben? Was hast du ihr denn ins Wasser geträufelt? Du erbärmlicher Verführer. Ich will nicht selig werden, wenn ihr je ein Mensch auf der Welt schon den Mund geküßt hat. Nicht von mir hätte sie sich auf den Mund küssen lassen, nicht von ihrem alten leiblichen Onkel. Und du, wer bist du? Von welchem Galgen haben sie denn dich heruntergeschnitten?

FLORINDO Sie wecken das Haus auf, liebe Frau. Wird Ihnen dann wohler sein?

PASCA *leise* Oh, mein Gott. So sagen Sie mir doch, wenn Sie ein Mensch sind und kein höllischer Teufel – so reden Sie doch!

CRISTINA *die sich leise herangeschlichen hat, vortretend, zitternd und doch mutig* So sag ihr doch, daß ich deine Frau bin.

PASCA Cristina, wenn dich deine Mutter, Gott hab sie selig, so müßte dastehen sehen.
*Sie weint.*

CRISTINA *gleichfalls weinend* Pasca! Auch meine selige Mutter, bevor sie hat meine Mutter werden können, hat müssen ihres Mannes Frau werden.

PASCA Ihres Mannes! Und vergehst du wirklich nicht vor Scham, wenn du das aussprichst? Ich schäme mich ja vor dir. Ich schäme mich vor euch beiden. Wer bist du denn?

CRISTINA Jetzt bin ich halt seine Frau, Pasca. Und ich werde

in Gottes Namen eine gute Frau werden. Ich war ja gar kein
so schlechtes Mädchen. Aber es ist auch nicht sehr viel, ein
gutes Mädchen zu sein. Ich hätte nicht im Mädchenstand
sterben mögen. Man ist arm und dumm in dem Stand.

PASCA  Daß du dich nicht versündigst!

CRISTINA  Was ist man denn weiters, wenn man nichts als unschuldig und selbstsüchtig ist? Da bin ich mir lieber das,
was du bist und was meine Mutter war.

PASCA  Unterstehst du dich –

CRISTINA  – Und gehöre mit Leib und Seele einem, den ich
liebhabe, und weiß, wofür ich auf der Welt bin, in Gottes
Namen.

PASCA  Und der ist es, den du dir ausgesucht hast?

CRISTINA  Ich habe ihn ausgesucht und er mich.

PASCA  Der hergelaufene Mensch!

CRISTINA  *unter Tränen lächelnd*  Irgendwo hergelaufen
kommt ein jeder. Uns hat schon der Richtige zusammen-
laufen lassen.

PASCA  Der Einschmeichler! Der Erzheuchler, der verlogene!
Wie er mir vorgelogen hat, er braucht nicht weniger als
sechs Monate, um die Seinige kennenzulernen.

CRISTINA  Und doch war ihm bei mir ein Tag genug. Soviel
Mut hat er.

PASCA  Sag, eine Nacht. Bei der Nacht sind alle Katzen grau.

CRISTINA  Meinetwegen eine Nacht. Auch die Nacht hat unser Herrgott gemacht.

PASCA  Hast du soviel Übermut? Oh, mein Gott und Herr!
Was soll denn jetzt geschehen?

CRISTINA  Jetzt müssen wir halt noch für die anderen Hochzeit machen.

PASCA  Und bis dahin soll die Lotterwirtschaft so fortgehen?
Das geschieht nicht, solange ich die Augen offen habe. Wir
fahren nach Hause und der Herr fährt nach Venedig in dieser Stunde und ordnet seine Angelegenheit und präsentiert
sich darauf als Bräutigam dem Herrn Pfarrer, oder er sieht
dein Gesicht nicht wieder.

FLORINDO  *verzweifelt*  Pasca! Pasca! Das ist ja unmöglich!
Das geht ja nicht! Das kannst du nicht verlangen.

PASCA  Was? Sogar höchst nötig zu tun hat der Herr in Venedig. Wer täte sich denn um den erzbischöflichen Dispens
bewerben? Ein solches Gesuch will vom Bräutigam persönlich betrieben sein.

FLORINDO  Dispens?

PASCA  Jawohl. Wüßte nicht, wie ohne einen solchen in der
nächsten kirchlichen Zeit eine Hochzeit zu bewerkstelligen
wäre, und der Herr sieht mir nicht aus, als ob er acht Wochen geduldig warten wollte.

FLORINDO  Mein Gott!

PASCA  Somit fährt der Herr Bräutigam nach Venedig, und
du sagst ihm: Gott befohlen! und nimmst mit meiner und
dem Onkel seiner Gesellschaft vorlieb.

FLORINDO  Pasca!

CRISTINA  *ganz fest*  Laß sie. Sie hat recht.

FLORINDO  Cristina! Von dir weg? In dieser Stunde?

CRISTINA  Laß. Das muß jetzt sein. So wie das andere hat sein
müssen.

PASCA  *zusammenschreckend*  Heiliger Josef, ich höre eine Tür
gehen. Es wohnt hier ein Herr, der Kopfschmerzen hat.
Die Schande! Ich überleb ja die Schande nicht.
*Will Cristina mit sich fortziehen.*

FLORINDO  Beruhigen Sie sich, der Herr mit den Kopfschmerzen bin ich.

CRISTINA  Laß jetzt. Soll das sein, wies will. Zwei Minuten
hab ich noch, die will ich ihn für mich haben.
*Sie nimmt seine Hand.*

FLORINDO  *nachdem er sie zärtlich angesehen*  Du bist eine reiche
Erbin, und ich komme mit nichts zu dir. Weißt du, was ich
bin? Ein Tagedieb. Ein Lump. Ein Spieler.
*Cristina legt ihm schnell die Hand auf den Mund.*
*Florindo zieht die Hand sanft fort.*
Ich habe zu ihr gesagt, ich hätte ein Amt. Es ist nicht wahr.
*Pasca schlägt die Hände zusammen.*

FLORINDO  Ich wollte mir einen braven, bürgerlichen Anschein geben, daß ihr solltet Zutrauen haben und meine
Gesellschaft annehmen. Meinst du, ich hätte nicht noch viel
ärgere Lügen vorgebracht, um mich bei dir einzunisten?
Meinst du, es wäre mir darauf angekommen?

CRISTINA  Du hast ja jetzt auch ein Amt. Wo ich die Wirtin
bin, bist du der Wirt und Postmeister dazu. Du bist der
Herr, wo ich die Frau bin. Weil du mich aber zur Frau ge-
macht hast, so hast du dich selber zum Herrn gemacht und
bist dein eigener Herr.
  *Florindo umfängt sie, sie küssen sich.*
PASCA  *wischt sich die Augen*  Dazu hat man sie mit Sorgen
großgezogen.
CRISTINA  *an seinem Hals in Tränen*  Schreib mir, sooft die Post
geht, und überhole den letzten Brief. Lesen kann ich ja!
Mein Gott! Daß ich nicht schreiben kann! In wieviel Tagen
kannst du zurück sein? sag!
PASCA  *faßt sie an*  Bis er kommt, ist er da. Ihn muß es treiben.
CRISTINA  *reißt sich los*  O Gott!
  *Sie geht nach links ab mit Pasca.*
FLORINDO  *weinend*  Pasca, dir vertraue ich sie an! Gib mir
acht auf meine Frau!
  *Pedro kommt die Treppe herab, spähend. Florindo wendet ihm
  den Rücken, geht schnell in sein Zimmer, schließt die Tür. Pedro
  enttäuscht, lauscht nach links hin, huscht dann wieder nach oben.
  Eine kleine Weile bleibt die Bühne leer, es wird vollends hell. Der
  Hausknecht kommt von der Küchenstiege, klappt die Enden des
  Eßtisches auf, stellt Teller hin.*
FLORINDO  *öffnet seine Zimmertür, ruft ihm zu*  Ich reise diesen
Morgen! Sag es dem Wirt.
  *Hausknecht bleibt stumm.*
FLORINDO  Ich reise ab. Das Zimmer kann vergeben werden.
HAUSKNECHT  *ohne ihn anzusehen*  Gewiß, es ist Ersatz für Sie
auf dem Wege.
FLORINDO  *tritt heraus*  Was?
HAUSKNECHT  Ich sage: es wird nicht schwer fallen, Ihren Ab-
gang zu ersetzen.
  *Florindo geht gegen die Treppe. Hausknecht stellt einiges für das
  Frühstück auf den Tisch links vorn.*
AGATHE  *das Küchenmädchen, kommt von links die Küchenstiege
  herauf, läuft Florindo nach*  Herr Florindo!
  *Florindo wendet sich ihr zu.*
AGATHE  Nur ob Sie mit dem Salat zufrieden waren?
  *Florindo küßt seine Finger.*

AGATHE   Und war die Dame, wenn ich fragen darf, ebenfalls zufrieden?

FLORINDO   Ich muß mich für die Dame und für mich erkenntlich zeigen.

*Will ihr Geld geben.*

AGATHE   Nein, nein, nein! So wars nicht gemeint.

*Läuft ab.*

*Pedro kommt wieder die Treppe herab.*

*Florindo ist im Begriff, hinunterzugehen.*

PEDRO   *von oben, sich verbeugend*   Ich sage: der Herr Florindo und ein Stück Frau jede Nacht, das ist eine Wenigkeit. Vielleicht zwei Stück Frau jede Nacht.

FLORINDO   *ärgerlich, bleibt stehen*   Halt deinen Mund. Was solls?

PEDRO   Oh, nachher Sie sind immer böse. Die vorige Nacht war dieselbe Sache. Der arme Pedro macht Ihnen nur seine Glückwünsche.

FLORINDO   Es ist gut, aber ich habe jetzt keine Zeit.

*Will hinunter.*

PEDRO   *hält ihn*   Sie wollen Ihrem Freund nicht helfen. Ich weiß ja, in Europa ist alles vielmals umständlich vorgeschrieben.

FLORINDO   Das ist es. Adieu!

PEDRO   Ich sehe, es ist mir ohne Sie nicht möglich, die schöne Witwenfrau achtungsvoll zu heiraten. Und das ist mein liebenswürdiger Wunsch. Sie haben mich verstanden? In ebensolcher Weise, genau so wie Sie heute und gestern geheiratet haben Ihre achtenswerten unterschiedlichen Freundinnen.

FLORINDO   Wir sprechen noch darüber.

*Geht.*

STIMME DES KAPITÄNS   *von oben*   Pedro!

PEDRO   *angstvoll*   Wann?

*Florindo ist schon unten.*

STIMME DES KAPITÄNS   Pedro!

*Pedro läuft hinauf.*

*Pasca von links aus dem Gang, scheint Florindo zu suchen, ihr Gesicht ist sorgenvoll.*

HAUSKNECHT *war zur Küchenstiege hingegangen, tritt nun wieder herein, sieht sie an* Wen suchen Sie jetzt wiederum?

PASCA *sieht ihn an* Ach, Sie sind es, der mich vorhin –

HAUSKNECHT Ja, ich bin es, der Sie vorhin – Wessen Zimmer suchen Sie diesmal?

PASCA Ich? Gar niemand. Ich wollte nach dem Herrn Pfarrer sehen.

HAUSKNECHT Der Herr Pfarrer ist hier nicht vorhanden, wie Sie bemerken werden. Der Schiffskapitän befindet sich dort oben. Die als Mensch verkleidete Bestie treibt sich hier auf der Treppe herum. Der dickwanstige geschniegelte Bediente ist unten und nährt sich. Welchen von diesen wünschen Sie?

PASCA Ich kenne ja alle die Leute gar nicht.

HAUSKNECHT Ah, was das schon für ein zartes Hindernis bildet!

PASCA Wie beliebt?

HAUSKNECHT Man hat doch vielleicht schon zuweilen aus dem Stegreif eine Bekanntschaft gemacht. Oder nicht? Und da ists dann zum Staunen, wie schnell das Menschengeschlecht auf dem Punkt anlangt, wo sich eins vor dem andern aber schon gar nicht mehr ekelt. Ich wenigstens staune anhaltend darüber. Ich denke, es ist wohl mein gutes Recht, zu staunen, wenn ich zu staunen Lust habe. *Sieht sie starr an. – Pasca sieht ihn von der Seite an. Kapitän kommt die Treppe herab, geht zu dem Tisch links vorn, nimmt Platz.*

WIRTSSOHN *kommt eifrig auf ihn zu* Guten Morgen, mein Herr. Wünschen Sie Ihr Zimmer zu behalten, mein Herr, oder befehlen Sie eine Fahrgelegenheit?

KAPITÄN *freundlich* Muß ich Ihnen das sogleich sagen?

WIRTSSOHN Es wäre allerdings sehr erwünscht, mein Herr, wenn es Sie nicht inkommodiert. Wir haben sehr viele Anfragen.

KAPITÄN Ich habe hier einen Bekannten, mit dem wünsche ich noch vorher zu sprechen.

WIRTSSOHN Da müssen Sie sich beeilen, mein Herr. Der Herr Florindo fahren in der nächsten halben Stunde nach Venedig zurück.

KAPITÄN  Wie?

WIRTSSOHN  Sehr wohl, ich bitte momentan um Vergebung.
*Er will ab gegen die Treppe, woselbst mehrere Gepäck hinunter-
tragen. Er kreuzt sich rückwärts mit Pedro, der dem Kapitän ein
Glas Wasser sowie seine Pfeife bringt. – Kapitän zündet sich
seine Pfeife an, indem kommt der Hausknecht wieder nach vorn.*

HAUSKNECHT  *zum Kapitän in seiner gewöhnlichen Art, indem er
ihn eine Weile angesehen, das heißt, nicht sein Gesicht, sondern
seine Schuhe ärgerlich fixiert hat.*  Sie wissen also nicht, ob Sie
abreisen oder ob Sie hierbleiben wollen.
*Schüttelt den Kopf*
Und sonst wünschen Sie nichts? Es ist gut.
*Geht wieder.*

KAPITÄN  Ein tüchtiger Kerl allstunds! Pst!

HAUSKNECHT  *über die Schulter*  Meinen Sie mich oder die
Katze dort?

KAPITÄN  Da.
*Gibt ihm Geld. – Hausknecht läßt das Geldstück prüfend auf den
Tisch fallen; da der Klang gut ist, nimmt er es achselzuckend,
geht nach links ab.*

KAPITÄN  Die Pfeife brennt nicht, Pedro!
*Pedro ist ihm behilflich.*

FLORINDO  *kommt die Treppe herauf, auf den Kapitän zu*  Ich
muß mich von Ihnen verabschieden, Kapitän!
*Pedro verzieht sich unauffällig nach links hin.*

KAPITÄN  Was? Ich hatte gehofft, wir würden noch ein Stück
Weges miteinander machen. So gehen Sie nach Venedig
zurück mit Ihrer schönen Freundin?

FLORINDO  Nein, wir trennen uns. Natürlich nur für den Augenblick.

KAPITÄN  Das muß Ihnen hart sein, Herr, und der jungen
Dame auch.

FLORINDO  Wir haben diese Nacht, ich will sagen diesen
Morgen, unseren Entschluß geändert. Es sind gewisse Fa-
milienangelegenheiten dazwischengetreten, gewisse
Rücksichten. Meine Braut fährt jetzt mit dem Onkel in ihr
Dorf zurück. In einer kurzen Zeit natürlich bin ich wieder
bei ihr. Und Sie, Kapitän, wohin führt Ihr Weg?

*Kapitän winkt mit der Hand die Richtung landeinwärts.*
Sie haben gewiß Anverwandte und Freundschaft?
KAPITÄN   Keine Seele, Herr. Wenn ich mich morgen in den
   Mantel da wickle und mein Gesicht gegen die Wand kehre,
   so erben die Hochgebietenden in Venedig von ihrem un-
   würdigen Untertan Tomaso ihre acht- bis neuntausend
   holländische Dukaten! Das tun sie, Herr!
FLORINDO   Das wäre beklagenswert. Sie müssen heiraten,
   Kapitän. Sie müssen Kinder haben.
KAPITÄN   Das bin ich willens, Herr, so habe ich Ihnen gestern
   gesagt.
*Florindo wirft einen Blick nach rechts hin, wo man jemand auf der
Treppe gehen hört.*
Sehen Sie, Herr! Wenn es keine Zudringlichkeit ist, das zu
sagen, ich war mir gestern abends verhoffend, daß Sie und
das schöne Fräulein, Ihre Braut, alle zusammen würden da
hinaufgefahren sein in die Dörfer und daß ich da einen Anschluß würde gefunden haben.
*Florindo verbindlich bedauernd, ohne Worte.*
Item, dem ist nicht so. Unter so veränderten Umständen
denke ich zunächst einmal hier im Gasthaus eine kleine Zeit
abzuwarten. Sollte Ihr Weg Sie in einiger Zeit hier vorbeiführen, so bitte ich, nach mir zu fragen. Es könnte sein, Sie
fänden mich noch hier.
*Florindo hört ihm nicht zu, denn rechts ist der fremde alte Herr,
unterstützt von der jungen Unbekannten und dem Bedienten, die
Treppe heruntergekommen. Sie sind stehengeblieben, der Bediente hat ihnen Florindo gezeigt. Florindo verneigt sich.*
Ich sehe, Sie haben noch anderweitige Bekanntschaft.
FLORINDO   Es sind die sonderbarsten Leute von der Welt. Das
   Mädchen ist sechzehn Jahre alt – haben Sie sie gesehen? Sie
   hat zuweilen einen Blick, man könnte glauben, sie wäre aus
   einer andern Welt.
KAPITÄN   Ich bewundere Sie, daß Sie in Ihrer Lage noch Augen für ein anderes Frauenzimmer haben.
FLORINDO   Die Leute haben mir anbieten lassen, die Postchaise mit ihnen zu teilen. Hätte ich ablehnen sollen? Soll
   ich allein hinunterfahren, wo mir auch in Gesellschaft öde
   genug ums Herz sein wird?

*Sieht abermals hin nach der Gruppe. Der alte Herr, vom Herab-*
*steigen der Treppe ermüdet, hat auf einem Sessel Platz genom-*
*men.*

Mitten zwischen den Menschen wie aus einer anderen
Welt!

KAPITÄN *mit einem Blick* Ich bewundere Sie, Herr.

*Florindo beachtet ihn nicht, eilt hin, unterhält sich verbindlich.*
*Hausknecht von links herein mit Gepäckstücken, zuoberst der*
*Vogelbauer.*

KAPITÄN Pst!

HAUSKNECHT Ich habe wenig Zeit.

KAPITÄN So viel Zeit wirst du wohl haben, um dir hinters
Ohr zu schreiben, daß ich fürs nächste hier zu bleiben gedenke und das Zimmer für mich und meinen Bedienten bis
auf weiteres behalte.

HAUSKNECHT Es ist gut.

*Geht.*

KAPITÄN *lacht* Das ist ein so netter, ordentlicher Kerl, als mir
je einer auf Reisen begegnet ist.

*Florindo kommt wieder. Der alte Herr hat sich erhoben, von dem*
*Wirtssohn und dem Diener unterstützt. Sie gehen die Treppe*
*herab, das junge Mädchen folgt.*

FLORINDO *zum Kapitän* Kapitän, es drückt mir das Herz zusammen, wenn ich das arme Mädchen vor mir sehe, wie sie
da mutterseelenallein landeinwärts fährt.

KAPITÄN Das Mädchen dort soll landeinwärts fahren?

FLORINDO Nicht die Fremde. Ich spreche von Cristina. Sie ist
eine von denen, die man nicht allein lassen darf mit ihrem
Herzen.

KAPITÄN Sie müssen das wissen, Herr, verdamm mich Gott.

*Florindo sieht ihn an, versteht.*

KAPITÄN Herr, ich wundere mich, daß Sie das Mädchen
jetzt wieder allein lassen wollen so auf einmal. Es geht
mich wohl nichts an, und Sie mögen Geschäfte haben,
jedennoch –

FLORINDO Ja wohl. Das arme Mädchen hat einsame Tage vor
sich.

KAPITÄN Doch nur, bis Sie wieder zurückkommen.

FLORINDO  *mit Bedeutung*  Bis ich wieder zurückkomme.

KAPITÄN  *sieht ihn an, Blick gegen Blick*  Das ist der Entschluß, den Sie diesen Morgen gefaßt haben? Sie sind des Teufels, Herr, das ist, was Sie sind!

FLORINDO  Kapitän, fahren Sie doch mit ihr hinauf ins Dorf, Kapitän. Tun Sie mir die Liebe, Kapitän. Sie haben Dinge erlebt, die der Mühe wert sind. Erzählen Sie ihr von Ihrer Gefangenschaft, von Ihrer Flucht, von den siebzig Nächten im Walde! Sie werden keine undankbare Zuhörerin finden. Es ist ein ernstes, gefühlvolles Mädchen.

KAPITÄN  Herr, ich weiß nicht, was Sie wollen, Herr! Ich weiß nicht, was Sie sich denken, Herr, verdamm mich Gott. Ich bin keine Gesellschaft, Herr.

FLORINDO  Ich habe ihr von Ihnen gesprochen –

KAPITÄN  Ein alter Kerl bin ich, ein alter Matros bin ich, das ist, was ich bin, Herr. Überhaupt, Herr –

FLORINDO  Nicht überhaupt. Sie achtet Sie. Sie sagte mir gestern: Den Mann möchte ich kennenlernen.

KAPITÄN  Herr, ein solches Mädchen hat andere Gedanken im Kopf. Ein junges Weib, Herr, verträgt in einer solchen Stunde keine Gesellschaft.

FLORINDO  Sie waren schon einmal ein junges Weib, daß Sie es so genau wissen.

KAPITÄN  Herr, Sie sind des Teufels, Herr. Das ist es, was Sie sind. Was hat Ihnen das Mädchen getan, daß Sie ihr so mitspielen?

FLORINDO  Ein Engel ist das Mädchen, und ich bin es nicht wert, in diesem Leben noch einmal die Spitze ihres kleinen Fingers zu berühren.

KAPITÄN  Das fühlen Sie und wollen sie trotzdem hinterrücks im Stich lassen?

FLORINDO  Konnten Sie, wenn es darauf ankam, auf der Brücke stehen und Kurs halten, obwohl Ihnen das Fieber die Knochen rüttelte? So verstehe ich zu respektieren, was dem Mädchen nottut, obwohl ich lieber meine Arme um sie schlingen und sie behalten möchte. Das mögen Sie mir glauben, Herr.

*Die letzten Worte leiser, weil Romeo nahe herangekommen ist.*

ROMEO  *steht schon seit einer Weile rückwärts, hat sich mehrmals verneigt.  Tritt jetzt unter Verbeugungen zu Florindo*  Wenn ich imstande wäre, Ihnen zu schildern, wie meine Töchter die Nachricht von Ihrer Ankunft aufgenommen haben, Worte vermögen es nicht.

*Pedro tritt von links her, von der Küchenstiege auf.*

KAPITÄN  *tritt ein paar Schritte näher zu Florindo*  Herr, mir scheint, Sie haben wiederum verdammt recht mit allem was Sie sagen, Herr, aber was das betrifft: ich bin keine Gesellschaft für die Dame, Herr. Ich weiß meinen Platz, Herr.

FLORINDO  Oh, ganz wie Sie wollen, Kapitän.

ROMEO  Diese Seligkeit! Wie, er ist da? riefen sie alle drei wie aus einem Munde. Dieser deliziöse Herr Florindo! Vater, bring uns zu ihm, wir müssen ihm unsere Erkenntlichkeit bezeugen. Wir müssen ihn unserer immerwährenden Liebe versichern. Meine Tochter Annunziata, die vorige Woche Zwillingen das Leben geschenkt hat, war kaum zu beruhigen.

*Florindo gibt ihm Geld.*

KAPITÄN  *rechts, zu sich selber sprechend*  Wie ich will – Wie ich will. Das ist wieder eine von den verdammten spitzfindigen Redensarten, mit denen der Bursch einen an die Wand zu drücken weiß. Wie ich will!

*Romeo tritt ab unter Verbeugungen.*

*Pasca tritt auf von links.*

PEDRO  *springt zu Florindo*  Ich bitte hochachtend, meine sehr wichtige Sache nicht zu vergessen.

*Springt wieder weg.*

PASCA  *leise zu Florindo*  Wir warten auf Sie. Wir begreifen gar nicht, daß Sie nicht kommen, uns und dem Onkel Adieu zu sagen.

FLORINDO  Adieu sagen! Pasca! Daß es hat sein müssen! O weh, Pasca! Aber wenn es sein muß, dann auch jäh, wie ein Schnitt mit dem Messer. Wie ist ihr denn?

PASCA  Sie nimmt sich zusammen.

FLORINDO  *vor sich, ganz in seinem Schmerz*  Sie nimmt sich zusammen.

BEDIENTER  *von unten, eilig*  Es eilt, mein Herr, meine Herrschaft läßt sehr bitten.

PASCA *erstaunt*  Gesellschaft haben Sie auch schon?

FLORINDO  Jetzt hinein und wieder heraus und in den Wagen.
*Preßt sich die Hände auf die Augen*
Und Pasca, auch ihr sollt mir nicht allein bergauf fahren.
Ich will es nicht haben. Gräßlich ist Einsamkeit. Ein
Mensch fällt in Verzweiflung, wenn er einsam ist. Mein
Freund hier, der Kapitän Tomaso, wird euch begleiten.

PASCA *halblaut*  Was soll denn das?

FLORINDO *leise, aber heftig*  Was denn? Was denn? Es ist sein
Weg, und es ist ihm ein Vergnügen, Cristina Gesellschaft
zu leisten. Willst du ihr das bißchen Zerstreuung nicht
gönnen? Sollen die Traurigen sich mit Gewalt noch trauri-
ger machen, ja? Das nenne ich sündhaft.

PASCA *zögernd*  Es wird meinem Fräulein ja sicherlich eine
Ehre sein, wir haben ja früher schon eine Begegnung mit-
einander gehabt.
*Zu Florindo*
Was wollen Sie denn damit?

KAPITÄN  Ja, das ist wahr, verdamm mich Gott.
*Lacht*
Trotzdem, Herr – das geht nicht, Herr.

PASCA *mit wachsendem Mißtrauen zu Florindo, halblaut*  Nun
sehen Sie ja, – was haben Sie denn nur im Sinn, Herr Florindo?

FLORINDO *nur zum Kapitän*  Was denn? wo alles in Ordnung
ist.

KAPITÄN  Die Dame würde sich bedanken, einen Menschen,
den sie nicht kennt –

FLORINDO  Kennen, kennen! Wenn ich nur die Ziererei nicht
hören müßte! Hab ich vielleicht gestern um die Zeit das
Mädchen gekannt? Nun, Pasca!

PASCA  Gestern um die Zeit, da wird die Bekanntschaft akkurat eine halbe Stunde alt gewesen sein.

KAPITÄN *sehr erstaunt*  Wie, Herr, gestern haben Sie Bekanntschaft gemacht?

PASCA *verlegen*  Aber das war doch wieder ganz was anderes.

FLORINDO  Was ist da groß zu erstaunen? Wollt ihr das wirklich mit der Elle abmessen? Waren wir beide nicht Freunde

in der ersten Viertelstunde, Kapitän? Pasca, laß dir gesagt
sein: hier steht ein Mann, ein ganzer Mann, oder vielmehr
ich brauche es dir nicht erst zu sagen, denn für was hätte ein
Frauenzimmer Augen im Kopfe, wenn sie das nicht erkennen täte –

*Pedro ist sehr geschmeichelt über das seinem Herrn erteilte Lob.*
Sie ist eine Witwe, die liebe Pasca. Ich will wetten, daß ihr
Seliger ein guter Mann war, denn das ist den Frauen gegeben, daß sie sich blindlings an die guten Männer zu halten
wissen. Aber bleibt mir vom Leibe mit Kennen und Kennenlernen. Man kennt sich auf den ersten Blick, und wer
dem Schicksal mit Mißtrauen und Tiftelei was abdingen
will, der ist ein engherziger Lump! – Zeig mir einen Mann
und eine Frau, die einander wert sind: wie sie zusammengekommen sind, danach will ich nicht fragen. Aber daß sie
beieinander zu bleiben vermögen, das ist wundervoll. Das
geht über die gemeinen Kräfte. Das ist ein Mysterium –
kaum zu fassen ist es. – Und darum bitte ich mir Respekt
aus davor, so wie ich ihn selber im Leibe habe.

PASCA  Wahrhaftig, in dem Sinne habe ich den Herrn Pfarrer
auch schon predigen hören! Daß es vorwitzig ist, wenn eines meint, es müßte gar so mit eigenem Verstand sich den
richtigen Lebensgefährten herausfinden. Aber was soll uns
denn das jetzt? Darüber sind wir doch hinaus.

FLORINDO  *zum Kapitän*  Also –

KAPITÄN  Wie, Sie bleiben bei Ihrem Einfall, Herr?

PASCA  *zupft Florindo am Ärmel*  Was wollen Sie denn mit der
Einladung? Der Wagen ist ja überhaupt viel zu klein.

FLORINDO  *nur zum Kapitän*  Merken Sie: Der Wagen ist
klein, und man kann Ihnen darin keinen Platz anbieten,
aber Sie fahren hinterher. Auf den Stationen leisten Sie
meiner Freundin Gesellschaft.

KAPITÄN  Ja, wenn ich denn wirklich – Herr! Darf ich denn die
Erlaubnis der Dame voraussetzen?

FLORINDO  Das dürfen Sie, das nehme ich auf mich.

*Pedro freut sich.*

KAPITÄN  Dann will ich gerne neben dem Wagen der Dame
reiten, Herr. Das will ich, so wahr ich ein alter Seemann

bin, Herr. Sie soll ein berittenes Gefolge haben wie eine Standesperson.

*Florindo sieht vor sich hin, ohne ihn zu hören.*

*Posthorn einmal hell von unten.*

PASCA  *zu Florindo*  Was haben Sie denn nur im Sinn? Woran denken Sie denn jetzt?

FLORINDO  Jetzt denke ich Abschied zu nehmen von dem Mädchen.

*Schnell ab nach links. Pasca hinter ihm.*

KAPITÄN  *sehr vergnügt zu Pedro*  Lauf! Sie sollen auf der Stelle ein Reitpferd satteln für mich, für dich einen Maulesel, wenn sie es nicht haben, sollen sie es schaffen.

PEDRO  *sehr erfreut*  Mein Freund! Nummer eins geschickter Ansprecher.

KAPITÄN  Vorwärts.

*Pedro läuft ab.*

KAPITÄN  *ruft*  He! Pst! Den Hausknecht! Das brave, tüchtige Faktotum hierher!

HAUSKNECHT  *kommt, zwei Taschen in der Hand*  Was wünschen Sie? Wollen Sie mir vielleicht noch einmal sagen, daß Sie bis auf weiteres hierbleiben und Ihr Zimmer behalten wollen? Das weiß ich bereits. Sie haben es mir vor fünf Minuten mitgeteilt.

*Florindo kommt eilig von links, Cristina mit ihm; sie hängt an seinem Hals. Er macht sich schmerzlich los, läuft die Treppe hinunter.*

KAPITÄN  *zum Hausknecht*  Und jetzt teile ich dir mit, daß ich in fünf Minuten abreisen werde.

HAUSKNECHT  *stellt seine Taschen nieder*  Das muß man sagen, Sie sind immer entschlossen, Herr, Sie wissen nur nicht, zu was.

*Cristina sieht Florindo nach, übers Geländer gebeugt, nimmt sich dann zusammen, geht rasch nach links ab. Kapitän bemerkt die Vorübergehende, vergißt den Hausknecht.*

HAUSKNECHT  Sie fahren also nach Venedig zurück. Es ist gut. Ich werde Ihr Gepäck auf die Chaise von Nummer zehn aufladen lassen.

KAPITÄN  Im Gegenteil, ich fahre mit dem Herrn Pfarrer und

der jungen Dame, die gestern in Gesellschaft des Herrn Florindo angekommen sind, hinauf ins Gebirg –

HAUSKNECHT *grimmig* Eine Wirtschaft!

KAPITÄN – während Herr Florindo mit dem fremden alten Herrn hinunter nach Venedig fährt.

HAUSKNECHT Sie fahren mit Nummer sieben
*Zeigt nach links*
hinauf, während er
*Zeigt nach rückwärts*
mit Nummer dreizehn
*Zeigt nach oben*
hinunterfährt. Das übertrifft meine Erwartungen.
*Eilt ab mit seinen Taschen.*
*Kapitän sieht ihm gutgelaunt nach.*

*Vorhang fällt.*

# DRITTER AKT

*Der große Raum in Cristinas ländlichem Wirtshaus. Im Hinter-*
*grund eine Tür und ein Fenster, beide ins Freie. Rechts rückwärts*
*die Türe zu Cristinas Zimmer. Rechts vorne die Küchentür. Zwi-*
*schen beiden Türen der Ofen, mit einer Ofenbank herum. Rings um*
*den Ofen oben ein Viereck von Stangen, woran Mäntel, Kleider*
*und Hüte des Kapitäns hängen. Links vorne die Tür zu einem*
*Gastzimmer, das der Kapitän bewohnt. Links, ganz vorne an der*
*linken Wand, läuft eine Bank, an dieser steht ein mäßig großer Eß-*
*tisch. Hut und Mantel des Kapitäns hängen an der Wand. Pasca*
*deckt den Tisch für eine Person, eilig. Sie legt kein Tischtuch auf,*
*sondern nur Eßzeug für einen Gast. Wie sie sich bückt, um aus ei-*
*nem Schrank das Salzfaß, Messer und Gabel zu nehmen, kommt*
*Pedro von rechts aus der Küche gelaufen und umschlingt sie von*
*rückwärts. Er hat nackte Arme und Beine, ein leinenes Hausge-*
*wand, worin er sehr wenig europäisch aussieht; das Haar in einen*
*Schopf zusammengebunden; einen blauen hinaufgebundenen*
*Schurz, aus dem Flaumfedern fliegen. Einen halbgerupften Vogel*
*hält er in der Hand.*

PASCA *schüttelt ihn ärgerlich ab* Das habe ich mir verbeten und
einmal für allemal.

PEDRO Eine Wenigkeit von zudringlicher Liebe verdient
nicht die kalte Hand und die häßliche Stimme.

PASCA Jawohl! Und noch dazu,
*Mit gedämpfter Stimme*
wo die Cristina in ihrem Zimmer ist.
*Pedro läuft hin, sieht durchs Schlüsselloch, gibt zu erkennen, daß*
*Cristina nicht in ihrem Zimmer ist.*
Und in dem Aufzug da? Das soll einem christgläubigen
Mannsbild gleichsehen, das? Einen Besen hol!

PEDRO *holt einen Besen aus der Küche, kehrt eifrig die Flaum-*
*federn auf, maulend, wie ein Kind* Auch Europäer machen
so, hab ich schon einmal gehört.

PASCA Ah, du willst mir Lektionen erteilen? Du bist dazumal also der, der die feinen Unterschiede heraus hat? Da tätest du mir aber leid, du. Du bist einer, der hier zu Lande nicht einmal noch läuten hört, geschweige denn schlagen. Dafür wirst du heute nachmittag nicht mit mir ausgehen, wirst dich aber trotzdem in ehrbare Tracht werfen und wirst strafweise allein zum Grabe meines seligen Mannes hinauswandern und für das Seelenheil des braven Mannes ein Vaterunser und drei Ave Maria beten. Das ist alles, was wir zwei vorläufig miteinander zu sprechen haben.
*Will in die Küche.*

PEDRO Der Herr Pfarrer hat gesagt, ich bin ein sehr guter, sehr schöner Nachvertreter für den achtenswerten Verstorbenen.

PASCA Da haben wir eine schöne, gehaltvolle Rede in einer recht gemeinen Auffassung abgespiegelt. Ganz anders hat der Herr Pfarrer gesprochen, mein lieber Pedro. An seinen Früchten sollst du ihn erkennen, das Wort hat er mir zur Richtschnur gegeben –
*Seufzt.*

PEDRO Meine Früchte?
*Sieht hilflos umher.*

PASCA Will sagen: Dein Betragen, dein Eifer in allem Guten, deine Taten, deine Stetigkeit.

PEDRO Oh! Was hast du mir vorzuwerfen, in alle diese Stükke? Zwei Monate sind nichts? Sechzig und vier Tage sind nichts? Meine Früchte? Ich verstehe ganz gut. Es sind sehr schöne Früchte auf mir gewachsen: immer zur Stelle, immer keine anderen Gedanken als auf dich, an deine Augen aufgehängt wie ein gehöriger Hund, immer steh ich auf deiner Ferse, immer lach ich auf dich, bei Tag und Nacht – mein Kapitän kann sagen. Mein Kapitän hat vielmals bemerkt. Hat im Anfang vielmals dafür meine Ohren geschlagen.

PASCA *streicht leicht über seinen Kopf* Und ich habs vielleicht nicht bemerkt? Ich hab dirs vielleicht nicht merken lassen, daß ichs bemerke.

PEDRO Sechzig und vier Tage in dieses Haus! Mit dir unter

ein und dasselbe Dach. Vielmals lange vergebliche Erwartung.

PASCA    Vergeblich? Das Wort will ich nicht hören. Es gibt
eine Sorte von Ungeduld, von der zwischen uns nicht die
Sprache ist.

PEDRO    Vielmals viele Vorschriften in dieses Land.
*Ringt die Hände.*

PASCA    Das ist ein Gefühl, auf das es vielleicht dort, wo du her
bist, ankommen mag. Bei uns kommt es auf eine Gesinnung an –

PEDRO    Ich habe eine Gesinnung!

PASCA    Auf einen christlichen Anstand kommt es an.

PEDRO    Ich habe einen sehr großen Anstand.

PASCA    *tritt zurück* Ist es die Möglichkeit? Kann so etwas den
Bräutigam einer honetten Witwe vorstellen? Heilige Mutter der Schmerzen! Ja, wenn ich mit ihm auf einer von seinen wüsten Inseln wäre.

PEDRO    *erfaßt den Gedanken vollkommen* Dann wäre vielmals
leicht, oh!

PASCA    Den Schlaf einer Nacht kanns mich kosten, wenn mir
das Bild aufsteigt, wie er irgendwo bei der Verwandtschaft
zum erstenmal in ein Zimmer hereintritt.

PEDRO    Warum hab ich meinen Fuß auf dieses Europa getreten?

PASCA    Da nimm du dir ein Beispiel an deinem Herrn Kapitän. Das ist ein würdiges Betragen. Wirft er auch nur einen
Blick zu viel nach dem Fräulein? Er geht auf die Jagd, er
nimmt seine Mahlzeiten, er wohnt hier wie jeder andere
Gast, dann und wann spricht er vom Abreisen und bleibt
weiter hier. Man merkt die Achtung, die Sympathie, aber
nichts darüber.

PEDRO    Mein Kapitän hat soviel Geduld wie eine sehr alte
Schlange. So viel Geduld ist nicht mehr gesund.

PASCA    Sehr schön ist eine solche Geduld.

PEDRO    Aber mein Kapitän hat einen Brief bekommen, der
wird sein wie ein kleines Feuer, wenn man es anzündet für
eine alte Schlange hinten.

PASCA    *ihm näher, nicht ohne Unruhe* Was soll das für ein Brief
sein? Sollte der mein Fräulein angehen?

PEDRO  Sehr gut ist der Brief. Ich bin brüllend dankbar dem
Herrn Florindo für die Freundlichkeit.

PASCA  *läßt fallen, was sie gerade in der Hand hält*  Wem?

PEDRO  Ich weiß, du hast mich nicht gern, den Namen in den
Mund zu nehmen, des Herrn Florindo. Der Name wird
nicht mehr über meine Zunge springen. Ich schwöre meinen Schutzpatron!

PASCA  Mit der Kreatur, der venezianischen, steht ein honetter Mann, wofür ich deinen Herrn Kapitän bisher gehalten
habe, in Korrespondenz? Das gibt mir ja einen Stich ins
Herz.

PEDRO  Wie steht? Wieso sagst du steht mit ihm? Mein Kapitän ist hier, Herr Florindo ist in Venedig. Ein Brief ist gekommen. Der Brief macht oben: Mein lieber Kapitän, und
macht unten: Ihr großer Freund Florindo. In der Mitte
macht er sehr gute Worte und Segenssprüche, sichergewiß.

PASCA  *ringt die Hände*  Ein unerbetenes Lebenszeichen von
der Kreatur ohne Ehr und Gewissen. Mir läufts heiß und
kalt übern Rücken.

PEDRO  Mach du nicht Zeichen und Verwünschungen. Der
Herr Pfarrer sind ein sehr guter Mann für Segenssprüche
und der Herr Florindo sind ein sehr guter Mann für Segenssprüche. Jeder in anderer Sorte.

PASCA  So lästerliche dumme Reden will ich nicht einmal hören.

*Vollendet eilig das Tischdecken.*

PEDRO  *unerschütterlich*  Ich sage: der Herr Pfarrer kann sein
Nummer eins gut für Segenssprüche auf zwei Leute, wenn
sie schon sind bekannt aufeinander. Aber Herr Florindo ist
Nummer eins gut für Aufeinanderführen, bevor sie sind
bekannt zu einander. Kann der Herr Pfarrer einen Traum
machen, der richtig anbedeutet die zukünftige Heirat?

*Triumphierend*

Der Herr Florindo hat mir in Venedig gemacht für mich
und meinen Kapitän. Der Herr Florindo ist sehr jung. Ich
sage: was wird er für ein großer Zueinanderbringer sein,
wenn er einmal so alt ist wie der Herr Pfarrer.

PASCA  Da hab ich Wachs in den Ohren.

*Eilig ab in die Küche.*
*Man sieht den Kapitän, eine Mütze auf dem Kopf, mit Jagdta-*
*sche und Flinte, draußen kommen. Pedro sieht ihn, springt eilig*
*hin, den Hut an seinen Platz zu legen. Kapitän tritt ein. Pedro*
*nimmt ihm die Büchse und Jagdtasche ab. Kapitän setzt sich auf*
*die Ofenbank, zieht einen Brief aus der Tasche. Pedro zieht ihm*
*die Stiefel aus, läuft ins Zimmer links, kommt dann gleich wieder*
*mit Schuhen. Kapitän geht in Strümpfen zum Tisch links vorne,*
*fängt an, den Brief zu lesen, indem er ihn ziemlich weit von sich*
*weghält. Pedro kommt mit Schuhen, Kapitän setzt sich, läßt sich*
*die Schuhe anziehen. Pedro an der Küchentür, wirft einen ver-*
*stohlenen Blick auf den Kapitän, verschwindet wieder.*

KAPITÄN   Zieh dich an! – Häng die Büchse auf. Daß der Lauf
mir anders geputzt wird als das letztemal!
*Pedro hängt die Büchse auf, geht dann ab, sieht von der Schwelle*
*des Zimmers links verstohlen auf den Kapitän. – Kapitän liest*
*sich den Brief, den er so ziemlich auswendig weiß, abermals vor*
Mein lieber Kapitän! Unerwartet bietet sich mir die Gelegenheit, Sie wiederzusehen, und wäre es auch nur für kurz.
Die Gräfin, mit der ich reise, besucht Verwandte auf ihren
Gütern im Gebirge, und unser Weg führt uns über Capodiponte. Wie sehr freue ich mich, Ihnen die Hand zu schütteln
und das einzig gute und schöne Mädchen wiederzusehen,
dessen Herz dauernd zu besitzen ich so ganz und gar nicht
würdig gewesen wäre. Auch die Gräfin wünscht sich sehr,
Ihre und Cristinas Bekanntschaft zu machen. Sie werden
beide in ihr eine reizende und in ihrer Art unvergleichliche
Frau kennenlernen, wenngleich sie sich an Schönheit und
Güte nicht mit Cristina messen kann.
*Nochmals in unbeholfener Weise überfliegend*
Auch die Gräfin… Ihre und Cristinas Bekanntschaft zu
machen.
*Läßt den Brief sinken*
Sie werden beide –
*Faßt heftig den Brief, liest*
Sie werden beide –
*Läßt den Brief sinken, steht hastig auf, das Blut steigt ihm zu*
*Kopfe*

Auf einem Fetzen Papier sind das Mädchen und ich ein
Paar. In dem Kopfe des Burschen sind das Mädchen und
ich ein Paar. In dem Kopfe des alten Pfarrers sind das Mädchen und ich das richtige Paar. O Welt! Heute! Heute vor
Nacht bring ich es vor! – wofern sie mir ungesucht und un-
gebeten ohne Zeugen begegnet, sei es hier in diesem Zimmer, sei es anderswo.

*Man sieht Cristina draußen kommen, gleich darauf öffnet sie die
Türe. Kapitän sieht sie, erschrickt heftig.*

Sie kommt herein! Jetzt! Jetzt ist nicht die Stunde. Es ver-
schlägt mir den Atem. Das ist ein Zeichen, daß es heute
nicht sein soll.

*Geht links ab.*

CRISTINA *herinnen, ruft* Pedro!

PASCA *in der Küchentüre* Was willst du von ihm?

CRISTINA   Ich hätte ihn gern hinübergeschickt – mit einer
Schale von unserer Suppe zum Onkel.

PASCA   Will er wieder nichts essen?

CRISTINA   Die unsrige ißt er schon. Ist der Pedro nicht da?

PASCA   Drinn mit seinem Herrn.

CRISTINA   So geh du mir hinüber mit der Suppe.

PASCA   Wär not, ich ging wegen was anderm auch zum Herrn
Pfarrer.

*Mit einer Kopfbewegung gegen des Kapitäns Zimmer*

Der Mensch ist in einem Zustand, es ist nicht mehr zum Ertragen, wie ers treibt.

CRISTINA   Ach Gott, die Männer!

PASCA   Wenn ich ihn länger hinhalt, so verliert er den Verstand, meiner Seel.

CRISTINA   Da verliert er nicht viel. Probiers halt!

PASCA *immer an der Türe* Ich probiers auch!

*Sieht sie forschend an*

Ich probiers auch!

CRISTINA   Geh nur mit der Suppe.

*Bemerkt den Blick*

Was probierst?

PASCA   Na das eben, um was er mich bittet.

*Cristina sieht sie groß an.*

Was sagst du denn: Probiers, und schaust mich dann so an?

CRISTINA  So hab ichs nicht gemeint!

PASCA  Wie denn?

CRISTINA  Probiers und laß ihn den Verstand verlieren.

PASCA  *gekränkt*  Eine sehr christliche Rede.

CRISTINA  Ärgere dich nicht. Machs, wie dus willst! Unser
Herrgott hat ja allerlei Kostgänger. Der Onkel ist ja auch
ein Mannsbild. Mag sein, je weniger sie gleichsehen, desto
mehr ist sonst an ihnen. Geh mir hinüber mit der Suppe,
Pasca!

PASCA  *in der Türe*  Kann ich fort vom Herd? Der Braten muß
umgewendet werden. Zugegossen muß werden, in einer
Minute kommt der Kapitän zu Tisch. Er soll ja einen Brief
bekommen haben, der Kapitän! Weißt du was davon?

CRISTINA  So, vielleicht wegen dem Fischwasser?

PASCA  Ja, vielleicht wegen dem Fischwasser. Ich ruf die Bar-
bara.

CRISTINA  Laß. Sie hat Arbeit. Ich seh dir auf deinen Braten.
Kommt der Kapitän, so richt ich ihm an. Auftragen kann
der Pedro allein, geh nur indessen.

*Geht in die Küche.*

KAPITÄN  *kommt von links heraus, setzt sich an den Tisch, munter*
Bin zur Stelle, Frau Pasca, und rechtschaffen hungrig.

CRISTINA  *aus der Küche*  Gleich!

KAPITÄN  Wie? Sie sind auch da?

CRISTINA  *kommt mit der Suppe*  Wie Sie sehen.

*Stellt ihm die Suppe auf den Tisch.*

KAPITÄN  *steht auf*  Das geht nicht an, daß Sie mich bedienen,
das darf nicht sein!

CRISTINA  Ich habe die Pasca fortschicken müssen, die Bar-
bara hat was zu tun, und Ihr Diener ist nicht zur Hand. Also
ist es in der Ordnung, daß ich Sie bediene.

KAPITÄN  *sehr beklommen, sich mit ihr allein zu sehen, ruft laut*
Pedro! Komm sofort heraus!

PEDRO  *öffnet ein wenig die Türe links*  Sofort! Sogleich! Eine
Wenigkeit von Sekunden!

*Schließt die Türe wieder.*

*Cristina ist indessen gegangen.*

KAPITÄN  Heute! Jetzt!

*Ißt ein paar Löffel Suppe, kann nicht weiter, nestelt an seinem Halskragen.*

CRISTINA *kommt wieder, geht bis an den Tisch* Einem andern als Ihnen möchte ich nicht sein Essen auftragen, das sag ich ganz frei, von meinem Onkel abgesehen natürlich. Sie sind mehr als ein Gast in meinem Wirtshaus. Sie sind ein Freund von uns. Darum lassen Sie sich nur ruhig von mir bedienen. *Nimmt die Suppe auf* Was einem vom Herzen kommt, dabei vergibt man sich nichts. *Trägt ab und geht.*

KAPITÄN Jetzt. Da war es. Jetzt hätte ich sprechen müssen. Daß es solche Burschen gibt, die immerfort einen Anfang finden, jeden Tag, jede Stunde, wenn sie nur wollen – *Cristina kommt mit dem neuen Gang.* Das war noch nie, daß Sie mir mein Essen aufgetragen haben. – Und es kann leicht sein, daß es ein zweites Mal nicht mehr kommen wird. *Legt mit einer gewissen Feierlichkeit Messer und Gabel aus der Hand.*

CRISTINA Warum denn? Verschlägts Ihnen den Appetit?

KAPITÄN Schier. Es kann leicht sein, daß ich jetzt bald von hier fort muß.

CRISTINA So auf einmal? Will man Ihnen das Fischwasser jetzt doch abgeben? So sind die Leute. Da ziehen sie einen herum, zwei Monate lang, dann geben sie klein bei.

KAPITÄN Es ist um kein Fischwasser. Fort aus der Gegend, ganz und für immer, meine ich.

CRISTINA O mein Gott, tun Sie mir das nicht, Kapitän, wo der Onkel sich jetzt so gewöhnt hat, die Stunde am Nachmittag mit Ihnen zu spielen, abends Ihre Gesellschaft zu haben. Ich hab keinen Menschen, mit dem er so gern redet. Bleiben Sie mir im Ort, Kapitän, oder in der Nachbarschaft, in Gottes Namen.

KAPITÄN Wissen Sie, was er zu mir redet, wenn Sie nicht dabei sind? *Er sieht sie an.*

CRISTINA Essen Sie doch – allerlei, denk ich.

KAPITÄN *schiebt seinen Teller weg* Er redet, daß er sterben wird und daß ihm lieb wäre, wenn ich Sie nicht allein
ließe. –

CRISTINA   Mich?

KAPITÄN   Ja, wenn er nicht mehr da ist.

CRISTINA *wird rot, dann mit einiger Härte* Was versteht ein
Heiliger von der Welt! Nicht so viel als unterm Fingernagel
geht, mit allem Respekt gesagt. Es ist zum Lachen, wie
auch gute Menschen manchmal etwas Überflüssiges da-
herreden. Wüßte ich nicht, daß Sie ein vernünftiger Mann
sind, der eine Sache zu nehmen weiß, so wären wir jetzt so
weit, daß ich mich kein freies, unbefangenes Wort mehr an
Sie zu richten getraute. Wenn mancher nur manches ungesagt ließe, in Gottes Namen.
*Geht ab in die Küche.*

KAPITÄN *die Hand am Kinn* Heut nicht!
*Halblaut*
Pedro!
*Pedro kommt, er hat nur Zeit gefunden, über das Leinengewand
seinen langen Rock zu ziehen. Die Beine sind noch nackt und die
Erscheinung keineswegs europäisch.*
Du bleibst! Bedien mich. Soll das Fräulein Schüsseln
schleppen?
*Pedro wartet ihm auf.*

CRISTINA *kommt wieder* Sie essen ja rein gar nichts! Ist das Ihr
großer Hunger? Gehen Sie mir.
*Bleibt stehen, schüttelt den Kopf.*

KAPITÄN *steht halb auf, hat die Hand auf dem Tisch, sein Gesicht
arbeitet* Cristina!

CRISTINA   Was ist Ihnen denn?

KAPITÄN *schwer* Es war nicht nur der Onkel – ich selber, Cristina, Gott ist mein Zeuge. Zuerst nicht. Allmählich – ich
kann nicht sagen, wie – ich, Cristina! Ich! –

CRISTINA   Bleiben Sie doch sitzen. Es ist mir nicht unbekannt
geblieben, in Gottes Namen. Meinen Sie, ein Frauenzimmer ist blind für so was?

KAPITÄN *gepreßt* Cristina!
*Pedro verschwindet.*

CRISTINA Sie müssen Ruhe halten, Kapitän. Sie haben andere Dinge druntergekriegt. Was ist das weiter für einen Mann wie Sie? Es vergeht, Kapitän. Es vergeht wie nichts. Ein Mann wie Sie ist nicht gewöhnt, so stillzusitzen auf einem Fleck. Unterm Dasitzen ist es so gekommen, unterm Dasitzen wirds vergehn. Deshalb braucht der Onkel nicht seine einzige Gesellschaft zu entbehren.

KAPITÄN Es ist nicht unterm Dasitzen gekommen. Wie ich das erste Mal Sie gesehen habe, Cristina!

CRISTINA In dem Gasthof dort? O weh! Der war verhext!

KAPITÄN Nicht in dem Gasthof, die Nacht vorher.

CRISTINA Ach nein, nein, nein! Da haben Sie sich noch nicht viel gedacht.

KAPITÄN *dunkelrot* Soll das an mir gestraft werden, daß ich eine schwere Zunge habe?

CRISTINA Nein, an mir, wie es scheint.

KAPITÄN Soll alles denen gehören, die mundfertig sind – verdamm mich Gott!

CRISTINA Nein, nein, denen schon gar nicht! Seien Sie gut. Was liegt auch daran, ob damals oder später. Es ist halt so gekommen. Da waren Umstände, da waren Begegnungen, da kamen Ihnen Gedanken. Da fingen Sie an, sich Möglichkeiten vorzustellen.

*Tritt zutraulich nahe dem Tisch*

Aber Sie sollen heiraten. Sie verdienen eine brave Frau. Es gibt brave Frauen und Mädchen genug auf der Welt. Ich bin Ihre Freundin. Ich will Ihnen suchen helfen –.

KAPITÄN *nestelt an seinem Halskragen, nicht laut, gepreßt* Es ist gut! Da sind wir gesessen, abends. Zehn-, zwanzigmal, was weiß ich, zu drei'n mit dem Onkel. Und Sie haben mich mein Garn spinnen machen, und wenns dann kam, daß ich mich aus einer Gefahr herauszog und ein Mensch oder ein Fieber oder ein böser Sturm oder ein Korallenriff mich nicht konnte unterkriegen, da sah ich, daß Sie sich freuten. Ich sah etwas, ohne Sie anzusehen. Was brauch ich Ihr Gesicht – konnte ich nicht an Ihrem Atem hören, daß Sie sich freuten?

*Er sieht sie auch jetzt nicht an. Er hat sein scharfes Matrosenmes-*

*ser neben sich liegen und fängt an, ohne es zu wissen, an der
Bankecke zwischen seinen Knien zu schnitzeln.*
Warum freuten Sie sich denn da? Was wurde denn weiter
gerettet – ein Mann? Kein Mann für Sie, zumindest.
*Sieht sie zornig an*
Was ist die Kreatur Sie angegangen? Sind Sie ein solches
Frauenzimmer? Ist das alles, was Ihr Lachen wert ist?

CRISTINA   So sollen Sie nicht zu mir sprechen. Solche Blicke
und eine solche Redeweise stehen Ihnen gar nicht. Diese
ganzen zehn Wochen haben Sie mir kein Gesicht gezeigt,
das ich so schnell über bekommen könnte wie dieses da.
*Dreht sich rasch, gegen die Küche.*

KAPITÄN   *auf*  Gehört und begriffen! Pedro!
*Pedro kommt, versteht, sucht Cristina mit dem Blick.*
Wir sind am längsten hier gesessen. Pack zusammen! Schaff
ein Fuhrwerk!
*Pedro sucht mit dem Blick Cristina.*

KAPITÄN   *zwischen den Zähnen, schlägt dabei mit dem Messer in
den Tisch*
Auf, auf, du Bootsmann, und auf, du Jung!
Kathrinchen hat von uns genung.
*Er bricht ab. Seine Lippen und sein Kinn zucken.*

PEDRO   *ist an Cristinas Tür gelaufen, hat durchs Schlüsselloch gesehen, sieht, sie ist nicht drinnen, was ihn beruhigt. Läuft zu seinem Herrn, streichelt ihn, leise*  Sie wird wiederkommen. Die
Frauen gehen hinaus, aber sie kommen wieder herein. Ich
weiß!
*Cristina tritt ein, macht sich am Schrank zu tun.*
*Pedro verzieht sich leise.*

KAPITÄN   *nickt trüb, ohne sie anzusehen*  Es ist etwas widerfah-
ren!
*Seufzt*
Es hat sich etwas ereignet.

CRISTINA   *hebt abwehrend die Hände*  Ja, ja, aber das ist vorbei
und begraben. Ja, ja, aber das bereden wir nicht.

KAPITÄN   Sie können eben keinem Mann mehr trauen.

CRISTINA   Ich bilde mir nicht ein, die Mannsbilder zu kennen,
weil ich einen kennengelernt habe. So vermessen bin ich
nicht. Ihnen täte ich vertrauen, wahrhaftig und ja.

*Einen Augenblick liegt ihre Hand auf seiner Schulter, sogleich ist*
*sie aber wieder weg.*

KAPITÄN *dreht sich leise gegen sie, ergreift sanft ihre Hand, die sie*
*ihm gleich entzieht* So ist es die Ehe, wovor Sie sich fürchten?

CRISTINA *tut einen Schritt zurück* Gut ist die Ehe. In ihr ist alles geheiligt. Das ist kein leeres Wort. Das ist Wahrheit. Es
führens viele im Munde, aber wers einmal begriffen hat,
der verstehts.

KAPITÄN Gut ist die Ehe? Also bin ichs, wovor Sie sich fürchten?

CRISTINA Sie sind brav und gut. Fürchte ich mich vor Ihnen?
Es sieht nicht darnach aus.

KAPITÄN So nicht. – Aber Sie hätten einen Abscheu, wenn es
dazu käme?

CRISTINA *geht langsam von ihm* Aber dazu kommts eben
nicht, mein ich halt.

*Bleibt stehn, ohne sich umzuwenden.*

KAPITÄN *gepreßt* Nein. Schon nicht!

*Cristina geht langsam weg.*

*Kapitän ihr schwerfällig nach.*

Cristina! Das ists, was ich sagen wollte: es lebt auf der Welt
kein Mensch, vor dem Sie sich schämen müßten.

CRISTINA *dreht sich jäh um* Das hätten Sie mögen ungesagt
sein lassen. Schämen? Ich? Vor wem? Vor den Leuten? Die
Leute sind dort, und ich bin hier – es tut mir leid, Kapitän,
daß Sie das Wort in den Mund genommen haben.

*Geht in ihr Zimmer. – Kapitän stumpf vor sich hin, nimmt me-*
*chanisch das Messer, schnitzelt gewaltsam.*

PEDRO *kommt leise herein, sieht das verstörte Gesicht, setzt sich*
*nahe dem Kapitän auf den Boden, wiegt sich traurig, seufzt*
Vielmals schwer der europäische Anfang. Sechzig und vier
Tage und immer noch wie der erste Tag. In jedem anderen
Lande war es schneller. Auf den Inseln war es oft sehr
schnell. Oh! Bei achtenswerten Häuptlingsfrauen kann es
sehr schnell sein, sichergewiß! Aber hier in Europa ist es
mit vielen Vorschriften.

*Grinst schmerzlich leise, entmutigend*

Aber es ist sehr haltbar. Nirgends ist es so haltbar.

*Hört, daß Cristina eintritt, dreht sich um, sieht sie, und um nicht zu stören, kriecht er in sitzender Stellung zur Türe hinaus, die er von außen lautlos schließt.*

*Cristina geht leise auf den Kapitän zu.*

*Kapitän legt das Messer hin, erschrickt.*

CRISTINA  *bleibt nahe vor ihm stehen*  Ich will nicht im Zorn von Ihnen gehen. Was haben Sie denn auch weiter gesagt? Es ist schon vergessen. In Gottes Namen. Wollen Sie mich nicht ansehen?

KAPITÄN  *ohne sie anzusehen, halb gegen die Wand gekehrt, laut*  Der Mann ist dazwischen.

CRISTINA  Da könnte eins ja sagen oder da könnte eins auch schweigen, da wären Sie dann der Mann dazu: aus dem Schweigen sich ein Ja zu machen. Der wären Sie schon. Aber ich will den Mund auftun, Kapitän – Kapitän, der Mann ist nicht zwischen Ihnen und mir.

KAPITÄN  *halb für sich*  Sie haben ihn noch lieb, trotz allem.

CRISTINA  Da, ich geb Ihnen meine Hand. Fühlen Sie, ob sie zittert.

*Er nimmt die Hand nicht.*

Kapitän! Vor der Begegnung dort, da war nicht viel Gescheites an mir. Auch aus Ihnen hätte ich mir nichts gemacht vor dem. Jetzt weiß ich, was ein Mann ist und auch was eine Frau ist, in Gottes Namen. Es widerfährt einem halt allerlei, wenn eins auf Reisen geht. Mich soll keiner klagen hören.

KAPITÄN  Gut!

*Atmet hörbar*

Wenn nun aber der Mann auf andere Weise im Wege wäre –

CRISTINA  Was gibts noch, in Gottes Namen?

KAPITÄN  *errötet*  Soll ich darum für nichts geachtet werden, weil mir die Redensarten nicht zufließen?

CRISTINA  Nein, darum sollen Sie nicht für nichts geachtet werden, in Gottes Namen.

KAPITÄN  Wenn des Mannes Angedenken oder des Mannes Essen, Schlafen, Gehen und Stehen im Wege wäre, so will ich hingehen und den Mann aufsuchen, und der Mann wird nicht mehr essen, nicht mehr schlafen, nicht mehr gehen, nicht mehr stehen. Dies gesagt: nicht als ob ich einen Haß hegte gegen den Mann – ich hege einen Haß gegen das, was in meinem Wege ist.

CRISTINA Dies ist ein christlicher Vorsatz. Aber, Kapitän, der Mann ist nicht im Wege.

KAPITÄN Nun denn, ver –

*Nicht laut*

Um der Begegnung willen! Um eines jähen Trunkes willen! Um eines muntern Liedchens willen und einer Kammertür, an der kein Riegel war –

CRISTINA *mit etwas gesenktem Kopfe* Der Mann und des Mannes Angedenken ist nicht im Wege.

KAPITÄN Um dies nicht– um jenes nicht – um des Burschen willen nicht – um der Leute willen nicht – wo denn? Wo faß ichs denn? Wo krieg ichs denn unter die Finger?

*Pedro kommt leise herein, ängstlich, ungeduldig.*

*Cristina zuckt die Achseln.*

KAPITÄN *sieht sie an und ist nicht imstande, in ihrem Gesicht zu lesen* Es ist gut!

*Zu Pedro*

Fort mit dem Zeug da.

*Reißt Mantel und Kleider von der Stange, wirft sie Pedro zu* Das Quartier ist vergeben! Rühr dich. Soll ich dir Beine machen? Mit mir ist man hier fertig. Gezählt, gewogen, zu leicht befunden.

*Immer weiter aufpackend*

Wer hat dich auch geheißen mir vor elf Jahren das verfluchte Messer dort zuschmeißen? Wer hat dich geheißen, mich für dieses europäische Abenteuer dort und für Mamsell ihre zwei Monate dauernde schandbare Belästigung konservieren, wo sechs ehrliche Malaien fleißig daran waren, mich den Haifischen zum Aufheben zu geben? Der Teufel hat dich das geheißen! Für den Dienst soll ich dir noch heute deine freundliche, ölige Fratze zuschanden hauen, das ist, was ich soll.

CRISTINA Kannst du ihn nicht aufhören machen, Pedro? Kannst du nicht dein europäisches Ansehen brauchen und

deinen Herrn bedeuten, daß wir hier auf festem Lande
sind?

PEDRO *wendet sich nun auf einmal gegen Cristina als gegen die Ur-
heberin all dieses Unheiles. Er hebt die zwei Finger jeder Hand
gegen sie, wie man es tut, um den bösen Blick abzuwehren; er
bläst gegen sie, er führt förmliche Tänze auf, um ihre Worte un-
schädlich zu machen* Du machst alles Unglück! Du bist ein
Gespenst, welches sich freut, zu essen das Herz von meinem guten Kapitän. Du hast ihn hochachtungsvoll genö-
tigt abzumagern. Du bist ein böser Geist.

KAPITÄN *indem er weiteres Kleiderzeug zum Einpacken zurecht-
wirft und von der Stange herabreißt* Da hab ich gemeint, hier
meinen Stand zu finden und meine Knochen in geweihter
Erde begraben zu lassen und, verdamm mich Gott, mir
Kinder zu machen. Die sollen aufwachsen im Land ihrer
Väter und es gut haben und fischen, die kleinen Burschen,
in ihres Vaters Fischwasser, wo kein Flurwächter ihnen die
Knochen im Leibe zerschlägt!

PEDRO *widerwillig dem Kapitän helfend, gleich wieder auf Cristina los* Du hast auf ihn gemacht diese Traurigkeit; du hast
geblasen auf meinen Kapitän seine Augen, du hast genommen die Körpergestalt von einen weißen Mädchen
und hast innen das Herz von einen bösen Feind.

KAPITÄN *ist indessen mit starken Schritten in sein Zimmer gegangen, zieht von dort heraus einen mächtigen Lederkoffer hinter sich
her, singt dazu mit gebrochener Stimme*
Sie mag nicht den Gestank von Teer,
sie nimmt sich einen Schneider her!

CRISTINA *tritt nach hinten, kehrt ihr Gesicht gegens Fenster*
Wenn du tanzen willst und er singen, so muß ich auf dem
Seil gehen lernen, dann können wir miteinander zur
Kirchweih aufziehen.

KAPITÄN *eifrig einpackend, von Pedro unwillig bedient* Ein richtiges Matrosenlied paßt auf alle Vorkommenheiten, verdamm mich Gott!
*Er lacht rauh auf, und es geht in ein Schluchzen über.*

CRISTINA *bleibt an ihrer Stelle* Das Handwerk, auf das Sie sich
jetzt geworfen haben, bei dem will ich Sie nicht sehen! Mit

deutlichen Worten gesagt: ich will Sie nicht weinen sehen, Herr!

*Stampft zornig auf.*

*Kapitän packt mit finsterer Entschlossenheit weiter.*

PEDRO *entspringt ihm, urwaldhaft feindselig auf Cristina los* Du hast gemacht seine Augen zu rinnen wie ein alter Brunnen! Du bist der wiedergekommene Geist von einem Malaien, den wir haben hochachtend den Hals abgeschnitten mit dieses Messer dort. Es wäre vielleicht gut, dieses Messer noch einmal in deinen Hals zu geben.

KAPITÄN *auf den Knien beim Koffer, reißt ihn nach vorn* Da sollst du Hand anlegen; das ist es, was du sollst. Heute vor Abend wollen wir das Fräulein von unserem Anblick befreit haben.

CRISTINA *hinten am Fenster, dem Weinen nahe* Ich will, daß Sie fröhlich von hier fortgehen und mich vergessen.

*Mit dem Versuch, kalt zu scheinen*

Was ist da auch weiter? Es geht ja alles so natürlich zu auf der Welt. Da kommt eines, und da geht eines. Da laufen zwei zusammen und laufen wieder auseinander, kommt wieder ein neues dazu und so fort. Die Wahrheit zu sagen, ich möchte nicht wo sitzen, wo man viel davon zu sehen kriegt. Ich bin froh, daß ich hier mutterseelenallein in meinem Winkel sitzen werde. Sehr froh bin ich, sehr froh, und dabei soll es bleiben.

*Sie bricht in Tränen aus; das Gesicht gegen das Fenster gekehrt.*

KAPITÄN *packend, vor sich* Ich habe sie lieb, ich hätte lieber mögen mein Leben für sie hingeben als diesem Haus mit lebendigem Leib den Rücken kehren. Aber das soll für nichts gut sein. Das soll ganz weggeworfen werden, das soll es, und ich soll mich wieder dahin packen, von wo ich gekommen bin.

PEDRO *hinspähend, hinhorchend* Sie weint sehr viel. Sie schluchzt. Oh! Das ist gut!

KAPITÄN *vor sich, ohne umzukehren* Ich möchte das Kind nicht weinen sehen!

*Sein Gesicht zuckt.*

PEDRO *halb aufgerichtet* Vielmals gut ist das! Jetzt wird der böse malaiische Mann aus ihr herausgehen.

*Verzieht sich nach der Seite.*
*Cristina hat sich umgewandt, sieht nach dem Kapitän, ihr Ge-*
*sicht ist mit Tränen überströmt.*

KAPITÄN  *ohne sie zu sehen, vor sich*  Sie wird sich versperren in
ihr Zimmer, und da werde ich meinen letzten Abschied
von ihr nehmen. »Höre mich an, Mädchen«, werde ich
sprechen, »mach die Tür auf und komm heraus.« Und sie
wird keine Antwort geben darinnen in der Kammer. »Soll
ich auch dein Gesicht nicht mehr sehen?« werde ich sprechen – »sollen Bretter und Balken das letzte Gesicht sein,
das ich von dir sehe! Verdamm mich Gott!«

CRISTINA  *allmählich vorkommend, endlich neben ihm*  Nein!
Nein! Nein! Nein! So soll es nicht geschehen. Ich will deine
Frau werden. Aber laß mich dich nie mehr weinen sehen.

KAPITÄN  *auf vom Boden, wie betäubt, in sonderbarer Haltung, die*
*Hände an die Brust gezogen*  Jetzt sprichst du so zu mir? Wie
ist denn das geschehen?

CRISTINA  Das hast du auf eine recht geschickte und manierli-
che Weise zuwege gebracht und obendrein noch dem
Schneider was zu verdienen gegeben.

KAPITÄN  O nein – o nein – wie ist denn das geschehen?

CRISTINA  Ich war verstockt, das war ich schon, in Gottes
Namen. Ich hab halt gemeint, es gibt kein Zeichen, das
nicht lügen kann bei einem Mann, und damit aus und
Amen. Aber wie du so dagestanden bist, mitten im Zim-
mer, grade nur ein bißchen hilfloser als ein vierjähriges
Kind, das hat mir schon kleinweise das Herz umgedreht.
Oder meinst du, war es vielleicht der Pedro, der das Stück
Arbeit besorgt hat?

KAPITÄN  *an der gleichen Stelle, hilflos*  Was soll – was darf ich
denn jetzt tun?

CRISTINA  Jetzt darfst und sollst du mich hinübergehen lassen
zum Onkel, denn der muß der erste sein, der weiß, daß wir
zwei einig geworden sind miteinander. Nein, ists dir recht,
daß ich so tu?

KAPITÄN  Du fragst mich –

CRISTINA  Ich frage dich, denn du bist es hinfort, der mir soll
zu befehlen haben.

KAPITÄN  Ich?

CRISTINA  Wenn es dir recht ist, so laß mich gehen, ich bin bald wieder bei dir.

KAPITÄN  Du sollst alles tun, wie es dir gut scheint. So sollst du es tun.

*Cristina will gehen.*

*Kapitän an der Tür, macht einen unbeholfen schüchternen Versuch, sie zu umarmen.*

*Cristina wehrt ihn sanft ab und ist schon draußen.*

KAPITÄN  *kehrt an der Türe um. Sieht sein Messer liegen, hebt es auf, sucht die Scheide, steckt das Messer ein, lacht und weint vor maßloser Freude, weiß nicht recht, wo er mit sich hin soll. Ruft* Pedro! Pedro!

*während er die Klinke zu seinem Zimmer rechts vorne in der Hand hat, und geht da hinein.*

*Die Bühne bleibt für ganz kurze Zeit leer. Es dämmert allmählich. Von links durch die Küche kommt der Pferdeknecht herein, hinter ihm Florindo, reisemäßig gekleidet, mit Hut und Mantel.*

KNECHT  Frau! Frau! Ist die Frau nicht da?

FLORINDO  Wohin führst du mich denn da? Schaff mir den Wirt, ich hab keine Zeit.

KNECHT  Hören Sie nicht, wie ich rufe: Frau?

FLORINDO  Den Wirt sollst du mir rufen, Pferde brauch ich. Ein Schreibzeug will ich. Einen Boten schaff mir her, der mir den Brief nach Capodiponte trägt.

KNECHT  Die Pferde kriegt der Herr, die führt schon der lahme Josef aus dem Stall heraus. Schreibzeug ist allweil eins hier herum, und rufen tu ich ohne Sie, das hört der Herr wohl. Frau!

FLORINDO  *findet das Schreibzeug, setzt sich an den Tisch, legt Hut und Mantel ab, schreibt. Unterm Schreiben* Ist der Wirt eine Frau?

KNECHT  Der Wirt ist keine Frau. Aber die Frau ist der Wirt.

FLORINDO  *unterm Schreiben* Eine Frau ist der Wirt? Ists eine Witwe?

KNECHT  *lacht* Wie wird denn die Frau eine Witwe sein?

FLORINDO  Nein?

*Steht auf*

Da muß sie doch einen Mann haben, der sich um den Pfer-
destall bekümmert.

KNECHT   Keinen Mann hat sie nicht, weil sie dazumal eine
Jungfer ist, der Herr wird schon entschuldigen.

FLORINDO   Ist dir ein fremder Kapitän Tomaso bekannt in
Capodiponte?

KNECHT   *lacht*   Kein fremder Kapitän ist mir nicht bekannt,
aber unser Herr Kapitän ist mir wohl bekannt in Capodiponte, und auch anderswo ist er mir bekannt.

FLORINDO   Schaff mir einen Menschen, der den Brief da nach
Capodiponte in des Kapitäns eigene Hände trägt. Eine
Dame wartet unten im Wagen auf mich. Es wird finster,
ich kann nicht, wie ich wollte, über Capodiponte fahren.

KNECHT   Weils finster wird, kann der Herr nicht über Capodiponte fahren? Das muß ich dem Josef erzählen.
*Geht ab, lacht sehr.*
*Florindo schreibt. – Kapitän kommt links heraus, bemerkt nicht
gleich, daß jemand da ist, geht in die Mitte.*

FLORINDO   *sieht auf, springt auf*   Kapitän!
*Umarmt ihn*
So findet man sich wieder.

KAPITÄN   Das ist – verdamm mich Gott. Das wäre nun also
der Herr Florindo aus Venedig.

FLORINDO   So bin ich denn in Capodiponte, ohne es zu wissen! Hier schreibe ich Ihnen, nehme Abschied von Ihnen:
für lange – vielleicht fürs Leben –
*Kapitän schweigt. Der Blick seiner runden Augen ist fest auf Flo-
rindo gerichtet und der Ausdruck ganz undurchdringlich.*

FLORINDO   Mein Weg geht nach Tirol, vielleicht nach Wien,
nach Dresden, Gott weiß wohin. Da unten an der Brücke
wird uns das Sattelpferd am Reisewagen schulterlahm –
Henriette – ich meine die Gräfin – ich habe Ihnen geschrieben, wie sehr sie sich wünschte, im Vorüberfahren Ihre
Bekanntschaft zu machen, und nun, weil es finster wird,
weil eine Fledermaus an den Wagenschlag flattert, was
weiß ich – vorwärts, frische Pferde und vorwärts, und
wenn der König von Frankreich hier säße und auf uns war-
tete. Ich muß sofort zu ihr zurück. Sie ist allein im Wagen.

Ich darf sie niemals lange allein lassen. Ich bin ihr Eigentum.
Es ist ein unerträglicher, entzückender Zustand, Kapitän!
Welche unendliche Verschiedenheit in den Frauen! Und das
auszukosten sind uns fünfzehn, wenns hoch kommt, zwan-
zig Jahre gegeben. Ein Augenblick! Mein guter Kapitän!
*Faßt freundschaftlich seine beiden Hände*
Werd ich Sie noch einmal im Leben sehen? Weiß Gott, es
gibt nichts, was uns Männer so miteinander verbindet und
so voneinander trennt wie die Frauen.
*Hat ein Lachen in der Stimme, stutzt dann einen Augenblick*
Kapitän, wir sind in Capodiponte, Kapitän, wie ich Sie da
sehe – In wessen Haus bin ich, Kapitän?

KAPITÄN   Wem das Haus da gehört – das wissen Sie nicht?
Das ist meiner – das ist Cristina ihr Haus.

FLORINDO   Das ist Cristinas Haus? Kapitän, Sie sind sehr
glücklich! Kapitän, sie ist Ihre Frau?

KAPITÄN   *von Freude überwältigt*   Sie wird meine Frau werden,
Herr. Herr, das wird sie. So verrückt ist sie. So wenig hat
sie ihre fünf Sinne beisammen! Ja, so ist dem, Herr! Wenn
Sie darnach fragen, Herr!

FLORINDO   Sie wird – und da werden Sie immer leben. Mit
Cristina! Immerfort! Beneidenswert! Hier ist der Tisch, wo
Sie mittags mit ihr sitzen. Oder sie bringt selbst die Suppe
aus der Küche, ja? und abends – Sie gehen auf die Jagd –

KAPITÄN   *hebt etwas auf*   Da ist eine Unordnung, Sie müssen
das entschuldigen, Herr!

FLORINDO   Ja, ich habe Wildenten streichen sehen, und wenn
es dann dämmert, wenn es zwischen den Binsen nicht mehr
schußlicht ist, dann kommen Sie heim, und dann steht Cristina da am Fenster und sieht hinaus und wartet auf Sie. –
Namenlos. Ihnen sind nie über der Geschichte von Philemon und Baucis die Tränen in den Hals gestiegen. Ich
weiß, Kapitän, denn Sie haben sie nicht gelesen. Aber Sie
werden sie leben, beneidenswerter Kapitän!

KAPITÄN   Heute, Herr, wenn Sie darnach fragen, Herr – vor
einer Stunde, Herr –
*Es wird ihm schwer, er schluckt*
Herr, das ist keine Sache, die ich mit meinem Mundwerk
nach der Ordnung zu erzählen verstünde.

FLORINDO  *mit Überlegenheit*  Erzählen Sie mir nichts, Kapitän, ich bitte Sie. Auch gute Freunde müssen ihre Geheimnisse vor einander haben.

*Ohne ihn anzusehen*

Alles was erlebt zu werden der Mühe wert ist, ist unerzählbar. Damals, als ich hinunterfuhr nach Venedig, Kapitän, – es geht jede Stunde des Tages von irgendeinem Platz weg eine Barke nach Mestre –, Kapitän, es war der schwerere Teil, nicht in eine dieser Barken zu springen, es war das Unmöglichste, nicht in eine dieser Barken zu springen – Sie haben natürlich recht, Kapitän. Man muß immerhin manchmal das Unmögliche tun. – Ich bin sehr zufrieden, hier mit Ihnen zu sitzen, Kapitän.

*Kapitän brummt mit blitzenden Augen etwas Unverständliches.*

FLORINDO  *drückt seine Hände halb abgewendet*  Danken Sie mir nicht, Kapitän!

*Pedro sieht zur Küchentür herein. Sehr befriedigt, seinen Herren mit Florindo zusammen zu sehen.*

FLORINDO  *zum Kapitän*  Ein anderer würde fragen: Hat sie mir vergeben? Hat sie mich vergessen? Aber es wäre nichts als bübische Eitelkeit in dieser Frage. Wir sind Mann gegen Mann: wir wissen, was das Leben lebenswert macht.

*Pedro nähert sich Florindo mit Anstand.*

FLORINDO  Pedro! Mein großer europäischer Freund!

PEDRO  Ich bin sehr glücklich, mich abermals die Hände zu schütteln mit einem Herrn, der so gut versteht die Heirat in europäischer Weise. Ich bin im Begriffe in den Ehestand hineinzutreten mit Hilfe der betreffenden Witwenfrau, und wir werden immer gedenken auf unseren Anstifter mit zudringlicher Dankbarkeit.

*Verneigt sich und tritt ab.*

KAPITÄN  *zu Florindo*  Was ich fragen wollte, Herr: Wie konnten Sie es wissen, Herr, – daß ich hier – daß mein – daß ich auf Cristinas – ich hatte meinen Mund nicht aufgetan, Herr.

FLORINDO  Kapitän, Sie sind eine Seele von einem Menschen. Sie werden glücklich sein mit ihr, wahrhaft glücklich. Lassen Sie mich Ihnen die Wahrheit sagen: es ist nicht um Ihretwillen, daß ich hierhergekommen bin, es ist um Cristinas willen. Unser Weg hätte uns so eigentlich nicht über Capodiponte geführt. Wie Sie da vor mir sitzen, Kapitän – Sie haben mehr Ähnlichkeit mit einem kleinen Kind als irgend jemand, der mir noch untergekommen ist, obwohl Sie ein starker, mutiger Mann sind und gelegentlich einmal sechs Malaien über Bord befördert haben. Aber eben dieser Umstand gibt mir eine ganz einfältige Sicherheit, daß Cristina an dieser Brust geborgen ist wie sonst an keinem Fleck der Erde.

*Steht auf, umarmt den Kapitän, der gleichfalls aufgestanden ist* Ich muß fort, Kapitän. Sagen Sie ihr nicht, daß ich da war. Es ist der Erwähnung nicht wert. Oder auch. Wie Sie wollen, Kapitän – wie Sie wollen.

*Will gehen.*

CRISTINA  *tritt von links aus der Küche, sagt über die Schulter nach rückwärts hin* Pasca, mit wem spricht er denn da? Wer ist denn der?

KAPITÄN  Cristina! Besuch! Aber Besuch, der sich schon wieder verzieht. O he, o he! Don Florindo, da mögen Sie selbst Ihren Abschiedsgruß anbringen, ehe Sie weiterreisen. Hier zur Stelle.

*Cristina steht im Halbdunkel an der Mauer.*

KAPITÄN  *führt Florindo zurück* Da ist jemand, der sich rühmen darf, gute Bekanntschaft vermittelt zu haben. Da ist jemand, den wir nicht so bald wiedersehen werden. Denn er ist so in Anspruch genommen. Das ist er, verdamm mich Gott, der kostbare Bursche. Immer sehr in Anspruch genommen. Es wartet auf der Brücke ein Reisewagen auf ihn und Gesellschaft darinnen.

*Florindo tritt näher, verneigt sich.*

KAPITÄN  Das ist ein Tag, den streich ich rot im Kalender an, wo mir das Mundwerk flinker geht als einem solchen Herrn da. Ein solcher Tag kommt nicht wieder.

CRISTINA  *schnell* In Gottes Namen! Reisen Sie nur immer glücklich, Herr. Sie sind einer, scheint mir, der immer auf Reisen sein muß. Anders kann ich Sie mir gar nicht denken.

FLORINDO  Sie haben recht, schöne Cristina!

CRISTINA  Der meinige hier soll mir das Reisen gründlich ver-
lernen. Bei ihm ist der Matros nur der Engerling, in dem
der Bauer dann steckt, und der soll sich nur ans Licht fressen, dann bleibt von dem andern nichts mehr übrig.

FLORINDO  *an der Tür zum Kapitän, der ihn begleitet*  Wie schön
sie ist, Kapitän! Wie schön sie ist! Gott befohlen, Kapitän!

*Er zögert.*

KAPITÄN  Gott befohlen und viel Glück auf die Reise, Herr.
*Schiebt ihn gelassen zur Tür hinaus.*
*Florindo geht.*

CRISTINA  Da hast du einen Gast, der alleweile kann nur ein
Sprüchel, wie der Ministrant das Et cum spiritut uo.

KAPITÄN  *tritt zu ihr*  Was zitterst du so wie Espenlaub? Ist es
des Menschen Anblick? Zitterst du um seinetwillen?

CRISTINA  Laß. Was tut der Mann mir Böses? Der hat mir
nichts weggenommen. Ach keinem auf der Welt hat der
was weggenommen. Nie hat dem nichts gehört! Wie gut,
daß ich ihn gesehen habe. Das hat so sein müssen in Gottes
Namen, dafür will ich dankbar sein bis an mein seliges
Ende. Das war gut von dir, daß du mich hast ihn und dich
nebeneinander sehen lassen, damit hast du mir Gutes getan.
Liebster, das will ich dir danken.

*Sie schlingt ihre Arme um seinen Hals.*

KAPITÄN  *fast erschrocken vor Glück*  Wie benennst du mich?
Sag das noch einmal!

CRISTINA  Das brauch ich jetzt nicht noch einmal zu sagen – –
denn ich werde dich noch viele, unzählige Male so benen-
nen, in Gottes Namen.

KAPITÄN  *fühlt, wie sie zittert, und läßt sie aus seinen Armen sanft
auf einen Stuhl nieder*  Du sollst dich setzen.

CRISTINA  Laß. Dort kommt der Onkel, sich die alte Geschichte ansehen. Denn du mußt wissen, mein guter Kapitän, es gibt keine zweite so alte Geschichte in Capodiponte
als die, daß wir zwei ein Paar werden. Du bist einer von denen, die man von weitem kommen sieht. Und ich habe
dich in Gottes Namen heute kommen sehen. Da bist du
noch ganz ruhig hinter deinem Suppenteller gesessen.

KAPITÄN  Der Onkel ist am Fenster. Wollen wir nicht hingehen und um seinen Segen bitten?

*Der Pfarrer steht am Fenster, sieht durch die Fensterscheiben.*

CRISTINA  Laß. Stell dich vor mich hin, daß du mich ihm verdeckst. Es könnte sein, daß ich lache, denn mir ist sehr vergnügt zumut. Da möchte er dann glauben, ich bin leichtfertig. Und es könnte sein, daß ich ein bißchen weinen werde, und das wäre nur vor Rührung über ihn. Wahrhaftig, nur über ihn, den alten Mann. Aber Gott weiß, wie ers weitschweifig auslegen täte.

*Sie legt ihr weinendes Gesicht auf seine breiten Hände, die auf der Stuhllehne ruhen.*

Sag mir nur schnell – da hab ich doch mein Leben in Einsamkeit beschließen wollen. Ganz fest war das in mir, verdamm mich Gott. Sag mir nur schnell, was ist an euch, daß wir euch doch wieder brauchen?

KAPITÄN  Daß wir euch brauchen, das ist an uns, in Gottes Namen.

*Er küßt ihre Stirne.*

PEDRO  *mit Pasca in der Türe links, zeigt hin, flüstert*  Du wirst noch sagen etwas gegen den Herrn Florindo?

*Pasca faltet die Hände.*


*Vorhang.*

ZU ›CRISTINAS HEIMREISE‹

## ZUM ZWEITEN AKT

In der »neuen« Fassung von 1910 endet die Komödie nach Florindos Worten: »Der Herr mit den Kopfschmerzen bin ich« (S. 185), mit den folgenden Szenen:

CRISTINA *entzieht sich Pasca* Laß jetzt. Soll das sein, wie's will. Zwei Minuten hab ich noch, die will ich ihn für mich haben.
*Sie nimmt seine Hand.*

FLORINDO *nachdem er sie zärtlich angesehen* Du bist eine reiche Erbin, und ich komme mit nichts zu dir. Weißt du, was ich bin? Ein Tagedieb. Ein Lump. Ein Spieler.
*Cristina legt ihm schnell die Hand auf den Mund.*
*Florindo zieht die Hand sanft fort.*
Ich habe zu ihr gesagt, ich hätte ein Amt. Es ist nicht wahr.
*Pasca schlägt die Hände zusammen.*
Ich wollte mir einen braven, bürgerlichen Anschein geben, daß ihr solltet Zutrauen haben und meine Gesellschaft annehmen. Meinst du, ich hätte nicht noch viel ärgere Lügen vorgebracht, um mich bei dir einzunisten? Meinst du, es wäre mir darauf angekommen?

CRISTINA Du hast ja jetzt auch ein Amt. Wo ich die Wirtin bin, bist du der Wirt und Postmeister dazu. Du bist der Herr, wo ich die Frau bin. Weil du mich aber zur Frau gemacht hast, so hast du dich selber zum Herrn gemacht und bist dein eigener Herr.
*Florindo umfängt sie, sie küssen sich.*

PASCA *wischt sich die Augen* Dazu hat man sie mit Sorgen großgezogen.

CRISTINA *an seinem Hals in Tränen* Schreib mir, sooft die Post geht, und überhole den letzten Brief. Lesen kann ich ja! Mein Gott! Daß ich nicht schreiben kann! In wieviel Tagen kannst du zurück sein? sag!

PASCA *faßt sie an* Bis er kommt, ist er da. Ihn muß es treiben.

CRISTINA  *reißt sich los*  O Gott!
*Sie geht nach links ab mit Pasca.*

FLORINDO  *weinend*  Pasca, dir vertraue ich sie an! Gib mir
acht auf meine Frau!

*Pedro kommt die Treppe herab, spähend. Florindo wendet ihm
den Rücken, geht schnell in sein Zimmer, schließt die Tür. Pedro
enttäuscht, lauscht nach links hin, huscht dann wieder nach oben.
Eine kleine Weile bleibt die Bühne leer, es wird vollends hell. Der
Hausknecht kommt von der Küchenstiege, klappt die Enden des
Eßtisches auf, stellt Teller hin.*

FLORINDO  *öffnet seine Zimmertür, ruft ihm zu*  Ich reise diesen
Morgen! Sag es dem Wirt.

*Hausknecht bleibt stumm.*

FLORINDO  Ich reise ab. Das Zimmer kann vergeben werden.

HAUSKNECHT  *ohne ihn anzusehen*  Gewiß, es ist Ersatz für Sie
auf dem Wege.

FLORINDO  *tritt heraus*  Was?

HAUSKNECHT  Ich sage: es wird nicht schwer fallen, Ihren Abgang zu ersetzen.

*Florindo geht gegen die Treppe. Hausknecht stellt einiges für das
Frühstück auf den Tisch links vorn.*

AGATHE  *das Küchenmädchen, kommt von links die Küchenstiege
herauf, läuft Florindo nach*  Herr Florindo!

*Florindo wendet sich ihr zu.*

AGATHE  Nur ob Sie mit dem Salat zufrieden waren?

*Florindo küßt seine Finger.*

AGATHE  Und war die Dame, wenn ich fragen darf, ebenfalls
zufrieden?

FLORINDO  Ich muß mich für die Dame und für mich erkenntlich zeigen.

*Will ihr Geld geben.*

AGATHE  Nein, nein, nein, so wars nicht gemeint.

*Läuft ab.*

*Pedro kommt wieder die Treppe herab.*

*Florindo ist im Begriff, hinunterzugehen.*

PEDRO  *von oben, sich verbeugend*  Ich sage: der Herr Florindo
und ein Stück Frau jede Nacht, das ist eine Wenigkeit. Vielleicht zwei Stück Frau jede Nacht.

FLORINDO    *ärgerlich, bleibt stehen*  Halt deinen Mund. Was
solls?

PEDRO  Oh, nachher Sie sind immer böse. Die vorige Nacht
war dieselbe Sache. Der arme Pedro macht Ihnen nur seine
Glückwünsche.

FLORINDO   Es ist gut, aber ich habe jetzt keine Zeit.
*Will hinunter.*

PEDRO  *hält ihn*  Sie wollen Ihrem Freund nicht helfen. Ich
weiß ja, in Europa ist alles vielmals umständlich vorgeschrieben.

FLORINDO   Das ist es. Adieu!

PEDRO  Ich sehe, es ist mir ohne Sie nicht möglich, die schöne
Witwenfrau achtungsvoll zu heiraten. Und das ist mein
liebenswürdiger Wunsch. Sie haben mich verstanden? In
ebensolcher Weise, genau so wie Sie heute und gestern
geheiratet haben Ihre achtenswerten unterschiedlichen
Freundinnen.

FLORINDO   Wir sprechen noch darüber.
*Geht.*

STIMME DES KAPITÄNS  *von oben*  Pedro!

PEDRO  *angstvoll*  Wann?
*Florindo ist schon unten.*

STIMME DES KAPITÄNS  Pedro!
*Pedro läuft hinauf.*
*Pasca von links aus dem Gang, scheint Florindo zu suchen, ihr
Gesicht ist sorgenvoll.*

HAUSKNECHT  *war zur Küchenstiege hingegangen, tritt nun wieder
herein, sieht sie an*  Wen suchen Sie jetzt wiederum?

PASCA  *sieht ihn an*  Ach Sie sind es, der mich vorhin –

HAUSKNECHT  Ja, ich bin es, der Sie vorhin – Wessen Zimmer
suchen Sie diesmal?

PASCA  Ich? Gar niemand. Ich wollte nach dem Herrn Pfarrer
sehen.

HAUSKNECHT  Der Herr Pfarrer ist hier nicht vorhanden, wie
Sie bemerken werden. Der Schiffskapitän befindet sich
dort oben. Die als Mensch verkleidete Bestie treibt sich hier
auf der Treppe herum. Der dickwanstige geschniegelte
Bediente ist unten und nährt sich. Welchen von diesen
wünschen Sie?

PASCA   Ich kenne ja alle die Leute gar nicht.

HAUSKNECHT   Ah, was das schon für ein zartes Hindernis bildet!

PASCA   Wie beliebt?

HAUSKNECHT   Man hat doch vielleicht schon zuweilen aus dem Stegreif eine Bekanntschaft gemacht. Oder nicht? Und da ists dann zum Staunen, wie schnell das Menschengeschlecht auf dem Punkt anlangt, wo sich eins vor dem andern aber schon gar nicht mehr ekelt. Ich wenigstens staune anhaltend darüber. Ich denke, es ist wohl mein gutes Recht, zu staunen, wenn ich zu staunen Lust habe. *Fixiert sie.*
*Pasca sieht ihn von der Seite an.*
*Kapitän kommt die Treppe herab, geht zu dem Tisch links vorn, nimmt Platz.*

WIRTSSOHN   *kommt eilfertig auf ihn zu* Guten Morgen, mein Herr! Wünschen Sie Ihr Zimmer zu behalten, mein Herr, oder befehlen Sie eine Fahrgelegenheit?

KAPITÄN   *freundlich* Muß ich Ihnen das sogleich sagen?

WIRTSSOHN   Es wäre allerdings sehr erwünscht, mein Herr, wenn es Sie nicht inkommodiert. Wir haben sehr viele Anfragen.

KAPITÄN   Ich habe hier einen Bekannten, mit dem wünsche ich noch vorher zu sprechen.

WIRTSSOHN   Da müssen Sie sich beeilen, mein Herr. Der Herr Florindo fahren in der nächsten halben Stunde nach Venedig zurück.

KAPITÄN   Wie?

WIRTSSOHN   Sehr wohl, ich bitte momentan um Vergebung. *Er will ab gegen die Treppe, woselbst mehrere Gepäcke hinuntertragen. Er kreuzt sich rückwärts mit Pedro, der dem Kapitän ein Glas Wasser sowie seine Pfeife bringt.*
*Kapitän zündet sich seine Pfeife an, indem kommt der Hausknecht wieder nach vorn.*

HAUSKNECHT   *zum Kapitän in seiner gewöhnlichen Art, indem er ihn eine Weile angesehen, das heißt, nicht sein Gesicht, sondern seine Schuhe ärgerlich fixiert hat* Sie wissen also nicht, ob Sie abreisen oder ob Sie hierbleiben wollen.

*Schüttelt den Kopf*
Und sonst wünschen Sie nichts? Es ist gut.
*Geht wieder.*

KAPITÄN  Ein tüchtiger Kerl allstunds! Pst!

HAUSKNECHT  *über die Schulter*  Meinen Sie mich oder die Katze dort?

KAPITÄN  Da.
*Gibt ihm Geld.*
*Hausknecht läßt das Geldstück prüfend auf den Tisch fallen; da der Klang gut ist, nimmt er es achselzuckend, geht nach links ab.*

KAPITÄN  Die Pfeife brennt nicht, Pedro!
*Pedro ist ihm behilflich.*

FLORINDO  *kommt die Treppe herauf, auf den Kapitän zu*  Ich muß mich von Ihnen verabschieden, Kapitän!
*Pedro verzieht sich unauffällig nach links hin.*

KAPITÄN  Was? Ich hatte gehofft, wir würden noch ein Stück Weges miteinander machen. So gehen Sie nach Venedig zurück mit Ihrer schönen Freundin?

FLORINDO  Nein, wir trennen uns. Natürlich nur für den Augenblick.

KAPITÄN  Das muß Ihnen hart sein, Herr, und der jungen Dame auch.

FLORINDO  Wir haben diese Nacht, ich will sagen diesen Morgen, unseren Entschluß geändert. Es sind gewisse Familienangelegenheiten dazwischengetreten, gewisse Rücksichten. Meine Braut fährt jetzt mit dem Onkel in ihr Dorf zurück. In einer kurzen Zeit natürlich bin ich wieder bei ihr. Und Sie, Kapitän, wohin führt Ihr Weg?
*Kapitän winkt mit der Hand die Richtung landeinwärts.*
Sie haben gewiß Anverwandte und Freundschaft?

KAPITÄN  Keine Seele, Herr. Wenn ich mich morgen in den Mantel da wickle und mein Gesicht gegen die Wand kehre, so erben die Hochgebietenden in Venedig von ihrem unwürdigen Untertan Tomaso ihre acht- bis neuntausend holländische Dukaten! Das tun sie, Herr!

FLORINDO  Das wäre beklagenswert. Sie müssen heiraten, Kapitän. Sie müssen Kinder haben.

KAPITÄN  Das bin ich willens, Herr, so habe ich Ihnen gestern gesagt.

*Florindo wirft einen Blick nach rechts hin, wo man jemand auf der Treppe gehen hört.*

Sehen Sie, Herr! Wenn es keine Zudringlichkeit ist, das zu sagen, ich war mir gestern abends verhoffend, daß Sie und das schöne Fräulein, Ihre Braut, alle zusammen würden da hinauf gefahren sein in die Dörfer und daß ich da einen Anschluß würde gefunden haben.

*Florindo verbindlich bedauernd, ohne Worte.*

Item, dem ist nicht so. Unter so veränderten Umständen denke ich zunächst einmal hier im Gasthaus eine kleine Zeit abzuwarten. Sollte Ihr Weg Sie in einiger Zeit hier vorbeiführen, so bitte ich, nach mir zu fragen. Es könnte sein, Sie fänden mich noch hier.

*Florindo hört ihm nicht zu, denn rechts ist der fremde alte Herr, unterstützt von der jungen Unbekannten und dem Bedienten, die Treppe heruntergekommen. Sie sind stehengeblieben, der Bediente hat ihnen Florindo gezeigt. Florindo verneigt sich.*

KAPITÄN  Ich sehe, Sie haben noch anderweitige Bekanntschaft.

FLORINDO  Es sind die sonderbarsten Leute von der Welt. Das Mädchen ist sechzehn Jahre alt – haben Sie sie gesehen? Sie hat zuweilen einen Blick, man könnte glauben, sie wäre aus einer andern Welt.

KAPITÄN  Ich bewundere Sie, daß Sie in Ihrer Lage noch Augen für ein anderes Frauenzimmer haben.

FLORINDO  Die Leute haben mir anbieten lassen, die Postchaise mit ihnen zu teilen. Hätte ich ablehnen sollen? Soll ich allein hinunterfahren, wo mir auch in Gesellschaft öde genug ums Herz sein wird?

*Sieht abermals hin nach der Gruppe. Der alte Herr, vom Herabsteigen der Treppe ermüdet, hat auf einem Sessel Platz genommen.*

Mitten zwischen den Menschen wie aus einer anderen Welt! Kapitän, welch unendliche Verschiedenheit in den Frauen! Um das auszukosten sind an fünfzehn, wenns hochkommt, zwanzig Jahre gegeben! Ein Augenblick!

KAPITÄN  *mit einem Blick*  Ich bewundere Sie, Herr.

*Florindo beachtet ihn nicht, eilt hin, unterhält sich verbindlich.*

*Hausknecht von links herein mit Gepäckstücken, zuoberst der Vogelbauer.*

KAPITÄN  Pst!

HAUSKNECHT  Ich habe wenig Zeit.

KAPITÄN  So viel Zeit wirst du wohl haben, um dir hinters Ohr zu schreiben, daß ich fürs nächste hier zu bleiben gedenke und das Zimmer für mich und meinen Bedienten bis auf weiteres behalte.

HAUSKNECHT  Es ist gut.

*Geht.*

KAPITÄN  *lacht* Das ist ein so netter, ordentlicher Kerl, als mir je einer auf Reisen begegnet ist.

*Florindo kommt wieder. Der alte Herr hat sich erhoben, von dem Wirtssohn und dem Diener unterstützt. Sie gehen die Treppe herab, das junge Mädchen folgt.*

FLORINDO  *zum Kapitän* Kapitän, es drückt mir das Herz zusammen, wenn ich das arme Mädchen vor mir sehe, wie sie da mutterseelenallein landeinwärts fährt.

KAPITÄN  Das Mädchen dort soll landeinwärts fahren?

FLORINDO  Nicht die Fremde. Ich spreche von Cristina. Sie ist eine von denen, die man nicht allein lassen darf mit ihrem Herzen.

KAPITÄN  Sie müssen das wissen, Herr, verdamm mich Gott.

*Florindo sieht ihn an, versteht.*

KAPITÄN  Herr, ich wundere mich, daß Sie das Mädchen jetzt wieder allein lassen wollen so auf einmal. Es geht mich wohl nichts an, und Sie mögen Geschäfte haben, jedennoch –

FLORINDO  Ja wohl. Das arme Mädchen hat einsame Tage vor sich.

KAPITÄN  Doch nur, bis Sie wieder zurückkommen.

FLORINDO  *mit Bedeutung* Bis ich wieder zurückkomme.

KAPITÄN  *sieht ihn an, Blick gegen Blick* Das ist der Entschluß, den Sie diesen Morgen gefaßt haben? Sie sind des Teufels, Herr, das ist, was Sie sind!

FLORINDO  Kapitän, fahren Sie doch mit ihr hinauf ins Dorf, Kapitän. Tun Sie mir die Liebe, Kapitän. Sie haben Dinge erlebt, die der Mühe wert sind. Erzählen Sie ihr von Ihrer

Gefangenschaft, von Ihrer Flucht, von den siebzig Nächten
im Walde! Sie werden keine undankbare Zuhörerin finden.
Es ist ein ernstes, gefühlvolles Mädchen.

KAPITÄN   Herr, ich weiß nicht, was Sie wollen, Herr! Ich weiß
nicht, was Sie sich denken, Herr, verdamm mich Gott. Ich
bin keine Gesellschaft, Herr.

FLORINDO   Ich habe ihr von Ihnen gesprochen –

KAPITÄN   Ein alter Kerl bin ich, ein alter Matros bin ich, das
ist, was ich bin, Herr. Überhaupt, Herr –

FLORINDO   Nicht überhaupt. Sie achtet Sie. Sie sagte mir gestern: Den Mann möchte ich kennenlernen.

KAPITÄN   Herr, ein solches Mädchen hat andere Gedanken im
Kopf. Ein junges Weib, Herr, verträgt in einer solchen
Stunde keine Gesellschaft.

FLORINDO   Sie waren schon einmal ein junges Weib, daß Sie
es so genau wissen.

KAPITÄN   Herr, Sie sind des Teufels, Herr. Das ist es, was Sie
sind. Was hat Ihnen das Mädchen getan, daß Sie ihr so mitspielen?

FLORINDO   Ein Engel ist das Mädchen, und ich bin es nicht
wert, in diesem Leben noch einmal die Spitze ihres kleinen
Fingers zu berühren.

KAPITÄN   Das fühlen Sie und wollen sie trotzdem hinterrücks
im Stich lassen?

FLORINDO   Konnten Sie, wenn es darauf ankam, auf der
Brücke stehen und Kurs halten, obwohl Ihnen das Fieber
die Knochen rüttelte? So verstehe ich zu respektieren, was
dem Mädchen nottut, obwohl ich lieber meine Arme um
sie schlingen und sie behalten möchte. Das mögen Sie mir
glauben, Herr.

*Die letzten Worte leiser, weil Romeo nahe herangekommen ist.*

ROMEO   *steht schon seit einer Weile rückwärts, hat sich mehrmals
verneigt. Tritt jetzt unter Verbeugungen zu Florindo* Wenn ich
imstande wäre, Ihnen zu schildern, wie meine Töchter die
Nachricht von Ihrer Ankunft aufgenommen haben, Worte
vermögen es nicht

*Pedro tritt von links her, von der Küchenstiege auf.*

KAPITÄN   *tritt ein paar Schritte näher zu Florindo* Herr, mir scheint, Sie haben wiederum verdammt recht mit allem was Sie sagen, Herr, aber was das betrifft: ich bin keine Gesellschaft für die Dame, Herr. Ich weiß meinen Platz, Herr.

FLORINDO   Oh, ganz wie Sie wollen, Kapitän.

ROMEO   Diese Seligkeit! Wie, er ist da? riefen sie alle drei wie aus einem Munde. Dieser deliziöse Herr Florindo! Vater, bring uns zu ihm, wir müssen ihm unsere Erkenntlichkeit bezeugen. Wir müssen ihn unserer immerwährenden Liebe versichern. Meine Tochter Annunziata, die vorige Woche Zwillingen das Leben geschenkt hat, war kaum zu beruhigen.

*Florindo gibt ihm Geld.*

KAPITÄN   *rechts, zu sich selber sprechend*   Wie ich will – Wie ich will. Das ist wieder eine von den verdammten spitzfindigen Redensarten, mit denen der Bursch einen an die Wand zu drücken weiß. Wie ich will!

*Romeo tritt ab unter Verbeugungen.*

*Pasca tritt auf von links.*

PEDRO   *springt zu Florindo*   Ich bitte hochachtend, meine sehr wichtige Sache nicht zu vergessen.

*Springt wieder weg.*

PASCA   *leise zu Florindo*   Wir warten auf Sie. Wir begreifen gar nicht, daß Sie nicht kommen, uns und dem Onkel Adieu zu sagen.

FLORINDO   Adieu sagen! Pasca! Daß es hat sein müssen! O weh, Pasca! Aber wenn es sein muß, dann auch jäh, wie ein Schnitt mit dem Messer. Wie ist ihr denn?

PASCA   Sie nimmt sich zusammen.

FLORINDO   *vor sich, ganz in seinem Schmerz*   Sie nimmt sich zusammen.

BEDIENTER   *von unten, eilig*   Es eilt, mein Herr, meine Herrschaft läßt sehr bitten.

PASCA   *erstaunt*   Gesellschaft haben Sie auch schon?

FLORINDO   Jetzt hinein und wieder heraus und in den Wagen.

*Preßt sich die Hände auf die Augen*

Und Pasca, auch ihr sollt mir nicht allein bergauf fahren. Ich will es nicht haben. Gräßlich ist Einsamkeit. Ein Mensch fällt in Verzweiflung, wenn er einsam ist. Mein

Freund hier, der Kapitän Tomaso, wird euch begleiten.

PASCA  *halblaut*  Was soll denn das?

FLORINDO  *leise, aber heftig*  Was denn? Was denn? Es ist sein
Weg, und es ist ihm ein Vergnügen, Cristina Gesellschaft
zu leisten. Willst du ihr das bißchen Zerstreuung nicht
gönnen? Sollen die Traurigen sich mit Gewalt noch trauri-
ger machen, ja? Das nenne ich sündhaft.

PASCA  *zögernd*  Es wird meinem Fräulein ja sicherlich eine
Ehre sein, wir haben ja früher schon eine Begegnung mit-
einander gehabt.
*Zu Florindo*
Was wollen Sie denn damit?

KAPITÄN  Ja, das ist wahr, verdamm mich Gott.
*Lacht*
Trotzdem, Herr – das geht nicht, Herr.

PASCA  *mit wachsendem Mißtrauen zu Florindo, halblaut*  Nun
sehen Sie ja, – was haben Sie denn nur im Sinn, Herr Florindo?

FLORINDO  *nur zum Kapitän*  Was denn? wo alles in Ordnung
ist.

KAPITÄN  Die Dame würde sich bedanken, einen Menschen,
den sie nicht kennt –

FLORINDO  Kennen, kennen! Wenn ich nur die Ziererei nicht
hören müßte! Hab ich vielleicht gestern um die Zeit das
Mädchen gekannt? Nun, Pasca!

PASCA  Gestern um die Zeit, da wird die Bekanntschaft akkurat eine halbe Stunde alt gewesen sein.

KAPITÄN  *sehr erstaunt*  Wie, Herr, gestern haben Sie Bekanntschaft gemacht?

PASCA  *verlegen*  Aber das war doch wieder ganz was anderes.

FLORINDO  Was ist da groß zu erstaunen? Wollt ihr das wirklich mit der Elle abmessen? Waren wir beide nicht Freunde
in der ersten Viertelstunde, Kapitän? Pasca, laß dir gesagt
sein: hier steht ein Mann, ein ganzer Mann, oder vielmehr
ich brauche es dir nicht erst zu sagen, denn für was hätte ein
Frauenzimmer Augen im Kopf, wenn sie das nicht erkennen täte –
*Pedro ist sehr geschmeichelt über das seinem Herrn erteilte Lob.*

Sie ist eine Witwe, die liebe Pasca. Ich will wetten, daß ihr Seliger ein guter Mann war, denn das ist den Frauen gegeben, daß sie sich blindlings an die guten Männer zu halten wissen. Aber bleibt mir vom Leibe mit Kennen und Kennenlernen. Man kennt sich auf den ersten Blick, und wer dem Schicksal mit Mißtrauen und Tiftelei was abdingen will, der ist ein engherziger Lump! – Zeig mir einen Mann und eine Frau, die einander wert sind: wie sie zusammengekommen sind, danach will ich nicht fragen. Aber daß sie beieinanderzubleiben vermögen, das ist wundervoll. Das geht über die gemeinen Kräfte. Das ist ein Mysterium – kaum zu fassen ist es. – Und darum bitte ich mir Respekt aus davor, so wie ich ihn selber im Leibe habe.

PASCA  Wahrhaftig, in dem Sinne habe ich den Herrn Pfarrer auch schon predigen hören! Daß es vorwitzig ist, wenn eines meint, es müßte gar so mit eigenem Verstand sich den richtigen Lebensgefährten herausfinden. Aber was soll uns denn das jetzt? Darüber sind wir doch hinaus.

FLORINDO  *zum Kapitän*  Also –

KAPITÄN  Wie, Sie bleiben bei Ihrem Einfall, Herr?

PASCA  *zupft Florindo am Ärmel*  Was wollen Sie denn mit der Einladung? Der Wagen ist ja überhaupt viel zu klein.

FLORINDO  *nur zum Kapitän*  Merken Sie: Der Wagen ist klein, und man kann Ihnen darin keinen Platz anbieten, aber Sie fahren hinterher. Auf den Stationen leisten Sie meiner Freundin Gesellschaft.

KAPITÄN  Ja, wenn ich denn wirklich – Herr! Darf ich denn die Erlaubnis der Dame voraussetzen?

FLORINDO  Das dürfen Sie, das nehme ich auf mich.

*Pedro freut sich.*

KAPITÄN  Dann will ich gerne neben dem Wagen der Dame reiten, Herr. Das will ich, so wahr ich ein alter Seemann bin, Herr. Sie soll ein berittenes Gefolge haben wie eine Standesperson.

*Florindo sieht vor sich hin, ohne ihn zu hören.*

*Posthorn einmal hell von unten.*

PASCA  *zu Florindo*  Was haben Sie denn nur im Sinn? Woran denken Sie denn jetzt?

FLORINDO   Jetzt denke ich Abschied zu nehmen von dem
Mädchen.
*Schnell ab nach links. Pasca hinter ihm.*

KAPITÄN   *sehr vergnügt zu Pedro*   Lauf! Sie sollen auf der Stelle
ein Reitpferd satteln für mich, für dich einen Maulesel,
wenn sie es nicht haben, sollen sie es schaffen.

PEDRO   *sehr erfreut*   Mein Freund! Nummer eins geschickter
Ansprecher.

KAPITÄN   Vorwärts.
*Pedro läuft ab.*
*Kapitän ruft*
He! Pst! Den Hausknecht! Das brave, tüchtige Faktotum
hierher!

HAUSKNECHT   *kommt, zwei Taschen in der Hand*   Was wünschen Sie? Wollen Sie mir vielleicht noch einmal sagen, daß
Sie bis auf weiteres hierbleiben und Ihr Zimmer behalten
wollen? Das weiß ich bereits. Sie haben es mir vor fünf Minuten mitgeteilt.
*Florindo kommt eilig von links, Cristina mit ihm; sie hängt an*
*seinem Hals. Er macht sich schmerzlich los, läuft die Treppe hin-*
*unter.*

KAPITÄN   *zum Hausknecht*   Und jetzt teile ich dir mit, daß ich
in fünf Minuten abreisen werde.

HAUSKNECHT   *stellt seine Tasche nieder*   Das muß man sagen,
Sie sind immer entschlossen, Herr, Sie wissen nur nicht, zu
was.
*Cristina bleibt oben auf der Treppe stehen. Sieht hinab übers Ge-*
*länder gebeugt. Kapitän sieht hin, wird ganz still, vergißt den*
*Hausknecht.*

HAUSKNECHT   Sie fahren also nach Venedig. Es ist gut. Ich
werde Ihr Gepäck auf die Chaise von Nummer zehn aufladen lassen.

KAPITÄN   Im Gegenteil, ich fahre mit dem Herrn Abbate und
der jungen Dame, die gestern in Gesellschaft des Herrn Florindo angekommen sind, hinauf ins Gebirg –

HAUSKNECHT   *grimmig*   Eine Wirtschaft!

KAPITÄN   – während Herr Florindo mit dem fremden alten
Herrn hinunter nach Venedig fährt.

HAUSKNECHT    Sie fahren mit Nummer sieben
*Zeigt nach links*
hinauf, während er
*Zeigt nach rückwärts*
mit Nummer dreizehn
*Zeigt nach oben*
hinunterfährt. Das übertrifft meine Erwartungen.
*Eilt ab mit seinen Taschen.*
*Kapitän sieht ihm gutgelaunt nach.*
*Cristina steht noch immer übers Treppengeländer gebeugt, einem*
*nachsehend, der längst fort ist.*


*Vorhang fällt sehr schnell.*

# FLORINDO UND DIE UNBEKANNTE

*Ein Platz in Venedig, der im Hintergrunde an die offene Lagune stößt. Nach links vorne geht eine kleine, enge Gasse mit einem Bogen überwölbt, ebenso geht rechts eine schiefe, schmale Gasse. Im Erdgeschosse eines Eckhauses links ist ein Kaffeehaus, das erleuchtet ist und worin einige Gäste Billard spielen; vor diesem stehen kleine Tische im Freien. Der Platz ist mit Laternen beleuchtet. In einem kleinen Hause, das mit einer Seite in dem Gäßchen rechts, mit einer gegen den Platz heraussteht, ist im ersten Stock ein Zimmer erleuchtet.*

*An den Tischen sitzen: links Graf Prampero und seine Frau und rechts gegen die Mitte des Platzes Herr Paretti. Weiter rückwärts ein paar Schachspieler, ferner Lavache, ein Mann unbestimmten Alters in einem dürftigen, bis an den Hals zugeknöpften Mantel, der eifrig schreibt und eine große Menge beschriebenen Papieres vor sich hat. Mehrere Tische sind leer. Benedetto, der Oberkellner, steht bei den Schachspielern. Tofolo, der Kellnerbursche, bedient. Teresa sieht aus dem erleuchteten Fenster des kleinen Hauses, man sieht sie dann ein schwarzes Tuch um die Schulter schlagen.*

LAVACHE  Herr Benedetto, darf ich Sie noch um etwas Papier bitten? Sie werden Ihre Großmut nicht bereuen.

BENEDETTO  *winkt Tofolo*  Schreibpapier dem Herrn Lavache!

GRAF PRAMPERO  *ein mit dürftiger Eleganz angezogenenr, sehr hagerer, alter Mann zu seiner Frau, nachdem er auf die Uhr gesehen*  Wünschst du noch zu bleiben oder soll ich –

DIE GRÄFIN  *eine sehr blasse Dame, um dreißig Jahre jünger als ihr Mann, zuckt die Achseln und sieht ins Leere*
*Der eine Schachspieler läßt eine Figur hinunterfallen. Graf Prampero steht eilig auf und überreicht sie, indem er den Hut abnimmt, dem Schachspieler. Der Schachspieler nickt dankend und spielt weiter. Teresa kommt aus dem Hause, steht in der Mitte und sucht Benedettos Aufmerksamkeit auf sich zu ziehen.*

GRAF PRAMPERO  *zu seiner Frau*  Es ist mehr als eine Woche, daß wir Florindo hier nicht gesehen haben.
*Die Gräfin gibt keine Antwort.*

GRAF PRAMPERO  Er scheint seine Gewohnheiten geändert zu haben.
*Seufzt.*
*Die Gräfin gibt keine Antwort.*

GRAF PRAMPERO  Es kann sein, daß man ihm begegnen würde, wenn man länger bliebe.
*Sieht nach der Uhr.*

DIE GRÄFIN  Ich denke nicht daran. Warum sprichst du von ihm? Ich möchte wissen, was Herr Florindo uns angeht. Ich gehe fort.

GRAF PRAMPERO  Sofort. Darf ich dich nur um die Gnade bitten, einen Augenblick zu warten, bis ich Benedetto rufe? Benedetto, ich zahle.

BENEDETTO  *zu dem Schachspieler*  Sie haben unverantwortlich gespielt, Herr. Man kann Ihnen nicht zusehen.
*Geht langsam nach rechts zu Teresa.*

GRAF PRAMPERO  *mit erhobener, aber schwacher Stimme*  Benedetto!

BENEDETTO  Ich komme!
*Tritt zu Teresa.*
*Tofolo bringt Lavache Schreibpapier, stößt dabei dessen Hut herunter. Graf Prampero steht auf, hebt den Hut auf, staubt ihn mit seinem Taschentuch ab und überreicht ihn dem Schreiber.*

LAVACHE  Mein Herr, ich danke Ihnen sehr.

GRAF PRAMPERO  *grüßt höflich. Die Gräfin sitzt unbeweglich und sieht finster vor sich hin.*

BENEDETTO  *Tofolo zurufend*  Frisches Wasser dem Herrn Paretti!

TERESA  *zu Benedetto*  Wie ists mit dem Paretti?
*Benedetto zuckt die Achseln.*

TERESA  Er will nichts hergeben?

BENEDETTO  Gib acht, er ist mißtrauisch wie ein Dachs.

TERESA  Also?

BENEDETTO  Ich habe getan, was ich konnte.

TERESA  Ich bin drinnen schon auf Kohlen gesessen.

BENEDETTO   Er wollte vom Anfang an nicht.

TERESA   Am Anfang macht er doch immer seine Komödien.

BENEDETTO   Ich habe den Eindruck, für jeden andern als für Florindo wäre etwas zu machen.

TERESA   Was soll er gerade gegen Florindo haben?

BENEDETTO   Ich weiß nicht. Eine Laune, ein Mißtrauen. Mit Frauen und mit Wucherern lernt man nicht aus.

TERESA   Wenn er vom Anfang an nicht gewollt hätte, so wäre er nicht gekommen. Er setzt sich nicht ins Kaffeehaus, um kein Geschäft zu machen. Du darfst ihn nicht auslassen.

GRAF PRAMPERO   *aufstehend* Benedetto!

BENEDETTO   *ohne sich zu regen* Ich komme, Herr Graf, ich bin auf dem Wege zu Ihnen!

TERESA   Wenn er kein Geld gibt, so muß er anderes geben. Juwelen, Möbel, Ware, was immer.

BENEDETTO   Würde Florindo Ware nehmen?

TERESA   Sehr ungern natürlich, aber man nimmt schließlich, was man bekommt. Und es eilt.

BENEDETTO   Du bist mir rätselhaft.

TERESA   Du hast mir versprochen, daß du es machen wirst.

BENEDETTO   Wenn du noch mit ihm wärest – Aber alles für seine schönen Augen?

TERESA   Das verstehst du nicht. Er wird prolongieren müssen, ich werde es vermitteln. Er wird Ware übernehmen müssen, ich werde zu tun haben, sie für ihn zu verkaufen. Er wird zu mir kommen, wäre es nur um seinen Ärger auszulassen.

BENEDETTO   Du verlangst nicht viel.

*Graf Prampero macht alle Anstrengungen, Benedetto herbeizuwinken.*

BENEDETTO   Gewiß, Herr Graf, ich komme.

*Bei Pramperos Tisch*

Wir haben also die Mandelmilch der Frau Gräfin und was darf ich noch rechnen?

GRAF PRAMPERO   Sie wissen ja, Benedetto, daß ich abends nichts zu mir nehmen darf.

*Gibt ihm eine Silbermünze.*

BENEDETTO  Sehr wohl!

*Gibt aus einem Schälchen Kupfermünzen zurück, geht dann zu Teresa hinüber.*

TERESA  Das wäre was, wenn es einem Menschen wie dir nicht gelingen sollte, einen solch alten Halunken herumzukriegen. Brr, das Gesicht!

BENEDETTO  Ein sehr gutes Gesicht für sein Gewerbe: Sein Kopf ist so viel wert wie ein diskretes Aushängeschild. Er sieht aus wie der wandelnde Verfallstag.

GRAF PRAMPERO  *zu seiner Frau* Wenn es dir jetzt gefällig ist, meine Liebste –

*Die Gräfin fährt aus ihrer Träumerei auf.*

*Graf Prampero reicht ihr ihr Täschchen.*

*Die Gräfin steht auf.*

GRAF PRAMPERO  Wird dir der gewöhnliche kleine Rundgang belieben? Ich würde gerne beim Uhrmacher meine Uhr vergleichen. Oder der direkte Weg nach Hause?

DIE GRÄFIN  Es ist mir namenlos gleichgültig.

*Graf Prampero grüßt die übrigen Gäste, sie gehen über die Bühne und verschwinden in dem Gäßchen rechts.*

BENEDETTO  *zu Teresa* Übrigens: Herr Barozzi spielt drinnen und du weißt, daß er es nicht gern hat, wenn er dich hier sitzen oder herumstehen sieht.

TERESA  *heftig* Das geht ihn gar nichts an, er hat mir nichts zu verbieten.

*Sie setzt sich an einen leeren Tisch, Tofolo bedient sie, Paretti winkt Benedetto. Benedetto schnell zu Paretti.*

PARETTI  Wie kommen Sie dazu, dem Menschen das Schreibpapier zu kreditieren? Sind Sie der Wohltäter der Menschheit?

BENEDETTO  Im Ernst, Herr Paretti, es kann das früher nicht Ihr letztes Wort gewesen sein. Daß Herr Florindo –

PARETTI  Wenn Sie den Namen noch einmal aussprechen, zahle ich und gehe.

BENEDETTO  Sehr gut!

*Geht zu Teresa*

Ich glaube, es wird etwas zu machen sein.

TERESA  Ja, Gott sei Dank! Was hat er gesagt?

BENEDETTO   Er hat gesagt, wenn ich den Namen noch einmal ausspreche, so zahlt er und geht.

TERESA   Nun, und?

BENEDETTO   Wenn er mit dem Fortgehen droht, so will er mit sich reden lassen.

*Geht zu den Spielern.*

PARETTI   *winkt Benedetto zu sich*   Wovon hält der Graf Prampero einen Bedienten? Die Leute haben nicht auf Brot. Was? Die Frau hat einen Liebhaber. Ja? Nein? Wieso nein?

BENEDETTO   Sie hat keinen, der erste und einzige, den sie jemals hatte, war eben der Herr, dessen Namen auszusprechen Sie mir verboten haben.

PARETTI   Der Florindo? Der Mensch ist eine öffentliche Person. Ein Faß ohne Boden, und da soll ich mein gutes Geld, das heißt meinen guten Namen, meine Verbindungen hineinwerfen?

*Eine maskierte Dame, begleitet von einer alten Frau, zeigt sich rechts, mustert die Gäste und verschwindet wieder.*

BENEDETTO   Die Geschichte wäre unterhaltend genug, aber ich werde mich hüten, sie Ihnen zu erzählen. Ich fürchte ohnedies, daß Sie meine Stellung in der ganzen Sache falsch auffassen, Herr Paretti. Ich interessiere mich einfach für den jungen Mann, das ist alles.

*Geht zu Teresa.*

TERESA   *ist aufgestanden*   Hast du die Maskierte gesehen?

BENEDETTO   Es wird eine Dame gewesen sein, die aus dem Theater kommt.

TERESA   Ah, es ist Florindos Geliebte.

BENEDETTO   Die Schneidersfrau?

TERESA   Kein Gedanke, wo ist die! Es ist die jetzige, ein junges Mädchen aus gutem Hause. Sie heißt Henriette. Sie ist eine Waise und hat einen einzigen Bruder, der in einem Amt ist. Ich freue mich, ich finde das unbezahlbar!

BENEDETTO   Was?

TERESA   Daß er jetzt die auch schon warten läßt.

BENEDETTO   Bestellt er sie hierher?

TERESA   Natürlich. Sie ist pünktlich wie die Uhr und läßt sich immer von derselben Person begleiten, die dann verschwindet. Ach Gott, das arme Geschöpf.

*Lacht*
Bis jetzt war er noch immer der erste und heute bleibt er schon aus. Jetzt hat sie noch vierzehn Tage vor sich, höchstens drei Wochen.
*Zwei Herren kommen aus dem Kaffeehaus, gehen zwischen den Tischen durch.*

DER EINE  Guten Abend!

TERESA  Guten Abend!

*Die Herren gehen nach links ab.*

BENEDETTO  *steht bei Paretti*  Nach einigen Wochen war Florindo der Gräfin überdrüssig. Er hat ein außerordentliches Talent, rasch ein Ende zu machen. Er verschwindet von einem Tag auf den andern. Er ist einfach nicht mehr zu finden. Er hat immer zwei oder drei Wohnungen, die er jedes Vierteljahr wechselt, und in keiner ist er je zu sprechen.

PARETTI  Mit der Bekanntschaft werden Sie sich bei mir nicht beliebt machen.

*Florindo ist von rückwärts aufgetreten und kommt langsam nach vorne. Anscheinend jemand suchend. Gleichzeitig treten Prampero und seine Frau aus der kleinen Gasse rechts und stoßen fast mit ihm zusammen, aber Florindo kommt geschickt an ihnen vorbei, indem er sie scheinbar übersieht.*

BENEDETTO  *weitersprechend*  Aber er hatte ohne die unglaubliche Anhänglichkeit gerechnet, die er dem Manne eingeflößt hatte. Der Graf kann einfach ohne Florindo nicht leben. Er hat hier im Kaffeehaus Szenen gemacht: ob er ihn beleidigt hätte? Ob die Gräfin ihn beleidigt hätte? Da haben Sie das Manöver. Da kommt Florindo und da die Pramperos, ach sehen Sie, er schneidet sie einfach. Gewöhnlich spricht er wenigstens ein paar Worte mit ihnen. Sehen Sie sich die kostbare Miene des Alten an und sehen Sie sich die Frau an. Schnell: wie sie dunkelrot wird. Ich glaube, es ist ihr einziges Vergnügen, sich jeden zweiten oder dritten Tag dieser Beschimpfung auszusetzen. Aber was wollen Sie, das ist wirklich die einzige einigermaßen aufregende Zerstreuung, die ihr Mann ihr bieten kann.

*Florindo eilig nach vorne, sich umsehend.*

*Prampero und seine Frau gehen quer über die Bühne rückwärts ab.*

TERESA  *tritt schnell zu Florindo, flüstert*  Das Fräulein war schon da.

FLORINDO  Was?

TERESA  Dort in der Gasse ist sie auf und ab spaziert. Tummeln Sie sich nur.

*Die Maskierte und die Alte treten aus dem Gäßchen rechts. Florindo zu ihnen.*

FLORINDO  Henriette!

DIE UNBEKANNTE  Ich bin nicht Henriette!

*Florindo stutzt.*

Aber es ist Henriette, die mich geschickt hat, um Ihnen etwas zu sagen.

*Die Alte verschwindet lautlos.*

FLORINDO  Henriette ist krank?

DIE UNBEKANNTE  Seien Sie ruhig, sie ist ganz wohl. Aber sie hat es nicht gewagt auszugehen, weil sie fürchtet, daß ihr Bruder heute ankommt.

FLORINDO  Ach, er sollte länger ausbleiben.

DIE UNBEKANNTE  Und Sie sind ärgerlich. Das ist sehr begreiflich. Es wäre peinlich für Henriette, wenn Sie nicht ärgerlich wären. Aber das erklärt Ihnen noch nicht, warum sie mich hergeschickt hat. Es handelt sich um etwas, das man schwer schreibt und noch weniger einer alten Begleiterin anvertraut.

FLORINDO  Sie machen mich recht unruhig.

DIE UNBEKANNTE  Wo kann ich fünf Minuten mit Ihnen sprechen?

FLORINDO  Hier, wenn Sie es nicht vorziehen, mit mir in eine Gondel zu steigen.

DIE UNBEKANNTE  Hier.

FLORINDO  Dann setzen wir uns.

*Die Unbekannte zögert.*

FLORINDO  Es ist unendlich weniger auffällig, als wenn wir hier stehen und uns unterhalten.

*Sie setzen sich.*

Sie wollen sich nicht demaskieren?

DIE UNBEKANNTE  Ich weiß nicht, ob ich es soll!

FLORINDO  Ich denke, daß das, was Sie mir zu sagen haben,

wichtig ist. Bedenken Sie, um wieviel aufmerksamer ich
Ihnen zuhören werde, wenn ich Ihr Gesicht sehe, als wenn
ich mir die ganze Zeit den Kopf zerbreche, wie Sie aussehen
können.

DIE UNBEKANNTE  Gut! Sie sollen mein Gesicht sehen, aber da
ich unvergleichlich weniger hübsch bin als Henriette, so
werden Sie so zartfühlend sein, mir kein Kompliment zu
machen.

*Nimmt die Maske ab.*

FLORINDO  Oh, es tut mir so leid, daß Sie mir verboten
haben –

DIE UNBEKANNTE  Es ist ein gewöhnliches Gesicht. Aber man
hat mir gesagt, es ist eines von den Gesichtern, an die man
sich mit der Zeit attachiert.

FLORINDO  Man braucht sehr wenig Zeit dazu. Ein Augenblick genügt.

*Küßt ihre Hand.*

DIE UNBEKANNTE *entzieht ihm ihre Hand*  Bleiben wir bei
Henriette. Ich bin Henriettes beste Freundin. Wenn sie
Ihnen nicht von mir gesprochen hat. –

FLORINDO  O doch. Ich hatte Sie mir nicht so jung gedacht.
Denn Sie müssen die verheiratete Freundin sein, von der –

DIE UNBEKANNTE  Ganz richtig!

FLORINDO  Deren Namen sie mir niemals nannte.

DIE UNBEKANNTE  Das war mein Wunsch. Lassen wir mich
aus dem Spiel, meine Rolle in eurem Stück ist nicht der
Rede wert.

FLORINDO  Es ist die Sache des guten Schauspielers, aus der
unbedeutendsten Rolle die erste zu machen.

DIE UNBEKANNTE  Wer sagt Ihnen, daß ich hier diesen Ehrgeiz
habe? Jemals haben könnte?

FLORINDO  Ein ganz bestimmtes Gefühl, das ich viel lieber
mitteilen als aussprechen möchte.

DIE UNBEKANNTE  Es gibt aber doch keine andere Möglichkeit
ein Gefühl mitzuteilen als durch Worte.

FLORINDO  Ach!

*Sieht sie an.*

DIE UNBEKANNTE  Mein lieber Herr Florindo, ich werde mich

meines Auftrages entledigen und Ihnen dann gute Nacht
sagen!

FLORINDO  Ich danke Ihnen jedenfalls für dieses kleine Zugeständnis.

DIE UNBEKANNTE  Welches denn?

FLORINDO  Daß Sie mich nicht mehr für einen ganz gleichgül-
tigen Fremden ansehen.

DIE UNBEKANNTE  Wie hätte ich das zugestanden?

FLORINDO  Indem Sie mir mit dem drohen, was vor zwei Minuten die natürlichste Sache von der Welt gewesen wäre:
daß Sie fortgehen werden, sobald Sie mir nichts mehr von
Henriette zu sagen haben.

DIE UNBEKANNTE  Sie sind sehr rasch bei der Hand, etwas was
man Ihnen gesagt hat so aufzufassen, wie es Ihnen passen
könnte.

FLORINDO  Das ist der gewöhnliche Kunstgriff, um sich durch
das, was der andere spricht, möglichst viel Vergnügen zu
verschaffen.

DIE UNBEKANNTE  Ja, bei einer Person, in die man verliebt ist.

FLORINDO  Ganz richtig, oder verliebt zu sein anfängt.

DIE UNBEKANNTE  Mein Gott! Sie kennen mich seit fünf Minuten, seien Sie nicht abgeschmackt.

FLORINDO  Mit dieser Sache hat die kürzere oder längere Zeit
absolut nichts zu schaffen.

DIE UNBEKANNTE  Wollen Sie anhören, was ich Ihnen von
Ihrer Freundin zu sagen habe?

FLORINDO  Ich warte darauf.

DIE UNBEKANNTE  Sagen Sie mir, wer ist die kleine Person, die
hier herumschleicht? Sie macht Ihnen Grimassen, sie
horcht auf jedes Wort, das wir sprechen.

FLORINDO  Ach das ist niemand.

DIE UNBEKANNTE  Wie, niemand?

FLORINDO  Das ist Teresa. Es ist die Nichte des Kellners hier.
Die guten Leute besorgen alle möglichen Kommissionen
für mich. Wollen Sie, daß ich sie Ihnen herrufe?
*Winkt Benedetto*
Er ist der größte Weltweise unter den Kellnern, den ich
kenne.

DIE UNBEKANNTE  Der Dicke da? Es scheint, das Mädchen hat
Ihnen etwas zu sagen.
*Benedetto tritt an den Tisch.*

FLORINDO  Benedetto, ich habe dieser Dame von Ihnen gesprochen!

DIE UNBEKANNTE  Dieser Herr hat eine sehr hohe Meinung
von Ihnen.
*Florindo ist rasch aufgestanden, geht zu Teresa. Sie sprechen
miteinander.*

BENEDETTO  Die aber noch nicht an meine Meinung von ihm
heranreicht. Denn ich halte ihn geradezu für ein Genie.
Freilich gehts ihm wie allen Genies –

DIE UNBEKANNTE  Inwiefern?

BENEDETTO  Daß er schließlich nur zu einer Sache auf der
Welt gut ist.

DIE UNBEKANNTE  Und welche Sache ist das bei ihm?

BENEDETTO  Das werde ich mich wohl hüten, mit dürren
Worten vor einer Dame auszusprechen, die alle Qualitäten
hat, um bei dieser einen Sache sehr in Frage zu kommen.

FLORINDO  *zu Teresa*  Hör zu!

TERESA  *zu Florindo*  Ach, wer dir zuhört, ist betrogen, aber
die dich hat, der ist wohl.

FLORINDO  *nimmt seinen Platz an dem Tisch*  Wie finden Sie
ihn?

DIE UNBEKANNTE  Mehr unverschämt als unterhaltend. Er
macht mir kein Verlangen nach der Nichte.

FLORINDO  Das ist ein braves gutes Mädchen. Aber darf ich
jetzt wissen, was Henriette –

DIE UNBEKANNTE  Diese Person ist Ihre Geliebte gleichzeitig
mit Henriette!

FLORINDO  Sie irren sich.

DIE UNBEKANNTE  Lügen Sie nicht!

FLORINDO  Es steht Ihnen sehr gut, wenn Sie zornig sind. Ihre
Art, vor Ärger zu erröten, ist ganz persönlich.

DIE UNBEKANNTE  Sie sind unverschämt. Es ist um Henriettes
willen, daß mir das Blut ins Gesicht steigt.

FLORINDO  Ich schwöre Ihnen, es ist die unschuldigste Sache
von der Welt. Es ist heute absolut nichts zwischen mir und
ihr. Ich bin ihr Doyen.

DIE UNBEKANNTE  Was sind Sie?

FLORINDO  Ich bin der älteste ihrer näheren Bekannten.

DIE UNBEKANNTE  Und Sie finden es geschmackvoll, eine solche Bekanntschaft, wie Sie es nennen, ins Unbestimmte fortzusetzen?

FLORINDO  Ich würde es verächtlich finden, sie mutwillig abzubrechen. Ich habe eine reizende Erinnerung. Es ist eine gute und liebe Person.

DIE UNBEKANNTE  Ich denke, es wird richtiger sein, ich entledige mich meines Auftrages. Lassen wir also Ihre Freundin, die in Pantoffeln im Kaffeehaus sitzt. Es handelt sich darum, daß Carlo, Henriettes Bruder, wieder heute nach Venedig zurückkommt.

FLORINDO  Aber ich kenne ja Carlo!

DIE UNBEKANNTE  Sie begreifen, daß es Henriette sehr ängstlich macht, Sie und ihn in derselben Stadt zu wissen.

FLORINDO  Wir waren doch nahezu zeitlebens in derselben Stadt. Wissen Sie denn nicht, daß ich Henriette seit Jahren kenne? In Treviso im Hause ihrer Mutter verkehrt habe?

DIE UNBEKANNTE  Sie mögen zeitlebens in derselben Stadt gewesen sein, aber Sie waren nicht zeitlebens –

FLORINDO  Der Liebhaber seiner Schwester.

DIE UNBEKANNTE  Das wollte ich ungefähr sagen.

FLORINDO  Pah! Ein Bruder ist wie ein Ehemann. Er ist immer der letzte und schließlich –

DIE UNBEKANNTE  Ich glaube, mein Lieber, daß Sie Carlo sehr wenig genau kennen.

FLORINDO  Aber ich kenne ihn wie meinen Handschuh. Es ist sehr viel Ähnlichkeit zwischen Henriette und ihm. Beide sind melancholisch und hochmütig. Beide verachten das Geld und beide leiden entsetzlich darunter, keines zu haben. Es ist übrigens sonderbar: dieselben Züge, die mich an Henriette entzücken, habe ich an Carlo immer unerträglich gefunden. Aber er wird nichts erfahren.

DIE UNBEKANNTE  Er wird es eines Tages erfahren und das wird Ihr letzter Tag sein.

FLORINDO  Er wird mich herausfordern, ich werde in die Luft schießen, er wird mich fehlen. Beruhigen Sie Henriette.

DIE UNBEKANNTE   Aber Sie haben keine Ahnung, wie Carlo ist, wenn ihm wirklich etwas nahekommt. Carlo liebt seine Schwester zärtlich. An dem Tag, wo er es erfährt, sind Sie ein toter Mann, genau wie der Marchese Papafava.

FLORINDO   Wie welcher Herr?

DIE UNBEKANNTE   Ach Gott, die alte Geschichte in Treviso.

FLORINDO   Welche Geschichte?

DIE UNBEKANNTE   Was? Sie werden mir nicht sagen, daß Sie die Geschichte nicht kennen. Die Geschichte von Carlos Tante. Die Geschichte von dem schwarzen Pflaster. Mit einem Wort, die Geschichte mit dem Duell, das Carlo hatte, als er neunzehn Jahre alt war.

FLORINDO   Vielleicht habe ich sie gehört und wieder vergessen.

DIE UNBEKANNTE   Man vergißt sie nicht, wenn man sie einmal gehört hat. Ich habe übrigens Henriette geschworen, Sie an diese Geschichte zu erinnern.

FLORINDO   Und was soll welche Geschichte immer für einen Einfluß auf meine Beziehungen zu Henriette haben?

DIE UNBEKANNTE   Den, Sie fürs nächste sehr zurückhaltend, sehr vorsichtig zu machen.

FLORINDO   Das müßte eine sonderbare Geschichte sein.

DIE UNBEKANNTE   Es ist eine sehr sonderbare Geschichte. Und jedenfalls werden Sie um Henriettes willen so handeln müssen.

*Florindo zuckt die Achseln.*

DIE UNBEKANNTE   Hören Sie mir nur zu. Die Tante war noch jung und sehr hübsch.

FLORINDO   Eine Tante von Carlo und Henriette? Ich müßte sie kennen.

DIE UNBEKANNTE   Sie lebt nicht mehr. Sie hatte keine feste Gesundheit. Sie ist an den Folgen dieser Sache gestorben.

FLORINDO   Sie war Witwe?

DIE UNBEKANNTE   So gut als das. Ihr Mann lebt zwar heute noch, aber er hat niemals mitgezählt. Carlo war damals wie gesagt achtzehn Jahre alt und verliebte sich mit aller Leidenschaft einer scheuen verschlossenen Natur in die Tante.

FLORINDO   Die Tante verlangte sich nichts Besseres.

DIE UNBEKANNTE  Ganz richtig. Aber das Bessere war wie so oft der Feind des Guten. Es existierte schon jemand, der seit vier oder fünf Jahren alle Rechte innehatte.

FLORINDO  Die jetzt dem Neffen eingeräumt werden sollten.

DIE UNBEKANNTE  Erzählen Sie oder erzähle ich?

FLORINDO  Sie natürlich, ich wäre in der größten Verlegenheit.

DIE UNBEKANNTE  Der Marchese Papafava, das ist der Herr, um den es sich handelt, war nicht sehr tolerant. Gelegentlich im Hause der Dame äußerte er sich ziemlich scharf über den jungen Menschen und sagte: wäre der Respekt nicht, den er der Hausfrau schuldig sei, so hätte eine gewisse Unbescheidenheit dem Herrn Neffen unlängst eine Ohrfeige von seiner Hand eingetragen. In diesem Augenblick tritt Carlo in den Salon, und während alle sehr still sind, sagt er: Ich nehme die Ohrfeige als empfangen an, Herr Marchese.

FLORINDO  Sie gehen miteinander in den Park.

DIE UNBEKANNTE  Nicht so schnell. Sie vergessen, daß die Tante und ein paar andere Menschen den kleinen Dialog mit angehört hatten.

FLORINDO  Man konnte die beiden doch nicht hindern.

DIE UNBEKANNTE  Man versuchte es wenigstens, das heißt, die andern Menschen verschwanden und die Tante blieb allein mit den beiden Herren. Sie weint, sie bittet, sie wirft sich glaube ich vor ihnen nieder.

FLORINDO  Die arme Frau!

DIE UNBEKANNTE  Sie schwört ihnen, daß, wenn einer von ihnen den andern tötet, sie für den Überlebenden weder Liebe noch Freundschaft, sondern nichts als unauslöschlichen Haß hegen werde.

FLORINDO  Wie kann sie das wissen?

DIE UNBEKANNTE  Was wollen Sie.

FLORINDO  Wie kann man wissen, ob man jemand hassen wird? Es ist ebenso töricht, auf Jahre hinaus Haß zu versprechen als Liebe.

DIE UNBEKANNTE  Kurz, die arme Tante fiel schließlich ohnmächtig zusammen, ohne es erreicht zu haben. Am nächsten Morgen duellierten sich die beiden. Carlo bleibt unverwundet und läßt den Marchese mit einem Stich durch die Lunge in den Händen der Ärzte. In der gleichen Stunde erscheint Carlo als wenn nichts geschehen wäre –

FLORINDO    Ihm war ja nichts geschehen.

DIE UNBEKANNTE    Im Salon der Tante, die erstaunt ist, auf seiner Wange ein handgroßes schwarzes Pflaster zu sehen. Was bedeutet das, fragte sie, ohne zu lachen, denn es war etwas in seiner Miene, was nicht zum Lachen stimmte. Haben Sie Zahnschmerzen oder was sonst? Ich trage das seit gestern abend, sagte er in einem gewissen Ton. –

FLORINDO    Sie erzählen sehr gut.

DIE UNBEKANNTE    Was machen Sie für ein zerstreutes Gesicht?

FLORINDO    Ich dachte an den Augenblick, da Sie die Tante und ich Carlo wären, daß wir beide allein in Ihrem Zimmer wären und was jetzt geschehen würde.

DIE UNBEKANNTE    Es geschieht gar nichts, als daß er aufsteht, in den Spiegel sieht und sagt: Ja, es kommt mir wirklich etwas groß vor, dann vom Toilettetisch eine Schere nimmt –

FLORINDO    Ah, es war also ein Schlafzimmer, wo sie ihn empfangen hatte, und nicht ihr Salon.

DIE UNBEKANNTE    Schweigen Sie.

FLORINDO    Ich finde das durchaus begreiflich.

DIE UNBEKANNTE    Eine Schere nimmt, das Pflaster herunternimmt, ringsum davon einen kleinen Rand abschneidet und es dann wieder an seine Wange drückt. Wie finden Sie mich jetzt, liebe Tante, sagte er dann. Jedenfalls um eine Kleinigkeit weniger lächerlich als früher, sagte sie.

FLORINDO    Und?

DIE UNBEKANNTE    Der Marchese Papafava wird unverhoffterweise gesund. Carlo fordert ihn zum zweitenmal und verwundet ihn zum zweitenmal, dann zum dritten- und endlich zum viertenmal. Nach jedem Duell schneidet er von seinem Pflaster einen kleinen Rand weg. Es war schließlich nicht mehr viel größer als eine *mouche* –

FLORINDO    Und die?

DIE UNBEKANNTE    Die nahm er an dem Tag herunter, da er die Nachricht bekam, daß der Marchese an einem Rückfall seines Wundfiebers gestorben war.

FLORINDO   Und die Tante?

DIE UNBEKANNTE   Ihre Gesundheit war nie sehr stark gewesen, sie konnte die Sache nicht aushalten.

*Eine kleine Pause.*

FLORINDO   Ich sage, daß ich diese Handlungsweise hinter einem Menschen wie Carlo nie gesucht hätte, und daß er mich jetzt mehr interessiert als früher.

DIE UNBEKANNTE   Sie werden mir Ihr Wort geben, Henriette von jetzt an nur zu den Stunden und an den Orten zu sehen, die sie selbst Ihnen vorschlägt; vor allem keinen Versuch zu machen, eine Begegnung zu erzwingen, wenn eine solche durch Tage, vielleicht durch Wochen unmöglich sein sollte.

FLORINDO   Ach, wie können Sie oder wie kann Henriette das verlangen. Sie muß mich für einen ausgemachten Feigling halten.

DIE UNBEKANNTE   Aber zum Teufel, mein guter Mann, es handelt sich nicht allein um Sie, es handelt sich vor allem um Henriette. Sie kennen Henriette ebensowenig, als Sie Carlo kennen.

FLORINDO   Ich kenne Henriette nicht? Sie überraschen mich.

DIE UNBEKANNTE   Ein Mann kennt niemanden weniger als eine Frau, die zu rasch seine Geliebte geworden ist. Henriette, daß Sie es wissen, ist genau aus dem gleichen Holz geschnitten wie Carlo. Wenn Sie und Carlo aneinandergeraten, so sind Sie ein verlorener Mensch. Aber noch vorher wirft sich Henriette aus dem Fenster.

FLORINDO   Was soll ich machen?

DIE UNBEKANNTE   Mir Ihr Wort geben, daß Sie sie, wenn es notwendig wird, in diesen nächsten Wochen sehr wenig sehen werden.

FLORINDO   Gut, ich gebe es, aber unter einer Bedingung.

DER UNBEKANNTE   Die wäre?

FLORINDO   Daß ich dafür Sie sehr oft sehen werde.

DIE UNBEKANNTE   *in unsicherem Ton*   Mich? Was soll dieser Unsinn?

FLORINDO   *zwischen den Zähnen*   Es ist ernst!

DIE UNBEKANNTE   *lehnt sich zurück*   Sie sind ein sonderbarer Mensch. Ich weiß wirklich nicht, was ich aus Ihnen machen soll.

FLORINDO    Demnächst Ihren Liebhaber ganz einfach.

DIE UNBEKANNTE    *steht auf*  Abgesehen davon, daß Sie sehr
unverschämt sind. – Es würde Sie also nichts kosten, ein
Wesen wie Henriette, das ihr Götzenbild aus Ihnen gemacht hat, zu betrügen. Mit mir, die Sie zum ersten Male
sehen, mit der kleinen Person dort, mit wem immer!

FLORINDO    *steht auf*  Mit wem immer natürlich nicht.

DIE UNBEKANNTE    Jetzt begreife ich allerdings, daß Sie Henriette nicht heiraten. Ich war recht naiv, mir darüber den
Kopf zu zerbrechen.

FLORINDO    Ich habe Henriette sehr lieb.

DIE UNBEKANNTE    Arme Henriette!

FLORINDO    Ich sage Ihnen, daß ich Henriette liebhabe.

DIE UNBEKANNTE    Sind Sie ernsthaft?

FLORINDO    Ich bin sehr ernsthaft und ich frage Sie sehr ernsthaft, was entziehe ich Henriette von dem Maße von Glück,
das ich ihr zu schenken fähig bin, wenn ich heute, jetzt,
hier, wo ich nicht s o viel für Henriette tun kann, Sie sehr
liebenswürdig finde?

DIE UNBEKANNTE    Was Sie da reden ist ja monströs!

FLORINDO    *kalt*  Finden Sie? Dann haben Sie in gewissen
Dingen wenig erlebt, oder über das, was Sie erlebt haben,
sehr wenig nachgedacht. Sie wiederholen entweder gedankenlos eine Allerweltsheuchelei oder –

DIE UNBEKANNTE    Oder?

FLORINDO    Oder Ihre Natur wäre sehr arm, sehr dürftig.

DIE UNBEKANNTE    Und wenn sie weder arm noch dürftig ist,
wenn sie es nicht ist?

FLORINDO    *dicht an ihr*  Da sie es nicht ist –

BENEDETTO    *hat sich Florindo genähert*  Herr Paretti, mit dem
Sie zu sprechen wünschen.

FLORINDO    Später!

BENEDETTO    Er will nicht länger warten.

FLORINDO    Später!

*Benedetto geht ab.*

FLORINDO    *fortfahrend*  Da Sie weit davon entfernt sind, eine
karge und dürftige Natur zu sein, so brauchen Sie nur den
Halbschlaf verschnörkelter Begriffe abzuwerfen, um mir
zuzugestehen –

DIE UNBEKANNTE  Niemals werden Sie mich dazu bringen,
Ihnen das zuzugestehen. Wenn Sie das, was wir nun einmal
Liebe nennen, jeder Verpflichtung gegen das andere Wesen
entkleiden, so ist es eine recht gemeine kleine Pantomime,
die übrigbleibt.

FLORINDO  Verpflichtung? Ich kenne nur eine: das andere Wesen so glücklich zu machen als in meinen Kräften steht.
Aber in der kleinen Pantomime, die, wie Sie sagen, dann
übrigbleibt, verehre ich auf den Knien das einzig wahrhaft
göttliche Geheimnis, den einzigen Anhauch überirdischer
Seligkeit, den dieses Dasein in sich faßt. Liebhaben, das ist
wenig? Glücklich machen, im Atem eines geliebten Wesens die ganze Welt einsaugen, das ist die verächtliche
kleine Pantomime, vor der Sie das Kreuz schlagen? Arme
Frau! Ich möchte nicht Ihr Mann sein.

DIE UNBEKANNTE  Lassen Sie meinen Mann aus dem Spiel,
wenn ich bitten darf.

FLORINDO  Aber ist es nicht über alle Begriffe wundervoll,
daß uns die Kraft gegeben ist, diese Zauberkraft von Geschöpf zu Geschöpf? Gibt es etwas Zweites so Ungeheueres
als den Blick des Wesens, das sich gibt! Ist denn nicht die
geringste unbeträchtlichste Erinnerung an eine Gebärde
der Liebe stark genug, uns in den Tagen der Stumpfheit
und Verzweiflung durch die Adern zu fließen wie Öl und
Feuer? Wie? Hören Sie mich an! Es gibt eine Frau, die einmal ein paar Wochen lang meine Geliebte war –

DIE UNBEKANNTE  Es muß kurzweilig sein, auf Schritt und
Tritt seinen Ariadnen zu begegnen.

FLORINDO  Diese Frau –

DIE UNBEKANNTE  Und noch kurzweiliger, selber eine davon
zu sein.

FLORINDO  Diese Frau –

DIE UNBEKANNTE  Unbegreiflich genug, daß sich immer wieder ein Wesen findet –

FLORINDO  Diese Frau –

DIE UNBEKANNTE  Wenn alle Frauen Sie sehen würden, wie
ich diesen Augenblick Sie sehe!

FLORINDO  Diese Frau war nicht sehr schön und nicht geschaffen, ein reines dauerndes Glück weder zu geben noch zu empfangen.

DIE UNBEKANNTE   Um so besser für die Frau in diesem Falle.

FLORINDO   Sie irren sich. Man ist um so viel beneidenswerter als man fähig ist, rein und stark zu fühlen. Aber dieser Frau war eines gegeben, sie verstand zu erröten. Ihre verworrene Natur hätte nie das entscheidend süße Wort, nie den völlig hingebenden Blick gefunden. Aber das dunkelglühende Erröten ihres blassen Gesichtes, wenn sie mich ins Zimmer treten sah, werde ich niemals vergessen, und wenn die Erinnerung daran in mir aufsteigt, so liebe ich diese Frau mit einer schrankenlosen Zärtlichkeit.

DIE UNBEKANNTE   Indessen haben Sie diese Frau den Hunden vorgeworfen, und wenn Sie sie in einem Salon oder auf der Straße begegnen, kehren Sie ihr den Rücken, das wette ich.

FLORINDO   Seien Sie gut, Sie werden sehen, es ist nicht häßlich, meine Geliebte gewesen zu sein.

DIE UNBEKANNTE   Sie sind unverschämt.

FLORINDO   Es ist Ihnen übrigens seit langem bestimmt, es zu werden. Sie selbst –

DIE UNBEKANNTE   Was?

FLORINDO   Sie selbst, indem Sie nicht wollten, daß Henriette mir Ihren Namen sage… – Was war das anderes als eine versteckte Zärtlichkeit, ein leises Sichannähern im Dunkeln? Und heute dieses Herkommen, dieses verliebte Lauern in der Ecke dort drüben –

DIE UNBEKANNTE   Ich habe für heute genug von Ihnen, gute Nacht!

FLORINDO   *hält sie an den Handgelenken, lachend*   Nicht so schnell! Wer gute Nacht sagt, muß auch guten Morgen sagen.

DIE UNBEKANNTE   Sie sind frech und zudem irren Sie sich sehr.

*Florindo schüttelt den Kopf.*

DIE UNBEKANNTE   Und wenn Sie sich nicht irrten – Was sollte denn das alles?

FLORINDO   Die Frage verdient keine Antwort.

DIE UNBEKANNTE   Im Augenblick, wo man weiß –

FLORINDO Wollen Sie dem Geist der Natur Vorschriften machen? –

DIE UNBEKANNTE – daß es doch so schnell endet.

FLORINDO Der uns glühen macht und uns, wenn wir erkaltet sind, wieder zur Seite wirft? Sind Sie so stumpf und kennen nicht den Unterschied zwischen erwählten und verworfenen Stunden? Wenn es endet! Wenn es da ist, daß es da ist! Darüber wollen wir uns miteinander erstaunen! Daß es uns würdigt, einander zum Werkzeug der ungeheuersten Bezauberung zu werden!

DIE UNBEKANNTE So ist es nicht, lassen Sie mich. Es kann sein, daß Sie mir gefallen. Ich will nicht ableugnen, aber Sie sind nicht so verliebt in mich, wie Sie es sagen. Sie wollen mich haben, das ist alles. Ihnen ist nicht, als wenn Sie sterben müßten, wenn ich dort hinter der nächsten Ecke verschwinde.

FLORINDO Das weiß ich, aber ich weiß, daß es deinesgleichen gegeben hat, und niemand sagt dir daß sie schöner waren als du, die aus mir einen Menschen machen konnten, der sich mit geschlossenen Augen wie ein Verzückter ins Wasser oder ins Feuer geworfen hätte, wenn das der Weg in ihre Arme gewesen wäre. Einen Menschen, der über die Seligkeit eines Kusses weinen konnte wie ein kleines Kind, und wenn er in dem Schoß der Geliebten einschlief, von seinem Herzen geweckt wurde, das vor Seligkeit zu zerspringen drohte.

DIE UNBEKANNTE *eifersüchtig* In Henriette waren Sie so verliebt? Ich glaube es nicht!

FLORINDO Was kümmert uns jetzt, ob es Henriette war oder eine andere. Wer sagt dir, daß du nicht heute nacht hierher gekommen bist, um es mich aufs neue erleben zu machen.

DIE UNBEKANNTE Ich fühle, daß Sie mich nicht so liebhaben, wie Sie es sagen.

FLORINDO Ich fühle nichts, als daß eine göttliche Empfindung mir sehr nahe ist. Und da du es bist, die vor mir steht, so wird wohl nicht die leere Luft daran schuld sein. Sage, daß du jetzt mit mir gehen wirst.

DIE UNBEKANNTE *sich zusammennehmend* Nein, du hast mich nicht lieb genug.

FLORINDO    Sie sind eine sonderbare Frau.

DIE UNBEKANNTE    Gar nicht. Worüber beklagen Sie sich? Eben war ich ja ganz nahe daran, den Kopf zu verlieren. Kommen Sie, gehen wir zu den Leuten. Dort hinüber. Nein, sehen Sie nur den alten Mann! Den alten Abbate da! Sehen Sie doch den Menschen.

*Sie nimmt Florindos Arm.*

FLORINDO    *ärgerlich*    Was finden Sie an ihm so Besonderes?

DIE UNBEKANNTE    Sehen Sie doch nur seine Augen an. Wie er da herumgeht, wie ein Heiliger! Wie ein Mensch aus einer ganz anderen Zeit.

*Sie bleiben stehen.*

*Der Pfarrer ist von rückwärts aufgetreten und steht schon seit einer Weile unschlüssig vor dem Kaffeehaus.*

TERESA    *geht auf den Pfarrer zu, knixt vor ihm*    Suchen Sie etwas, Herr Abbate? Kann ich Ihnen mit etwas dienen?

DER PFARRER    *grüßend*    Sie sind sehr gütig, gnädige Frau. Allerdings suche ich jemand, an den ich mich wenden kann, um eine Auskunft zu erbitten.

TERESA    Vielleicht kann ich sie Ihnen geben.

DIE UNBEKANNTE    *gleichzeitig zu Florindo*    So werden Sie nie aussehen, auch wenn Sie noch so alt werden.

DER PFARRER    *zu Teresa*    Nämlich ob das Passagierschiff, die Barke meine ich, die nach Mestre fährt, wirklich hier an diesem Platze anlegt.

FLORINDO    *zur Unbekannten*    Ich verzichte darauf.

TERESA    *zum Pfarrer*    Hier, Herr Abbate, jeden Morgen pünktlich um sechs Uhr.

DER PFARRER    Ich danke sehr, und wenn ich mir noch eine Frage erlauben dürfte: die Barke befördert doch mehrere Personen?

TERESA    Vier oder fünf ganz leicht, wenn sie nicht zu viel Gepäck haben.

DIE UNBEKANNTE    *zu Florindo*    Niemals werden einer Frau die Tränen in den Hals steigen über den Ausdruck Ihrer Augen!

DER PFARRER    *nachdenklich*    Wenn sie nicht zu viel Gepäck haben! Es handelt sich um meine Nichte und eine dritte Per-

son, die Magd meiner Nichte, eine sehr brave Magd. – Da
kann ich also hoffen, daß alles in Ordnung gehen wird.
Aber gnädige Frau, Sie stehen, während ich mich mit Ihnen
unterhalte. Verzeihen Sie meine Ungeschliffenheit.
*Führt sie an einen der Tische, beide setzen sich.*
Es ist nämlich schon fünfunddreißig Jahre her, daß ich Venedig nicht betreten habe. Ich bin der Pfarrer von Capodiponte, einem kleinen Dorf im Gebirge, und heute bin ich
gekommen, um meine Nichte abzuholen, die sich hier in
Venedig einige Wochen aufgehalten hat.
*Teresa knixt.*

DER PFARRER  Da werden Sie mir gewiß auch sagen können,
gnädige Frau, ob diese Zetteln, die mir heute morgen der
Barkenführer gegeben hat, Ihnen richtig ausgestellt und
verläßlich scheinen.

TERESA  *erstaunt*  Ah, Sie haben also schon mit dem Barkenführer gesprochen?

DER PFARRER  Ja gewiß! Er hat mir genau die Stelle gezeigt, wo
seine Barke anlegt, ganz dieselbe, die Sie so gütig waren
mir zu zeigen, und hat mir die Stunde der Abfahrt aufgeschrieben. Hier, sehen Sie, sechs Uhr und hier wieder sechs
Uhr.
*Hält ihr die Scheine hin*
Und er hat mir auch versichert, daß er mein Gepäck und das
meiner Nichte mühelos in seiner Barke unterbringen wird.

DIE UNBEKANNTE  *gleichzeitig zu Florindo*  Er hat Augen wie
ein Kind, ich finde ihn unaussprechlich rührend. Er ist auf
der Reise und er ist sicherlich sehr arm. Ich möchte ihm etwas schenken.

FLORINDO  Wo denken Sie hin?

DIE UNBEKANNTE  Ja, ich möchte ihm etwas schenken. Wenn
ich nur Geld bei mir hätte.
*Der Pfarrer verabschiedet sich mit abgezogenem Hut von Teresa.*

FLORINDO  *zieht seine Börse*  Da nehmen Sie so viel Sie wollen,
aber Sie werden ihn beleidigen.

DIE UNBEKANNTE  Ich wette, er nimmt es, wie ein Kind es
nehmen würde.
*Tritt auf den Pfarrer zu*

Herr Abbate –
*Der Pfarrer nimmt den Hut ab.*

DIE UNBEKANNTE  Dieser Herr dort und ich haben eine Wette
miteinander gemacht, und ich hoffe, Sie werden mir helfen
sie zu gewinnen.

DER PFARRER  Ganz gewiß, gnädige Frau, wenn ich etwas dazu
tun kann.

DIE UNBEKANNTE  Dann habe ich schon gewonnen, denn Ihr
guter Wille entscheidet. Nicht wahr, Sie sind auf der Reise,
Herr Abbate, und das Reisen ist eine unbequeme Sache? Es
gibt die Postillons und die Schiffsleute und die Wirte und
die Kellner und was nicht noch alles. Es schwirrt einem der
Kopf davon.

DER PFARRER  Sie haben sehr recht, gnädige Frau.

DIE UNBEKANNTE  Sehen Sie, man gibt sein Geld aus, man
weiß nicht wie.

DER PFARRER  Sie sind gewiß schon sehr viel gereist, gnädige
Frau.

DIE UNBEKANNTE  Es geht, aber sehen Sie, wie ich da vor Ihnen stehe, habe ich heute eine kleine Summe im Spiel gewonnen. Ein paar Goldstücke, nicht der Rede wert, aber
die mir doch sehr zustatten kämen, wenn ich gerade eine
Reise vor mir hätte.

DER PFARRER  Sicherlich, man verbraucht sehr viel Geld,
wenn man reist.

DIE UNBEKANNTE  Nicht wahr! Und da ist nun das Ärgerliche,
ich reise nicht. Gerade die nächste Zeit werde ich kaum
über Venedig hinauskommen; da habe ich mir gedacht, ob
Sie nicht so liebenswürdig sein wollten, die kleine Reise,
für die diese Goldstücke nun schon einmal bestimmt waren, an meiner Stelle zu tun.

DER PFARRER  Ich verstehe Sie nicht ganz. Sie wünschen mir
einen Auftrag zu geben?

DIE UNBEKANNTE  Der Auftrag bestünde darin, daß Sie mir
den Gefallen erweisen müßten, und da Sie ohnehin reisen,
geht es ja in einem, diese paar Münzen hier unter die Leute
zu bringen.

DER PFARRER  Diese Münzen?

DIE UNBEKANNTE  Indem Sie sie ausgeben, an Postillons,
Schiffsleute, Wirte und Kellner, ganz nach Ihrer Bequemlichkeit.

DER PFARRER  Aber wofür?

DIE UNBEKANNTE  An Vorwänden, Ihnen Geld abzunehmen,
wird es den Leuten schwerlich fehlen.

DER PFARRER  Ah, jetzt verstehe ich Sie, meine Dame. Sie sind
sehr gütig, meine Dame, aber diesen Auftrag auszuführen,
bin ich ein zu ungeschickter Reisender. Verzeihen Sie mir,
meine Dame.
*Nimmt den Hut ab, grüßt auch nochmals gegen Teresa hin und
geht links vorne ab.*

DIE UNBEKANNTE  *zu Florindo*  Laufen Sie ihm nach, bitten Sie
ihn, mir meine Unüberlegtheit zu verzeihen. Schnell, Florindo. Ich habe nicht den Mut, es zu tun.

DER PFARRER  *tritt von links wieder auf und geht auf sie zu, indem er
den Hut abnimmt*  Ich komme zurück, denn ich habe Sie um
Verzeihung zu bitten, meine Dame.

DIE UNBEKANNTE  Ich bin es, mein Herr, die Sie um Verzeihung bitten muß.

DER PFARRER  Das sagen Sie nur, um mir eine verdiente Verlegenheit zu ersparen, aber ich muß Sie bitten, mir die Ungeschicklichkeit eines Landbewohners zugute zu halten. Sie
haben unstreitig aus der Dürftigkeit meines Auftretens
darauf geschlossen, daß meine Gemeinde arm ist. Und
wirklich, es gibt unter meinen Pfarrkindern sehr arme, sehr
dürftige. Es war an mir, gnädige Frau, die geistreiche Form
zu verstehen, um diesen Bedürftigen durch mich eine
Wohltat zu erweisen, die ich mit dankbarem Herzen annehme.

DIE UNBEKANNTE  Sie beschämen mich, mein Herr.

DER PFARRER  Da sei Gott vor, gnädige Frau.

FLORINDO  *leise*  Jetzt müssen Sie ihm mehr geben. Schnell
nehmen Sie, nehmen Sie alles.

DIE UNBEKANNTE  *strahlend*  Wir haben unsere Wette fortge-
setzt und durch Ihr Zurückkommen haben Sie mich das
Vierfache gewinnen lassen.
*Gibt ihm das Geld.*

*Paretti, der von seinem Platz aus gespannt zusieht, fährt zusammen.*

DER PFARRER  Wir werden Ihrer Güte in vielen Gebeten gedenken. Sie werden in vielen Familien unseres kleinen Dorfes die unbekannte Wohltäterin heißen.

DIE UNBEKANNTE  Das verdiene ich nicht.

*Verneigt sich.*

*Der Pfarrer geht ab.*

DIE UNBEKANNTE  Haben Sie je etwas Ähnliches gesehen? Ich glaube, das ist der einzige Mensch, der mir je begegnet ist, der des Namens eines Christen würdig ist.

*Florindo küßt ihr beide Hände.*

PARETTI  *indem er seinen Stock nimmt und den Stuhl, auf dem er gesessen ist, umstößt*  Das ist ein Verrückter! Das ist ein Dieb! Mit diesem Menschen will ich nichts zu tun haben.

*Benedetto sucht vergeblich ihn zu beruhigen.*

FLORINDO  Sie waren entzückend!

DIE UNBEKANNTE  Ich war gerührt und war vergnügt, daß ich freigebig sein durfte wie eine große Dame.

FLORINDO  Sie haben mein Herz klopfen gemacht.

DIE UNBEKANNTE  Und ich habe meinen Kopf wiedergefunden.

FLORINDO  Was soll das?

DIE UNBEKANNTE  Still, mein Lieber. Wir spielen nicht mit gleichen Einsätzen. Sie waren niemals in Gefahr, den Ihren um meinetwillen zu verlieren.

FLORINDO  Ah!

DIE UNBEKANNTE  Und ich werde Ihnen jetzt gute Nacht sagen und sehr vergnügt und glücklich nach Hause gehen.

FLORINDO  Das dürfen Sie nicht!

DIE UNBEKANNTE  Das muß ich, mein Lieber. Ich bin allzu sehr überzeugt, daß Sie ein reizender Liebhaber sein können.

FLORINDO  In welch traurigem Ton Sie das sagen.

DIE UNBEKANNTE  Es wäre unverantwortlich von mir, wenn das Beispiel der armen Henriette –

FLORINDO  Was heißt das?

DIE UNBEKANNTE  Henriette ist allzu rasch Ihre Geliebte geworden, und ich wie Henriette bin keine von denen, um derentwillen Sie sich ins Wasser oder ins Feuer stürzen.

FLORINDO  Wie können Sie das wissen?

DIE UNBEKANNTE  Pst! Alles was mir übrigbleibt ist, Sie an mich zu binden, durch das einzige, was Ihnen meinen Besitz ein wenig kostbar machen kann: die Mühe, die Sie aufwenden müssen, um ihn zu erlangen, und die kleinen Schmerzen, die hoffentlich mit dieser Mühe verbunden sein werden. Sie werden mich vielleicht einmal von einem Tag auf den andern verlassen, aber Sie sollen mich nicht von einem Tag auf den andern gehabt haben. Adieu! *Will gehen.*

FLORINDO  Ich werde Sie begleiten!

*Allmählich haben sich die Tische und das Kaffeehaus geleert. Benedetto und der andere Kellner verschließen mit Holzladen die Türe und die Fenster.*

DIE UNBEKANNTE  Das werden Sie nicht tun. Sie werden mir Ihr Wort geben, mir weder nachzugehen, noch sich zu kümmern, wo ich in meine Gondel steige. Jetzt werden Sie mir Adieu sagen und sich dort in das Kaffeehaus setzen.

FLORINDO  Sie sehen, man hat es eben geschlossen.

DIE UNBEKANNTE  Dann werden Sie mir den Rücken kehren und nach dieser Richtung dort fortgehen.

FLORINDO  Nicht einmal Ihren Namen soll ich wissen?

DIE UNBEKANNTE  Sehen Sie, ob niemand hersieht, und dann geben Sie mir schnell einen Kuß.

FLORINDO  Niemand!

DIE UNBEKANNTE  *tritt schnell zurück* Doch! Dort im Dunkeln ist jemand. Das ist ja wieder diese Person. Was will sie noch?

FLORINDO  Sie wohnt in diesem Hause, ganz einfach.

DIE UNBEKANNTE  Das ist kein Grund, auf der Schwelle herumzulungern.

FLORINDO  Ich kann mir denken, was sie will, aber –

DIE UNBEKANNTE  Ah! Sie sind also in einem ununterbrochenen Kontakt mit ihr?

FLORINDO  Es ist weiter nichts, als daß das arme Geschöpf darüber traurig ist, weil sie mir Geld verschaffen wollte und nichts daraus geworden ist. Aber hören Sie –

DIE UNBEKANNTE  Geld? Diese Person Ihnen?

FLORINDO  Ja, von einem alten Herrn, der dort saß. Einem Wucherer, um das Kind beim Namen zu nennen.

DIE UNBEKANNTE  Geld Ihnen?

FLORINDO  Ja! Sie hören doch. Aber es handelt sich –

DIE UNBEKANNTE  Wie? Sie sind nicht reich?

FLORINDO  Ich?

DIE UNBEKANNTE  Wie alle Welt behauptet.

FLORINDO  Ärmer als die Möglichkeit. Aber ich gewinne zuweilen oder ich verschaffe es mir auf andere Weise. Aber nicht davon –

DIE UNBEKANNTE  Und Sie haben mir eine solche Summe geschenkt, um mich eine kindische Laune befriedigen zu lassen?

FLORINDO  Ich beschwöre Sie, verderben Sie nicht alles, indem Sie davon sprechen. Es gibt nichts Widerlicheres, als über Geld zu sprechen.

DIE UNBEKANNTE  Wem sagen Sie das? Mein Mann spricht nie von etwas anderem.

FLORINDO  Sie sind entzückend.

DIE UNBEKANNTE  Ach, ich sehe schon, ich werde Sie nicht los. Bitte, rufen Sie mir die kleine Person dort her.

FLORINDO  Ich? Hierher?

DIE UNBEKANNTE  Ja, Ihre Freundin dort! Die Dame mit den Pantoffeln. Ich möchte mit ihr sprechen. Es wäre mir sehr leid, wenn Sie mir doch nachgingen und mich dadurch zwängen, anzunehmen, Sie hätten keine Diskretion – für die Zukunft. Bitte rufen Sie mir Fräulein Teresa her. Wie? Sie wollten mir wirklich diesen Gefallen nicht tun?

*Florindo geht hin, Teresa ziert sich, endlich kommt sie, knixt.*

DIE UNBEKANNTE  *zu Teresa*  Sie sind sehr gefällig für den Herrn Florindo!

TERESA  Es ist darum, weil er so gut ist. Er ist das einzig gute Mannsbild, das ich kenne. Sie werden sehen, gnädige Frau. *Die Unbekannte lacht.*

TERESA  Oder wahrscheinlich wissen Sie es schon.

*Florindo geht zu Benedetto, sagt ihm etwas. Benedetto schließt noch einmal die Türe des Kaffeehauses auf, geht hinein. Florindo wartet vor der Türe auf ihn.*

DIE UNBEKANNTE *schnell zu Teresa* Wenn Sie ihn liebhaben,
wie können Sie es ertragen, daß er jeden Monat eine neue
Geliebte hat?

TERESA   Mein Gott! Ich kenne ihn so lange, und dann, was
kann ich da machen? Nehmen Sie an, Sie haben ein Kind,
das Sie recht liebhaben, und es macht sich alle Augenblicke
schmutzig. Werden Sie es darum weggeben? Es bleibt doch
Ihr Kind und Sie werden es ihm immer wieder verzeihen.
Und wenn er dann wieder einmal zu mir kommt –

DIE UNBEKANNTE   Ah! Er kommt doch zuweilen?

*Benedetto ist herausgekommen, zählt Florindo Geld auf, das die-
ser zu sich steckt.*

TERESA   O weh! Wenn Sie wüßten, wie selten. Es ist nicht der
Rede wert.

DIE UNBEKANNTE   Armes Ding, und Sie sind wirklich sehr
hübsch.

TERESA   Das sagt die gnädige Frau nur so, um schmeichelhaft
zu sein. Aber dann ist er wirklich so gut, so gut. Wenn man
ihn unter vier Augen hat, kann er einem nichts abschlagen.
Sie werden sehen.

*Florindo tritt zu ihnen.*

TERESA   Man spricht so gut mit der gnädigen Frau. Man
möchte ihr alles sagen.

FLORINDO   Das finde ich auch.

*Benedetto und der Kellnerbursche sind abgegangen.*

DIE UNBEKANNTE   *halblaut zu Florindo* Sie werden jetzt mit ihr
da hineingehen. Da wo sie wohnt. Das verlange ich zu
meiner Sicherheit. Ich werde nicht eher von hier fortgehen,
bis Sie mit ihr im Hause sind. Nicht wahr, Teresa, Sie haben dem Herrn Florindo verschiedenes zu sagen?

FLORINDO   Aber –

DIE UNBEKANNTE   Gehen Sie, es handelt sich um Ihre kleinen
Geschäftsangelegenheiten.

FLORINDO   Aber Sie –

DIE UNBEKANNTE   Gehen Sie jetzt. Was tut es Ihnen, für fünf
Minuten in dieses Haus zu gehen?

*Florindo fügt sich.*

DIE UNBEKANNTE   Schnell, schaffen Sie ihn fort.

*Florindo und Teresa gehen ins Haus, erscheinen gleich darauf am
Fenster.*

DIE UNBEKANNTE   Teresa, machen Sie die Fensterladen zu! Ich
will nicht, daß er sieht, wohin ich gehe.

*Florindo wirft der Unbekannten einen Kuß zu. Teresa drängt ihn
vom Fenster weg.*

DIE UNBEKANNTE  *hinaufsprechend*  Ach, und was soll ich Henriette sagen?

*Florindo wirft ihr über Teresa weg noch einen Kuß zu.*

DIE UNBEKANNTE   Ich werde sie jedenfalls sehr beruhigen.

*Teresa schließt den Fensterladen.*

*Die Unbekannte geht nach rückwärts ab, indem sie ein Liedchen
summt.*

# DIE BEGEGNUNG MIT CRISTINA

*Es ist früher Morgen; Cristina und Pasca sowie ein halbwüchsiger Bursche kommen aus dem Gäßchen links und bringen nach und nach ihr Reisegepäck, das sie aufschichten: es sind Reisesäcke, Körbe, Taschen und Päcke in bunten Tüchern, zu oberst ein Vogelbauer mit einem lebendigen Vogel. Cristina trägt die Tracht eines reichen Bauernmädchens mit goldenen Ohrringen und vielen goldenen Nadeln im starken Haar. Pasca ist bäurisch, aber einfach gekleidet.*

CRISTINA  So ziehe ich in Gottes Namen ab, ledig wie ich gekommen bin.
*Lacht.*

PASCA  Ist deine Schuld.

CRISTINA  Schuld? Und wenn! Ist denn vielleicht heiraten gar so was Schönes?

PASCA  Saure Trauben. Oder soll das vielleicht auf mich gehen? Mein Mann, Gott hab ihn selig, war ein schöner Mann und ein honetter Mann. Ohne Fehler und Gebrechen ist kein Mensch auf der Welt.

CRISTINA  Die mich hätten haben wollen, die haben mir nicht gepaßt und die mir gepaßt hätten –

PASCA  Nun?

CRISTINA  Das ist mir nur so aus dem Mund gegangen. Kein einziger hätte mir gepaßt.

PASCA  Erbsenprinzessin. Der hübsche Lelio, wie er hinter dir her war!

CRISTINA  Wie eine hungrige Fliege hinter einem Suppenteller!

PASCA  So ein manierlicher Mann. Er kommt sicher noch, bevor das Schiff abgeht, sich verabschieden.

CRISTINA  Wird schon eine andere finden. Der nimmt jeden Docht, wo ein Öl dran ist. Einen Zaunstock so gut wie mich. In Gottesnamen, das Vogelfutter vergessen! In der Gewürzlade droben. Holst du's?

PASCA  Ich hol's schon. Verschmudel dir das schöne Kleid
nicht, sonst wär's noch besser im Koffer gewesen. Die
werden lachen zu Haus, wenn du ankommst im Staatsge-
wande und ohne Bräutigam!
*Geht ab.*

CRISTINA  Sollen –! Wären jeder zu Tod froh, wenn ich ihrer
einen nähme, die groben Klötz'.
*Kniet nieder, macht sich um das Gepäck zu schaffen.*

FLORINDO  *ohne Rock, mit offenem Haar, stößt ein Fenster auf und
sieht hinaus*  Was ist das für eine Stimme? Das ist die
Stimme eines Engels. Sie wühlt mich um und um, diese
Stimme.
*Cristina dreht sich um, bemerkt ihn, setzt sich auf die Koffer,
streift ihr Kleid zurecht. Da Florindo den Blick nicht von ihr ab-
wendet, dreht sie sich um, macht sich mit dem Vogel zu tun, dem
sie den Finger hinhält und schließlich drückt sie die Lippen an das
Gitter des Käfigs. Florindo springt vom Fenster weg und kommt
sogleich unten zur Tür herausgelaufen, mit unordentlichem
Haar, seinen Mantel übergeschlagen, den er mit beiden Händen
zusammenhalten muß. Er bleibt vor Cristina stehen, verzehrt sie
mit den Blicken.*
Der Vogel hat zu viel! Das unvernünftige Tier verdient
nicht dieses Übermaß von Glück. Ich will nicht, daß Sie ihn
vor meinen Augen küssen.
*Läuft ins Haus zurück. Cristina errötet bis über die Ohren. Pasca
kommt.*

PASCA  Was stehst du denn so da? Ist was passiert?

CRISTINA  *schnell*  Ach gar nichts. Nein, was das Schiff lange
ausbleibt. Wenn nicht der Onkel mit dem Schiffer gesprochen hätte, ich möchte glauben, daß sie gar nicht hier vorbei-
kommen. Du, wer wohnt denn eigentlich in dem Haus da?

PASCA  Wie soll ich das wissen?

CRISTINA  Spaßiges Leben in der Stadt. Da hat man drei Wochen gewohnt und weiß nicht einmal, wer um die Ecke der
Nachbar war.

PASCA  Was kümmert's dich? Siehst wahrscheinlich die Stadt
nie wieder, geschweige das Haus da.

CRISTINA  Freilich. Es hat halt einer herausgesehen.

PASCA  Wo?

CRISTINA  Ach, nur so beim Fenster.

PASCA  Was für einer?

CRISTINA  Einer, der mir mindestens tausendmillionenmal
besser gefallen hat, als der hölzerne Lenardo, der zudringliche Lelio und der unverschämte Dario, alle drei miteinander. Ich versichere dir, ein sehr hübscher Mensch und ein
echter Kavalier. Nicht wie so ein Lelio und Lenardo, die
mit ihren Manieren Parade machen, wie der Affe auf dem
Leierkasten. Wenn so einer nur den Mund aufmacht –

PASCA  Hast du denn mit ihm geredet?

CRISTINA  Ach was! Red' ich denn gerade von dem? Weißt du,
an wen er mich erinnert hat: an den jungen Edelmann, den
wir öfter vom Fenster aus haben essen gesehen in der kleinen Gastwirtschaft »Zum Schwert« nebenan.

PASCA  Der immer so traurig war? Das muß recht ein armer
Teufel gewesen sein.

CRISTINA  Und wäre mir doch lieber, als mancher andere.
Und weißt du, was ich glaube? Daß er mit dem gleichen
Schiff fährt, wie wir. Wie käme denn sonst so ein Herr
dazu, so früh aufzustehen. Wart' ich muß –

PASCA  Was Teufel?

CRISTINA  Schauen, ob ich die Haare ordentlich hab'. War
stockfinster, wie ich mich frisiert hab'.

*Läuft ab. Florindo mit Teresa am Fenster.*

FLORINDO  Die, die! Jetzt ist sie ins Haus!

TERESA  Hat er schon wieder eine ausspioniert? Du Kerl, die
ist nicht für dich!

FLORINDO  Wer ist sie? Ich habe nicht lange Zeit.

TERESA  Das ist die Pfarrersnichte aus dem Gebirge.

*Pasca sieht hinauf.*

FLORINDO  *leiser*  Was sucht die hier?

TERESA  Einen Mann!

FLORINDO  Und hat keinen gefunden, die?

TERESA  Weiß nicht! Sie soll eine Waise sein und 4000 silberne
Dukaten Mitgift haben.

FLORINDO  Wäre sie bettelarm und die Nichte eines Schinders –

TERESA *hinter ihm* Da laß' du deine Hand davon, das sind anständige Leute.

FLORINDO *indem er sich jäh zu ihr umdreht* Und was bin ich?

TERESA Wenn du nur den Mund aufmachst –

FLORINDO Meinst du, ich kann nicht so gut den Ehrenmann spielen, als einer von den braven, soliden Schmierfinken, der alle 14 Tage sein Hemd wechselt? Meinen Rock! Meinen Mantel, ich habe jetzt Eile!

*Teresa schlägt die Hände über dem Kopf zusammen.*

CRISTINA *kommt zurück, zu Pasca* Da kommt's Schiff und der Onkel nicht da.

*Die Barke legt rückwärts an.*

PASCA Er kommt noch zehnmal.

CRISTINA Und der junge Herr auch! Willst du wetten?

PASCA Ja, der wird gerade auf dich warten!

CRISTINA *zornig* Mußt du mir Kleie in mein Mehl mischen! Mußt, mußt? Ist er nicht da, so kann er noch kommen.

*Florindo an dem zweiten Fenster, wird von Teresa frisiert.*

FLORINDO Schnell, schnell!

TERESA Sei ruhig, sonst dauert's noch länger.

*Rosaura und Isabella von rechts. Mit ihnen eine alte Frau, die Reisegepäck schleppt, sowie Lavache, der ein Hündchen an der Leine führt.*

ISABELLA *vorauseilend, aufgeregt* Die Barke! Die Barke! Heda, Herr Steuermann. Beeile dich Rosaura. Wo bleiben Sie, Lavache? Man fährt uns davon!

ROSAURA Ja ahnt denn der Bursche nicht, wer man ist? Fliegen Sie hin, Lavache, wenn Sie ein Mann sind und sagen Sie diesem Lümmel, daß ich heute Abend in Padua die Sophonisbe zu singen habe.

*Der Barkenführer winkt ihnen beruhigend zu.*

ISABELLA *höhnisch* Du die Sophonisbe! Ist die Farinelli vielleicht über Nacht kontraktbrüchig geworden?

ROSAURA Ich werde sie singen, meine Beste, und wäre es auch nicht heute Abend.

LAVACHE *zurückkommend* Seien Sie vollkommen beruhigt, meine Damen, wir haben alle Zeit. Sie sehen, auch diese guten Leute warten geduldig.

*Die alte Frau schickt sich an, ihr Gepäck neben dem Gepäck der anderen abzuladen. Cristina bringt ihren Vogel in Sicherheit.*

ROSAURA *zu Lavache* Leben Sie wohl, Lavache und sagen Sie es dieser undankbaren Stadt. Sagen Sie es der ganzen Stadt!

LAVACHE Ich habe es ihr gesagt. Hier bin ich gesessen und habe geschrieben bis in den grauen Morgen. Wie Keulenschläge wird es auf ihre Köpfe niedersausen.

PASCA *ärgerlich, daß der Hund sich in der Nähe des Gepäcks aufhält, zu Lavache* Das geht nicht, Herr!

LAVACHE *ohne sie zu bemerken* Ich habe dich ein göttliches Weib genannt, Rosaura! Ich habe dich gerächt an der Erbärmlichkeit dieses Publikums.

PASCA Herr, Sie müssen fortgehen mit dem Hund! Das ist unser Reisegepäck da hier!

LAVACHE Ich wollte, ich könnte ihr den Schluß vorlesen. Aber sie hat mir das Manuskript aus den Händen gerissen.

PASCA Es geht nicht, mein Herr. Wenn Ihr Hund sich unartig aufführt, so haben wir alle Dorfhunde hinter unserem Gepäck her. Das wäre eine saubere Wirtschaft.

*Lavache wechselt seinen Platz.*

BARKENFÜHRER *kommt nach vorne* Wer sind die drei Personen, die ihre Plätze vorausbezahlt haben? Ein geistlicher Herr und zwei Frauenzimmer.

CRISTINA *eifrig* Das sind wir! Der geistliche Herr ist mein Onkel. Er ist gegangen die Messe lesen. Er wird gleich zurück sein. Das hier sind unsere Sachen.

*Der Barkenführer nimmt einen Teil von Cristinas Gepäck, trägt es nach rückwärts.*

ISABELLA *zum Barkenführer* Hier ist mein Gepäck und das Gepäck dieser Dame. Wollen Sie sich darum kümmern, mein Lieber? Oder soll ich mich an Ihren Kameraden wenden?

LAVACHE *zu Rosaura* Ich werde es dir mit der reitenden Post nachschicken, du wirst dich schütteln!

ISABELLA *aufgeregt* Rosaura, ich möchte doch bitten – Herr Lavache, ich staune! Sie bieten uns Ihre Begleitung an, Sie stehen hier und ich, die Dame, muß mich mit Bauernweibern um den Platz balgen, muß mir Sottisen sagen lassen! *Sie eilt wieder zu der Barke hin.*

ROSAURA  Was gibt es, Isabella? Beruhige dich. Vorwärts Lavache! Fliegen Sie hin, bedeuten Sie diesen Leuten, wer ich bin!

*Lavache eilt nach rückwärts, wo der halbwüchsige Bursche, die alte Frau und die beiden Barkenführer heftig zu streiten begonnen haben. Isabella hin und her eilend.*

ISABELLA  Ich habe ähnliches noch nicht erlebt! Ich habe –

*Florindo ohne Hut und Mantel, aber vollständig angekleidet, kommt rasch aus dem Hause heraus, läuft zu den Streitenden hin. Gleich darauf führt er den Barkenführer nach vorne seitwärts, gibt ihm Geld.*

BARKENFÜHRER  Zu Befehl, Euer Gnaden!

*Pasca ist nach vorne, zu Cristina gekommen.*

CRISTINA  *strahlend*  Nun, fährt er mit oder nicht?!

LAVACHE  *tritt zu Florindo*  Mein Herr, ich begreife nicht! *Grüßt.*

Die Barke ist öffentlich!

FLORINDO  Mag sein, für heute bleibt sie auf meinen Befehl der jungen Dame reserviert. Sie werden die Güte haben, mein Herr, mich bei den Künstlerinnen für die Störung zu entschuldigen und ihnen dies als Entschädigung zu überreichen.

*Gibt ihm Geld.*

LAVACHE  Mein Herr, ich weiß nicht –

FLORINDO  Nur schnell, mein Herr! Ich bin beschäftigt!

CRISTINA  *zu Pasca*  Nun, hab' ich recht?

FLORINDO  *tritt schnell zu ihr*  Worin recht, schönes Fräulein?

PASCA  Daß Sie ein hübscherer Mann sind, als alle Verehrer, die sie in Venedig gehabt hat.

CRISTINA  *versucht ihr den Mund zuzuhalten*  Hat dich die Tarantel gestochen, du Hexe!

FLORINDO  Warum, schöne Cristina, sind Sie bös darüber, daß ich es erfahren soll, wenn ich Ihnen ein wenig gefallen habe, während ich vieles darum geben würde, Sie wissen zu lassen, wie reizend ich Sie finde?

CRISTINA  Erstens, woher wissen Sie meinen Namen, mein Herr? Wir haben einander noch nie gesehen und zweitens –

FLORINDO  *einen Schritt näher*  Zweitens?

*Teresa ist aus dem Haus gekommen, nähert sich von rückwärts Florindo. Im Hintergrunde wird das Gepäck der Sängerinnen wieder ausgeladen.*

CRISTINA    Zweitens ist von all dem gar nicht die Rede, sondern es kann nur davon die Rede sein, daß wir Ihnen sehr verbunden sein müssen

*knixt*

dafür, daß Sie uns die Reisegesellschaft vom Hals geschafft haben und hauptsächlich wird Ihnen mein Onkel, der Herr Pfarrer von Capodiponte, sehr verbunden sein, denn er verträgt das Fahren auf dem Wasser schlecht. Aber es ist sicherlich eine große Unbescheidenheit, wenn wir es auf uns beziehen, denn natürlich sind Sie es gewöhnt, bequem zu reisen und haben es um Ihrer selbst willen getan. Und Sie möchten uns wohl gerne auch los sein.

FLORINDO    Erstens glauben Sie selbst kein Wort von dem, was Sie da sagen und zweitens –

*Teresa ist Florindo ganz nahe gekommen.*

*Florindo heftig, aber mit unterdrückter Stimme zu Teresa*

Ziehe dich zurück und lasse dich nicht mehr blicken.

*Fortfahrend zu Cristina*

Zweitens habe ich die Barke sicherlich nicht zu meiner Bequemlichkeit gemietet, denn ich fahre gar nicht mit.

*Cristina stampft zornig auf.*

Aber dafür werden Sie mir doch nicht zürnen, wenn mir jedes Mittel recht war, das mir die Möglichkeit gab, mich Ihnen zu nähern? Ich stehe da oben und glaube zu träumen: denn ich sehe das entzückendste Wesen unter der Sonne, zum Greifen nahe und mich verzehrt das Verlangen zu wissen, wer ist sie, wo kommt sie her, wo fährt sie hin. Unterdessen verrinnen die kostbaren Minuten, die Barke kann jeden Augenblick abstoßen, meine Ungeduld wird zur wütenden Angst –

CRISTINA    *zu Pasca, die indessen rückwärts bei der Barke war, nun wieder nach vorne kommt*    Pasca, er fährt nicht mit!

*Kehrt sich ab, macht sich mit ihrem Vogel zu schaffen.*

FLORINDO    *zu Pasca*    Ich sehe, das Fräulein würdigt mich keiner Antwort! Aber Sie, gute Frau, werden um so viel menschlicher sein, als Sie älter und erfahrener sind. Ich höre, das Fräulein ist vom Lande hereingekommen, um sich zu vermählen. Vielleicht hätte ich gnädige Frau sagen müssen? Nein? Aber verlobt? Wie? Und ihr Bräutigam nicht da, um sie zu begleiten! Er muß krank sein, auf den Tod krank, der arme Mensch –

*Cristina lacht.*

FLORINDO  Spannen Sie mich nicht auf die Folter, liebe gute Frau, denn wenn ich annehmen dürfte, sie wäre frei –

CRISTINA  Was hat es für einen Zweck, wenn wir Ihnen noch so viel Fragen beantworten, da wir doch nach fünf Minuten Abschied nehmen und einander voraussichtlich nie im Leben wiedersehen werden. Und da kommt auch schon der Onkel!

*Läuft dem Onkel entgegen, in der Gasse links.*

FLORINDO  *zu Pasca in einem besonders ehrbaren bürgerlichen Ton*  Hören Sie mich an, liebe Frau, oder vielmehr erklären Sie mir doch, ich bin ganz Ohr, denn Ihnen sehe ich an, daß Sie eine Menschenkennerin sind. Mit Ihnen spreche ich wie mit meiner Mutter!

*Rosaura, Isabella und Lavache befinden sich rechts. Die alte Frau ist wiederum mit dem Gepäck beladen.*

ROSAURA  Haben Sie ihm gesagt, wer ich bin?

LAVACHE  Kommen Sie, Rosaura! Jetzt, da wir seinen Namen wissen, werde ich ihn züchtigen, wie er es verdient.

ROSAURA  Wenn du ein Mann wärest, brauchtest du dazu nicht seinen Namen wissen!

LAVACHE  Ich werde von Kaffeehaus zu Kaffeehaus gehen. Ich werde alles erfahren, was über ihn im Umlauf ist.

ROSAURA  Dazu brauche ich kein Kaffeehaus! Er hat die beiden Töchter unserer Logenschließerin verführt. Zwei Zwillingsschwestern. Geschöpfe wie die Engel.

LAVACHE  Schurkerei ohne Beispiel! Und dergleichen duldet die Staatspolizei!

ISABELLA  Ich habe mich nicht zu beklagen –

ROSAURA  *zu Lavache*  Du hättest ihm das allerdings nicht nachgemacht!

LAVACHE  Ich werde ihn öffentlich an den Pranger stellen!

ISABELLA  Ich kann mich wirklich nicht beklagen, mit mir hat
er sich benommen wie ein Kavalier.

ROSAURA  *zu Lavache*  Vor dir sind die jungen Mädchen sicher.

LAVACHE  Wie kommen Sie dazu, Rosaura, mich mit diesem
Menschen zu vergleichen?

ROSAURA  Ihn mit dir vergleichen, davor bewahre mich mein
Schutzengel. Er ist ein Gott und du bist nicht wert, ihm die
Füße zu küssen.

ISABELLA  Ich weiß nicht, was ihr wollt, ich kann mich über
ihn wirklich nicht beklagen.

ROSAURA  Meinst du, ich kenne ihn erst seit heute? Hundertmal ist er im Theater an mir vorübergegangen, mein Herz
hat mir geschlagen, bis in den Hals hinein, wie einem sech-
zehnjährigen Mädchen.

LAVACHE  Ich glaube, Sie sollten sich in ein Kaffeehaus bege-
ben und etwas Niederschlagendes nehmen.

ROSAURA  Ich habe seinesgleichen vor mir taumeln sehen,
aber habe Ofenheizer zu Königen gemacht.

ISABELLA  Mit mir hat er sich betragen, wie ein echter Kavalier. Ich will aus der Barke heraus, er tritt auf mein Kleid, er
springt zurück und sagt: Pardon, mein schönes Kind!

LAVACHE  *wütend zu Rosaura*  Ich werde mich öffentlich von
dir lossagen. Ich werde meine Flugschrift einstampfen lassen. Ich werde dich in deiner ganzen Lächerlichkeit an den
Pranger stellen. –
*Geht wütend ab.*

ISABELLA  Warten Sie doch, Lavache! Geben Sie mir den Arm,
ich wünsche nicht zum Gespött zu werden.
*Eilt ihm nach. Rosaura eilt ihnen nach.*

FLORINDO  *zu Pasca*  Oh, wie verkehrt angefangen. Auf diese
Weise, eine Heirat! Vierzehn Tage in einer Stadt wie Venedig. Ja, wenn Sie sechs Monate gewesen wären.

PASCA  Wie? Gar sechs Monate. Aber wir haben doch in guten Häusern verkehrt und junge, heiratsfähige Männer genug gesehen.

FLORINDO  Gesehen! Nehmen Sie mich. Ich finde Ihr Fräulein
zum Entzücken schön und würde mich glücklich schätzen,

wenn die Frau, die Gott mir bestimmt, ihr ähnlich sähe –
aber wenn Sie mir auf der Stelle 50000 Taler hinlegen, damit ich sie von heute auf morgen heirate, sage ich danke,
nehme meinen Hut und gehe. Heutzutage will ein vernünftiger Mann, bevor er eine Frau nimmt, ihren Charakter
kennen lernen.

PASCA  Ei ja freilich, den Charakter, das ist schon wahr!

FLORINDO  Wo ich nicht wüßte, daß ich ernste Absichten hegen dürfte, da knüpfe ich nicht einmal ein Gespräch an. So
bin ich.

PASCA  Ah, so ist der Herr!

FLORINDO  Und wenn ich schon beispielsweise von mir spreche: ich muß mich ja auch einmal verheiraten und ich suche
die richtige seit drei Jahren. Aber ich suche sie vergeblich.

PASCA  Noch vergeblich seit drei Jahren? Ah was der Herr
nicht sagt!

FLORINDO  Ich habe mehrere Mädchen gekannt, die fast so
hübsch waren, fast sage ich, wie Ihr Fräulein und alle hatten
eine gute Mitgift. Aber nachdem ich zwei oder drei Monate
mit ihnen verkehrt hatte, erkannte ich, daß sie mich nicht
auf die Dauer glücklich machen würden.

PASCA  Nicht glücklich machen würden!

*Teresa versucht zu hören, was die beiden sprechen.*

FLORINDO  *schnell zu ihr*  Meinen Mantel! Meinen Hut, hol'
ihn!

*Teresa wirft vor Zorn ihre Pantoffel weg und geht widerwillig ins
Haus.*

FLORINDO  *zu Pasca zurück, wie wenn nichts gewesen wäre*  Ach
und so käme man vom Hundertsten ins Tausendste. Es
gibt nichts, als kennen lernen, drei, vier Monate, ein halbes
Jahr –

PASCA  Sie könnten mir schon Ihre Fragen stellen, so viel Sie
wollten, da kämen wir schnell ins Reine. Ich kenne das
Kind, wie ich meinen Strumpf kenne, in- und auswendig.
Sie hat keine Mutter seit ihrem sechsten Jahr und ich habe
sie aufgezogen.

FLORINDO  Sehen Sie, das wäre mir auch wieder nicht recht.
Ein Mädchen, das ich liebe, dürfte nicht durchsichtig sein,
wie ein Fensterglas.

PASCA   Da fehlt viel. Wo sie nicht reden will, da schweigt sie.

FLORINDO   Immerhin –

PASCA   Ich sehe, Sie sind gar ein schwieriger Herr!

FLORINDO   Das ist man sich selber schuldig, liebe Frau, wenn
man ernste Absichten hat.

PFARRER   *kommt mit Cristina von links. Nimmt vor Florindo den
Hut ab*   Mein Herr, ich habe Ihnen sehr zu danken.
*Ihn erkennend*
Sie sind es wiederum, gnädiger Herr!

FLORINDO   Hochwürdiger Herr, ich sehe aus Ihrer Antwort,
daß Sie mich für einen Edelmann halten. Aber ich bin ein
einfacher Schreiber bei einem Advokaten. Ein bescheidener, bürgerlicher Mensch.

CRISTINA   Ah, da bin ich aber sehr froh!

PFARRER   Warum bist du darüber froh, mein Kind?

PASCA   Nun, sie meint wohl, daß der Unterschied zwischen
einem Advokatenschreiber und der Tochter eines reichen
Pächters kein gar so großer ist.

CRISTINA   Schweig doch! Ganz einfach: ich bin nicht gerne in
Gesellschaft von Leuten, die sich für mehr halten, als ich
bin. Nur so beiläufig gesagt, denn ich weiß wohl, daß man
auf der Reise mit allen möglichen Menschen zusammenkommt.

PFARRER   Ja, meine liebe Cristina. Wie du siehst, hat ja auch
dieser Herr sich freigebig und großmütig gegen uns benommen, ohne zu wissen, wer wir sind.

CRISTINA   *zu Pasca halblaut*   Du Teufel du! Wer hat dich geheißen, für mich Reden halten?

PASCA   *ebenso*   Er will heiraten, aber er nimmt keine, wo er
nicht den Charakter studiert hat. Es tut ihm sehr leid, daß
du nicht noch ein halbes Jahr hier bleibst.
*Cristina ist zornig.*
Halt dich still! Er will den Herrn Pfarrer bitten, daß er uns
hier läßt. Er sagt, er wüßte uns ein Haus mit guten Leuten –

CRISTINA   Das tut der Onkel nicht. Das darf er gar nicht tun.
Er wird sich nicht lächerlich machen und wildfremden
Leuten seine Nichte aufladen.

PASCA   Wäre es dir vielleicht nicht recht?
*Der Pfarrer und Florindo treten zu ihnen.*

PFARRER *zu Florindo* Nein, wirklich mein Herr, es geht nicht!

FLORINDO Es geht nicht? Da es nur von einer Entscheidung abhängt, die Sie im Augenblick zu treffen die volle Freiheit haben?

PFARRER So kommt es Ihnen vor, junger Herr. Aber man ist niemals so frei, als es den Anschein hat. Auch in den unscheinbaren Dingen gibt es eine gewisse innere Ordnung, die man nicht ungestraft –

FLORINDO Die Sie doch sicherlich nicht verletzen, wenn Sie Ihr Fräulein Nichte hier lassen. Im Gegenteil. Insoferne Sie sich vorgesetzt hatten, durch den Aufenthalt des Fräuleins in der Stadt ein gewisses Ziel zu erreichen, so verletzen Sie ja selbst die von Ihnen selbst gesetzte Ordnung dieser Angelegenheit, wenn Sie diesen Aufenthalt so einrichten, daß er seinen Zweck unmöglich erfüllen kann.

PFARRER *lächelnd* Die Logik, mein Herr, ist sicher die feinste und bestechlichste Erfindung des menschlichen Gehirns und man vermöchte ihr wirklich nichts entgegenzusetzen –

FLORINDO Nun also, Herr Pfarrer, nun also!

PFARRER Woferne nur das, was wir in den Begriffen so reinlich und handlich scheiden, auch in der Wirklichkeit geschieden wäre. Da haben Sie mich nun in die Enge getrieben mit Ihren Gegensätzen Ordnung und Unordnung. Wie aber, wenn die beiden ganz unmerklich ineinander übergingen und es nur auf ein bißchen Takt ankäme, immer auf ein bißchen Gefühl.

FLORINDO Sie sind ein Weiser, Herr Pfarrer, ich bin glücklich, daß ich Ihnen begegnet bin.

PFARRER Nein, mein Herr. Aber ich sage Ihnen, die Ordnung und die Unordnung in den menschlichen Dingen sind nicht geschieden und sie lassen sich nicht die eine rechts, die andere links auseinander stellen.

FLORINDO Ebenso wie die Tugend und das Laster. Oh weh, habe ich das vor Ihnen sagen dürfen?

PFARRER Ich wäre ein erbärmlicher Seelenhirt, wenn ich das nicht zu begreifen gelernt hätte.

FLORINDO Wie, Herr Pfarrer? Wo ich Sie in großen Dingen

von einer solchen Weichherzigkeit finde, sollte ich denken, daß Sie im kleinen es nicht wären. Daß Sie diese übereilte Abreise nicht aufschieben werden, mir nicht die Ehre erweisen, in Gesellschaft der jungen Dame mit mir zu speisen? Daß ich nicht die Möglichkeit haben soll, Sie von diesem vorschnellen Entschluß zurückzubringen? Erlauben Sie, daß ich Leute rufe, die im Flug diese Koffer in Ihr Logis zurücktragen werden.

PFARRER  Die kleinen Entscheidungen des Lebens, mein Herr, die kleinen, unscheinbaren Entscheidungen: da gilt's jedesmal den Rubikon zu überschreiten, da heißt es: hier ist Rhodus, hier springe. Aber wer sollte sich anmaßen, immer das Rechte zu treffen.

FLORINDO  Sage ich es nicht! Ihr Onkel ist ein Weiser, mein Fräulein! Ich hole Leute her! Dieser Koffer –

PFARRER  Halt, halt, mein Herr. Da eben gilt es, sich der Leitung des zarten, innerlichen Gefühles in Demut zu üben. Da gilt's wie beim braven Pferd, den leisen Anzug des Zügels zu fühlen. Denn eine Hand am Zügel ist immer da, wenn auch hinter unserem Rücken. So lassen Sie uns nur gewähren, mein Herr, in unserer bescheidenen Ordnung oder Unordnung und wenn es diesem guten Kinde bestimmt ist, auf der Heimreise den Gebieter ihres Lebens zu finden, so wird sie ihn auf der Heimreise finden und vielleicht auch wird er eines schönen Tages aus dem Nachbardorf auftauchen oder gar aus unserem eigenen Sprengel. Nicht wahr, Cristina?

CRISTINA  *küßt ihm die Hand*  Du hast in allem recht, Onkel, was du tust.

PFARRER  Geh nur mein Kind, unterhalte dich mit diesem Herrn. Warum sollten nicht die letzten Minuten in dieser schönen Stadt einem harmlosen Vergnügen geweiht sein. Ich will mich unterdessen umsehen, ob alles in Ordnung ist. Im letzten Augenblicke wollen wir dich abrufen.
*Geht mit Pasca zu der Barke.*

CRISTINA  Der Onkel hat ganz recht, was würde denn auch anders werden, wenn wir gleich ein halbes Jahr hier blieben? Haben mir nicht meine Bekannten alle gesagt, daß sie entzückt von mir sind und jetzt hat nicht einmal ein einziger um fünf Uhr früh aufstehen wollen, um mir Lebewohl zu sagen.

FLORINDO  Pfui über den Lumpen, der Wörter in den Mund nimmt, die er nicht Manns genug ist, einmal im Leben durch und durch zu fühlen! Wenn ich entzückt bin – so, wie ich mich an Ihnen entzücken könnte, schönste Cristina, so fährt mir das Wort nicht über die Zähne, außer wenn ein selbstvergessener Seufzer des Verlangens es taumelnd mit sich reißt – aber die Essenz davon, das Ding selbst, wovon das Wort nur die Aufschrift ist, die kocht und gärt in meinen Adern, wirft mich sehnsüchtig hin, wenn ich aufrecht stehe –

*Teresa kommt aus dem Hause, tritt zu Florindo mit seinem Hut und Mantel. Da er sie gar nicht beachtet, legt sie beides hinter seinem Rücken auf die Erde.*

*Florindo fährt fort, ohne sie überhaupt zu bemerken*
Vergällt mir den Schlaf, schnürt mir die Kehle beim Essen und läßt mich nicht eher in den schlaffen Zustand der Gewöhnlichkeit zusammensinken, als bis ich mein Ziel erreicht habe.

CRISTINA  Aber Sie haben es ja noch nie erreicht, dieses Ziel – also müssen Sie noch nie von einer Frau so sehr entzückt gewesen sein.

FLORINDO  Wie? Wie meinen Sie das?

CRISTINA  Nun, wenn Sie vom Ziel reden, da meinen Sie doch wohl nicht, nur so mit einer zusammen sein und ihr den Hof machen, sondern Sie meinen doch das letzte Ziel.

FLORINDO  Allerdings meine ich das Letzte, süße Cristina.

CRISTINA  Jetzt bin ich irre. Was verstehen Sie denn darunter?

FLORINDO  Muß ich Ihnen das sagen, Cristina? Ich denke, Sie verstehen mich sehr gut ohne Worte.

CRISTINA  Nun ja freilich, was könnten Sie auch anderes meinen?

FLORINDO  Nicht wahr, zwischen dem Wesen, das entzückt und dem Wesen, das fähig ist Entzückung zu fühlen –

CRISTINA  Freilich, zwischen Männern und Frauen, das ist doch wohl klar.

FLORINDO   Ich denke wohl, es ist klar. Wollten Sie ihm einen Namen geben?

CRISTINA   Warum nicht? Ich bin nicht so zimperlich.

FLORINDO   *dicht bei ihr*  Sie sind ein Engel!

CRISTINA   Nun, eine ordentliche Trauung in der Kirche mit Zeugen und allem, wie es sich schickt.

FLORINDO   *tritt zurück*  Allerdings!
*Er ist stumm.*

CRISTINA   *munter*  Sehen Sie, jetzt wird Ihnen die Zeit mit mir schon lang und die Bootsleute sind immer noch nicht fertig. Da dürfen Sie nichts über junge Herren sagen, die mir doch mindestens durch vierzehn Tage den Hof gemacht haben.

FLORINDO   Wie haben sie Ihnen den Hof gemacht, Cristina?

CRISTINA   Nun, wie man's eben macht. Sie sind zur Konversation gekommen. Sie haben uns eingeladen. Einer hat mir jeden Morgen geschrieben –

FLORINDO   Die Affen, die! Die Schmachtlappen!

CRISTINA   Sie schimpfen auf sie und kennen sie gar nicht. Wie würden denn Sie es machen?

FLORINDO   Was hat es für einen Zweck, Ihnen das zu sagen, da wir in weniger als fünf Minuten Abschied nehmen und einander voraussichtlich nie im Leben wiedersehen werden.

CRISTINA   Natürlich, es hat gar keinen Zweck. Aber Sie sehen, mein Onkel ist noch beschäftigt, Geld wechseln zu lassen. Sagen Sie mir doch immerhin, wie Sie es machen würden. Ich habe dann etwas, woran zu denken mich unterhalten wird.

FLORINDO   Wie ich es anfangen würde? Ich hätte nicht die Kraft, einen Plan auszuführen und vor allem nicht die Lust, einen Plan zu entwerfen. Ich würde mich an Sie hängen von früh bis abend, das wäre mein ganzer Plan. Denn ich wäre zu eifersüchtig, um von irgend einer Sache, die Sie tun, nicht Zeuge sein zu wollen, und wäre es die alltäglichste und kleinste.

PFARRER   *kommt zu Cristina*  Mein gutes Kind, hast du daran gedacht, der Alten, die dein Zimmer besorgt hat, ein kleines Geschenk zu machen? Ich sah sie dort stehen.

CRISTINA  Ich habe ihr gegeben. Vielleicht gibst du ihr noch etwas.
*Zu Florindo schnell*  Sprechen Sie nur weiter.
FLORINDO  Ich würde mich an Sie klammern. Verstehen Sie, was das heißt? Mit den Augen Ihre Augen suchen bei Tag und bei Nacht.
PFARRER  *kommt abermals*  Meinst du, daß es genügen wird?
*Zeigt Cristina einige Münzen in der hohlen Hand.*
CRISTINA  Oh ja, Onkel, sicherlich.
FLORINDO  Bei Tag und bei Nacht.
CRISTINA  O weh, Herr! Wenn Ihre Geliebte Sie so reden hören könnte.
FLORINDO  Ich rede doch, und bin sicher, Sie haben einen Freund.
CRISTINA  *heftig*  Nein!
FLORINDO  Vielleicht nicht hier, vielleicht zu Hause. Aber das schreckt mich nicht ab – ich könnte Sie in seinen Armen wissen und Gott danken, woferne ich nur wüßte, daß er Sie grenzenlos glücklich macht: denn das Glück eines geliebten Wesens ist süßer, als die eigene Seligkeit und wehe, wer das eine ohne die andere sucht. Meinen Sie, ich kann nicht spüren, aus welchem Stoff Sie gemacht sind? Sie sind gemacht, unsäglich zu beglücken. Aber wehe dem Tölpel, der Sie in seinen Armen hält und Sie nicht zum Schmelzen bringt.
PASCA  Cristina!
CRISTINA  Ich werde gerufen, ich muß gehen.
FLORINDO  Kann der Himmel so etwas zulassen! Sollen wir so aneinander vorbei?
CRISTINA  Was ist das für Sie. Aus den Augen, aus dem Sinn.
FLORINDO  Jedes Wort, jeder Blick bleibt da!
*Er preßt seine Hände auf sein Herz.*
CRISTINA  Ich weiß kein Wort von allem, was Sie geredet haben. Ich habe Sie immer nur angeschaut.
FLORINDO  *nimmt ihre Hand*  Süßer Engel! Wirst du mir schreiben?
*Cristina schüttelt den Kopf*
Nein? Keine Zeit, kein liebes, herzliches Wort? Harther-

zige. Pfui. Jetzt erkenne ich Sie. Kokett und prüde! Alles
nehmen, nichts geben.

PFARRER   Cristina, es ist die höchste Zeit!

CRISTINA   Geben? Ich möchte Ihnen alles geben, was ich habe.
Ich komme schon, lieber Onkel, ich komme.

FLORINDO   Alles, ja? So schreibe nur und ich schreibe wieder.

CRISTINA   Capodiponte heißt das Dorf, über Ceneda kommt
man hin.

FLORINDO   Du schreibst mir, Süße! Meine Adresse? Da.
*Will hastig ein Blatt aus seinem Notizbuch reißen.*

CRISTINA   Oh weh!

FLORINDO   Du willst nicht, böses Herz?

CRISTINA   Mein Gott!

FLORINDO   Sag ja!
*Preßt ihre Hand an die Lippen.*

CRISTINA   Küssen Sie nicht die Hand, denn sie ist es nicht
wert. Sie hat nicht gelernt zu schreiben. Ich werde fort sein
und dann auch ganz fort. Wie wenn ich tot wäre.
*Florindo nagt die Lippen vor Zorn.*

CRISTINA   Ein letztes, gutes Wort!
*Nach rückwärts*
Ich komme.

FLORINDO   Ich habe vor dieser Stunde nicht gewußt, was es
heißt, ein Wesen lieb haben. Ich lasse dich nicht.

CRISTINA   *reißt sich los*   Und ich könnte Sie recht lieb haben,
wenn Sie mein Mann wären.
*Reißt sich los, läuft ins Boot.*
*Teresa am Fenster freut sich. Florindo grüßt nach dem Boot hin,
will hin, wendet sich dann jäh. Das Boot stößt ab.*

FLORINDO   Ihnen alles, was ich habe! Engel!
*Zerknittert in Wut seinen Hut.*
*Ein Bub kommt gelaufen mit einem Brief.*

BUB   Da finde ich Sie endlich, Herr Florindo. In der ganzen
Stadt laufe ich Ihnen nach, von einem Spielsaal, einem
Kaffeehaus zum andern.
*Florindo beachtet ihn gar nicht.*

BUB   Alle Leute habe ich nach Ihnen gefragt. Überall haben
wir Vermutungen angestellt, wo Sie könnten übernachtet

haben. So nehmen Sie doch meinen Brief! Er ist von der Dame, Sie wissen schon von welcher.

FLORINDO  Ich weiß von keiner Dame!

*Er blickt sich manchmal jäh nach dem Meer und der Barke um.*

BUB  Bei der Sie seit zwei Wochen jeden Vormittag verbringen, wenn unser Herr, der Advokat, bei Gericht zu tun hat.

FLORINDO  Ich weiß von keiner Dame.

BUB  Das ist stark. Bin ich es nicht selber, der Ihnen immer die Türe aufmacht?

FLORINDO  *höhnisch* So?

*Er nimmt den Brief.*

BUB  Nun also!

*Florindo schmeißt ihm den Brief vor die Füße.*

Soll ich das ausrichten?

FLORINDO  Du kannst ausrichten, daß ich mich empfehlen lasse und daß ich im Begriffe bin, abzureisen.

BUB  Gut! Schön! Sie sind im Begriffe abzureisen. Meinetwegen! Aber Sie haben eine Zeit vor sich. Sie reisen nicht in dieser Stunde ab.

*Er hebt den Brief auf und präsentiert ihn aufs neue. Florindo will fort, der Bub hängt sich an ihn an.*

FLORINDO  *packt ihn an der Schulter* Wer sagt dir, daß ich nicht in dieser Minute abreise?

*Er wirft den Buben zu Boden, reißt sich den Hut vom Kopf, winkt damit gegen die Barke hin und schreit*

Achtung!

*Nimmt dann einen kurzen Anlauf und springt.*

TERESA  *vom Fenster* Jesus Maria!

*Aufschreie in der Barke.*

*Teresa beim Fenster*

Er ist drinn. Hol der Teufel alle hübschen Bauernmädchen!

# DIE BEGEGNUNG MIT CARLO

*Vorsaal in einem Gasthof. Rückwärts und links münden Gänge, die*
*nach den Gastzimmern führen.*
*Rechts gehts zur Treppe.*
*Übergang von der Nacht zum Morgen.*
*Carlo kommt von rechts die Treppe herauf, völlig angekleidet.*

FLORINDO  *in Schuhen und im Hemd, darüber einen Mantel, drückt*
*sich in eine Ecke*  Himmel, tu dich auf! Carlo! Carletto! Hen-
riettens Bruder! Welcher Teufel bringt den hierher? Was
kann er hier anderes suchen als mich, und wenn er mich
sucht – so heißt das soviel als: er weiß alles. Aber ich habe ja
selber nicht vorausgewußt, daß ich mit diesen Leuten reisen werde. Nun, ganz einfach: er ist mir eben nachgefahren
von Ort zu Ort und hier hat er uns eingeholt. Und das mitten hinein in diese namenlose, jeden Nerv auflösende Seligkeit! Nun, machen wirs nicht immer so mit den Hir-
schen und Auerhähnen? warum solls der da droben nicht
einmal mit uns so machen?
*Carlo geht langsam über die Bühne.*

FLORINDO  Er scheint mein Zimmer nicht zu wissen. Diese
Stunde noch ihm entkommen! Das Letzte noch trinken aus
dem süßesten Gefäß, mit dem das Leben jemals diese Lippen gestreichelt hat, und dann in Gottes Namen zwischen
zwei Gartenmauern vor seine Pistole. Es haben auch Brü-
der schon daneben geschossen.
*Carlo scheint unschlüssig, seine Augen suchen einen verlorenen*
*Gegenstand auf dem Boden.*

FLORINDO  Könnt ich mit Anstand um die Ecke!
*Taucht sein Taschentuch in einen Krug, der neben ihm steht,*
*macht sich eine Kompresse, die sein Gesicht verdeckt, ergreift die*
*Türklinke hinter ihm und will in sein Zimmer verschwinden.*

CARLO  *der ihn schon früher fixiert hat*  Ja, ich irre mich nicht. Sie
sinds, Florindo. Sie hier?

FLORINDO *wirft die Kompresse weg*  Warum so überrascht? da
Sie mich ja doch gesucht haben.

CARLO  Wie käme ich dazu, Sie zu suchen?

FLORINDO  *sich fassend*  Natürlich – wie kämen Sie dazu? Außer daß man Ihnen gestern abends hier im Gasthof sehr
wohl meinen Namen gesagt haben könnte.

CARLO  Ja, dann allerdings hätte ich Sie aufgesucht, lieber Florindo.

FLORINDO  *vor sich*  Lieber Florindo!

CARLO  Aber Sie haben Kopfschmerzen, und dazu hat man
Sie Unglücklichen auch wegen der Diligence geweckt, die
nach Mestre gehen soll! Beruhigen Sie sich, die Diligence
geht erst in zwei Stunden. Man hat also die Wahl, sich
nochmals zu Bett zu legen, oder die zwei Stunden hier auf
und ab zu patrouillieren.

FLORINDO  Ich werde allerdings vorziehen, mich zu legen.

CARLO  Glauben Sie mir, Sie werden mit einem noch
schlimmeren Kopf aufwachen.

FLORINDO  Jedenfalls können wir nicht hier bleiben. Wir
würden die anderen Passagiere stören.

CARLO  Hier wohnt sonst niemand.

FLORINDO  Wie? ich dächte doch.

CARLO  Ich weiß es: niemand als ein durchreisender Pfarrer,
der mir schon auf der Treppe begegnet ist, und ein junges
Ehepaar, dort weit drüben.

FLORINDO  *beunruhigt*  Dort drüben?

CARLO  Ja, dort hinten. Sonderbar genug, daß wir einander
auf diese Art wieder begegnen. Aber es freut mich, daß ich
Sie sehe, Florindo. Nein, es freut mich mehr als Sie glauben. Ich habe – ich muß Ihnen nicht gerade freundlich erschienen sein, dieses letzte Jahr, in Treviso im Haus meiner
Mutter. Ich habe Ihnen das abzubitten.

*Florindo verlegen.*

CARLO  Oh Sie ahnen nicht, was ich durchgemacht habe,
mein guter Florindo. Meine Unart – meine ewige Verstimmung – ich will nichts davon beschönigen; es ist eine
Hypochondrie, die ich nicht loswerde – aber glauben Sie
mir, es ist keine leere eingebildete Hypochondrie, es ist eine

berechtigte. Armut ist ein Zustand, ein unerträglicher Zustand, verschämte Armut ist der unerträglichste, und Sie
ahnen nicht, w i e arm wir sind, w i e arm wir schon damals
waren. Wissen Sie, warum meine Mutter und meine
Schwester meistens Ihren Nachmittagsbesuch nicht annehmen konnten?

*Florindo verlegen mit Verbindlichkeit*

CARLO  Weil sie kein Kleid auf dem Leib und keines im Kasten hatten. Weil das einzige Kleid, das jede von ihnen besaß, sonntags vor der Messe ausgelöst wurde und nachher
wieder ins Leihhaus wanderte.

FLORINDO  Mein Gott!

CARLO  Das haben Sie nicht geahnt. Und ich war der Mann,
ich war das Oberhaupt der Familie, meine Sache war es,
Rat zu schaffen. Verstehen Sie, daß man allmählich lernt,
sich zu verachten dafür, daß man nicht die Kraft hat, die Er-
lösung aus dem Boden zu stampfen, und daß einen diese
Selbstverachtung noch untüchtiger macht, noch ungeschickter, noch unerfreulicher.

FLORINDO  Ich habe Ihnen nie etwas nachgetragen.

CARLO  Nein, nein. Lassen Sie mich. Ich habe das Bedürfnis,
einmal s o zu Ihnen zu sprechen.

*Florindo beherrscht seine Ungeduld.*

CARLO  Es war Ihnen gegenüber, gerade Ihnen gegenüber
doch nicht b l o ß diese hypochondrische Verstimmung, die
mich kaum mehr höflich, kaum mehr erträglich sein ließ.
Es war noch etwas anderes. Ich bitte Sie, mich davon sprechen zu lassen, ich will es einmal ausgesprochen haben. Es
war – ich hatte den Argwohn, Florindo – ich habe ihn nicht
mehr, wie Sie sehen –, daß Ihr Verkehr für meine Schwester Henriette gefährlich sein könnte. Dies ist ja eher
schmeichelhaft als verletzend für Sie, und zudem –

FLORINDO  *treuherzig*  Zudem haben Sie ihn ja nicht mehr.

CARLO  Meine Schwester hat ihn mir genommen. Ich hatte
mit ihr ein langes Gespräch, es war kurz bevor wir uns
trennten – ich weiß nicht, ob Sie wissen, daß Henriette jetzt
im Haus entfernter Verwandter lebt –

FLORINDO  Ich habe davon gehört.

CARLO  In diesem Gespräch hat mir Henriette einen Aufschluß gegeben – wie reizend sind Frauen, wenn sie von diesen Geheimnissen einmal zu sprechen gewillt sind –, sie hat es mir mit wenig Worten erklärt, wie ein Mensch Ihrer Art auf Frauen wirkt.

FLORINDO  Ich –?

CARLO  Ja. Sie wirken, ohne es zu wollen, ohne es zu wissen. Es ist ein Fluidum, eine Kraft, ein Zauber. Auch auf Frauen, um die Sie sich gar nicht kümmern. Auf diese vielleicht am stärksten.

FLORINDO  Auf Henriette – auf Ihre Schwester doch eben nicht, wie Sie sehen.

CARLO  O ja. Aber indem sie die Gefahr kennt, weiß sie sich ihr zu entziehen.

FLORINDO  Dann –

CARLO  Oh, es gibt nicht viele, die gewitzigt genug sind, sich selber zu durchschauen, eh es zu spät ist.

*Florindo stumm.*

CARLO  Im Augenblick, wo Henriette mit so viel Unbefangenheit davon sprach, und der Stachel von Argwohn und Sorge mir aus dem Herzen genommen war, konnte ich das Gefühl des Mädchens für Sie geradezu teilen. Ich kann verstehen, daß ein Mensch Ihrer Art, indem er nur ins Zimmer tritt, eine Macht ausübt. Die Wahrscheinlichkeit des Erfolges macht ihn sicher, kühn und liebenswürdig. Man freut sich seiner, man freut sich mit ihm, es ist ein Etwas, das uns ihm entgegendrängt. – Wie sollte die Frau, die von Natur hingebend ist, dem widerstehen? Wenn man ein Mann ist, könnte man in die Versuchung kommen, Sie zu beneiden. Aber ich ziehe es vor, seitdem mit einem recht warmen Gefühl an Sie zu denken, einem recht herzlichen Gefühl – von dem Sie freilich noch nichts bemerkt haben werden. Aber Sie sagen kein Wort – Sie wissen nicht, was Sie sich aus dieser etwas unerwarteten Erklärung machen sollen – vielmehr, Sie machen sich eben nichts aus ihr, und ich hätte sie besser für mich behalten.

FLORINDO  Wie können Sie denken!

CARLO  Sie haben so recht, mein Bester.

FLORINDO  Ich bitte Sie –

CARLO  Ich muß Sie unvergleichlich gelangweilt haben.

FLORINDO  Sie wissen nicht –

CARLO  Der beständig Einsame, der chronisch Unglückliche
ist das ödeste Geschöpf der Welt.

FLORINDO  Lieber Freund! lieber Carlo –

CARLO  Nein, nein, vergeben Sie mir meine Ungeschicklichkeit, das ist alles, um was ich bitte. Ich habe diese Nacht
nicht geschlafen, meine Nerven sind überspannt, ich habe
es verlernt, mich mit Menschen zutraulich zu unterhalten.
– Vergeben Sie mir und vergessen Sie diese Minute.

FLORINDO  *umarmt ihn*  Das ist meine Antwort auf alles, was
Sie so gut waren, mir zu sagen. Und nun lassen Sie mich die
Wahrheit gestehen, lieber guter Carlo: Unser Gespräch auf
dieser Stelle hier ist nicht länger möglich. Ich brenne darauf, es fortzusetzen, morgen, jeden andern Tag, in Venedig
– ich werde glücklich sein – aber hier – ich habe hier ganz
nahe – es wohnt hier im Haus eine Dame – die mich auf
ihrem Zimmer erwartet.

CARLO  Die Sie – jetzt –

FLORINDO  Mir der ich schon den früheren Teil der Nacht
verbracht habe, und zu der ich jetzt zurückkehren werde.

CARLO  Um alle Heiligen willen, auch das noch! Wie konnte
ich so unglücklich sein! Herr Gott – ich möchte ja in den
Boden sinken.

*Man hört eine Tür gehen und schleichende Schritte sich nähern.*
Eilen Sie doch, laufen Sie doch, Adieu!

FLORINDO  Bleiben Sie.

CARLO  Was ist?

FLORINDO  Bleiben Sie jetzt bei mir.

CARLO  Warum?

FLORINDO  Weil ich Schritte höre, weil irgend jemand hier
vorübergehen wird und weil es weniger auffallend ist,
wenn zwei miteinander sprechen, als wenn ich jetzt allein
hier gesehen werde.

*Ein alter Herr, in Nachtmütze und Pantoffeln, erscheint und
schleicht langsam über die Bühne, indem er eine Kerze, die er
trägt, mühsam vor dem Luftzug zu schützen sucht.*

FLORINDO *gleichzeitig* Sprechen wir miteinander. Der Greis
scheint neugierig zu sein.

CARLO    Wie steht es mit Ihrem Kopfschmerz?

FLORINDO    Ich habe nie Kopfschmerzen. Es war nichts als ein
Einfall, um mich vor einem solchen Vorübergehenden zu
maskieren.

CARLO    Er schleicht dort hinüber. Sie können gehen.

FLORINDO *späht dem alten Herrn nach* Im Gegenteil. Gerade
dort drüben ist er mir im Wege. Auch wird er gleich zurückkommen. Warum sagen denn auch Sie, daß Sie keine
Minute geschlafen haben?

CARLO    Mein Zimmer steht durch den Kamin in Verbindung
mit einem anderen, in welchem, wie gesagt, ein junges
Ehepaar wohnt. Die beiden waren sehr glücklich miteinander.

FLORINDO    Sie Ärmster. Durch den Kamin! Welche Tantalus-
qualen! Aber vielleicht ist sie häßlich wie die Nacht.

CARLO    Ihrer Stimme nach das lieblichste Geschöpf unter der
Sonne!

FLORINDO    Sie wenden vier Tage daran, bleiben hier und spielen den Kuckuck im fremden Nest.

CARLO    Ich habe keine vier Tage, um sie an ein Abenteuer zu
wenden.

FLORINDO    Sie haben sie, zum Teufel, und wenn Ihr Vorge-
setzter in Venedig darüber das Gallenfieber kriegen müßte.
Sind Sie ein Geizhals? Man muß seine Zeit ebenso wohl zu
vergeuden wissen als sein Geld.

CARLO    Und dann würde sich die junge Frau den Ersatz
schwerlich gefallen lassen.

FLORINDO    Sagen Sie sich so lange das Gegenteil, bis Sie davon überzeugt sind, und der Rest ist ein Kinderspiel.

CARLO    Die beiden waren selig miteinander. Dieser Mann –

FLORINDO *zeigt nach der Richtung, wo der Alte verschwunden ist*
Der! der war es! ich wette um was Sie wollen. Sie haben zu
viel Phantasie, mein Lieber.

CARLO    Niemals. Es ergoß sich aus diesem Kamin über mich
wehrlos Daliegenden eine solche Fülle von Glück, daß ich
mich aufsetzte und stundenlang dasaß in meiner gräßlichen
Einsamkeit und vor mich hinstierte.

FLORINDO  Ich verstehe. Sie dachten sich mit einer gewissen
Person an die Stelle der beiden. Glauben Sie mir, eine solche Stunde ist kaum ärmer als die Wirklichkeit. Man muß
zuweilen auch aus diesem Glas zu trinken verstehen.

CARLO  Nein. Ich hatte keine, mit der ich mich an die Stelle
der beiden gedacht hätte. Ich habe so etwas nicht. Ohne den
Gegenstand zu kennen, den er beseligte – denn dieser Mann
beseligte diese Frau, er machte sie abwechselnd lachen und
weinen vor Seligkeit –, ohne den Gegenstand zu kennen,
empfand ich die wütendste Eifersucht gegen den Mann da
neben mir. Er machte eine Frau namenlos glücklich. Das
war mir genug, ihn glühend zu beneiden. Nicht so sehr um
das was er empfing, aber um das was er gab; ich konnte etwas in ihrer Stimme fühlen, ein Umkippen, ein Hinster-
ben, – es gab Momente –

FLORINDO  Es ist eine Gemeinheit, in einem Wirtshaus solche
Kamine zu legen!

CARLO  Sie haben recht. Ich fing auch an, mich zu schämen.
Ich wollte nicht länger auf Töne lauern, die zu hören das
ausschließliche Vorrecht dessen ist, der sie hervorgerufen
hat. Ich zog mich an. Ich zündete ein Licht an, ich begann
einen Brief zu schreiben, mit einer elenden Feder auf erbärmlichen Papier versuchte ich, einen hartherzigen verhaßten Onkel in gewundenen Ausdrücken um ein Darlehn
zu bitten. Das Kratzen der Feder übertäubte auch wirklich
eine Zeitlang –

FLORINDO  Aber Sie schrieben nicht lange.

CARLO  Nein. Die abscheulichsten Gedanken drängten sich
zwischen jeden Federstrich und den nächsten. Die
Überflüssigkeit, die Inhaltslosigkeit meines Lebens wider-
ten mich an. Meine Jugend erschien mir abgeschlossen,
verzehrt in kraftlosen, vergeblichen Anstrengungen. Jetzt,
sagte ich zu mir selber, vermag ich noch einen Unbekannten zu beneiden. Noch darf ich mich über das Schicksal beklagen, daß es mich nicht an seine Stelle gesetzt hat. Aber
ich zittere davor, allmählich einer solchen Möglichkeit
unwürdig zu werden. Ich werde vertrocknen, meine Kraft
zu lieben wird absterben, wie jede menschliche Kraft ab-
stirbt, wenn sie nicht genutzt wird.

FLORINDO  Ihre Gedanken könnten mir verhaßt werden. Mir wäre lieber, mit einem alten Weib die Werke der Liebe üben, als mich in solchen Hypochondrien abquälen.

CARLO  Und heute? – fragte ich mich, und jetzt? in dieser Stunde? wäre ich denn auch würdig, die Stelle jenes Menschen einzunehmen? Wer weiß es! Er ist von einem entzükkenden Humor, mitten unter den Gewittern einer Zärtlichkeit, die mich durch die Mauern mit elektrischen Strömen durchzuckte, spricht er kleine Worte, über die sie laut auflachen muß – er weiß sich zu mäßigen, denn noch hat kein zu lautes Wort mir den Klang seiner Stimme verraten, er ist sicherlich treu, eine solche schrankenlose Hingabe, ein solches Ineinanderschmelzen zweier Wesen ist nicht die Frucht der ersten Nacht, auch nicht der zweiten, sie sind seit Monaten miteinander verheiratet, vielleicht seit einem Jahr.

FLORINDO  Bravo! Sie legen Ihrer Phantasie keinen Zügel an.

CARLO  Und wie gut, wie gut begreife ich es, daß man in der Ehe, gerade in der Ehe –. Es sind brave Leute, nicht eben reich, aber glücklich und zufrieden.

FLORINDO  Woher wissen Sie nun das wieder?

CARLO  Es ist unschwer zu erraten. Der Mann hat eine Reise tun müssen, nach Mailand, nach Venedig, wohin immer, und da ist ihm die junge Frau eine Tagereise weit entgegengekommen.

FLORINDO  Sie dichten einen Roman!

CARLO  Ich wette, es ist die Wahrheit. Ich habe ein kleines gelbes Landwägelchen unten stehen sehen. Mit dem ist sie gekommen – und nun fahren sie zusammen ins Gebirg hinein, und haben vielleicht daheim schon ein erstes Kind, dem die heutige Nacht das Geschwister schenkt. Herr Gott, wie kann man glücklich sein auf dieser Welt – wenn bloß die Umstände es wollen, bloß die Umstände!

*Der alte Herr geht vorbei, verschwindet nach der Seite, von der er früher gekommen ist, nicht ohne die beiden kopfschüttelnd ins Auge gefaßt zu haben.*

FLORINDO  *dem Alten nachsehend*  Wird diese Nachtmütze endlich verschwinden!

*Zu Carlo*
Wie sagten Sie?

CARLO *seufzend* Ich sagte nichts.

FLORINDO Sie sind geschaffen, eine Frau glücklich zu machen.

CARLO Das ist sehr die Frage. Dazu muß man wahrscheinlich aus anderem Stoff sein. Er ja – mein Nachbar, der hat mirs bewiesen. Dem glaube ichs aufs Wort, daß er der Mann dazu ist.

FLORINDO Ich möchte Ihnen schwören, er hatte nicht die Absicht, es gerade Ihnen zu beweisen.

CARLO Immerhin. Einem Menschen wie diesem würde ich meine Schwester zur Frau geben.

FLORINDO Sagen Sie das nicht! nein! Sagen Sie das nicht.

CARLO Was haben Sie?

FLORINDO *schon ungeduldig, zu gehen, kann nicht umhin, dies noch zu sagen* Und während Sie sich diesen kleinen Roman ausdachten, da gingen Sie fortwährend auf und ab, auf und ab.

CARLO Ja – aber woher –

FLORINDO Wir konnten nicht begreifen, wer da unermüdlich auf und ab ging wie ein gefangener Tiger.

CARLO Sie?

FLORINDO Die Dame und ich.

CARLO Sie?

FLORINDO Ja. Der Kamin leitet nach der andern Seite, natürlicherweise.

CARLO Sie!

FLORINDO Da haben Sie Ihren braven Bürger und Ehemann.

CARLO Sie!

*Eine Pause.*

Florindo, Sie haben mir eine gute Lektion erteilt.

FLORINDO *auf dem Sprung* Und ich habe dabei einen sehr liebenswerten Menschen kennengelernt.

# FLORINDO

*Ein offener Platz in Venedig mit der Aussicht auf die Lagune, links ein kleines Kaffeehaus mit Tischen im Freien. Eine Laterne darüber. Die meisten der Tische besetzt. An einem sitzt ein Herr, der schreibt. Teresa ein junges Mädchen in Pantoffeln und offenem Haar tritt aus der Türe eines Hauses rechts und geht hinüber zu Benedetto dem Kellner.*

TERESA  *zu Benedetto*  Was ist mit dem Paretti? Er will nichts hergeben?

BENEDETTO  Gib acht, er ist mißtrauisch wie ein Dachs.

TERESA  Also? Ich bin oben schon auf Kohlen gesessen.

BENEDETTO  Ich habe getan was ich konnte.

TERESA  Im Anfang macht er doch immer seine Komödie.

BENEDETTO  Ich habe den Eindruck, für jeden Anderen als für Florindo, wäre etwas zu machen gewesen.

TERESA  Was soll er gerade gegen Florindo haben?

BENEDETTO  Ich weiß nicht, eine Laune. Mit Frauen und mit Wucherern lernt man nie aus.

TERESA  Wenn er von Anfang an nicht gewollt hätte, so wäre er nicht gekommen. Er setzt sich nicht ins Kaffeehaus, um keine Geschäfte zu machen. Du darfst ihn nicht auslassen.
*Ein Gast winkt Benedetto zu sich.*

BENEDETTO  *ohne sich zu regen*  Ich komme, Herr Graf, ich bin auf dem Wege zu Ihnen.
*Zu Teresa*
Würde Florindo Ware nehmen, Juwelen, Möbel, was immer?

TERESA  Sehr ungern natürlich, aber man nimmt schließlich was man bekommt und es eilt, er verläßt sich auf mich und ich habe mich auf dich verlassen.

BENEDETTO  Du bist mir rätselhaft. Wenn du noch mit ihm wärest – aber alles für seine schönen Augen.

TERESA  Das verstehst du nicht. Er wird prolongieren müs-

sen, ich werde es vermitteln. Er wird Ware übernehmen
müssen, ich werde zu tun haben, sie für ihn zu verkaufen.
Er wird in meine Wohnung kommen, wäre es nur um seinen Ärger auszulassen.

BENEDETTO    Du stellst keine übertriebenen Ansprüche.

*Der Gast ist aufgestanden.*

BENEDETTO    Gewiß, Herr Graf, hier bin ich schon.

*Geht hinüber, nimmt das Geld, geht dann zu Teresa zurück. Der
Gast mit der bei ihm sitzenden Dame geht fort.*

TERESA    *zu Benedetto*    Das wäre was, wenn es einem Menschen wie dir nicht gelingen sollte, einen solchen alten Teufel herum zu kriegen, brr, das Gesicht!

*Sie sieht verstohlen nach einem alten Mann, der allein an einem
Tische weiter rückwärts sitzt.*

BENEDETTO    Ein sehr gutes Gesicht für sein Gewerbe. Sein
Kopf ist so viel wert wie ein diskretes Aushängschild. Er
sieht aus wie der wandelnde Verfallstag.

*Der alte Mann gibt Benedetto ein Zeichen. Benedetto geht zu
ihm hinüber.*

DER ALTE MANN    Wie kommen Sie dazu, dem Menschen dort
das Schreibpapier zu kreditieren? Sind Sie der Wohltäter
der Menschheit?

BENEDETTO    Im Ernst, Herr Paretti, das kann früher nicht Ihr
letztes Wort gewesen sein. Der Herr Florindo –

DER ALTE MANN    Wenn Sie den Namen noch einmal aussprechen, bezahle ich und gehe.

BENEDETTO    Sehr gut.

*Geht zu Teresa hinüber*

Ich glaube, es wird etwas zu machen sein.

TERESA    Ja? Gott sei Dank!

BENEDETTO    Er hat gesagt, wenn ich den Namen noch einmal
ausspreche, so zahlt er und geht; also wird er mit sich reden
lassen.

*Geht zu dem alten Mann hinüber.*

DER ALTE MANN    *sieht dem Herrn und der Dame nach, die abgegan-
gen sind*    Wovon hält der Graf Prampero einen Bedienten?
Die Leute haben nichts aufs Brot. Was? Die Frau hat einen
Liebhaber? Ja? Nein? Wieso nein?

BENEDETTO  Sie hat keinen. Der erste und einzige, den sie jemals hatte, war eben der Herr, dessen Namen auszusprechen Sie mir verboten haben.

DER ALTE MANN  Der Florindo? Der Mensch ist eine öffentliche Person, ein Faß ohne Boden, und da soll ich mein gutes Geld hinein werfen.

*Eine maskierte Dame, begleitet von einer alten Frau, erscheint in dem Gäßchen rechts, sieht sich um und verschwindet wieder.*

BENEDETTO  Die Geschichte wäre unterhaltend genug, aber ich werde mich hüten, sie Ihnen zu erzählen. Ich fürchte mich ohnehin, daß Sie meine Stellung in der ganzen Sache sehr falsch auffassen, Herr Paretti. Ich interessiere mich für den jungen Mann, das ist alles.

*Geht zu Teresa hinüber, die sich an einen der leeren Tische gesetzt hat.*

TERESA  Hast du die Maskierte gesehen?

BENEDETTO  Es wird eine Dame gewesen sein, die aus dem Theater kommt.

TERESA  Es war Florindos Geliebte.

BENEDETTO  Die Schneidersfrau?

TERESA  Kein Gedanke. Wo ist die! Die jetzige ist ein junges Mädchen aus gutem Haus. Sie heißt Henriette. Sie ist eine Waise und hat einen einzigen Bruder, der in einem Amt ist. Ich freue mich, ich freue mich! Ich finde das unbezahlbar.

BENEDETTO  Was?

TERESA  Daß er sie schon warten läßt.

BENEDETTO  Bestellt er sie hierher?

TERESA  Natürlich. Sie ist pünktlich wie die Uhr und läßt sich immer von derselben Person begleiten, die dann verschwindet. Ach Gott, das arme Geschöpf.

*Lacht.*

Bis jetzt war er immer der erste. Und heute bleibt er schon aus. Jetzt hat sie noch vierzehn Tage vor sich, höchstens drei Wochen.

BENEDETTO  *steht bei dem alten Herrn*  Nach einigen Wochen war Florindo der Gräfin überdrüssig. Er hat ein außerordentliches Talent, ein rasches Ende zu machen. Er verschwindet von einem Tag auf den anderen. Aber er hatte

ohne die Anhänglichkeit gerechnet, die er dem Manne eingeflößt hatte. Der Graf kann einfach ohne Florindo nicht
leben, er hat ihm hier im Kaffeehaus Szenen gemacht, ob er
ihn beleidigt hätte, – ob die Gräfin ihn beleidigt hätte, welche Genugtuung er ihm anbieten könne. Da, da, haben Sie
das Manöver. Da hinten kommt Florindo und da die
Pramperos.

*Der Herr und die Dame, die früher weggegangen waren, sind
jetzt hinten noch einmal vorbeigegangen. Florindo kommt von
rückwärts.*

Er schneidet sie einfach. Gewöhnlich spricht er wenigstens
ein paar Worte mit ihnen. Sehen Sie die Miene des Alten an,
und sehen Sie die Frau an, schnell. Wie sie dunkelrot wird.
Ich glaube es ist ihr einziges Vergnügen sich jeden zweiten
oder dritten Tag dieser Beschimpfung auszusetzen. Aber
was wollen Sie, das ist die einzige Zerstreuung die ihr
Mann ihr bieten kann.

*Florindo kommt eilig nach vorn.*

TERESA *steht auf, tritt zu ihm, flüstert* Das Fräulein ist schon
da.

FLORINDO  Was?

TERESA  Dort in der Gasse ist sie auf und ab spaziert mit der alten Person – beeilen Sie sich nur.

*Florindo will hinüber. Die Unbekannte und die alte Frau treten
von rechts heraus.*

FLORINDO  Henriette!

DIE UNBEKANNTE  Ich bin nicht Henriette.

*Florindo stutzt.*

DIE UNBEKANNTE  Aber es ist Henriette, die mich hier hergeschickt hat, um Ihnen etwas zu sagen.

FLORINDO  Henriette ist krank!

DIE UNBEKANNTE  Seien Sie beruhigt, sie ist ganz wohl. Aber
sie hat es nicht gewagt auszugehen, weil sie fürchtet, daß
ihr Bruder heute ankommt.

FLORINDO  *ärgerlich* Er sollte länger ausbleiben.

DIE UNBEKANNTE  Und Sie sind ärgerlich. Das ist sehr begreiflich. Es wäre sehr peinlich für Henriette, wenn es nicht der
Fall wäre. Aber das erklärt Ihnen noch nicht, warum sie

mich hergeschickt hat. Es handelt sich um etwas, das man schwer schreibt und noch weniger einer alten Begleiterin anvertraut.

FLORINDO  Sie machen mich unruhig noch dazu.

DIE UNBEKANNTE  Wo kann ich fünf Minuten mit Ihnen sprechen?

FLORINDO  Hier, wenn Sie es nicht vorziehen, mit mir in eine Gondel zu steigen.

DIE UNBEKANNTE  Hier.

FLORINDO  Dann setzen wir uns.

*Die Unbekannte zögert.*

Es ist unendlich weniger auffällig, als wenn wir hier stehen und uns unterhalten.

*Sie setzt sich.*

Sie wollen sich nicht demaskieren?

DIE UNBEKANNTE  Ich weiß nicht ob ich es soll!

FLORINDO  Ich denke, daß das, was Sie mir zu sagen haben, wichtig ist. Bedenken Sie, um wieviel aufmerksamer ich Ihnen zuhören werde, wenn ich Ihr Gesicht sehe, als wenn ich mir die ganze Zeit den Kopf zerbreche, wie Sie aussehen können.

DIE UNBEKANNTE  Gut, Sie sollen mein Gesicht sehen, aber da ich weiß, daß ich unvergleichlich weniger hübsch bin als Henriette, so werden Sie so zartfühlend sein, mir kein Kompliment zu machen.

*Zögert einen Augenblick, nimmt dann die Maske ab.*

FLORINDO  Oh! Es tut mir sehr leid, daß Sie mir verboten haben –

DIE UNBEKANNTE  Es ist ein gewöhnliches Gesicht. Aber man sagt, es ist eines von den Gesichtern, an die man sich mit der Zeit attachiert.

FLORINDO  Man braucht sehr wenig Zeit. Ein Augenblick genügt.

*Küßt ihre Hand.*

DIE UNBEKANNTE  *entzieht ihm ihre Hand*  Bleiben wir bei Henriette.

*Florindo aufmerksam.*

Ich bin Henriettes beste Freundin. Wenn sie Ihnen nicht von mir erzählt hat –

FLORINDO   Oh doch. Aber ich hatte Sie mir nicht so jung gedacht, denn Sie müssen offenbar die verheiratete Freundin
sein.

DIE UNBEKANNTE   Ganz recht.

FLORINDO   Deren Namen sie mir niemals nannte.

DIE UNBEKANNTE   Das war mein Wunsch, aber lassen wir
mich aus dem Spiel. Meine Rolle in eurem Stücke ist nicht
der Rede wert.

FLORINDO   Es ist die Sache des guten Schauspielers, aus der
undankbarsten Rolle die erste zu machen.

DIE UNBEKANNTE   Wer sagt Ihnen, daß ich diesen Ehrgeiz
habe? Jemals haben könnte?

FLORINDO   Ein ganz bestimmtes Gefühl, das ich viel lieber
Ihrem ganzen Wesen mitteilen als mit Worten definieren
möchte.

DIE UNBEKANNTE   Es gibt aber doch keine andre Möglichkeit,
ein Gefühl mitzuteilen, als durch Worte.

FLORINDO   Ah!
*Sieht sie an.*

DIE UNBEKANNTE   Mein lieber Herr Florindo, ich werde mich
meines Auftrages entledigen und Ihnen dann gute Nacht
sagen.
*Florindo küßt ihr blitzschnell die Hand.*
Wofür?

FLORINDO   Dafür, daß Sie mir dieses kleine Zugeständnis machen.

DIE UNBEKANNTE   Welches denn?

FLORINDO   Daß Sie mich nicht mehr für einen ganz Fremden
ansehen.

DIE UNBEKANNTE   Wie hätte ich das zugestanden?

FLORINDO   Indem Sie mir mit dem drohen, was noch vor einer Minute die natürlichste Sache von der Welt gewesen
wäre, daß Sie fortgehen werden, nachdem Sie mir nichts
mehr von Henriette zu sagen haben.

DIE UNBEKANNTE   Sie sind sehr rasch bei der Hand, etwas das
man gesagt hat, so aufzufassen, wie es Ihnen passen könnte.

FLORINDO   Das ist der gewöhnlichste Kunstgriff, um sich
durch das was der Andre spricht, möglichst viel Vergnügen zu verschaffen.

DIE UNBEKANNTE  Ja, bei einer Person in die man verliebt ist.

FLORINDO  Ganz recht, oder verliebt zu sein anfängt.

DIE UNBEKANNTE  Mein Gott, seien Sie nicht abgeschmackt. Sie kennen mich seit zwei Minuten.

FLORINDO  Mit dieser Sache hat die Kürze oder Länge der Zeit absolut nichts zu schaffen.

*Eine kleine Pause.*

DIE UNBEKANNTE  Wollen Sie anhören, was ich Ihnen von Ihrer Freundin zu sagen habe?

FLORINDO  Ich warte darauf.

DIE UNBEKANNTE  Sagen Sie, wer ist diese kleine Person, die hier herumschleicht? Sie macht Ihnen Grimassen, sie horcht auf jedes Wort, das wir sprechen –

FLORINDO  *sieht sich um*  Ah, das ist niemand.

DIE UNBEKANNTE  Wie niemand?

FLORINDO  Das ist Teresa, die Nichte des Kellners dort. Die guten Leute besorgen alle möglichen Kommissionen für mich. Wollen Sie, daß ich ihn herrufe? Er ist der größte Weltweise unter den Kellnern, den ich kenne.

*Er winkt.*

*Benedetto tritt an den Tisch.*

DIE UNBEKANNTE  Es scheint, das Mädchen hat Ihnen etwas zu sagen.

FLORINDO  *gegen Benedetto*  Ich habe dieser Dame von Ihnen gesprochen.

DIE UNBEKANNTE  Dieser Herr hat eine sehr hohe Meinung von Ihnen.

*Florindo steht auf, geht zu Teresa, sie sprechen miteinander.*

BENEDETTO  *zur Unbekannten*  Die aber noch nicht an meine Meinung von ihm heranreicht. Denn ich halt ihn geradezu für ein Genie. Freilich gehts ihm wie allen Genies –

DIE UNBEKANNTE  Inwiefern?

BENEDETTO  Daß er nur zu der einen Sache auf der Welt gut ist.

DIE UNBEKANNTE  Und welche Sache ist das?

BENEDETTO  Das werde ich mich wohl hüten mit dürren Worten zu einer Dame zu sagen, die alle Qualitäten hat, bei dieser einen Sache sehr in Frage zu kommen.

TERESA  *zu Florindo*  Ach geh, wer dir zuhört, der ist schon
betrogen, aber die dich hat, der ist wohl.

FLORINDO  *geht an den Tisch zurück*  Wie finden Sie ihn?
*Benedetto ist beiseite gegangen.*

DIE UNBEKANNTE  Mehr unverschämt als unterhaltend. Er
macht mir kein Verlangen nach der Nichte.

FLORINDO  Die ist ein braves, gutes Mädchen, aber darf ich
jetzt wissen, was Henriette –

DIE UNBEKANNTE  Diese Person ist Ihre Geliebte, gleichzeitig
mit Henriette!

FLORINDO  Sie irren sich.

DIE UNBEKANNTE  Lügen Sie nicht.

FLORINDO  Es steht Ihnen so gut, wenn Sie zornig sind. Es
gibt so verschiedene Arten vor Ärger zu erröten, aber die
Ihrige ist ganz persönlich.

DIE UNBEKANNTE  Sie sind unverschämt. Es ist um Henriettes
willen, daß mir das Blut ins Gesicht steigt.

FLORINDO  Ich schwöre Ihnen, es ist die unschuldigste Sache
von der Welt.

DIE UNBEKANNTE  Das kann ich mir denken, nach dem Tone
in dem sie mit Ihnen spricht!

FLORINDO  Wenn ich Ihnen mit einem Wort sage, woher die
Vertraulichkeit dieses Mädchens kommt, werden Sie beruhigt sein.

DIE UNBEKANNTE  Sagen Sie es immerhin.

FLORINDO  Ich bin ihr Doyen. Ganz einfach.

DIE UNBEKANNTE  Wie? Was?

FLORINDO  Und heute ist absolut nichts zwischen mir und
ihr.

DIE UNBEKANNTE  Was sind Sie?

FLORINDO  Ich bin der älteste ihrer näheren Bekannten.

DIE UNBEKANNTE  Und Sie finden es geschmackvoll, eine solche Bekanntschaft, wie Sie es nennen, ins Unbestimmte
fortzusetzen?

FLORINDO  Ich würde es verächtlich finden, sie mutwillig abzubrechen. Ich habe eine reizende Erinnerung, es ist ein gutes und liebes Mädchen.

DIE UNBEKANNTE  Ich denke es wird richtiger sein, ich entle-

dige mich meines Auftrages, als daß ich mir von Ihnen
Lobreden Ihrer Straßenbekanntschaften halten lasse.

FLORINDO   Wählen Sie keine harten Ausdrücke. Es kommt
Ihnen nicht vom Herzen.

DIE UNBEKANNTE   Lassen wir also Ihre Freundin, die in Pantoffeln im Kaffeehaus sitzt. Es handelt sich darum, daß Carlo, Henriettes Bruder heute nach Venedig zurückkommt.

FLORINDO   Aber ich kenne ja Carlo. Wir werden uns höflich
begrüßen und einander ausweichen und alles wird gut sein.

DIE UNBEKANNTE   Sie begreifen, daß es Henriette sehr ängstlich macht, Sie und ihn in der selben Stadt zu wissen.

FLORINDO   Wir waren doch zeitlebens in der selben Stadt,
wissen Sie denn nicht, daß ich Henriette seit Jahren kenne?
Noch im Haus ihrer Mutter verkehrt habe?

DIE UNBEKANNTE   Sie mögen zeitlebens in der selben Stadt
mit Carlo gewesen sein, aber Sie waren nicht zeitlebens –

FLORINDO   Der Geliebte seiner Schwester.

DIE UNBEKANNTE   Das wollte ich sagen.

FLORINDO   Bah, ein Bruder ist wie ein Ehemann, er ist immer
der Letzte ders erfährt. Und schließlich –

DIE UNBEKANNTE   Ich glaube, mein Lieber, daß Sie Carlo sehr
ungenau kennen.

FLORINDO   Aber ich kenne ihn wie meinen Handschuh. Es ist
viel Ähnlichkeit zwischen Henriette und ihm. Beide sind
melancholisch und hochmütig. Beide verachten das Geld
und leiden entsetzlich darunter, keines zu haben. Es ist übrigens sonderbar, die selben Züge, die mich an Henriette so
entzücken, habe ich an Carlo immer unerträglich gefunden. – Aber er wird nichts erfahren.

DIE UNBEKANNTE   Er wird es eines Tages erfahren. Und das
wird Ihr letzter Tag sein.

FLORINDO   Er wird mich herausfordern. Ich werde in die Luft
schießen. Er wird mich fehlen. Beruhigen Sie Henriette.

DIE UNBEKANNTE   Aber Sie haben ja keine Ahnung, wie Carlo
ist, wenn ihm etwas wirklich nahe kommt. Carlo liebt
seine Schwester zärtlich.

FLORINDO   Sie vergöttert ihn. Ihre Art, unablässig von ihm zu
sprechen, stellt meine Geduld auf die Probe.

DIE UNBEKANNTE  An dem Tage, wo er es erfährt, sind Sie ein toter Mensch, wie der Marchese Papafava.

FLORINDO  Wie welcher Herr?

DIE UNBEKANNTE  Ach Gott, die Geschichte in Treviso.

FLORINDO  Ich habe keine Ahnung.

DIE UNBEKANNTE  Sie werden mir nicht sagen, daß Sie die Geschichte nicht kennen, die Geschichte von Carlos Tante, die Geschichte von dem schwarzen Pflaster, mit einem Wort: Die Geschichte von dem Duell, das Carlo hatte, als er achtzehn Jahre alt war, und das er so oft wiederholte, bis er den Marchese unter die Erde gebracht hatte. Wie ist es möglich, daß Sie die Leute kennen und die Geschichte nicht kennen?

FLORINDO  Vielleicht habe ich sie gehört und wieder vergessen.

DIE UNBEKANNTE  Man vergißt sie nicht, wenn man sie einmal gehört hat. Ich habe Henriette geschworen, Sie an die Geschichte zu erinnern.

FLORINDO  Und was soll welche Geschichte immer für einen Einfluß auf meine Beziehung zu Henriette haben?

DIE UNBEKANNTE  Den, Sie fürs Nächste sehr zurückhaltend, sehr vorsichtig zu machen.

FLORINDO  Das müßte eine sehr sonderbare Geschichte sein.

DIE UNBEKANNTE  Es ist eine sehr sonderbare Geschichte. Und jedenfalls werden Sie um Henriettes willen so handeln, wie man Sie zu handeln bittet.

FLORINDO  Das wird abhängen.

DIE UNBEKANNTE  Hören Sie mir nur zu. Carlos Tante war noch jung und sehr hübsch.

FLORINDO  Eine Tante von Carlo und Henriette? Ich müßte sie kennen!

DIE UNBEKANNTE  Sie lebt nicht mehr. Sie hatte keine feste Gesundheit. Sie ist an den Folgen dieser Sache gestorben. Carlo war damals wie gesagt achtzehn Jahre alt und verliebte sich mit aller Leidenschaft einer scheuen und verschlossenen Natur in die Tante.

FLORINDO  Die Tante verlangte sich nichts Besseres.

DIE UNBEKANNTE  Ganz recht. Aber das Bessere war, wie so

oft, der Feind des Guten. Es existierte schon jemand, der seit sechs oder sieben Jahren alle Rechte innehatte –

FLORINDO  Die jetzt dem jungen Neffen eingeräumt werden sollten.

DIE UNBEKANNTE  Erzählen Sie, oder erzähle ich?

FLORINDO  Natürlich Sie. Ich würde sofort stecken bleiben, denn ich weiß nicht, was weiter kommt.

DIE UNBEKANNTE  Aber Marchese Papafava, das ist der Herr, um den es sich handelt, war nicht sehr tolerant. Gelegentlich im Hause der Dame äußerte er sich ziemlich scharf über den jungen Menschen und sagte: »Wäre der Respekt nicht, den er der Hausfrau schuldig sei, so hätte eine gewisse Unbescheidenheit dem Herrn Neffen längst eine Ohrfeige von seiner Hand eingetragen.« In diesem Augenblick tritt Carlo in den Saal und, während alle sehr still sind, sagt er: »Ich nehme die Ohrfeige als empfangen an, Herr Marchese.«

FLORINDO  Sie gehen miteinander hinunter in den Park –

DIE UNBEKANNTE  Nicht so schnell. Sie vergessen, daß die Tante und ein paar Andre den kleinen Dialog angehört hatten.

FLORINDO  Man konnte die beiden doch nicht hindern?

DIE UNBEKANNTE  Man versuchte es wenigstens. Das heißt, die anderen Menschen verschwanden, und die Tante blieb allein mit den beiden Herren. Sie wendet sich in Verzweiflung an den Einen, an den Anderen, sie weint, sie bittet, sie wirft sich, glaub ich, vor ihnen nieder.

FLORINDO  Die arme Frau.

DIE UNBEKANNTE  Sie schwört ihnen, daß, wenn einer von ihnen den anderen töte, sie für den Überlebenden weder Liebe noch Freundschaft, sondern nichts als unauslöschlichen Haß hegen werde.

FLORINDO  Wie kann sie das wissen?

DIE UNBEKANNTE  Was wollen Sie?

FLORINDO  Wie kann man wissen, ob man jemanden hassen wird? Es ist ebenso töricht, auf Jahre hinaus Haß zu versprechen, als Liebe.

DIE UNBEKANNTE  Kurz, die arme Tante fällt schließlich ohn-

mächtig hin, ohne etwas erreicht zu haben. Am nächsten
Morgen duellieren sich die beiden, Carlo bleibt unverwundet und läßt den Marchese mit einem Stich durch die
Lunge in der Hand der Ärzte. In der gleichen Stunde erscheint Carlo, wie wenn nichts geschehen wäre –

FLORINDO  Ihm war ja nichts geschehen.

DIE UNBEKANNTE  – Im Salon seiner Tante, die erstaunt ist, auf
seiner Wange ein handgroßes schwarzes Pflaster zu sehen. –
»Was bedeutet das?« fragte sie, ohne zu lachen, denn es war
etwas in seiner Miene, das nicht zum Lachen stimmte:
»Hast du Zahnschmerzen oder was sonst?« – »Ich trage das
seit gestern Abend« sagte er in einem gewissen Ton. – Was
machen Sie denn für ein zerstreutes Gesicht?

FLORINDO  Ich dachte einen Augenblick, daß Sie die Tante
und ich Carlo wären, daß wir beide allein in ihrem Zimmer
wären und was jetzt geschehen würde.

DIE UNBEKANNTE  Es geschieht garnichts, als daß er aufsteht,
in den Spiegel sieht und sagt: »Ja, es kommt mir wirklich
etwas groß vor.« Dann vom Toilettentisch eine Schere
nimmt –

FLORINDO  Ah, es war also ihr Schlafzimmer, wo sie ihn empfangen hatte und nicht ihr Salon?

DIE UNBEKANNTE  Schweigen Sie! – eine Schere nimmt, das
Pflaster herunter nimmt, ringsum davon einen kleinen
Rand wegschneidet und es dann wieder an seine Wange
drückt. – »Wie finden Sie mich jetzt, Tante?« sagte er dann.
– »Wenigstens um eine Kleinigkeit weniger lächerlich als
früher« sagte sie. – »Das ist immerhin etwas« sagt er.

FLORINDO  Und er?

DIE UNBEKANNTE  Der Marchese Papafava wird unverhoffter
Weise wieder gesund, Carlo fordert ihn zum zweiten Mal,
dann zum dritten und endlich zum vierten Mal. Nach
jedem Duell schneidet er von seinem schwarzen Pflaster
einen kleinen Rand weg und klebt sich den Rest auf die
Wange. Es war schließlich nicht mehr viel größer als eine
Mouche.

FLORINDO  Und die trägt er heute noch?

DIE UNBEKANNTE  Die nahm er an dem Tag herunter, als er die

Nachricht bekam, daß der Marchese an einem Rückfall seines Wundfiebers gestorben war.

FLORINDO  Und die Tante?

DIE UNBEKANNTE  Ihre Gesundheit war nie stark gewesen, sie konnte diese Sache nicht aushalten. Was sagen Sie zu meiner kleinen Geschichte?

FLORINDO  Ich sage, daß ich diese Handlungsweise hinter einem Menschen wie Carlo nie gesucht hätte, und daß er mich jetzt mehr interessiert, wie früher.

DIE UNBEKANNTE  Sie werden mir Ihr Wort geben, Henriette von jetzt an nur an den Stunden und den Orten zu sehen, die sie selbst Ihnen vorschlägt, vor allem keine Versuche zu machen, eine Begegnung zu erzwingen, wenn eine solche durch Tage, vielleicht durch Wochen unmöglich sein sollte.

FLORINDO  Ah, wie können Sie, oder wie kann Henriette das verlangen? Henriette müßte mich für einen ausgemachten Feigling halten!

DIE UNBEKANNTE  Aber zum Teufel, mein guter Mann, es handelt sich nicht allein um Sie, es handelt sich vor allem um Henriette. Sie kennen Henriette ebensowenig wie Sie Carlo kennen.

FLORINDO  Ich kenne Henriette nicht! Ah!

DIE UNBEKANNTE  Ein Mann kennt niemand weniger als eine Frau, die rascher, als er es verdient, seine Geliebte geworden ist.

FLORINDO  Das beliebt Ihnen zu sagen.

DIE UNBEKANNTE  Nein, das ist so. Henriette, daß Sie es wissen, ist genau aus demselben Holz geschnitten wie Carlo. Wenn Sie und Carlo in dieser Situation aneinander geraten, so sind Sie ein verlorener Mensch, aber Henriette wirft sich noch vorher aus dem Fenster.

FLORINDO  Gut, ich gebe mein Wort – aber unter einer Bedingung!

DIE UNBEKANNTE  Die wäre?

FLORINDO  Daß ich dafür Sie sehr oft sehen werde.

DIE UNBEKANNTE  *in unsicherem Ton*  Mich? Was soll dieser Unsinn?

FLORINDO *zwischen den Zähnen* Ernst.

DIE UNBEKANNTE Sie sind ein sonderbarer Mensch. Ich weiß wirklich nicht, was ich aus Ihnen machen soll.

FLORINDO Demnächst Ihren Liebhaber, ganz einfach.

DIE UNBEKANNTE Abgesehen davon, daß Sie sehr unverschämt sind – es würde Sie also nichts kosten, ein Wesen wie Henriette, die sich ihr Idol aus Ihnen gemacht hat, zu betrügen? Mit mir, mit der kleinen Person dort, mit wem immer!

FLORINDO *ist aufgestanden* Mit wem immer natürlich nicht – nur mit jemandem, der mir äußerst begehrenswert erscheint.

DIE UNBEKANNTE Jetzt begreife ich allerdings, daß Sie Henriette nicht heiraten. Ich war recht naiv, mir darüber den Kopf zu zerbrechen.

FLORINDO *herzlich* Ich habe Henriette sehr lieb.

DIE UNBEKANNTE Arme Henriette!

FLORINDO Ich sage Ihnen, daß ich Henriette sehr lieb habe.

DIE UNBEKANNTE Mißbrauchen Sie doch dieses Wort nicht so!

FLORINDO Ich mißbrauche weder dieses Wort, noch vergehe ich mich gegen das Mysterium, welches sich darunter verbirgt.

DIE UNBEKANNTE Sind Sie ernsthaft?

FLORINDO Ich bin sehr ernsthaft. Und ich frage Sie sehr ernsthaft, was entziehe ich Henriette von dem Maße von Glück, das ich ihr zu schenken fähig bin, wenn ich heute, jetzt, hier, wo ich nicht soviel für Henriette tun kann, Sie sehr liebenswürdig finde?

DIE UNBEKANNTE Aber was Sie da reden ist ja monströs!

FLORINDO *kalt* Finden Sie? Dann haben Sie in gewissen Dingen sehr wenig erlebt, oder über das, was Sie erlebt haben, sehr wenig nachgedacht. Sie wiederholen entweder gedankenlos eine Allerweltsheuchelei oder –

DIE UNBEKANNTE Oder?

FLORINDO Oder Ihre Natur ist sehr arm, sehr dürftig.
*Sie haben sich wieder gesetzt, Florindo dicht neben sie.*

DIE UNBEKANNTE Und wenn sie nicht arm und dürftig ist? –

FLORINDO   Da sie es nicht ist –

BENEDETTO   *tritt auf Florindo zu und flüstert ihm zu*   Herr Paretti, mit dem Sie zu sprechen wünschten –

FLORINDO   Später!

BENEDETTO   Er will nicht länger warten.

FLORINDO   Später!

*Stößt ihn fort, zur Unbekannten*
Da Sie weit davon entfernt sind, eine karge und dürftige
Natur zu sein, so brauchen Sie nur den Halbschlaf ver-
schnörkelter Begriffe abzuwerfen, um mir zuzugestehen –

DIE UNBEKANNTE   Niemals werden Sie mich dazu bringen,
Ihnen dies zuzugestehen – wenn Sie das, was wir nun einmal Liebe nennen, jeder Verpflichtung gegen das andere
Wesen entkleiden, so ist es eine recht gemeine kleine Pantomime die übrig bleibt.

FLORINDO   Verpflichtung? Ich kenne nur eine: Das andere
Wesen so glücklich zu machen als in meiner Kraft steht.
Aber in der kleinen Pantomime, die, wie Sie sagen, dann
übrig bleibt, bete ich auf den Knien das wahrhaft göttliche
Geheimnis an, den einzigen Anhauch überirdischer Seligkeit, den dieses Dasein in sich faßt. Liebhaben! Das ist wenig? Glücklich machen – im Atem eines geliebten Wesens
die ganze Welt einsaugen – das ist die verächtliche kleine
Pantomime, vor der Sie das Kreuz schlagen! Ich möchte
nicht Ihr Mann sein.

DIE UNBEKANNTE   Lassen Sie meinen Mann aus dem Spiele,
wenn ich bitten darf.

FLORINDO   Aber ist es nicht über allen Begriff wundervoll,
daß uns diese Kraft gegeben ist, diese Zauberkraft von
Geschöpf zu Geschöpf – ist es nicht um den Verstand drüber
zu verlieren, daß wir heruntertaumeln würden in eine Hölle, wenn uns das unbegreifliche Wesen da droben das nicht
zugeworfen hätte? Ist nicht die geringste unbeträchtlichste
Erinnerung an eine Gebärde der Liebe stark genug, uns in
den Tagen der Stumpfheit durch die Adern zu rinnen wie
Öl und Feuer? Wie? Hören Sie mich an! Es gibt eine Frau,
die einmal ein paar Wochen lang meine Geliebte war. –

DIE UNBEKANNTE   Es muß kurzweilig sein auf Schritt und
Tritt seinen Ariadnen zu begegnen.

FLORINDO  Diese Frau –

DIE UNBEKANNTE  Unbegreiflich genug, daß sich immer wieder ein Wesen findet.

FLORINDO  Diese Frau –

DIE UNBEKANNTE  Wenn alle Frauen Sie sehen würden, wie ich in diesem Augenblick Sie sehe!

FLORINDO  Diese Frau war nicht sehr schön und nicht geschaffen ein reines dauerndes Glück weder zu geben noch zu empfangen. –

DIE UNBEKANNTE  Um so besser für die Frau in diesem Fall!

FLORINDO  Sie irren sich. Man ist um so viel beneidenswerter, als man fähig ist, rein und stark zu fühlen. Aber dieser Frau war es gegeben, in einer wundervollen Weise zu erröten. Ihre verworrene Natur hätte nie das entscheidende Wort, nie den völlig hingebenden Blick gefunden, aber das dunkelglühende Erröten ihres blassen Gesichtes werde ich nie vergessen, und wenn die Erinnerung daran sich meiner bemächtigt, so liebe ich diese Frau mit einer schrankenlosen Zärtlichkeit!

DIE UNBEKANNTE  Indessen haben Sie diese Frau den Hunden vorgeworfen und wenn Sie ihr in einem Salon oder auf der Straße begegnen, kehren Sie ihr den Rücken, das wette ich.

FLORINDO  *leise*  Sie werden sehen, es ist nicht häßlich, meine Geliebte gewesen zu sein.

DIE UNBEKANNTE  Sie sind unverschämt.

FLORINDO  Es ist Ihnen übrigens seit langem bestimmt, es zu werden. Sie selbst –

DIE UNBEKANNTE  Was?

FLORINDO  Sie selbst, indem Sie nicht wollten, daß Henriette mir Ihren Namen sage. – Was war das anderes als eine versteckte Zärtlichkeit, ein leises Sichannähern im Dunklen? Und heute dieses Herkommen, dieses Lauern an der Ecke dort drüben –

DIE UNBEKANNTE  *steht schnell auf und will weggehen*  Ich habe fürs erste Mal genug von Ihnen, gute Nacht!

FLORINDO  *hält sie*  Wer gute Nacht sagt, muß auch guten Morgen sagen!

DIE UNBEKANNTE  Sie sind frech! Und zu dem irren Sie sich sehr.

FLORINDO  Ah!

DIE UNBEKANNTE  Und wenn Sie sich nicht irrten – was sollte das alles?

FLORINDO  Die Frage verdient keine Antwort. Wollen Sie dem Geist der Natur Vorschriften machen?

DIE UNBEKANNTE  Im Augenblick, wo man weiß, daß es doch so schnell endet!

FLORINDO  Wenn es endet! Wenn es da ist! Daß es da ist! Darüber wollen wir uns mit Kindern erstaunen! Daß es kommen kann! Daß es uns würdigt, einander zum Werkzeug der ungeheuersten Bezauberung zu werden! Fühlst du nicht im voraus mit einer Art von Furcht, und ist nicht diese Furcht eine Wollust, wird dir nicht jedes Mal bevor du aus dem Haus gehst, mich zu treffen, zu Mut, als ob du sterben und aufs Neue lebendig werden solltest?

DIE UNBEKANNTE  So ist es nicht. Lassen Sie mich. Es kann sein, daß Sie mir gefallen. Ich will nichts ableugnen. Aber Sie sind nicht so verliebt, wie Sie es sagen. Ihnen ist nicht, als wenn Sie sterben müßten, wenn ich dort hinter die nächste Ecke verschwinde.

FLORINDO  Das weiß ich nicht: aber ich weiß, daß es deinesgleichen gegeben hat und niemand sagt dir, daß sie schöner waren als du – die aus mir einen Menschen machen konnten, der sich mit geschlossenen Augen, wie ein Verzückter, ins Wasser oder ins Feuer geworfen hätte, wenn das der Weg in ihre Arme gewesen wäre, einen Menschen, der über der Seligkeit eines Kusses weinen konnte wie ein kleines Kind, und wenn er in dem Schoß der Geliebten einschlief, von seinem Herzen geweckt wurde, das vor Glück zu zerspringen drohte.

DIE UNBEKANNTE  *eifersüchtig*  In Henriette waren Sie so verliebt? In Henriette? Ich glaub es nicht!

FLORINDO  Was kümmert uns jetzt, ob es Henriette war oder eine andere. Wer sagt dir, daß du nicht heute Nacht hierher gekommen bist, um es mich aufs neue erleben zu machen.

DIE UNBEKANNTE  Ich fühle, daß ich mich in Sie verlieben könnte, aber zugleich weiß ich ganz genau, daß Sie mich nicht so lieb haben, wie Sie sagen.

FLORINDO  Ich weiß nichts, als daß eine göttliche Empfindung mir sehr nahe ist und da du es bist, die vor mir steht,
so wird wohl nicht die leere Luft daran schuld sein. Sag daß
du mit mir kommst!

DIE UNBEKANNTE  Du hast mich noch nicht lieb genug, später
vielleicht.

FLORINDO  Sie sind eine sonderbare Frau.

DIE UNBEKANNTE  *hat sich wieder ganz in der Gewalt*  Worüber
beklagen Sie sich? Eben war ich ja ganz nahe daran, den
Kopf zu verlieren. Dort hinüber! Nein, sehen Sie doch den
alten Mann! Den Abbate da. Nein, sehen Sie doch den
Menschen.

FLORINDO  *ärgerlich*  Was finden Sie an ihm so Besonderes?

DIE UNBEKANNTE  Sehen Sie doch nur seine Augen an! Wie er
da herum geht! Wie ein Heiliger! Wie ein Mensch aus einer
ganz anderen Zeit!

*Der Pfarrer steht schon seit einer Weile unschlüssig vor dem
Kaffeehaus, mit der Miene eines schüchternen Kindes.*

TERESA  *die seitwärts gestanden hat, geht auf ihn zu, knixt*  Suchen Sie etwas, Herr Abbate? Kann ich Ihnen mit etwas
dienen?

DER PFARRER  *grüßend*  Sie sind sehr gütig, gnädige Frau. Allerdings suche ich jemanden, an den ich mich wenden
kann, um eine Auskunft zu erbitten: Nämlich, ob das
Schiff, die Barke meine ich, die nach Mestre fährt, wirklich
hier an diesem Platz anlegt.

TERESA  Hier, Herr Abbate, jeden Morgen um sechs.

DER PFARRER  Ich danke sehr. Und wenn ich mir noch eine
Frage erlauben dürfte: Die Barke befördert doch mehrere
Personen?

TERESA  Vier oder fünf, ganz leicht, wenn sie nicht zu viel Gepäck hat.

DER PFARRER  Wenn sie nicht zu viel Gepäck hat. Es handelt
sich um meine Nichte und die Magd meiner Nichte, eine
sehr brave Magd – da kann ich also hoffen, daß alles in
Ordnung gehen wird. Es sind nämlich schon fünfunddreißig Jahre her, daß ich Venedig nicht betreten habe. Ich bin
der Pfarrer von Capodiponte, einem kleinen Dorf im fur-

lanischen Gebirge und heute bin ich gekommen um meine
Nichte abzuholen, die sich einige Wochen hier in Venedig
aufgehalten hat.

*Er spricht weiter zu Teresa.*

DIE UNBEKANNTE *gleichzeitig zu Florindo* Er hat Augen wie
ein Kind, ich finde ihn unaussprechlich rührend. Er ist auf
der Reise und er ist sicherlich sehr arm. Ich möchte ihm etwas schenken.

FLORINDO  Wo denken Sie hin!

DIE UNBEKANNTE  Ja, ich möchte ihm etwas schenken, wenn
ich nur Geld bei mir hätte!

*Der Pfarrer empfiehlt sich von Teresa.*

FLORINDO  Da, nehmen Sie so viel Sie wollen! – aber Sie werden ihn beleidigen.

DIE UNBEKANNTE  Ich wette, er nimmt es, wie ein Kind es
nehmen würde. Herr Abbate!

*Der Pfarrer nimmt den Hut ab.*

– dieser Herr dort und ich haben eben eine Wette miteinander gemacht, ich hoffe, Sie werden mir helfen, sie zu gewinnen.

DER PFARRER  Wenn ich etwas dazu tun kann –

DIE UNBEKANNTE  Dann habe ich auch schon gewonnen!
Denn Ihr guter Wille entscheidet. Sie sind auf der Reise,
Herr Abbate, und das Reisen ist eine unbequeme Sache.

DER PFARRER  Sie haben sehr recht, gnädige Frau.

DIE UNBEKANNTE  Sehen Sie, und man gibt sein Geld aus, man
weiß nicht wie.

DER PFARRER  Sie sind gewiß schon sehr viel gereist, gnädige
Frau.

DIE UNBEKANNTE  Es geht. Aber sehen Sie, wie ich da vor Ihnen stehe, habe ich heute eine kleine Summe im Spiel gewonnen, ein paar Goldstücke, nicht der Rede wert, die mir
aber doch sehr zu statten kämen, wenn ich gerade eine
Reise vor mir hätte. Da ist nun das Ärgerliche. Ich reise
nicht. Gerade die nächste Zeit werde ich kaum über Venedig hinauskommen. Da habe ich mir gedacht, ob Sie nicht
so liebenswürdig sein wollten, die kleine Reise, für die
diese Goldstücke nun einmal bestimmt sind, an meiner
Stelle zu tun?

DER PFARRER  Ich verstehe Sie nicht ganz. Sie wünschen mir
einen Auftrag zu geben?

DIE UNBEKANNTE  Der Auftrag besteht darin, daß Sie mir die
Gefälligkeit erweisen – und da Sie ohnedies reisen, geht es
ja in einem – diese paar Münzen unter die Leute zu bringen.

DER PFARRER  Diese Münzen? Unter die Leute?

DIE UNBEKANNTE  Indem Sie sie ausgeben, an Postillions,
Schiffsleute, Wirte und Kellner, ganz nach Ihrer Bequemlichkeit.

DER PFARRER  Aber wofür?

DIE UNBEKANNTE  An Vorwänden, Ihnen Geld abzunehmen,
wird es den Leuten schon nicht fehlen.

DER PFARRER  Ah, jetzt verstehe ich meine Dame. Sie sind sehr
gütig, meine Dame. Aber diesen Auftrag auszuführen, bin
ich ein zu ungeschickter Reisender. Verzeihen Sie mir,
meine Dame.
*Er gibt das Geld zurück, nimmt den Hut ab, auch nochmals vor
Teresa, geht links vorn ab.*

DIE UNBEKANNTE  Laufen Sie ihm nach! Bitten Sie ihn, mir
meine Unüberlegtheit zu verzeihen. Schnell, Florindo! Ich
habe nicht den Mut, es zu tun.

DER PFARRER  *tritt von links wieder auf und geht auf sie zu, indem er
den Hut abnimmt*  Ich komme zurück, denn ich habe Sie um
Verzeihung zu bitten, gnädige Frau.

DIE UNBEKANNTE  Ich bin es, mein Herr, die Sie um Verzeihung bitten muß.

DER PFARRER  Das sagen Sie nur, um mir eine verdiente Verlegenheit zu ersparen. Aber ich muß Sie bitten, mir die Ungeschicklichkeit eines Landbewohners zu Gute zu halten.
Ich habe seit fünfunddreißig Jahren mein kleines Dorf nicht
verlassen. Sie haben unstreitig aus der Dürftigkeit meiner
Kleidung darauf geschlossen, daß meine Gemeinde arm ist.
Und wirklich, es gibt unter meinen Pfarrkindern sehr
arme, sehr bedürftige. Es war an mir, gnädige Frau, die
geistreiche Form zu verstehen, die Sie gewählt haben, um
diesen Bedürftigen durch mich eine Wohltat zu erweisen,
die ich mit dankbarem Herzen annehme.

DIE UNBEKANNTE  Sie beschämen mich, mein Herr.

DER PFARRER   Da sei Gott vor, gnädige Frau.

FLORINDO   *leise:* Jetzt müssen Sie ihm mehr geben, schnell nehmen Sie, nehmen Sie noch.

*Reicht ihr seine Börse.*

DIE UNBEKANNTE   Darf ich?

FLORINDO   Nehmen Sie alles!

*Der alte Mann hat sich von seinem Platz erhoben und läuft ab, nachdem Benedetto vergeblich ihn zu begütigen versucht hat.*

DIE UNBEKANNTE   *zum Pfarrer* Wir haben unsere Wette fortgesetzt und durch Ihr Zurückkommen haben Sie mich das Vierfache gewinnen lassen.

*Gibt ihm das Geld.*

DER PFARRER   Wir werden Ihrer in den vielen Gebeten gedenken, Sie werden in unserem kleinen Dorf die unbekannte Wohltäterin heißen.

DIE UNBEKANNTE   Das verdiene ich nicht.

*Neigt sich und streift mit der Andeutung eines Kusses die Hand des Pfarrers. Der Pfarrer geht.*

Ich glaube, das ist der einzige Mensch, der mir je begegnet ist, der des Namens eines Christen würdig ist.

*Florindo küßt ihr beide Hände.*

Was haben Sie?

FLORINDO   Sie waren entzückend! Ich hatte Sie in diesem Augenblick so lieb, als wenn –

DIE UNBEKANNTE   War es so gut wie das Erröten dieser Frau, von der Sie mir erzählt haben?

FLORINDO   Es war tausendmal schöner, tausendmal kostbarer. Es war ein Moment um dessentwillen –

DIE UNBEKANNTE   Ich verdanke diesen Moment ganz allein Ihnen. Und er hat mir auch noch einen großen Dienst erwiesen, dieser Moment. Ich habe meinen Kopf wiedergefunden.

FLORINDO   Was soll das?

DIE UNBEKANNTE   Still, mein Lieber, wir spielen nicht mit gleichem Einsatz. Sie waren niemals in Gefahr, den Ihrigen um meinetwillen zu verlieren.

FLORINDO   Ah!

DIE UNBEKANNTE   Und ich werde Ihnen jetzt gute Nacht

sagen und für heute sehr vergnügt, sehr glücklich, nach Hause gehen.

FLORINDO  Das dürfen Sie nicht!

DIE UNBEKANNTE  Das muß ich, mein Lieber. Es wäre unverantwortlich von mir, wenn das Beispiel der armen Henriette an mir garnichts fruchten sollte.

FLORINDO  Was heißt das?

DIE UNBEKANNTE  Henriette ist allzu rasch Ihre Geliebte geworden, und ich, wie Henriette, bin keine von denen, um deretwillen Sie sich ins Wasser oder ins Feuer stürzen.

FLORINDO  Wie können Sie das wissen?

DIE UNBEKANNTE  Pst! Alles was mir übrig bleibt, ist, Sie an mich zu binden durch die Mühe, die Sie aufwenden müssen, mich zu erlangen und die kleinen Schmerzen, die hoffentlich mit dieser Mühe verbunden sind. Sie werden mich sehr wahrscheinlich von einem Tag auf den anderen verlassen – aber Sie sollen mich nicht von einem Tag auf den anderen gehabt haben. Adieu!

FLORINDO  Ich werde Sie begleiten.

DIE UNBEKANNTE  Das werden Sie nicht tun. Sie werden mir Ihr Wort geben, mir weder nachzugehen, noch sich darum zu bekümmern, wo ich in meine Gondel steige. Dafür werden Sie nächstens von mir hören. Jetzt sagen Sie mir Adieu und setzen sich dort in dieses Kaffeehaus.

FLORINDO  Sie sehen, man schließt es eben.

DIE UNBEKANNTE  Dann werden Sie mir den Rücken kehren und nach dieser Richtung fortgehen.

FLORINDO  Nicht einmal Ihren Namen soll ich wissen?

DIE UNBEKANNTE  Sehen Sie ob niemand hersieht, dann geben Sie mir schnell einen Kuß.

FLORINDO  Niemand.

DIE UNBEKANNTE  *tritt schnell zurück*  Doch, dort im Dunkel ist jemand! Das ist ja wieder diese Person. Was will sie noch?

FLORINDO  Sie wohnt dort im Hause, ganz einfach.

DIE UNBEKANNTE  Das ist kein Grund, auf der Schwelle herumzulungern.

FLORINDO  Ich kann mir denken, was sie noch will –

DIE UNBEKANNTE *ärgerlich* Ah, Sie sind also in ununterbrochenem Kontakt mir ihr?

FLORINDO   Es ist weiter nichts, als daß das arme Geschöpf traurig ist, weil sie mir Geld verschaffen wollte und daraus nichts geworden ist. Aber hören Sie –

DIE UNBEKANNTE   Geld? Diese Person – Ihnen?

FLORINDO   Ja. Von einem alten Herrn, der dort saß, von einem Wucherer, um das Kind beim Namen zu nennen.

DIE UNBEKANNTE   Geld? Ihnen?

FLORINDO   Ja, Sie hören doch! Aber es handelt sich –

DIE UNBEKANNTE   Wie, Sie sind nicht reich?

FLORINDO   Ich? Ärmer als die Möglichkeit. Aber ich gewinne zuweilen, oder ich verschaffe es mir auf andre Weise. Aber nicht davon –

DIE UNBEKANNTE   Und Sie haben mir eine solche Summe geschenkt, nur um mich eine kindische Laune befriedigen zu lassen?

FLORINDO   Ich beschwöre Sie, verderben Sie nicht alles, indem Sie davon sprechen.

DIE UNBEKANNTE   Wem sagen Sie das! Mein Mann spricht nie von etwas anderem.

FLORINDO   Sie sind entzückend!
*Nimmt ihre Hand.*

DIE UNBEKANNTE *macht sich los* Ah, ich sehe schon, ich werde Sie nicht los. Bitte, rufen Sie mir das junge Mädchen dort her.

FLORINDO   Ich – Hierher?

DIE UNBEKANNTE   Ja, Ihre Freundin dort, die Dame in Pantoffeln, ich möchte mit ihr sprechen.

FLORINDO   Was soll das?

DIE UNBEKANNTE   Es wäre mir sehr leid für die Zukunft, wenn Sie mir doch nachgingen und mich dadurch zwängen, anzunehmen, Sie hätten keine Diskretion. Ich frage mich, welche Form, Sie hier zurückzulassen, mich beruhigen würde. Bitte, rufen Sie Fräulein Teresa hierher. Wie? Sie wollten mir wirklich diesen Gefallen nicht tun?
*Florindo geht hin, führt Teresa her. Teresa kommt, knixt.*
Sie sind sehr gefällig für den Herrn Florindo?

TERESA *nickt* Es ist darum, weil er so gut ist. Er ist das einzige
gute Mannsbild, das ich kenne. Sie werden sehen, gnädige
Frau –
*Die Unbekannte lacht.*
Oder wahrscheinlich haben Sie es schon erfahren.
*Florindo geht zu Benedetto und sagt ihm etwas. Benedetto
schließt nochmals das Kaffeehaus auf, geht hinein. Florindo war-
tet auf ihn.*

DIE UNBEKANNTE *schnell* Wenn Sie ihn lieb haben, können
Sie es ertragen, daß er jeden Augenblick eine andere Freundin hat?

TERESA Mein Gott, was kann ich da machen? Und wenn er
dann zuweilen wieder einmal zu mir kommt –

DIE UNBEKANNTE Er kommt doch zuweilen?
*Benedetto zählt Florindo Geld auf.*

TERESA Oh weh, wenn Sie wüßten, wie selten! Es ist nicht
der Rede wert.

DIE UNBEKANNTE Armes Ding. Und Sie sind wirklich sehr
hübsch.
*Benedetto ist fortgegangen. Florindo kommt zurück.*
*Die Unbekannte zu Florindo*
Sie werden jetzt mit ihr da hineingehen, da wo sie wohnt.
Das verlange ich zu meiner Sicherheit. Ich werde nicht eher
von hier fortgehen, als bis Sie mit ihr im Haus sind. Nicht
wahr, Teresa, Sie haben dem Herrn Florindo verschiedenes
zu sagen?

FLORINDO Aber –

DIE UNBEKANNTE Gehen Sie, es handelt sich um Ihre kleine
Geschäftsangelegenheit.

FLORINDO Aber Sie!

DIE UNBEKANNTE Gehen Sie jetzt! Was tut es Ihnen, für fünf
Minuten in dieses Haus zu gehen, wenn ich Sie darum bitte!
*Die Beiden gehen in das Haus, an der Schwelle will Florindo
nochmals zu der Unbekannten zurück. Die Unbekannte ruft
Teresa zu.*
Schnell, schaffen Sie ihn doch fort!
*Die Beiden gehen in das Haus. Die Unbekannte schickt sich lang-
sam an, fortzugehen. Florindo erscheint am Fenster.*

Teresa, machen Sie die Fensterläden zu, ich will nicht, daß
er sieht, wohin ich gehe.
*Florindo wirft der Unbekannten einen Kuß zu. Teresa drängt ihn
weg.*
Und was soll ich Henriette sagen?
*Florindo wirft ihr über Teresas Kopf noch einen Kuß zu.*
Ich werde sie jedenfalls sehr beruhigen.
*Teresa schließt den Fensterladen. Die Unbekannte geht munter
nach rückwärts ab, vor sich hin trällernd.*

*Der Zwischenvorhang fällt vor und öffnet sich gleich wieder. Die
Bühne bleibt eine kurze Weile leer, erhellt sich. Es ist Morgen.
Cristina und Pasca sowie ein halbwüchsiger Bursche kommen aus
dem Gäßchen links und bringen nach und nach ihr Reisegepäck, das
sie aufschichten: es sind Reisesäcke, Körbe, Taschen und Päcke in
bunten Tüchern, zuoberst ein Vogelbauer mit einem lebendigen Vogel.*

CRISTINA   So zieh ich in Gottes Namen ab, ledig wie ich ge-
   kommen bin.
   *Lacht.*
PASCA   Ist deine Schuld.
CRISTINA   Schuld? Und wenn schon? Ist denn vielleicht heira-
   ten gar so was Schönes?
   *Pasca zieht ein Gesicht.*
   Die mich hätten haben wollen, die haben mir nicht gepaßt
   und die mir gepaßt hätten –
PASCA   Nun?
CRISTINA   Das ist mir nur so aus dem Mund gegangen. Kein
   einziger hätte mir gepaßt.
PASCA   Erbsenprinzessin! Der hübsche Herr Lelio, wie er hin-
   ter dir her war!
CRISTINA   Wird schon eine andere finden. Der nimmt jeden
   Docht, wo ein Öl dran ist. Einen Zaunstock so gut wie
   mich. In Gottes Namen, das Vogelfutter vergessen! In der
   Gewürzlade droben. Holst du's?
PASCA   Ich hol's schon. Verschmudel dir das schöne Kleid
   nicht, sonst wär's doch besser im Koffer gewesen. Die

werden lachen zu Haus, wenn du ankommst im Staatsge-
wande und ohne Bräutigam!

*Geht ab.*

CRISTINA   Sollen –! Wären jeder zu Tode froh, wenn ich ihrer
einen nähme, die groben Klötz'.

*Kniet nieder, macht sich um das Gepäck zu schaffen.*

FLORINDO   *ohne Rock, mit offenem Haar stößt ein Fenster auf und
sieht hinaus*   Was ist das für eine Stimme? Das ist die
Stimme eines Engels. Sie wühlt mich um und um, diese
Stimme.

*Cristina dreht sich um, bemerkt ihn, setzt sich auf den Koffer,
streift ihr Kleid zurecht. Da Florindo nicht den Blick von ihr ab-
wendet, dreht sie sich um, macht sich mit dem Vogel zu tun, dem
sie den Finger hinhält und schließlich drückt sie die Lippen an das
Gitter des Käfigs.*

*Florindo springt vom Fenster weg und kommt sogleich unten zur
Tür herausgelaufen, mit unordentlichem Haar, seinen Mantel
übergeschlagen, den er mit beiden Händen zusammenhalten muß.*

*Er bleibt vor Cristina stehen, verzehrt sie mit den Blicken.*

Der Vogel hat zu viel! Das unvernünftige Tier verdient
nicht dieses Übermaß von Glück. Ich will nicht, daß Sie ihn
vor meinen Augen küssen.

*Läuft ins Haus zurück. Cristina errötet bis über die Ohren, Pasca
kommt.*

PASCA   Was stehst du denn so da? Ist was passiert?

CRISTINA   *schnell*   Ach, gar nichts. Nein, was das Schiff lange
ausbleibt. Du, wer wohnt denn eigentlich in dem Haus da?

PASCA   Was kümmerts dich? Siehst wahrscheinlich die Stadt
nie wieder, geschweige denn das Haus da.

CRISTINA   Freilich. Es hat halt einer herausgesehen – und
weißt du, was ich glaube? daß er mit dem gleichen Schiff
fährt wie wir. Wie käme denn sonst ein Herr dazu, so früh
aufzustehen. Wart', ich muß –

PASCA   Was, Teufel?

CRISTINA   Schaun ob ich die Haare ordentlich hab! War
stockfinster, wie ich mich frisiert hab.

*Läuft ab nach links.*

FLORINDO   *mit Teresa am Fenster*   Die, die! Jetzt ist sie dort ins
Haus!

TERESA   Das ist die Pfarrersnichte aus dem Gebirge. Die ist nicht für dich!

*Pasca sieht hinauf.*

FLORINDO   *leiser*   Was sucht die hier?

TERESA   Einen Mann.

FLORINDO   Und hat keinen gefunden? Die?

TERESA   Da laß du deine Hand davon. Das sind anständige Leute.

FLORINDO   *indem er sich jäh zu ihr umdreht*   Und was bin ich? Meinst du ich kann nicht so gut den Ehrenmann spielen, als einer von den braven, soliden Schmierfinken, die alle vierzehn Tage ihr Hemd wechseln? Meinen Rock, meinen Mantel, ich hab' jetzt Eile!

*Teresa schlägt die Hände über dem Kopf zusammen. Beide weg vom Fenster.*

CRISTINA   *kommt langsam zurück, zu Pasca*   Da kommt's Schiff und der Onkel noch nicht.

*Die Barke legt rückwärts an.*

PASCA   Er kommt noch zehnmal –.

CRISTINA   Und der junge Herr auch, willst du wetten?

PASCA   Ja, der wird gerade auf dich warten!

CRISTINA   *zornig*   Mußt du mir Kleie in mein Mehl mischen? Mußt? Mußt? Ist er nicht da, so kann er noch kommen.

*Singt halblaut*

   Ist er nicht da, er kommt schon noch
   Hab ihn doch eingeladen!
   Und will er nicht kommen, so denk ich an ihn,
   Das wird ihn schon zu mir herziehn
   Als wie an einem Faden.

*Verschiedene Reisende kommen mit Gepäck, das von einer alten Frau und einem Burschen geschleppt wird. Das Gepäck wird neben dem Gepäck der anderen abgeladen. Cristina bringt ihren Vogel in Sicherheit.*

FLORINDO   *an dem zweiten Fenster, wird von Teresa frisiert*   Schnell, mach schnell!

TERESA   Sei ruhig, sonst dauerts noch länger.

*Cristina hält sich abseits der Leute, geht auf und ab. Trällert ihr Liedchen.*

BARKENFÜHRER *kommt nach vorn* Wer sind die drei Personen, die ihre Plätze vorausbezahlt haben? Ein geistlicher Herr und zwei Frauenzimmer?

CRISTINA *eifrig* Das sind wir! Der geistliche Herr ist mein Onkel. Er ist gegangen, die Messe zu lesen. Er wird gleich zurück sein. Das hier sind unsere Sachen.

*Der Barkenführer nimmt einen Teil von Cristinas Gepäck, trägt es nach rückwärts. Die abreisende Familie ergreift ihre Gepäckstücke und eilt auf die Barke zu, sich Plätze zu sichern. Pasca desgleichen, einen großen Pack tragend. Man sieht, wie sie sich um die Plätze streiten. Florindo ohne Hut und Mantel, aber frisiert und vollständig angekleidet, kommt rasch aus dem Haus heraus und läuft zu den Streitenden hin.*

CRISTINA *hält sich abseits links vorn und summt ihr Liedchen vor sich hin...* als wie an einem Faden.

BARKENFÜHRER *geht auf Cristina zu und zieht die Mütze* Ich soll sagen, daß die Barke für das Fräulein und ihre Begleitung reserviert bleibt. Der Herr dort hat alle übrigen Plätze bezahlt.

FLORINDO *vor dem Hause, ruft hinauf* Teresa! Meinen Hut, meinen Mantel, sofort!

TERESA *am Fenster* Du kommst herauf. Das tust du mir nicht an.

*Florindo ohne Antwort, kehrt dem Hause den Rücken.*

CRISTINA *zu Pasca, die von rückwärts kommt* Nun, hab ich recht?

FLORINDO *tritt schnell zu ihr* Worin recht, schönes Fräulein?

PASCA Daß Sie ein hübscherer junger Mann sind, als alle ihre Verehrer, die sie in Venedig gehabt hat.

CRISTINA *versucht ihr den Mund zuzuhalten* Hat dich die Tarantel gestochen, du Hexe?

FLORINDO Warum, schöne Cristina, sind Sie böse darüber, daß ich es erfahren soll, wenn ich Ihnen ein wenig gefallen habe, während ich vieles darum geben würde, Sie wissen zu lassen, wie reizend ich Sie finde?

CRISTINA *zu Florindo* Erstens, woher wissen Sie meinen Namen, mein Herr? Wir haben einander doch nie gesehen, und zweitens –

FLORINDO  *einen Schritt näher*  Zweitens?

CRISTINA  *geschwätzig aus Verlegenheit –*  zweitens ist von all dem gar nicht die Rede, sondern es kann nur davon die Rede sein, daß wir Ihnen sehr verbunden sein müssen, *knixt*
daß Sie uns die Reisegesellschaft vom Halse geschafft haben, und hauptsächlich wird Ihnen mein Onkel, der Pfarrer von Capodiponte, sehr verbunden sein, denn er verträgt das Fahren auf dem Wasser schlecht! Aber es ist sicherlich eine große Unbescheidenheit, wenn wir es auf uns beziehen, denn natürlich sind Sie es gewöhnt, bequem zu reisen und haben es um Ihrer selbst willen getan. Und Sie möchten uns wohl gerne auch los sein.

TERESA  *auf dem Balkon*  Florindo! Geh, Florindo!

FLORINDO  *ohne es zu beachten, erwidert auf Cristinas Rede*  Erstens glauben Sie selbst kein Wort von dem, was Sie da sagen und zweitens –

PASCA  *die vorkommt*  Herr, ich glaube, man ruft Sie.

FLORINDO  *ohne sich umzudrehen*  Nicht im Geringsten.
*Fortfahrend zu Cristina*
Zweitens habe ich die Barke sicherlich nicht zu meiner Bequemlichkeit gemietet, denn ich fahre gar nicht mit.
*Cristina stampft zornig auf.*
Und dafür wollen Sie mir zürnen? Weil mir jedes Mittel recht war, das mir die Möglichkeit gab, mich Ihnen zu nähern? Ich stehe da oben und glaube zu träumen – und mich verzehrt das Verlangen, zu wissen: wer ist sie, wo kommt sie her, wo fährt sie hin!

CRISTINA  *zu Pasca, die indessen einen Gang gemacht hat und nun wieder nach vorn kommt*  Pasca, er fährt nicht mit.
*Kehrt sich ab, macht sich mit ihrem Vogel zu schaffen.*

FLORINDO  *zu Pasca*  Ich sehe, das Fräulein würdigt mich keiner Antwort. Aber Sie, gute Frau, werden um so viel menschlicher sein, als Sie älter und erfahrener sind. Ich höre, das Fräulein ist vom Lande hereingekommen, um sich zu vermählen. Vielleicht hätte ich gnädige Frau sagen müssen? Nein? Aber verlobt? Wie? Und ihr Bräutigam nicht da, um sie zu begleiten? Er muß krank sein, auf den Tod krank, der arme Mensch –

*Cristina lacht.*

Spannen Sie mich nicht auf die Folter, liebe gute Frau, denn wenn ich annehmen dürfte, sie wäre frei –

CRISTINA  Was hat es für einen Zweck, wenn wir Ihnen noch so viel Fragen beantworten, da wir doch nach fünf Minuten Abschied nehmen und einander voraussichtlich nie im Leben wiedersehen werden. Und da kommt auch schon der Onkel.

*Läuft dem Onkel entgegen, in die Gasse links.*

PASCA  *bemerkt, daß der fremde Bursche im Begriff ist, eines ihrer Gepäckstücke fortzutragen, stürzt nach*  Heda, Bursche! Das Stück da gehört zu unserm Gepäck. Paß auf, bevor du fremder Leute Sachen auf deinen Karren lädst.

FLORINDO  *sieht Cristina nach*  Ich habe fünf Minuten vor mir. Grenzenlos. Man könnte mir gerade so gut sagen, ich habe nur noch fünf Minuten zu leben. Ich fasse das eine ebensogut wie das andere. Jetzt ist sie um die Ecke. Jetzt schiebt sich etwas dazwischen. Eine Mauer, ein Haus, der Tod, die Hölle, das blödsinnige Chaos. Ich kann nicht aushalten, sie nicht zu sehen.

*Deckt sich die Augen mit der Hand.*

TERESA  *tritt aus der Haustür, mit Florindos Hut und Mantel, angstvoll*  Wie er der Kreatur nachsieht! Er wird doch nicht – er wird doch nicht!

FLORINDO  *reißt die Hand von den Augen*  Da ist sie wieder – wie sie alles anstrahlt. – Der alte Mann neben ihr sieht aus wie ein Heiliger – es könnten einem die Tränen in den Hals steigen über den letzten Straßenbettler, woferne er neben ihr ginge.

PASCA  *bei Florindo, leise*  Sie haben Bekanntschaft dort!

FLORINDO  Nicht der Rede wert, es ist eine Verwandte, eine Waise.

PASCA  Man möchte mit Ihnen sprechen, scheints.

FLORINDO  Ich war früher zu Besuch bei ihr. Von Zeit zu Zeit such ich sie auf. Christenpflicht! Im Vertrauen, liebe Frau, die junge Person ist krank.

*Zeigt auf seinen Kopf.*

PASCA  Ja, an ihrem Blick ist etwas nicht richtig. So was seh ich gleich.

FLORINDO    Sie hat viel Unglück mit Männern gehabt.

PASCA    Ah, sie ist Witwe?

FLORINDO    *zerstreut*    Ja, fortwährend.

PASCA    Wie?

FLORINDO    *geht rasch auf Teresa zu und indem er den Hut und den Mantel sehr schnell an sich nimmt, flüstert er ihr scharf und in einem Ton, der keinen Widerspruch verträgt, zu*    Und nun verschwinde du, schleunig, schleunig!

*Dann geht er Cristina und dem Pfarrer entgegen, die im gleichen Augenblick von links auftreten. Teresa geht ins Haus und schließt die Türe.*

DER PFARRER    *kommt mit Cristina von links, nimmt vor Florindo den Hut ab*    Gnädiger Herr, ich habe Ihnen sehr zu danken.

FLORINDO    Hochwürdiger Herr, ich sehe, daß Sie mich für einen Edelmann halten. Aber ich bin einfach Schreiber bei einem Advokaten. Ein bescheidener, bürgerlicher Mensch.

CRISTINA    Ach, da bin ich aber sehr froh!

DER PFARRER    Warum bist du darüber froh, mein Kind?

PASCA    Nun sie meint wohl, daß der Unterschied zwischen einem Advokatenschreiber und der Tochter eines reichen Pächters kein gar so großer sein wird.

CRISTINA    *wird sehr rot*    Schweig doch! Ganz einfach. Ich bin nicht gerne in Gesellschaft von Leuten, die sich für mehr halten als ich bin. Nur so beiläufig gesagt. Denn ich weiß wohl, daß man auf der Reise mit allen möglichen Menschen zusammenkommt.

DER PFARRER    Ja, meine liebe Cristina, wie du siehst, hat ja auch dieser Herr sich freigebig und großmütig uns gegenüber benommen, ohne zu wissen, wer wir sind.

CRISTINA    Nun weiß ich doch, für was ich nach Venedig gegangen bin.

*Pasca sieht sie an.*

*Der Pfarrer und Florindo treten zu ihnen.*

DER PFARRER    *zu Florindo*    Nein, wirklich, mein Herr, es geht nicht.

FLORINDO    Es geht nicht? Da es nur von einer Entscheidung abhängt, die Sie im Augenblick zu treffen die volle Freiheit haben?

DER PFARRER   So kommt es Ihnen vor, junger Mann. Man ist
niemals so frei, als es den Anschein hat. Auch in den unscheinbaren Dingen gibt es eine göttliche Ordnung, die
man nicht ungestraft –

FLORINDO   Die Sie doch sicher nicht verletzen, wenn Sie Ihr
Fräulein Nichte hier lassen. Im Gegenteil. Insofern Sie sich
vorgesetzt hatten, durch den Aufenthalt des Fräuleins in
der Stadt ein gewisses Ziel zu erreichen, so verletzen Sie ja
selbst die von Ihnen selbst gesetzte Ordnung dieser Angelegenheit, wenn Sie diesen Aufenthalt so einrichten, daß er
diesen Zweck unmöglich erfüllen kann.

DER PFARER   Sie haben durchaus recht, mein Herr –

FLORINDO   Nun also, Herr Pfarrer, nun also!

DER PFARRER   Da wir nun aber einmal –

FLORINDO   Wie, Herr Pfarrer? Wo ich Sie in Gedanken so einsichtig, so weitherzig finde, sollte ich denken, daß Sie im
Praktischen ein Starrkopf wären? Daß Sie diese übereilte
Abreise nicht aufschieben werden, mir nicht die Ehre erweisen werden, in Gesellschaft der jungen Dame mit mir
zu speisen?

DER PFARRER   Mein Herr –

FLORINDO   Erlauben Sie mir, daß ich Leute rufe, die im Flug
Ihre Koffer in Ihr Logis zurücktragen. Heda!

DER PFARRER   – mein lieber junger Herr –

FLORINDO   Es wird sogleich geschehen.

FLORINDO   *eine alte Frau heranrufend, die herumlungert* Du
sollst Leute herschicken, bist du taub?

TERESA   *am Fenster* Was tut er denn, was geschieht denn?

DER PFARRER   *sanft abwehrend* Die kleinen Entscheidungen
des Lebens, mein Herr, die kleinen unscheinbaren Entscheidungen: da gilts jedesmal den Rubikon zu überschreiten, da heißt es: Hier ist Rhodus, hier springe. Aber wer
sollte sich anmaßen, immer das Rechte zu treffen.

FLORINDO   Sag ich es nicht? Ihr Onkel ist ein Weiser, mein
Fräulein! Ich hole selbst Leute her! Dieser Koffer –

DER PFARRER   Halt, halt, mein Herr. Da eben gilt es: da gilts
wie beim braven, gehorsamen Pferd, den letzten Anzug des
Zügels zu fühlen. Denn eine Hand am Zügel ist immer da.

So lassen Sie uns nur gewähren, mein Herr, in unserer bescheidenen Ordnung oder Unordnung, und wenn es diesem guten Kinde bestimmt ist, auf der Heimreise den Gebieter ihres Lebens zu finden, so wird sie ihn auf der Heimreise finden, oder vielleicht auch wird er eines schönen Tages aus dem Nachbardorf auftauchen oder gar aus unserem eigenen Sprengel. Nicht wahr, Cristina?

CRISTINA  *küßt ihm die Hand*  Du hast in allem recht, Onkel, was du tust!

DER PFARRER  Geh nur mein Kind. Unterhalte dich mit diesem Herrn. Ich will mich umsehen, ob alles in Ordnung ist. Im letzten Augenblick wollen wir dich rufen.
*Geht mit Pasca zur Barke.*

CRISTINA  Der Onkel hat ganz recht. Was würde denn auch anders werden, wenn wir gleich ein halbes Jahr hier blieben. Haben mir nicht meine Bekannten alle gesagt, daß sie entzückt von mir sind und jetzt hat nicht einmal ein einziger um fünf Uhr früh aufstehen wollen, um mir Lebewohl zu sagen.

FLORINDO  Pfui! über den Lumpen, der Worte in den Mund nimmt, deren inneren Gehalt er nicht Manns genug ist, einmal im Leben durch und durch zu fühlen. Wenn ich entzückt bin – so wie ich mich –
*einen halben Schritt näher, ganz nahe*
an Ihnen entzücken könnte, einzig schönste Cristina –
*er hält inne*
so fährt mir das Wort – das Wort allerdings nicht über die Zähne –
*er hält wieder inne.*
*Teresa am Fenster.*

FLORINDO  *wirft einen wütenden Blick auf Teresa, dann hüllt sein Blick Cristina ganz ein*  Aber die Essenz davon, das Ding selber, wovon das Wort nur die Aufschrift ist, die kocht und gährt in meinen Adern, die kann mich gelegentlich aus dem aufrechten Stehen hinwerfen, als wären mir die Bänder der Knie gelähmt, die macht aber vielleicht dafür einen Menschen aus mir, der mit geschlossenen Augen, wie ein Verzückter ins Feuer oder ins Wasser läuft; einen Men-

schen, Cristina, der wie ein Nachtwandler über die abscheulichsten Abgründe des Lebens hinspringt und nicht
eine Sekunde eher in den schlaffen, erbarmenswerten Zustand der Wirklichkeit zusammensinkt, als bis –
*Er schließt die Augen.*

CRISTINA  Als bis er sein Ziel erreicht hat, meinen Sie doch? –
Aber Sie haben es ja noch nicht erreicht, dieses Ziel. Also
müssen Sie noch nie von einer Frau so sehr entzückt gewesen sein.

FLORINDO  Wie? Wie meinen Sie das?

CRISTINA  Nun, wenn Sie vom Ziel reden, da meinen Sie doch
wohl nicht nur, so mit einer beisammen sein und ihr den
Hof machen, sondern Sie meinen doch das letzte Ziel.

FLORINDO  Allerdings meine ich das letzte, süße Cristina.

CRISTINA  Jetzt bin ich irre. Was verstehen Sie denn darunter?

FLORINDO  Muß ich Ihnen das sagen, Cristina? Ich denke, Sie
verstehen mich sehr gut ohne Worte. Nicht wahr?

CRISTINA  Nun ja freilich, was könnten Sie auch anderes meinen?

FLORINDO  Nicht wahr, zwischen dem Wesen, das entzückt,
und dem Wesen, das fähig ist, Entzückung zu fühlen –

CRISTINA  Freilich, zwischen Mann und Frau, das ist doch
ganz klar.

FLORINDO  Ich denke wohl, es ist klar. Wollten Sie ihm einen
Namen geben?

CRISTINA  Nun, eine ordentliche Trauung in der Kirche, mit
Zeugen und allem, wie es sich schickt.

FLORINDO  *tritt zurück*  Allerdings.
*Er ist stumm.*

CRISTINA  *munter*  Sehen Sie, jetzt wird Ihnen die Zeit mit mir
schon lang und die Bootsleute sind immer noch nicht fertig. Da dürfen Sie nichts über junge Herren sagen, die mir
doch durch vierzehn Tage den Hof gemacht haben.

FLORINDO  Die Affen die, die Schmachtlappen.

CRISTINA  Sie schimpfen auf sie und kennen sie gar nicht. Wie
würden denn Sie es machen?

FLORINDO  *flüsternd*  Fragen Sie mich das? Sind Sie wirklich
dieses Kind? Worte sind gut, aber es gibt was Besseres.

*Er faßt ihre Hand*
Ich will das nicht reden.

CRISTINA *entzieht ihm die Hand wieder, ohne Heftigkeit* Natürlich, es hat keinen Zweck, daß Sie mir das erzählen. Das verstehe ich schon, daß es was anderes ist, ob man was tut oder davon redet. Ach ja!

*Der Pfarrer ist hinten beschäftigt, sich durch den Gehilfen des Barkenführers Geld wechseln zu lassen.*

FLORINDO *für sich* Der Erste, der Einzige sein. Ungeheuer!

CRISTINA Aber sehen Sie, mein guter Onkel ist noch immer beschäftigt. Sagen Sie mir doch immerhin, wie Sie es machen würden. Ich habe dann etwas, woran zu denken mich unterhalten wird.

FLORINDO Meinst du, es käme mir ein dazu einen Plan zu fassen? Wo ich ersticke in Rauch und Flammen, da finde ich den Weg zur Dachluke und müßte ich wie die Katze mit den Nägeln eine lotrechte Wand hinauf. Bei dir sein, bei dir sein, an dir hängen von früh bis Abend, von abend bis morgen – warum? Weil mein Leben wäre in dieser Sklaverei, mein Leben in dieser Eifersucht, denn ich wäre eifersüchtig, zu maßlos begehrlich wäre ich, um Ihnen einen Atemzug zu erlauben, dessen Zeuge ich nicht wäre.

DER PFARRER *kommt zu Cristina vor* Mein gutes Kind, hast du daran gedacht, dieser guten alten Frau, die dein Zimmer besorgt hat, ein kleines Geschenk zu machen? Ich sah sie dort stehen.

CRISTINA Ich habe ihr gegeben, vielleicht gibst du ihr noch etwas.

*Zu Florindo, schnell*
Sprechen Sie nur weiter.

FLORINDO Ich würde mich an Sie klammern. Verstehen Sie, was das heißt? Mit den Augen Ihre Augen suchen, bei Tag und bei Nacht.

DER PFARRER *kommt abermals* Meinst du, daß soviel genügen wird?

*Zeigt Cristina einige Münzen in der hohlen Hand.*

CRISTINA O ja, Onkel, sicherlich.

FLORINDO Bei Tag und bei Nacht.

CRISTINA   O weh, Herr, wenn Ihre Geliebte Sie so reden hören könnte.

FLORINDO   Ich rede doch und bin sicher, Sie haben einen Freund.

CRISTINA *heftig* Nein!

FLORINDO   Vielleicht nicht hier, vielleicht zu Hause. Aber das schreckt mich nicht ab – ich könnte Sie in seinen Armen wissen und Gott danken, woferne ich nur wüßte, daß er Sie grenzenlos glücklich macht.

*Der Pfarrer und Pasca sind eingestiegen.*

PASCA *ruft* Cristina!

CRISTINA   Ich werde gerufen, ich muß gehen.

FLORINDO   Kann der Himmel so etwas zulassen. Sollen wir so aneinander vorbei?

CRISTINA   Was ist das für Sie? Aus den Augen, aus dem Sinn!

FLORINDO   Jedes Wort, jeder Blick bleibt da!

*Er preßt seine Hand an sein Herz.*

CRISTINA   Ich weiß kein Wort von allem, was Sie geredet haben. Ich habe Sie immer nur angeschaut.

FLORINDO *nimmt ihre Hand* Süßer Engel! Wirst du mir schreiben?

*Cristina schüttelt den Kopf.*

Nein? Keine Zeile, kein liebes zärtliches Wort? Hartherzige. Pfui! Jetzt erkenne ich Sie! Kokett und prüde! Alles nehmen, nichts geben!

DER PFARRER *in der Barke* Cristina, es ist höchste Zeit!

CRISTINA   Geben? Ich möchte Ihnen alles geben, was ich habe. Ich komme schon, lieber Onkel, ich komme.

FLORINDO   Alles! Ja? So schreibe nur und ich schreibe wieder.

CRISTINA   Capodiponte heißt das Dorf, über Ceneda kommt man hin.

FLORINDO   Du schreibst mir, Süße! Meine Adresse? Da.

*Will hastig ein Blatt aus seinem Notizbuch reißen.*

CRISTINA   O weh!

FLORINDO   Du willst nicht, böses Herz?

CRISTINA   Mein Gott!

FLORINDO   Sag ja!

*Preßt ihre Hand an die Lippen.*

CRISTINA   Küssen Sie nicht diese Hand, sie ist es nicht wert.
Sie hat nicht gelernt zu schreiben. Ich werde fort sein und
dann auch ganz fort. Wie wenn ich tot wäre.
*Florindo nagt die Lippen vor Zorn.*
Ein letztes gutes Wort!
*Nach rückwärts*
Ich komme!
FLORINDO   Ich habe vor dieser Stund nicht gewußt, was es
heißt, ein Wesen lieb haben. Ich laß dich nicht.
CRISTINA   *reißt sich los*   Und ich könnte Sie recht lieb haben,
wenn Sie mein Mann wären.
*Läuft zum Boot.*
*Florindo ihr nach, bietet ihr die Hand zum Einsteigen. Behält
Cristinas Hand, solange es möglich ist. Dann, wie das Schiff sich
längs des Ufers hinschiebt, berührt er noch, auf dem Boden
kniend, vornübergebeugt, den Rand des Schiffes. Als ihm auch
dieser entgleitet, kauert er noch eine halbe Sekunde wie betäubt,
dann rafft er seinen Mantel zusammen, drückt seinen Hut in die
Stirn, und ohne sich nochmals umzuwenden, will er fort nach
rechts hin. Teresa tritt aus dem Haus, ihr Blick ist unverwandt
auf Florindo gerichtet.*
FLORINDO   *wie er sie sieht, wirft ihr einen halbzerstreuten Blick zu
und wechselt die Richtung, ihr auszuweichen. Dann kehrt sich
sein Blick wieder ganz nach innen. Er wiederholt vor sich*
Ihnen alles was ich habe.
*Er drückt sich in Wut den Hut tief in die Stirne.*
EIN BUB   *kommt gelaufen mit einem Brief von links her, geradewegs
auf Florindo zu*   Da finde ich Sie endlich, Herr Florindo. In
der ganzen Stadt laufe ich Ihnen nach.
*Florindo beachtet ihn gar nicht.*
So nehmen Sie doch meinen Brief. Er ist von der Dame, Sie
wissen schon von welcher.
FLORINDO   Ich weiß von keiner Dame.
*Er blickt sich zweimal jäh nach dem Meer und der Barke um.*
BUB   Bei der Sie vor zwei Wochen fast jeden Vormittag ver-
bracht haben, wenn unser Herr, der Advokat, bei Gericht
zu tun hatte.
FLORINDO   Ich weiß von keiner Dame.

BUB  Soll ich das ausrichten?

FLORINDO  Du kannst ausrichten, daß ich mich empfehlen
lasse und daß ich im Begriffe bin, abzureisen.

BUB  Gut! Schön! Sie sind im Begriffe abzureisen. Meinetwegen! Aber Sie haben eine Zeit vor sich. Sie reisen nicht in
dieser Stunde ab.

*Er präsentiert den Brief aufs neue.*

*Florindo will fort, der Bub hängt sich an ihn.*

FLORINDO  *packt ihn an der Schulter*  Wer sagt dir, daß ich nicht
in dieser Minute abreise!

*Er wirft den Buben zu Boden, reißt sich den Hut vom Kopfe,
winkt damit gegen die Barke hin und schreit*

Achtung!

TERESA  Was macht er denn?

*Florindo nimmt einen kurzen Anlauf und springt. Teresa sieht
hin*

Er ist drin! O mein Gott, nun hat sie ihn doch.

*Vorhang*

# DER SCHWIERIGE

## LUSTSPIEL IN DREI AKTEN

*Personen*

HANS KARL BÜHL
CRESCENCE, seine Schwester
STANI, ihr Sohn
HELENE ALTENWYL
ALTENWYL
ANTOINETTE HECHINGEN
HECHINGEN
NEUHOFF
EDINE ⎫
NANNI  ⎬ Antoinettes Freundinnen
HUBERTA ⎭
AGATHE, Kammerjungfer
NEUGEBAUER, Sekretär
LUKAS, erster Diener bei Hans Karl
VINZENZ, ein neuer Diener
EIN BERÜHMTER MANN
Bühlsche und Altenwylsche Diener

# ERSTER AKT

*Mittelgroßer Raum eines Wiener älteren Stadtpalais, als Arbeits-*
*zimmer des Hausherrn eingerichtet.*

ERSTE SZENE

*Lukas herein mit Vinzenz.*

LUKAS  Hier ist das sogenannte Arbeitszimmer. Verwandtschaft und sehr gute Freunde werden hier hereingeführt,
oder nur wenn speziell gesagt wird, in den grünen Salon.

VINZENZ  *tritt ein*  Was arbeitet er? Majoratsverwaltung?
Oder was? Politische Sachen?

LUKAS  Durch diese Spalettür kommt der Sekretär herein.

VINZENZ  Privatsekretär hat er auch? Das sind doch Hunger-
leider! Verfehlte Existenzen! Hat er bei ihm was zu sagen?

LUKAS  Hier gehts durch ins Toilettezimmer. Dort werden
wir jetzt hineingehen und Smoking und Frack herrichten
zur Auswahl je nachdem, weil nichts Spezielles angeordnet
ist.

VINZENZ  *schnüffelt an allen Möbeln herum*  Also was? Sie wollen mir jetzt den Dienst zeigen? Es hätte Zeit gehabt bis
morgen früh, und wir hätten uns jetzt kollegial unterhalten
können. Was eine Herrenbedienung ist, das ist mir seit vielen Jahren zum Bewußtsein gekommen, also beschränken
Sie sich auf das Nötigste; damit meine ich die Besonderhei-
ten. Also was? Fangen Sie schon an!

LUKAS  *richtet ein Bild, das nicht ganz gerade hängt*  Er kann kein
Bild und keinen Spiegel schief hängen sehen. Wenn er anfängt, alle Laden aufzusperren oder einen verlegten Schlüssel zu suchen, dann ist er sehr schlechter Laune.

VINZENZ  Lassen Sie jetzt solche Lappalien. Sie haben mir
doch gesagt, daß die Schwester und der Neffe, die hier im

Hause wohnen, auch jedesmal angemeldet werden müssen.

LUKAS *putzt mit dem Taschentuch an einem Spiegel* Genau wie jeder Besuch. Darauf hält er sehr streng.

VINZENZ Was steckt da dahinter? Da will er sie sich vom Leibe halten. Warum läßt er sie dann hier wohnen? Er wird doch mehrere Häuser haben? Das sind doch seine Erben. Die wünschen doch seinen Tod.

LUKAS Die Frau Gräfin Crescence und der Graf Stani? Ja, da sei Gott vor! Ich weiß nicht, wie Sie mir vorkommen!

VINZENZ Lassen Sie Ihre Ansichten. Was bezweckt er also, wenn er die im Haus hat? Das interessiert mich. Nämlich: es wirft ein Licht auf gewisse Absichten. Die muß ich kennen, bevor ich mich mit ihm einlasse.

LUKAS Auf was für gewisse Absichten?

VINZENZ Wiederholen Sie nicht meine Worte! Für mich ist das eine ernste Sache. Konvenierendenfalls ist das hier eine Unterbringung für mein Leben. Wenn Sie sich zurückgezogen haben als Verwalter, werde ich hier alles in die Hand nehmen. Das Haus paßt mir eventuell soweit nach allem, was ich höre. Aber ich will wissen, woran ich bin. Wenn er sich die Verwandten da ins Haus setzt, heißt das soviel als: er will ein neues Leben anfangen. Bei seinem Alter und nach der Kriegszeit ist das ganz erklärlich. Wenn man einmal die geschlagene Vierzig auf dem Rücken hat. –

LUKAS Der Erlaucht vierzigster Geburtstag ist kommendes Jahr.

VINZENZ Kurz und gut, er will ein Ende machen mit den Weibergeschichten. Er hat genug von den Spanponaden.

LUKAS Ich verstehe Ihr Gewäsch nicht.

VINZENZ Aber natürlich verstehen Sie mich ganz gut, Sie Herr Schätz. – Es stimmt das insofern mit dem überein, was mir die Portierin erzählt hat. Jetzt kommt alles darauf an: geht er mit der Absicht um, zu heiraten? In diesem Fall kommt eine legitime Weiberwirtschaft ins Haus, was hab ich da zu suchen? – Oder er will sein Leben als Junggeselle mit mir beschließen! Äußern Sie mir also darüber Ihre

Vermutungen. Das ist der Punkt, der für mich der Haupt-
punkt ist, nämlich.

*Lukas räuspert sich.*

VINZENZ  Was erschrecken Sie mich?

LUKAS  Er steht manchmal im Zimmer, ohne daß man ihn
gehen hört.

VINZENZ  Was bezweckt er damit? Will er einen hineinlegen?
Ist er überhaupt so heimtückisch?

LUKAS  In diesem Fall haben Sie lautlos zu verschwinden.

VINZENZ  Das sind mir ekelhafte Gewohnheiten. Die werde
ich ihm zeitig abgewöhnen.

## ZWEITE SZENE

HANS KARL  *ist leise eingetreten*  Bleiben Sie nur, Lukas. Sind
Sies, Neugebauer?

*Vinzenz steht seitwärts im Dunkeln.*

LUKAS  Erlaucht melde untertänigst, das ist der neue Diener,
der vier Jahre beim Durchlaucht Fürst Palm war.

HANS KARL  Machen Sie nur weiter mit ihm. Der Herr Neugebauer soll herüberkommen mit den Akten, betreffend
Hohenbühl. Im übrigen bin ich für niemand zu Hause.

*Man hört eine Glocke.*

LUKAS  Das ist die Glocke vom kleinen Vorzimmer.

*Geht.*

*Vinzenz bleibt.*

*Hans Karl ist an den Schreibtisch getreten.*

## DRITTE SZENE

LUKAS  *tritt ein und meldet*  Frau Gräfin Freudenberg.

*Crescence ist gleich nach ihm eingetreten.*

*Lukas tritt ab, Vinzenz ebenfalls.*

CRESCENCE  Stört man dich, Kari? Pardon –

HANS KARL  Aber, meine gute Crescence.

CRESCENCE  Ich geh hinauf, mich anziehen – für die Soiree.

HANS KARL   Bei Altenwyls?

CRESCENCE   Du erscheinst doch auch? Oder nicht? Ich möchte nur wissen, mein Lieber.

HANS KARL   Wenns dir gleich gewesen wäre, hätte ich mich eventuell später entschlossen und vom Kasino aus eventuell abtelephoniert. Du weißt, ich binde mich so ungern.

CRESCENCE   Ah ja.

HANS KARL   Aber wenn du auf mich gezählt hättest –

CRESCENCE   Mein lieber Kari, ich bin alt genug, um allein nach Hause zu fahren – überdies kommt der Stani hin und holt mich ab. Also du kommst nicht?

HANS KARL   Ich hätt mirs gern noch überlegt.

CRESCENCE   Eine Soiree wird nicht attraktiver, wenn man über sie nachdenkt, mein Lieber. Und dann hab ich geglaubt, du hast dir draußen das viele Nachdenken ein bißl abgewöhnt.

*Setzt sich zu ihm, der beim Schreibtisch steht*

Sei Er gut, Kari, hab Er das nicht mehr, dieses Unleidliche, Sprunghafte, Entschlußlose, daß man sich hat aufs Messer streiten müssen mit Seinen Freunden, weil der eine Ihn einen Hypochonder nennt, der andere einen Spielverderber, der dritte einen Menschen, auf den man sich nicht verlassen kann. – Du bist in einer so ausgezeichneten Verfassung zurückgekommen, jetzt bist du wieder so, wie du mit zweiundzwanzig Jahren warst, wo ich beinah verliebt war in meinen Bruder.

HANS KARL   Meine gute Crescence, machst du mir Komplimente?

CRESCENCE   Aber nein, ich sags, wie's ist: da ist der Stani ein unbestechlicher Richter; er findet dich einfach den ersten Herrn in der großen Welt, bei ihm heißts jetzt Onkel Kari hin, Onkel Kari her, man kann ihm kein größeres Kompliment machen, als daß er dir ähnlich sieht, und das tut er ja auch – in den Bewegungen ist er ja dein zweites Selbst –, er kennt nichts Eleganteres als die Art, wie du die Menschen behandelst, das große air, die distance, die du allen Leuten gibst – dabei die komplette Gleichmäßigkeit und Bonhomie auch gegen den Niedrigsten – aber er hat natürlich, wie ich auch, deine Schwächen heraus; er adoriert den Entschluß, die Kraft, das Definitive, er haßt den Wiegel-Wagel, darin ist er wie ich!

HANS KARL   Ich gratulier dir zu deinem Sohn, Crescence. Ich bin sicher, daß du immer viel Freud an ihm erleben wirst.

CRESCENCE   Aber – pour revenir à nos moutons, Herr Gott, wenn man durchgemacht hat, was du durchgemacht hast, und sich dabei benommen hat, als wenn es nichts wäre –

HANS KARL   *geniert*   Das hat doch jeder getan!

CRESCENCE   Ah, pardon, jeder nicht. Aber da hätte ich doch geglaubt, daß man seine Hypochondrien überwunden haben könnte!

HANS KARL   Die vor den Leuten in einem Salon hab ich halt noch immer. Eine Soiree ist mir ein Graus, ich kann mir halt nicht helfen. Ich begreife noch allenfalls, daß sich Leute finden, die ein Haus machen, aber nicht, daß es welche gibt, die hingehen.

CRESCENCE   Also wovor fürchtest du dich? Das muß sich doch diskutieren lassen. Langweilen dich die alten Leut?

HANS KARL   Ah, die sind ja charmant, die sind so artig.

CRESCENCE   Oder gehen dir die Jungen auf die Nerven?

HANS KARL   Gegen die hab ich gar nichts. Aber die Sache selbst ist mir halt so eine horreur, weißt du, das Ganze – das Ganze ist so ein unentwirrbarer Knäuel von Mißverständnissen. Ah, diese chronischen Mißverständnisse!

CRESCENCE   Nach allem, was du draußen durchgemacht hast, ist mir das eben unbegreiflich, daß man da nicht abgehärtet ist.

HANS KARL   Crescence, das macht einen ja nicht weniger empfindlich, sondern mehr. Wieso verstehst du das nicht? Mir können über eine Dummheit die Tränen in die Augen kommen – oder es wird mir heiß vor gêne über eine ganze Kleinigkeit, über eine Nuance, die kein Mensch merkt, oder es passiert mir, daß ich ganz laut sag, was ich mir denk – das sind doch unmögliche Zuständ, um unter Leut zu gehen. Ich kann dir gar nicht definieren, aber es ist stärker als ich. Aufrichtig gestanden: ich habe vor zwei Stunden Auftrag gegeben, bei Altenwyls abzusagen. Vielleicht eine andere Soiree, nächstens, aber die nicht.

CRESCENCE   Die nicht. Also warum grad die nicht?

HANS KARL   Es ist stärker als ich, so ganz im allgemeinen.

CRESCENCE   Wenn du sagst, im allgemeinen, so meinst du was Spezielles.

HANS KARL   Nicht die Spur, Crescence.

CRESCENCE   Natürlich. Aha. Also, in diesem Punkt kann ich dich beruhigen.

HANS KARL   In welchem Punkt?

CRESCENCE   Was die Helen betrifft.

HANS KARL   Wie kommst du auf die Helen?

CRESCENCE   Mein Lieber, ich bin weder taub noch blind, und daß die Helen von ihrem fünfzehnten Lebensjahr an bis vor kurzem, na, sagen wir, bis ins zweite Kriegsjahr, in dich verliebt war bis über die Ohren, dafür hab ich meine Indizien, erstens, zweitens und drittens.

HANS KARL   Aber Crescence, da redest du dir etwas ein –

CRESCENCE   Weißt du, daß ich mir früher, so vor drei, vier Jahren, wie sie eine ganz junge Debütantin war, eingebildet hab, das wär die eine Person auf der Welt, die dich fixieren könnt, die deine Frau werden könnt. Aber ich bin zu Tode froh, daß es nicht so gekommen ist. Zwei so komplizierte Menschen, das tut kein gut.

HANS KARL   Du tust mir zuviel Ehre an. Ich bin der unkomplizierteste Mensch von der Welt.

*Er hat eine Lade am Schreibtisch herausgezogen*

Aber ich weiß gar nicht, wie du auf die Idee – ich bin der Helen attachiert, sie ist doch eine Art von Kusine, ich hab sie so klein gekannt – sie könnte meine Tochter sein.

*Sucht in der Lade nach etwas.*

CRESCENCE   Meine schon eher. Aber ich möcht sie nicht als Tochter. Und ich möcht erst recht nicht diesen Baron Neuhoff als Schwiegersohn.

HANS KARL   Den Neuhoff? Ist das eine so ernste Geschichte?

CRESCENCE   Sie wird ihn heiraten.

*Hans Karl stößt die Lade zu.*

CRESCENCE   Ich betrachte es als vollzogene Tatsache, dem zu Trotz, daß er ein wildfremder Mensch ist, dahergeschneit aus irgendeiner Ostseeprovinz, wo sich die Wölf gute Nacht sagen –

HANS KARL   Geographie war nie deine Stärke. Crescence, die
Neuhoffs sind eine holsteinische Familie.

CRESCENCE   Aber das ist doch ganz gleich. Kurz, wildfremde
Leut.

HANS KARL   Übrigens eine ganz erste Familie. So gut alliiert,
als man überhaupt sein kann.

CRESCENCE   Aber, ich bitt dich, das steht im Gotha. Wer kann
denn das von hier aus kontrollieren?

HANS KARL   Du bist aber sehr acharniert gegen den Menschen.

CRESCENCE   Es ist aber auch danach! Wenn eins der ersten
Mädeln, wie die Helen, sich auf einem wildfremden Menschen entêtiert, dem zu Trotz, daß er hier in seinem Leben
keine Position haben wird –

HANS KARL   Glaubst du?

CRESCENCE   In seinem Leben! dem zu Trotz, daß sie sich aus
seiner Suada nichts macht, kurz, sich und der Welt zu
Trotz –
*Eine kleine Pause.*
*Hans Karl zieht mit einiger Heftigkeit eine andere Lade heraus.*

CRESCENCE   Kann ich dir suchen helfen? Du enervierst dich.

HANS KARL   Ich dank dir tausendmal, ich such eigentlich gar
nichts, ich hab den falschen Schlüssel hineingesteckt.

SEKRETÄR   *erscheint an der kleinen Tür*   Oh, ich bitte unterta-
nigst um Verzeihung.

HANS KARL   Ein bissel später bin ich frei, lieber Neugebauer.
*Sekretär zieht sich zurück.*

CRESCENCE   *tritt an den Tisch*   Kari, wenn dir nur ein ganz
kleiner Gefallen damit geschieht, so hintertreib ich diese
Geschichte.

HANS KARL   Was für eine Geschichte?

CRESCENCE   Die, von der wir sprechen: Helen-Neuhoff. Ich
hintertreib sie von heut auf morgen.

HANS KARL   Was?

CRESCENCE   Ich nehm Gift darauf, daß sie heute noch genau so
verliebt in dich ist wie vor sechs Jahren, und daß es nur ein
Wort, nur den Schatten einer Andeutung braucht –

HANS KARL   Die ich dich um Gottes willen nicht zu machen
bitte –

CRESCENCE  Ah so, bitte sehr. Auch gut.

HANS KARL  Meine Liebe, allen Respekt vor deiner energischen Art, aber so einfach sind doch gottlob die Menschen nicht.

CRESCENCE  Mein Lieber, die Menschen sind gottlob sehr einfach, wenn man sie einfach nimmt. Ich seh also, daß diese Nachricht kein großer Schlag für dich ist. Um so besser – du hast dich von der Helen desinteressiert, ich nehm das zur Kenntnis.

HANS KARL  *aufstehend* Aber ich weiß nicht, wie du nur auf den Gedanken kommst, daß ich es nötig gehabt hätt, mich zu desinteressieren. Haben denn andere Personen auch diese bizarren Gedanken?

CRESCENCE  Sehr wahrscheinlich.

HANS KARL  Weißt du, daß mir das direkt Lust macht, hinzugehen?

CRESCENCE  Und dem Theophil deinen Segen zu geben? Er wird entzückt sein. Er wird die größten Bassessen machen, um deine Intimität zu erwerben.

HANS KARL  Findest du nicht, daß es sehr richtig gewesen wäre, wenn ich mich unter diesen Umständen schon längst bei Altenwyls gezeigt hätte? Es tut mir außerordentlich leid, daß ich abgesagt habe.

CRESCENCE  Also laß wieder anrufen: es war ein Mißverständnis durch einen neuen Diener und du wirst kommen. *Lukas tritt ein.*

HANS KARL  *zu Crescence* Weißt du, ich möchte es doch noch überlegen.

LUKAS  Ich hätte für später untertänigst jemanden anzumelden.

CRESCENCE  *zu Lukas* Ich geh. Telephonieren Sie schnell zum Grafen Altenwyl, Seine Erlaucht würden heut abend dort erscheinen. Es war ein Mißverständnis. *Lukas sieht Hans Karl an.*

HANS KARL  *ohne Lukas anzusehen* Da müßt er allerdings auch noch vorher ins Kasino telephonieren, ich laß den Grafen Hechingen bitten, zum Diner und auch nachher nicht auf mich zu warten.

CRESCENCE Natürlich, das macht er gleich. Aber zuerst zum Grafen Altenwyl, damit die Leut wissen, woran sie sind.
*Lukas ab.*
CRESCENCE *steht auf* So, und jetzt laß ich dich deinen Geschäften.
*Im Gehen*
Mit welchem Hechingen warst du besprochen? Mit dem Nandi?
HANS KARL Nein, mit dem Adolf.
CRESCENCE *kommt zurück* Der Antoinette ihrem Mann? Ist er nicht ein kompletter Dummkopf?
HANS KARL Weißt du, Crescence, darüber hab ich gar kein Urteil. Mir kommt bei Konversationen auf die Länge alles sogenannte Gescheite dumm und noch eher das Dumme gescheit vor –
CRESCENCE Und ich bin von vornherein überzeugt, daß an ihm mehr ist als an ihr.
HANS KARL Weißt du, ich hab ihn ja früher gar nicht gekannt, oder –
*Er hat sich gegen die Wand gewendet und richtet an einem Bild, das nicht gerade hängt*
nur als Mann seiner Frau – und dann draußen, da haben wir uns miteinander angefreundet. Weißt du, er ist ein so völlig anständiger Mensch. Wir waren miteinander, im Winter Fünfzehn, zwanzig Wochen in der Stellung in den Waldkarpathen, ich mit meinen Schützen und er mit seinen Pionieren, und wir haben das letzte Stückl Brot miteinander geteilt. Ich hab sehr viel Respekt vor ihm bekommen. Brave Menschen hats draußen viele gegeben, aber ich habe nie einen gesehen, der vis-à-vis dem Tod sich eine solche Ruhe bewahrt hätte, beinahe eine Art Behaglichkeit.
CRESCENCE Wenn dich seine Verwandten reden hören könnten, die würden dich umarmen. So geh hin zu dieser Närrin und versöhn sie mit dem Menschen, du machst zwei Familien glücklich. Diese ewig in der Luft hängende Idee einer Scheidung oder Trennung, ghupft wie gsprungen, geht ja allen auf die Nerven. Und außerdem wär es für dich selbst gut, wenn die Geschichte in eine Form käme.

KARL HANS  Inwiefern das?

CRESCENCE  Also, damit ich dirs sage: es gibt Leut, die den
ungereimten Gedanken aussprechen, wenn die Ehe annulliert werden könnt, du würdest sie heiraten.

*Hans Karl schweigt.*

CRESCENCE  Ich sag ja nicht, daß es seriöse Leut sind, die diesen bei den Haaren herbeigezogenen Unsinn zusammenreden.

*Hans Karl schweigt.*

CRESCENCE  Hast du sie schon besucht, seit du aus dem Feld
zurück bist?

HANS KARL  Nein, ich sollte natürlich.

CRESCENCE  *nach der Seite sehend*  So besuch sie doch morgen
und red ihr ins Gewissen.

HANS KARL  *bückt sich, wie um etwas aufzuheben*  Ich weiß
wirklich nicht, ob ich gerade der richtige Mensch dafür
wäre.

CRESCENCE  Du tust sogar direkt ein gutes Werk. Dadurch
gibst du ihr deutlich zu verstehen, daß sie auf dem Holzweg
war, wie sie mit aller Gewalt sich hat vor zwei Jahren mit
dir affichieren wollen.

HANS KARL  *ohne sie anzusehen*  Das ist eine Idee von dir.

CRESCENCE  Ganz genau so, wie sie es heut auf den Stani abgesehen hat.

HANS KARL  *erstaunt*  Deinen Stani?

CRESCENCE  Seit dem Frühjahr.

*Sie war bis zur Tür gegangen, kehrt wieder um, kommt bis zum
Schreibtisch*

Er könnte mir da einen großen Gefallen tun, Kari –

HANS KARL  Aber ich bitte doch um Gottes willen, so sag Sie
doch!

*Er bietet ihr Platz an, sie bleibt stehen.*

CRESCENCE  Ich schick Ihm den Stani auf einen Moment herunter. Mach Er ihm den Standpunkt klar. Sag Er ihm, daß
die Antoinette – eine Frau ist, die einen unnötig kompromittiert. Kurz und gut, verleid Er sie ihm.

HANS KARL  Ja, wie stellst du dir denn das vor? Wenn er verliebt in sie ist?

CRESCENCE   Aber Männer sind doch nie so verliebt, und du bist doch das Orakel für den Stani. Wenn du die Konversation benützen wolltest – versprichst du mirs?

HANS KARL   Ja, weißt du – wenn sich ein zwangloser Übergang findet –

CRESCENCE   *ist wieder bis zur Tür gegangen, spricht von dort aus* Du wirst schon das Richtige finden. Du machst dir keine Idee, was du für eine Autorität für ihn bist.

*Im Begriff hinauszugehen, macht sie wiederum kehrt, kommt bis an den Schreibtisch vor*

Sag ihm, daß du sie unelegant findest – und daß du dich nie mit ihr eingelassen hättest. Dann läßt er sie von morgen an stehen.

*Sie geht wieder zur Tür, das gleiche Spiel*

Weißt du, sags ihm nicht zu scharf, aber auch nicht gar zu leicht. Nicht gar zu sous-entendu. Und daß er ja keinen Verdacht hat, daß es von mir kommt – er hat die fixe Idee, ich will ihn verheiraten, natürlich will ich, aber – er darfs nicht merken: darin ist er ja so ähnlich mit dir: die bloße Idee, daß man ihn beeinflussen möcht –!

*Noch einmal das gleiche Spiel*

Weißt du, mir liegt sehr viel daran, daß es heute noch gesagt wird, wozu einen Abend verlieren? Auf die Weise hast du auch dein Programm: du machst der Antoinette klar, wie du das Ganze mißbilligst – du bringst sie auf ihre Ehe – du singst dem Adolf sein Lob – so hast du eine Mission, und der ganze Abend hat einen Sinn für dich.

*Sie geht.*

### VIERTE SZENE

VINZENZ   *ist von rechts hereingekommen, sieht sich zuerst um, ob Crescence fort ist, dann* Ich weiß nicht, ob der erste Diener gemeldet hat, es ist draußen eine jüngere Person, eine Kammerfrau oder so etwas –

HANS KARL   Um was handelt sichs?

VINZENZ   Sie kommt von der Frau Gräfin Hechingen näm-
lich. Sie scheint so eine Vertrauensperson zu sein.
*Nochmals näher tretend*
Eine verschämte Arme ist es nicht.

HANS KARL   Ich werde das alles selbst sehen, führen Sie sie
herein.
*Vinzenz rechts ab.*


### FÜNFTE SZENE


LUKAS   *schnell herein durch die Mitte* Ist untertänigst Euer Erlaucht gemeldet worden? Von Frau Gräfin Hechingen die
Kammerfrau, die Agathe. Ich habe gesagt: Ich weiß durchaus nicht, ob Erlaucht zu Hause sind.

HANS KARL   Gut. Ich habe sagen lassen, ich bin da. Haben Sie
zum Grafen Altenwyl telephoniert?

LUKAS   Ich bitte Erlaucht untertänigst um Vergebung. Ich
habe bemerkt, Erlaucht wünschen nicht, daß telephoniert
wird, wünschen aber auch nicht, der Frau Gräfin zu wider-
sprechen – so habe ich vorläufig nichts telephoniert.

HANS KARL   *lächelnd* Gut, Lukas.
*Lukas geht bis an die Tür.*

HANS KARL   Lukas, wie finden Sie den neuen Diener?

LUKAS   *zögernd* Man wird vielleicht sehen, wie er sich macht.

HANS KARL   Unmöglicher Mann. Auszahlen. Wegexpedie-
ren!

LUKAS   Sehr wohl, Euer Erlaucht. So hab ich mir gedacht.

HANS KARL   Heute abend nichts erwähnen.


### SECHSTE SZENE


*Vinzenz führt Agathe herein. Beide Diener ab.*


HANS KARL   Guten Abend, Agathe.

AGATHE   Daß ich Sie sehe, Euer Gnaden Erlaucht! Ich zittre ja.

HANS KARL   Wollen Sie sich nicht setzen?

AGATHE *stehend*  Oh, Euer Gnaden, seien nur nicht ungehal-
ten darüber, daß ich gekommen bin, statt dem Brandstätter.

HANS KARL  Aber liebe Agathe, wir sind ja doch alte Bekannte. Was bringt Sie denn zu mir?

AGATHE  Mein Gott, das wissen doch Erlaucht. Ich komm
wegen der Briefe.

*Hans Karl ist betroffen.*

AGATHE  O Verzeihung, o Gott, es ist ja nicht zum Ausdenken, wie mir meine Frau Gräfin eingeschärft hat, durch
mein Betragen nichts zu verderben.

HANS KARL  *zögernd*  Die Frau Gräfin hat mir allerdings geschrieben, daß gewisse in meiner Hand befindliche, ihr ge-
hörige Briefe, würden von einem Herrn Brandstätter am
Fünfzehnten abgeholt werden. Heute ist der Zwölfte, aber
ich kann natürlich die Briefe auch Ihnen übergeben. Sofort,
wenn es der Wunsch der Frau Gräfin ist. Ich weiß ja, Sie
sind der Frau Gräfin sehr ergeben.

AGATHE  Gewisse Briefe – wie Sie das sagen, Erlaucht. Ich
weiß ja doch, was das für Briefe sind.

HANS KARL  *kühl*  Ich werde sofort den Auftrag geben.

AGATHE  Wenn sie uns so beisammen sehen könnte, meine
Frau Gräfin. Das wäre ihr eine Beruhigung, eine kleine
Linderung.

*Hans Karl fängt an, in der Lade zu suchen.*

AGATHE  Nach diesen entsetzlichen sieben Wochen, seitdem
wir wissen, daß unser Herr Graf aus dem Felde zurück ist
und wir kein Lebenszeichen von ihm haben –

HANS KARL  *sieht auf*  Sie haben vom Grafen Hechingen kein
Lebenszeichen?

AGATHE  Von dem! Wenn ich sage »unser Herr Graf«, das
heißt in unserer Sprache Sie, Erlaucht! Vom Grafen Hechingen sagen wir nicht »unser Herr Graf«!

HAND KARL  *sehr geniert*  Ah, pardon, das konnte ich nicht
wissen.

AGATHE  *schüchtern*  Bis heute nachmittag haben wir ja geglaubt, daß heute bei der gräflich Altenwylschen Soiree das

Wiedersehen sein wird. Da telephoniert mir die Jungfer von der Komtesse Altenwyl: Er hat abgesagt!

*Hans Karl steht auf.*

AGATHE   Er hat abgesagt, Agathe, ruft die Gräfin, abgesagt, weil er gehört hat, daß ich hinkomme! Dann ist doch alles vorbei, und dabei schaut sie mich an mit einem Blick, der einen Stein erweichen könnte.

HANS KARL   *sehr höflich, aber mit dem Wunsche, ein Ende zu machen*   Ich fürchte, ich habe die gewünschten Briefe nicht hier in meinem Schreibtisch, ich werde gleich meinen Sekretär rufen.

AGATHE   O Gott, in der Hand eines Sekretärs sind diese Briefe! Das dürfte meine Frau Gräfin nie erfahren!

HANS KARL   Die Briefe sind natürlich eingesiegelt.

AGATHE   Eingesiegelt! So weit ist es schon gekommen?

HANS KARL   *spricht ins Telephon*   Lieber Neugebauer, wenn Sie für einen Augenblick herüberkommen würden! Ja, ich bin jetzt frei – Aber ohne die Akten – es handelt sich um etwas anderes. Augenblicklich? Nein, rechnen Sie nur zu Ende. In drei Minuten, das genügt.

AGATHE   Er darf mich nicht sehen, er kennt mich von früher!

HANS KARL   Sie können in die Bibliothek treten, ich mach Ihnen Licht.

AGATHE   Wie hätten wir uns denn das denken können, daß alles auf einmal vorbei ist.

HANS KARL   *im Begriff, sie hinüberzuführen, bleibt stehen, runzelt die Stirn*   Liebe Agathe, da Sie ja von allem informiert sind – ich verstehe nicht ganz, ich habe ja doch der Frau Gräfin aus dem Feldspital einen langen Brief geschrieben, dieses Frühjahr.

AGATHE   Ja, den abscheulichen Brief.

HANS KARL   Ich verstehe Sie nicht. Es war ein sehr freundschaftlicher Brief.

AGATHE   Das war ein perfider Brief. So gezittert haben wir, als wir ihn gelesen haben, diesen Brief. Erbittert waren wir und gedemütigt!

HANS KARL   Ja, worüber denn, ich bitt Sie um alles!

AGATHE   *sieht ihn an*   Darüber, daß Sie darin den Grafen He-

chingen so herausgestrichen haben – und gesagt haben, auf
die Letzt ist ein Mann wie der andere, und ein jeder kann
zum Ersatz für einen jeden genommen werden.

HANS KARL    Aber so habe ich mich doch gar nicht ausge-
drückt. Das waren doch niemals meine Gedanken!

AGATHE    Aber das war der Sinn davon. Ah, wir haben den
Brief oft und oft gelesen! Das, hat meine Frau Gräfin ausgerufen, das ist also das Resultat der Sternennächte und des
einsamen Nachdenkens, dieser Brief, wo er mir mit dürren
Worten sagt: ein Mann ist wie der andere, unsere Liebe war
nur eine Einbildung, vergiß mich, nimm wieder den Hechingen –

HANS KARL    Aber nichts von all diesen Worten ist in dem Brief
gestanden.

AGATHE    Auf die Worte kommts nicht an. Aber den Sinn haben wir gut herausbekommen. Diesen demütigenden Sinn,
diese erniedrigenden Folgerungen. Oh, das wissen wir genau. Dieses Sichselbsterniedrigen ist eine perfide Kunst.
Wo der Mann sich anklagt in einer Liebschaft, da klagt er
die Liebschaft an. Und im Handumdrehen sind wir die An-
geklagten.

*Hans Karl schweigt.*

AGATHE    *einen Schritt näher tretend*    Ich habe gekämpft für unsern Herrn Grafen, wie meine Frau Gräfin gesagt hat:
Agathe, du wirst es sehen, er will die Komtesse Altenwyl
heiraten, und nur darum will er meine Ehe wieder zusam-
menleimen.

HANS KARL    Das hat die Gräfin mir zugemutet?

AGATHE    Das waren ihre bösesten Stunden, wenn sie über
dem gegrübelt hat. Dann ist wieder ein Hoffnungsstrahl
gekommen. Nein, vor der Helen, hat sie dann gerufen,
nein, vor der fürcht ich mich nicht – denn die lauft ihm
nach; und wenn dem Kari eine nachlauft, die ist bei ihm
schon verloren, und sie verdient ihn auch nicht, denn sie hat
kein Herz.

HANS KARL    *richtet etwas*    Wenn ich Sie überzeugen könnte –

AGATHE    Aber dann plötzlich wieder die Angst –

HANS KARL    Wie fern mir das alles liegt –

AGATHE   O Gott, ruft sie aus, er war noch nirgends! Wenn das
bedeutungsvoll sein sollte –

HANS KARL   Wie fern mir das liegt!

AGATHE   Wenn er vor meinen Augen sich mit ihr verlobt –

HANS KARL   Wie kann nur die Frau Gräfin –

AGATHE   Oh, so etwas tun Männer, aber Sie tuns nicht, nicht
wahr, Erlaucht?

HANS KARL   Es liegt mir nichts in der Welt ferner, meine liebe
Agathe.

AGATHE   Oh, küß die Hände, Erlaucht!
*Küßt ihm schnell die Hand*

HANS KARL   *entzieht ihr die Hand*   Ich höre meinen Sekretär
kommen.

AGATHE   Denn wir wissen ja, wir Frauen, daß so etwas Schönes nicht für die Ewigkeit ist. Aber, daß es deswegen auf
einmal plötzlich aufhören soll, in das können wir uns nicht
hineinfinden!

HANS KARL   Sie sehen mich dann. Ich gebe Ihnen selbst die
Briefe und – Herein! Kommen Sie nur, Neugebauer.
*Agathe rechts ab.*


SIEBENTE SZENE

NEUGEBAUER   *tritt ein*   Euer Erlaucht haben befohlen.

HANS KARL   Wenn Sie die Freundlichkeit hätten, meinem Ge-
dächtnis etwas zu Hilfe zu kommen. Ich suche ein Paket
Briefe – es sind private Briefe, versiegelt – ungefähr zwei
Finger dick.

NEUGEBAUER   Mit einem von Euer Erlaucht darauf geschrie-
benen Datum? Juni 15 bis 22. Oktober 16?

HANS KARL   Ganz richtig. Sie wissen –

NEUGEBAUER   Ich habe dieses Konvolut unter den Händen
gehabt, aber ich kann mich im Moment nicht besinnen. Im
Drang der Geschäfte unter so verschiedenartigen Agenden,
die täglich zunehmen –

HANS KARL   *ganz ohne Vorwurf*   Es ist mir unbegreiflich, wie
diese ganz privaten Briefe unter die Akten geraten sein
können –

NEUGEBAUER  Wenn ich befürchten müßte, daß Euer Erlaucht den leisesten Zweifel in meine Diskretion setzen –

HANS KARL  Aber das ist mir ja gar nicht eingefallen.

NEUGEBAUER  Ich bitte, mich sofort nachsuchen zu lassen; ich werde alle meine Kräfte daransetzen, dieses höchst bedauerliche Vorkommnis aufzuklären.

HANS KARL  Mein lieber Neugebauer, Sie legen dem ganzen Vorfall viel zu viel Gewicht bei.

NEUGEBAUER  Ich habe schon seit einiger Zeit die Bemerkung gemacht, daß etwas an mir neuerdings Euer Erlaucht zur Ungeduld reizt. Allerdings war mein Bildungsgang ganz auf das Innere gerichtet, und wenn ich dabei vielleicht keine tadellosen Salonmanieren erworben habe, so wird dieser Mangel vielleicht in den Augen eines wohlwollenden Beurteilers aufgewogen werden können durch Qualitäten, die persönlich hervorheben zu müssen meinem Charakter allerdings nicht leicht fallen würde.

HANS KARL  Ich zweifle keinen Augenblick, lieber Neugebauer. Sie machen mir den Eindruck, überanstrengt zu sein. Ich möchte Sie bitten, sich abends etwas früher freizumachen. Machen Sie doch jeden Abend einen Spaziergang mit Ihrer Braut.

*Neugebauer schweigt.*

HANS KARL  Falls es private Sorgen sind, die Sie irritieren, vielleicht könnte ich in irgendeiner Beziehung erleichternd eingreifen.

NEUGEBAUER  Euer Erlaucht nehmen an, daß es sich bei unsereinem ausschließlich um das Materielle handeln könnte.

HANS KARL  Ich habe gar nicht solches sagen wollen. Ich weiß, Sie sind Bräutigam, also gewiß glücklich –

NEUGEBAUER  Ich weiß nicht, ob Euer Erlaucht auf die Beschließerin von Schloß Hohenbühl anspielen?

HANS KARL  Ja, mit der Sie doch seit fünf Jahren verlobt sind.

NEUGEBAUER  Meine gegenwärtige Verlobte ist die Tochter eines höheren Beamten. Sie war die Braut meines besten Freundes, der vor einem halben Jahr gefallen ist. Schon bei Lebzeiten ihres Verlobten bin ich ihrem Herzen nahegestanden – und ich habe es als ein heiliges Vermächtnis des

Gefallenen betrachtet, diesem jungen Mädchen eine Stütze fürs Leben zu bieten.

HANS KARL *zögernd* Und die frühere langjährige Beziehung?

NEUGEBAUER Die habe ich natürlich gelöst. Selbstverständlich in der vornehmsten und gewissenhaftesten Weise.

HANS KARL Ah!

NEUGEBAUER Ich werde natürlich allen nach dieser Seite hin eingegangenen Verpflichtungen nachkommen und diese Last schon in die junge Ehe mitbringen. Allerdings keine Kleinigkeit.

*Hans Karl schweigt.*

NEUGEBAUER Vielleicht ermessen Euer Erlaucht doch nicht zur Genüge, mit welchem bitteren, sittlichen Ernst das Leben in unsern glanzlosen Sphären behaftet ist, und wie es sich hier nur darum handeln kann, für schwere Aufgaben noch schwerere einzutauschen.

HANS KARL Ich habe gemeint, wenn man heiratet, so freut man sich darauf.

NEUGEBAUER Der persönliche Standpunkt kann in unserer bescheidenen Welt nicht maßgebend sein.

HANS KARL Gewiß, gewiß. Also Sie werden mir die Briefe möglichst finden.

NEUGEBAUER Ich werde nachforschen, und wenn es sein müßte, bis Mitternacht.

*Ab.*

HANS KARL *vor sich* Was ich nur an mir habe, daß alle Menschen so tentiert sind, mir eine Lektion zu erteilen, und daß ich nie ganz bestimmt weiß, ob sie nicht das Recht dazu haben.

## ACHTE SZENE

STANI *steht in der Mitteltür, im Frack* Pardon, nur um dir guten Abend zu sagen, Onkel Kari, wenn man dich nicht stört.

HANS KARL *war nach rechts gegangen, bleibt jedoch stehen* Aber gar nicht.

*Bietet ihm Platz an und eine Zigarette.*

STANI  *nimmt die Zigarette*  Aber natürlich chipotierts dich, wenn man unangemeldet hereinkommt. Darin bist du ganz wie ich. Ich haß es auch, wenn man mir die Tür einrennt. Ich will immer zuerst meine Ideen ein bißl ordnen.

HANS KARL  Ich bitte, genier dich nicht, du bist doch zu Hause.

STANI  O pardon, ich bin bei dir –

HANS KARL  Setz dich doch.

STANI  Nein wirklich, ich hätte nie gewagt, wenn ich nicht so deutlich die krähende Stimm vom Neugebauer –

HANS KARL  Er ist im Moment gegangen.

STANI  Sonst wäre ich ja nie – Nämlich der neue Diener lauft mir vor fünf Minuten im Korridor nach und meldet mir, notabene ungefragt, du hättest die Jungfer von der Antoinette Hechingen bei dir und wärest schwerlich zu sprechen.

HANS KARL  *halblaut*  Ah, das hat er dir – ein reizender Mann!

STANI  Da wäre ich ja natürlich unter keinen Umständen –

HANS KARL  Sie hat ein paar Bücher zurückgebracht.

STANI  Die Toinette Hechingen liest Bücher?

HANS KARL  Es scheint. Ein paar alte französische Sachen.

STANI  Aus dem Dixhuitième. Das paßt zu ihren Möbeln.

*Hans Karl schweigt.*

STANI  Das Boudoir ist charmant. Die kleine Chaiselongue! Sie ist signiert.

HANS KARL  Ja, die kleine Chaiselongue. Riesener.

STANI  Ja, Riesener. Was du für ein Namengedächtnis hast! Unten ist die Signatur.

HANS KARL  Ja, unten am Fußende.

STANI  Sie verliert immer ihre kleinen Kämme aus den Haaren, und wenn man sich dann bückt, um die zusammenzusuchen, dann sieht man die Inschrift.

*Hans Karl geht nach rechts hinüber und schließt die Tür nach der Bibliothek.*

STANI  Ziehts dir, bist du empfindlich?

HANS KARL  Ja, meine Schützen und ich, wir sind da draußen rheumatisch geworden wie die alten Jagdhunde.

STANI  Weißt du, sie spricht charmant von dir, die Antoinette.

HANS KARL  *raucht*  Ah! –

STANI  Nein, ohne Vergleich. Ich verdanke den Anfang meiner Chance bei ihr ganz gewiß dem Umstand, daß sie mich so fabelhaft ähnlich mit dir findet. Zum Beispiel unsere Hände. Sie ist in Ekstase vor deinen Händen.

*Er sieht seine eigene Hand an*

Aber bitte, erwähn nichts von allem gegen die Mamu. Es ist halt ein weitgehender Flirt, aber deswegen doch keine Bandelei. Aber die Mamu übertreibt sich alles.

HANS KARL  Aber mein guter Stani, wie käme ich denn auf das Thema?

STANI  Allmählich ist sie natürlich auch auf die Unterschiede zwischen uns gekommen. Ça va sans dire.

HANS KARL  Die Antoinette?

STANI  Sie hat mir geschildert, wie der Anfang eurer Freundschaft war.

HANS KARL  Ich kenne sie ja ewig lang.

STANI  Nein, aber das vor zwei Jahren. Im zweiten Kriegsjahr. Wie du nach der ersten Verwundung auf Urlaub warst, die paar Tage in der Grünleiten.

HANS KARL  Datiert sie von daher unsere Freundschaft?

STANI  Natürlich. Seit damals bist du ihr großer Freund. Als Ratgeber, als Vertrauter, als was du willst, einfach hors ligne. Du hättest dich benommen wie ein Engel.

HANS KARL  Sie übertreibt sehr leicht, die gute Antoinette.

STANI  Aber sie hat mir ja haarklein erzählt, wie sie aus Angst vor dem Alleinsein in der Grünleiten mit ihrem Mann, der gerade auch auf Urlaub war, sich den Feri Uhlfeldt, der damals wie der Teufel hinter ihr her war, auf den nächsten Tag hinausbestellt, wie sie dann dich am Abend vorher im Theater sieht und es wie eine Inspiration über sie kommt, sie dich bittet, du solltest noch abends mit ihr hinausfahren und den Abend mit ihr und dem Adolf zu dritt verbringen.

HANS KARL  Damals hab ich ihn noch kaum gekannt.

STANI  Ja, das entre parenthèse, das begreift sie gar nicht! Daß du dich später mit ihm hast so einlassen können. Mit diesem öden Dummkopf, diesem Pedanten.

HANS KARL  Da tut sie ihrem Mann unrecht, sehr!

STANI  Na, da will ich mich nicht einmischen. Aber sie erzählt das reizend.

HANS KARL  Das ist ja ihre Stärke, diese kleinen Konfidenzen.

STANI  Ja, damit fangt sie an. Diesen ganzen Abend, ich sehe ihn vor mir, wie sie dann nach dem Souper dir den Garten zeigt, die reizenden Terrassen am Fluß, wie der Mond aufgeht –

HANS KARL  Ah, so genau hat sie dir das erzählt.

STANI  Und wie du in der einen nächtlichen Konversation die Kraft gehabt hast, ihr den Feri Uhlfeldt vollkommen auszureden.

*Hans Karl raucht und schweigt.*

STANI  Das bewundere ich ja so an dir: du redest wenig, bist so zerstreut und wirkst so stark. Deswegen find ich auch ganz natürlich, worüber sich so viele Leut den Mund zerreißen: daß du im Herrenhaus seit anderthalb Jahren deinen Sitz eingenommen hast, aber nie das Wort ergreifst. Vollkommen in der Ordnung ist das für einen Herrn wie du bist! Ein solcher Herr spricht eben durch seine Person! Oh, ich studier dich. In ein paar Jahren hab ich das. Jetzt hab ich noch zuviel Passion in mir. Du gehst nie auf die Sache aus und hast so gar keine Suada, das ist gerade das Elegante an dir. Jeder andere wäre in dieser Situation ihr Liebhaber geworden.

HANS KARL  *mit einem nur in den Augen merklichen Lächeln* Glaubst du?

STANI  Unbedingt. Aber ich versteh natürlich sehr gut: in deinen Jahren bist du zu serios dafür. Es tentiert dich nicht mehr: so leg ich mirs zurecht. Weißt du, das liegt so in mir: ich denk über alles nach. Wenn ich Zeit gehabt hätt, auf der Universität zu bleiben – für mich: Wissenschaft, das wäre mein Fach gewesen. Ich wäre auf Sachen, auf Probleme gekommen, auf Fragestellungen, an die andere Menschen gar nicht streifen. Für mich ist das Leben ohne Nachdenken kein Leben. Zum Beispiel: Weiß man das auf einmal, so auf einen Ruck: Jetzt bin ich kein junger Herr mehr? – Das muß ein sehr unangenehmer Moment sein.

HANS KARL  Weißt du, ich glaub, es kommt ganz allmählich. Wenn einem auf einmal der andere bei der Tür vorausgehen läßt und du merkst dann: ja, natürlich, er ist viel jünger, obwohl er auch schon ein erwachsener Mensch ist.

STANI  Sehr interessant. Wie du alles gut beobachtest. Darin bist du ganz wie ich. Und dann wirds einem so zur Gewohnheit, das Ältersein?

HANS KARL  Ja, es gibt immer noch gewisse Momente, die einen frappieren. Zum Beispiel, wenn man sich plötzlich klarwird, daß man nicht mehr glaubt, daß es Leute gibt, die einem alles erklären könnten.

STANI  Eines versteh ich aber doch nicht, Onkel Kari, daß du mit dieser Reife und konserviert wie du bist nicht heiratest.

HANS KARL  Jetzt.

STANI  Ja, eben jetzt. Denn der Mann, der kleine Abenteuer sucht, bist du doch nicht mehr. Weißt du, ich würde natürlich sofort begreifen, daß sich jede Frau heut noch für dich interessiert. Aber die Toinette hat mir erklärt, warum ein Interesse für dich nie serios wird.

HANS KARL  Ah!

STANI  Ja, sie hat viel darüber nachgedacht. Sie sagt: du fixierst nicht, weil du nicht genug Herz hast.

HANS KARL  Ah!

STANI  Ja, dir fehlt das Eigentliche. Das, sagt sie, ist der enorme Unterschied zwischen dir und mir. Sie sagt: du hast das Handgelenk immer geschmeidig, um loszulassen, das spürt eine Frau, und wenn sie selbst im Begriff wäre, sich in dich zu verlieben, so verhindert das die Kristallisation.

HANS KARL  Ah, so drückt sie sich aus?

STANI  Das ist ja ihr großer Charme, daß sie eine Konversation hat. Weißt du, das brauch ich absolut: eine Frau die mich fixieren soll, die muß außer ihrer absoluten Hingebung auch eine Konversation haben.

HANS KARL  Darin ist sie delizios.

STANI  Absolut. Das hat sie: Charme, Geist und Temperament, so wie sie etwas anderes nicht hat: nämlich Rasse.

HANS KARL  Du findest?

STANI  Weißt du, Onkel Kari, ich bin ja so gerecht; eine Frau kann hundertmal das Äußerste an gutem Willen für mich gehabt haben – ich geb ihr, was sie hat, und ich sehe unerbittlich, was sie nicht hat. Du verstehst mich: Ich denk über alles nach, und mach mir immer zwei Kategorien. Also die Frauen teile ich in zwei große Kategorien: die Geliebte, und die Frau, die man heiratet. Die Antoinette gehört in die erste Kategorie, sie kann hundertmal die Frau vom Adolf Hechingen sein, für mich ist sie keine Frau, sondern – das andere.

HANS KARL   Das ist ihr Genre, natürlich. Wenn man die Menschen so einteilen will.

STANI   Absolut. Darum ist es, in Parenthese, die größte Dummheit, sie mit ihrem Mann versöhnen zu wollen.

HANS KARL   Wenn er aber doch einmal ihr Mann ist? Verzeih, das ist vielleicht ein sehr spießbürgerlicher Gedanke.

STANI   Weißt du, verzeih mir, ich mache mir meine Kategorien, und da bin ich dann absolut darin, ebenso über die Galanterie, ebenso über die Ehe. Die Ehe ist kein Experiment. Sie ist das Resultat eines richtigen Entschlusses.

HANS KARL   Von dem du natürlich weit entfernt bist.

STANI   Aber gar nicht. Augenblicklich bereit, ihn zu fassen.

HANS KARL   Im jetzigen Moment?

STANI   Ich finde mich außerordentlich geeignet, eine Frau glücklich zu machen, aber bitte, sag das der Mamu nicht, ich will mir in allen Dingen meine volle Freiheit bewahren. Darin bin ich ja haarklein wie du. Ich vertrage nicht, daß man mich beengt.

*Hans Karl raucht.*

STANI   Der Entschluß muß aus dem Moment hervorgehen. Gleich oder gar nicht, das ist meine Devise!

HANS KARL   Mich interessiert nichts auf der Welt so sehr, als wie man von einer Sache zur andern kommt. Du würdest also nie einen Entschluß vor dich hinschieben?

STANI   Nie, das ist die absolute Schwäche.

HANS KARL   Aber es gibt doch Komplikationen?

STANI   Die negiere ich.

HANS KARL   Beispielsweise sich kreuzende widersprechende Verpflichtungen.

STANI   Von denen hat man die Wahl, welche man lösen will.

HANS KARL   Aber man ist doch in dieser Wahl bisweilen sehr behindert.

STANI  Wieso?

HANS KARL  Sagen wir durch Selbstvorwürfe.

STANI  Das sind Hypochondrien. Ich bin vollkommen gesund. Ich war im Feld nicht einen Tag krank.

HANS KARL  Ah, du bist mit deinem Benehmen immer absolut zufrieden?

STANI  Ja, wenn ich das nicht wäre, so hätte ich mich doch anders benommen.

HANS KARL  Pardon, ich spreche nicht von Unkorrektheiten – aber du läßt mit einem Wort den Zufall, oder nennen wirs das Schicksal, unbedenklich walten?

STANI  Wieso? Ich behalte immer alles in der Hand.

HANS KARL  Zeitweise ist man aber halt doch versucht, bei solchen Entscheidungen einen bizarren Begriff einzuschieben: den der höheren Notwendigkeit.

STANI  Was ich tue, ist eben notwendig, sonst würde ich es nicht tun.

HANS KARL  *interessiert*  Verzeih, wenn ich aus der aktuellen Wirklichkeit heraus exemplifiziere – das schickt sich ja eigentlich nicht –

STANI  Aber bitte –

HANS KARL  Eine Situation würde dir, sagen wir, den Entschluß zur Heirat nahelegen.

STANI  Heute oder morgen.

HANS KARL  Nun bist du mit der Antoinette in dieser Weise immerhin befreundet.

STANI  Ich brouillier mich mit ihr, von heut auf morgen!

HANS KARL  Ah! Ohne jeden Anlaß?

STANI  Aber der Anlaß liegt doch immer in der Luft. Bitte. Unsere Beziehung dauert seit dem Frühjahr. Seit sechs, sieben Wochen ist irgend etwas an der Antoinette, ich kann nicht sagen, was – ein Verdacht wäre schon zuviel – aber die bloße Idee, daß sie sich außer mit mir noch mit jemandem andern beschäftigen könnte, weißt du, darin bin ich absolut.

HANS KARL  Ah, ja.

STANI  Weißt du, das ist stärker als ich. Ich möchte es gar nicht Eifersucht nennen, es ist ein derartiges Nichtbegreifen-

können, daß eine Frau, der ich mich attachiert habe, zugleich mit einem andern – begreifst du?

HANS KARL Aber die Antoinette ist doch so unschuldig, wenn
sie etwas anstellt. Sie hat dann fast noch mehr Charme.

STANI Da verstehe ich dich nicht.


### NEUNTE SZENE

NEUGEBAUER *ist leise eingetreten* Hier sind die Briefe, Euer Erlaucht. Ich habe sie auf den ersten Griff –

HANS KARL Danke. Bitte, geben Sie mir sie.

*Neugebauer gibt ihm die Briefe.*

HANS KARL Danke.

*Neugebauer ab.*


### ZEHNTE SZENE

HANS KARL *nach einer kleinen Pause* Weißt du, wen ich für den
gebornen Ehemann halte?

STANI Nun?

HANS KARL Den Adolf Hechingen.

STANI Der Antoinette ihren Mann? Hahaha! –

HANS KARL Ich red ganz im Ernst.

STANI Aber Onkel Kari.

HANS KARL In seinem Attachement an diese Frau ist eine höhere Notwendigkeit.

STANI Der prädestinierte – ich will nicht sagen was!

HANS KARL Sein Schicksal geht mir nah.

STANI Für mich gehört er in eine Kategorie: der instinktlose
Mensch. Weißt du, an wen er sich anhängt, wenn du nicht
im Klub bist? An mich. Ausgerechnet an mich! Er hat einen
Flair!

HANS KARL Ich habe ihn gern.

STANI Aber er ist doch unelegant bis über die Ohren.

HANS KARL Aber ein innerlich vornehmer Mensch.

STANI Ein uneleganter, schwerfälliger Kerl.

HANS KARL   Er braucht eine Flasche Champagner ins Blut.

STANI   Sag das nie vor ihm, er nimmts wörtlich. Ein uneleganter Mensch ist mir ein Greuel, wenn er getrunken hat.

HANS KARL   Ich hab ihn gern.

STANI   Er nimmt alles wörtlich, auch deine Freundschaft für
ihn.

HANS KARL   Aber er darf sie wörtlich nehmen.

STANI   Pardon, Onkel Kari, bei dir darf man nichts wörtlich
nehmen, wenn man das tut, gehört man in die Kategorie:
Instinktlos.

HANS KARL   Aber er ist ein so guter, vortrefflicher Mensch.

STANI   Meinetwegen, wenn du das von ihm sagst, aber das ist
noch gar kein Grund, daß er immer von deiner Güte
spricht. Das geht mir auf die Nerven. Ein eleganter Mensch
hat Bonhomie, aber er ist kein guter Mensch. Pardon, sag
ich, der Onkel Kari ist ein großer Herr und darum auch ein
großer Egoist, selbstverständlich. Du verzeihst.

HANS KARL   Es nützt nichts, ich hab ihn gern.

STANI   Das ist eine Bizarrerie von dir! Du hast es doch nicht
notwendig, bizarr zu sein! Du hast doch das Wunderbare,
daß du mühelos das vorstellst, was du bist: ein großer Herr!
Mühelos! Das ist der große Punkt. Der Mensch zweiter
Kategorie bemüht sich unablässig. Bitte, da ist dieser
Theophil Neuhoff, den man seit einem Jahr überall sieht.
Was ist eine solche Existenz anderes als eine fortgesetzte
jämmerliche Bemühung, ein Genre zu kopieren, das eben
nicht sein Genre ist.

ELFTE SZENE

LUKAS   *kommt eilig*   Darf ich fragen – haben Euer Erlaucht Befehl gegeben, daß fremder Besuch vorgelassen wird?

HANS KARL   Aber absolut nicht. Was ist denn das?

LUKAS   Da muß der neue Diener eine Konfusion gemacht haben. Eben wird vom Portier herauftelephoniert, daß Herr
Baron Neuhoff auf der Treppe ist. Bitte zu befehlen, was
mit ihm geschehen soll.

STANI   Also, im Moment, wo wir von ihm sprechen. Das ist
kein Zufall. Onkel Kari, dieser Mensch ist mein guignon,
und ich beschwöre sein Kommen herauf. Vor einer Woche
bei der Helen, ich will ihr eben meine Ansicht über den
Herrn von Neuhoff sagen, im Moment steht der Neuhoff
auf der Schwelle. Vor drei Tagen, ich geh von der Antoinette weg – im Vorzimmer steht der Herr von Neuhoff.
Gestern früh bei meiner Mutter, ich wollte dringend etwas
mit ihr besprechen, im Vorzimmer find ich den Herrn von
Neuhoff.

VINZENZ  *tritt ein, meldet*  Herr Baron Neuhoff sind im Vorzimmer.

HANS KARL  Jetzt muß ich ihn natürlich empfangen.

*Lukas winkt: Eintreten lassen.*

*Vinzenz öffnet die Flügeltür, läßt eintreten.*


ZWÖLFTE SZENE

NEUHOFF  *tritt ein*  Guten Abend, Graf Bühl. Ich war so unbescheiden, nachzusehen, ob Sie zu Hause wären.

HANS KARL   Sie kennen meinen Neffen Freudenberg?

STANI  Wir haben uns getroffen.

*Sie setzen sich.*

NEUHOFF  Ich sollte die Freude haben, Ihnen diesen Abend im
Altenwylschen Hause zu begegnen. Gräfin Helene hatte
sich ein wenig darauf gefreut, uns zusammenzuführen.
Um so schmerzlicher war mein Bedauern, als ich durch
Gräfin Helene diesen Nachmittag erfahren mußte, Sie hät-
ten abgesagt.

HANS KARL   Sie kennen meine Kusine seit dem letzten Winter?

NEUHOFF  Kennen – wenn man das Wort von einem solchen
Wesen brauchen darf. In gewissen Augenblicken gewahrt
man erst, wie doppelsinnig das Wort ist: es bezeichnet das
Oberflächlichste von der Welt und zugleich das tiefste Geheimnis des Daseins zwischen Mensch und Mensch.

*Hans Karl und Stani wechseln einen Blick.*

NEUHOFF  Ich habe das Glück, Gräfin Helene nicht selten zu
sehen und ihr in Verehrung anzugehören.

*Eine kleine, etwas genierte Pause.*

NEUHOFF  Heute nachmittag – wir waren zusammen im Ate-
lier von Bohuslawsky – Bohuslawsky macht mein Porträt,
das heißt, er quält sich unverhältnismäßig, den Ausdruck
meiner Augen festzuhalten: er spricht von einem gewissen
Etwas darin, das nur in seltenen Momenten sichtbar wird –
und es war seine Bitte, daß die Gräfin Helene einmal dieses
Bild ansehen und ihm über diese Augen ihre Kritik geben
möchte – da sagt sie mir: Graf Bühl kommt nicht, gehen Sie
zu ihm. Besuchen Sie ihn, ganz einfach. Es ist ein Mann, bei
dem die Natur, die Wahrheit alles erreicht und die Absicht
nichts. Ein wunderbarer Mann in unserer absichtsvollen
Welt, war meine Antwort – aber so hab ich mir ihn gedacht, so hab ich ihn erraten, bei der ersten Begegnung.

STANI  Sie sind meinem Onkel im Felde begegnet?

NEUHOFF  Bei einem Stab.

HANS KARL  Nicht in der sympathischsten Gesellschaft.

NEUHOFF  Das merkte man Ihnen an, Sie sprachen unendlich
wenig.

HANS KARL  *lächelnd* Ich bin kein großer Causeur, nicht wahr,
Stani?

STANI  In der Intimität schon!

NEUHOFF  Sie sprechen es aus, Graf Freudenberg, Ihr Onkel
liebt es, in Gold zu zahlen; er hat sich an das Papiergeld des
täglichen Verkehrs nicht gewöhnen wollen. Er kann mit
seiner Rede nur seine Intimität vergeben, und die ist un-
schätzbar.

HANS KARL  Sie sind äußerst freundlich, Baron Neuhoff.

NEUHOFF  Sie müßten sich von Bohuslawsky malen lassen,
Graf Bühl. Sie würde er in drei Sitzungen treffen. Sie wissen, daß seine Stärke das Kinderporträt ist. Ihr Lächeln ist
genau die Andeutung eines Kinderlachens. Mißverstehen
Sie mich nicht. Warum ist denn Würde so ganz unnach-
ahmlich? Weil ein Etwas von Kindlichkeit in ihr steckt. Auf
dem Umweg über die Kindlichkeit würde Bohuslawsky
vermögen, einem Bilde von Ihnen das zu geben, was in un-

serer Welt das Seltenste ist und was Ihre Erscheinung in hohem Maße auszeichnet: Würde. Denn wir leben in einer würdelosen Welt.

HANS KARL  Ich weiß nicht, von welcher Welt Sie sprechen: uns allen ist draußen soviel Würde entgegengetreten –

NEUHOFF  Deswegen war ein Mann wie Sie draußen so in seinem Element. Was haben Sie geleistet, Graf Bühl! Ich erinnere mich des Unteroffiziers im Spital, der mit Ihnen und den dreißig Schützen verschüttet war.

HANS KARL  Mein braver Zugführer, der Hütter Franz! Meine Kusine hat Ihnen davon erzählt?

NEUHOFF  Sie hat mir erlaubt, sie bei diesem Besuch ins Spital zu begleiten. Ich werde nie das Gesicht und die Rede dieses Sterbenden vergessen.

*Hans Karl sagt nichts.*

NEUHOFF  Er sprach ausschließlich von Ihnen. Und in welchem Ton! Er wußte, daß sie eine Verwandte seines Hauptmanns war, mit der er sprach.

HANS KARL  Der arme Hütter Franz!

NEUHOFF  Vielleicht wollte mir die Gräfin Helene eine Idee von Ihrem Wesen geben, wie tausend Begegnungen im Salon sie nicht vermitteln können.

STANI  *etwas scharf*  Vielleicht hat sie vor allem den Mann selbst sehen und vom Onkel Kari hören wollen.

NEUHOFF  In einer solchen Situation wird ein Wesen wie Helene Altenwyl erst ganz sie selbst. Unter dieser vollkommenen Einfachheit, diesem Stolz der guten Rasse verbirgt sich ein Strömen der Liebe, eine alle Poren durchdringende Sympathie: es gibt von ihr zu einem Wesen, das sie sehr liebt und achtet, namenlose Verbindungen, die nichts lösen könnte, und an die nichts rühren darf. Wehe dem Gatten, der nicht verstünde, diese namenlose Verbundenheit bei ihr zu achten, der engherzig genug wäre, alle diese verteilten Sympathien auf sich vereinigen zu wollen.

*Eine kleine Pause.*

*Hans Karl raucht.*

NEUHOFF  Sie ist wie Sie: eines der Wesen, um die man nicht werben kann: die sich einem schenken müssen.

*Abermals eine kleine Pause.*

NEUHOFF  *mit einer großen, vielleicht nicht ganz echten Sicherheit*
Ich bin ein Wanderer, meine Neugierde hat mich um die
halbe Welt getrieben. Das, was schwierig zu kennen ist,
fasziniert mich; was sich verbirgt, zieht mich an. Ich
möchte ein stolzes, kostbares Wesen, wie Gräfin Helene, in
Ihrer Gesellschaft sehen, Graf Bühl. Sie würde eine andere
werden, sie würde aufblühen: denn ich kenne niemanden,
der so sensibel ist für menschliche Qualität.

HANS KARL  Das sind wir hier ja alle ein bißchen. Vielleicht ist
das gar nichts so Besonderes an meiner Kusine.

NEUHOFF  Ich denke mir die Gesellschaft, die ein Wesen wie
Helene Altenwyl umgeben müßte, aus Männern Ihrer Art
bestehend. Jede Kultur hat ihre Blüten: Gehalt ohne Prä-
tention, Vornehmheit gemildert durch eine unendliche
Grazie, so ist die Blüte dieser alten Gesellschaft beschaffen,
der es gelungen ist, was die Ruinen von Luxor und die
Wälder des Kaukasus nicht vermochten, einen Unstäten,
wie mich, in ihrem Bannkreis festzuhalten. Aber, erklären
Sie mir eins, Graf Bühl. Gerade die Männer Ihres Schlages,
von denen die Gesellschaft ihr eigentliches Gepräge empfängt, begegnet man allzu selten in ihr. Sie scheinen ihr auszuweichen.

STANI  Aber gar nicht, Sie werden den Onkel Kari gleich
heute abend bei Altenwyls sehen, und ich fürchte sogar, so
gemütlich dieser kleine Plausch hier ist, so müssen wir ihm
bald Gelegenheit geben, sich umzuziehen.
*Er ist aufgestanden.*

NEUHOFF  Müssen wir das, so sage ich Ihnen für jetzt adieu,
Graf Bühl. Wenn Sie jemals, sei es in welcher Lage immer,
eines fahrenden Ritters bedürfen sollten,
*Schon im Gehen*
der dort, wo er das Edle, das Hohe ahnt, ihm unbedingt
und ehrfürchtig zu dienen gewillt ist, so rufen Sie mich.
*Hans Karl, dahinter Stani, begleiten ihn. Wie sie an der Tür
sind, klingelt das Telephon.*

NEUHOFF  Bitte, bleiben Sie, der Apparat begehrt nach Ihnen.

STANI  Darf ich Sie bis an die Stiege begleiten?

HANS KARL  *an der Tür*  Ich danke Ihnen sehr für Ihren guten
  Besuch, Baron Neuhoff.
  *Neuhoff und Stani ab.*
HANS KARL  *allein mit dem heftig klingelnden Apparat, geht an die
  Wand und drückt an den Zimmertelegraph, rufend*  Lukas, ab-
  stellen! Ich mag diese indiskrete Maschine nicht! Lukas!
  *Das Klingeln hört auf.*


DREIZEHNTE SZENE


STANI  *kommt zurück*  Nur für eine Sekunde, Onkel Kari,
  wenn du mir verzeihst. Ich hab müssen dein Urteil über
  diesen Herrn hören!
HANS KARL  Das deinige scheint ja fix und fertig zu sein.
STANI  Ah, ich find ihn einfach unmöglich. Ich verstehe einfach eine solche Figur nicht. Und dabei ist der Mensch ganz
  gut geboren!
HANS KARL  Und du findest ihn so unannehmbar?
STANI  Aber ich bitte: so viel Taktlosigkeiten als Worte.
HANS KARL  Er will sehr freundlich sein, er will für sich ge-
  winnen.
STANI  Aber man hat doch eine assurance, man kriecht wild-
  fremden Leuten noch nicht in die Westentasche.
HANS KARL  Und er glaubt allerdings, daß man etwas aus sich
  machen kann – das würde ich als eine Naivität ansehen oder
  als Erziehungsfehler.
STANI  *geht aufgeregt auf und ab*  Diese Tiraden über die Helen!
HANS KARL  Daß ein Mädel wie die Helen mit ihm Konversa-
  tion über unsereinen führt, macht mir auch keinen Spaß.
STANI  Daran ist gewiß kein wahres Wort. Ein Kerl, der kalt
  und warm aus einem Munde blast.
HANS KARL  Es wird alles sehr ähnlich gewesen sein, wie er
  sagt. Aber es gibt Leute, in deren Mund sich alle Nuancen
  verändern, unwillkürlich.
STANI  Du bist von einer Toleranz!
HANS KARL  Ich bin halt sehr alt, Stani.
STANI  Ich ärgere mich jedenfalls rasend, das ganze Genre

bringt mich auf, diese falsche Sicherheit, diese ölige Suada, dieses Kokettieren mit seinem odiosen Spitzbart.

HANS KARL    Er hat Geist, aber es wird einem nicht wohl dabei.

STANI    Diese namenlosen Indiskretionen. Ich frage: was geht ihn dein Gesicht an?

HANS KARL    Au fond ist man vielleicht ein bedauernswerter Mensch, wenn man so ist.

STANI    Ich nenne ihn einen odiosen Kerl. Jetzt muß ich aber zur Mamu hinauf. Ich seh dich jedenfalls in der Nacht im Klub, Onkel Kari.

*Agathe sieht leise bei der Tür rechts herein, sie glaubt Hans Karl allein.*

*Stani kommt noch einmal nach vorne.*

*Hans Karl winkt Agathe, zu verschwinden.*

STANI    Weißt du, ich kann mich nicht beruhigen. Erstens die Bassesse, einem Herrn wie dir ins Gesicht zu schmeicheln.

HANS KARL    Das war nicht sehr elegant.

STANI    Zweitens das Affichieren einer weiß Gott wie dicken Freundschaft mit der Helen. Drittens die Spionage, ob du dich für sie interessierst.

HANS KARL    *lächelnd*    Meinst du, er hat ein bißl das Terrain sondieren wollen?

STANI    Viertens diese maßlos indiskrete Anspielung auf seine künftige Situation. Er hat sich uns ja geradezu als ihren Zukünftigen vorgestellt. Fünftens dieses odiose Perorieren, das es einem unmöglich macht, auch nur einmal die Replik zu geben. Sechstens dieser unmögliche Abgang. Das war ja ein Geburtstagswunsch, ein Leitartikel. Aber ich halt dich auf, Onkel Kari.

*Agathe ist wieder in der Tür erschienen, gleiches Spiel wie früher.*

STANI    *war schon im Verschwinden, kommt wieder nach vorne*    Darf ich noch einmal? Das eine kann ich nicht begreifen, daß dir die Sache wegen der Helen nicht nähergeht!

HANS KARL    Inwiefern mir?

STANI    Pardon, mir steht die Helen zu nahe, als daß ich diese unmögliche Phrase von »Verehrung« und »Angehören« goutieren könnt. Wenn man die Helen von klein auf kennt, wie eine Schwester!

HANS KARL  Es kommt ein Moment, wo die Schwestern sich
von den Brüdern trennen.

STANI  Aber nicht für einen Neuhoff. Ah, ah!

HANS KARL  Eine kleine Dosis von Unwahrheit ist den Frauen
sehr sympathisch.

STANI  So ein Kerl dürfte nicht in die Nähe von der Helen.

HANS KARL  Wir werden es nicht hindern können.

STANI  Ah, das möcht ich sehen. Nicht in die Nähe!

HANS KARL  Er hat uns die kommende Verwandtschaft angekündigt.

STANI  In welchem Zustand muß die Helen sein, wenn sie sich
mit diesem Menschen einläßt.

HANS KARL  Weißt du, ich habe mir abgewöhnt, aus irgendeiner Handlung von Frauen Folgerungen auf ihren Zustand
zu ziehen.

STANI  Nicht, daß ich eifersüchtig wäre, aber mir eine Person
wie die Helen – als Frau dieses Neuhoff zu denken, das ist
für mich eine derartige Unbegreiflichkeit – die Idee ist mir
einfach unfaßlich – ich muß sofort mit der Mamu davon
sprechen.

HANS KARL  *lächelnd*  Ja, tu das, Stani. –
*Stani ab.*


VIERZEHNTE SZENE

LUKAS  *tritt ein*  Ich fürchte, das Telephon war hereingestellt.

HANS KARL  Ich will das nicht.

LUKAS  Sehr wohl, Euer Erlaucht. Der neue Diener muß es
umgestellt haben, ohne daß ichs bemerkt habe. Er hat
überall die Hände und die Ohren, wo er sie nicht haben soll.

HANS KARL  Morgen um sieben Uhr früh expedieren.

LUKAS  Sehr wohl. Der Diener vom Herrn Grafen Hechingen
war am Telephon. Der Herr Graf möchten selbst gern
sprechen wegen heute abend: ob Erlaucht in die Soiree zu
Graf Altenwyl gehen oder nicht. Nämlich, weil die Frau
Gräfin auch dort sein wird.

HANS KARL  Rufen Sie jetzt bei Graf Altenwyl an und sagen

Sie, ich habe mich freigemacht, lasse um Erlaubnis bitten, trotz meiner Absage doch zu erscheinen. Und dann verbinden Sie mich mit dem Grafen Hechingen, ich werde selbst sprechen. Und bitten Sie indes die Kammerfrau, hereinzukommen.

LUKAS   Sehr wohl.

*Geht ab. Agathe herein.*

FÜNFZEHNTE SZENE

HANS KARL   *nimmt das Paket mit den Briefen*   Hier sind die Briefe. Sagen Sie der Frau Gräfin, daß ich mich von diesen Briefen darum trennen kann, weil die Erinnerung an das Schöne für mich unzerstörbar ist; ich werde sie nicht in einem Brief finden, sondern überall.

AGATHE   Oh, ich küß die Hand! Ich bin ja so glücklich. Jetzt weiß ich, daß meine Frau Gräfin unsern Herrn Grafen bald wiedersehen wird.

HANS KARL   Sie wird mich heut abend sehen. Ich werde auf die Soiree kommen.

AGATHE   Und dürften wir hoffen, daß sie – daß derjenige, der ihr entgegentritt, der gleiche sein wird, wie immer?

HANS KARL   Sie hat keinen besseren Freund.

AGATHE   Oh, ich küß die Hand.

HANS KARL   Sie hat nur zwei wahre Freunde auf der Welt: mich und ihren Mann.

AGATHE   Oh, mein Gott, das will ich nicht hören. O Gott, o Gott, das Unglück, daß sich unser Herr Graf mit dem Grafen Hechingen befreundet hat. Meiner Frau Gräfin bleibt wirklich nichts erspart.

HANS KARL   *geht nervös ein paar Schritte von ihr weg*   Ja, ahnen denn die Frauen so wenig, was ein Mann ist?! Und wer sie wirklich liebhat!

AGATHE   Oh, nur das nicht. Wir lassen uns ja von Euer Erlaucht alles einreden, aber das nicht, das ist zu viel!

HANS KARL   *auf und ab*   Also nicht. Nicht helfen können! Nicht so viel!

*Pause.*

AGATHE *schüchtern und an ihn herantretend*   Oder versuchen Sies doch. Aber nicht durch mich: für eine solche Botschaft bin ich zu ungebildet. Da hätte ich nicht die richtigen Ausdrücke. Und auch nicht brieflich. Das gibt nur Mißverständnisse. Aber Aug in Aug: ja, gewiß! Da werden Sie schon was ausrichten! Was sollen Sie bei meiner Frau Gräfin nicht ausrichten! Nicht vielleicht beim erstenmal. Aber wiederholt – wenn Sie ihr recht eindringlich ins Gewissen reden – wie sollte Sie Ihnen denn da widerstehen können?

*Das Telephon läutet wieder.*

HANS KARL *geht ans Telephon und spricht hinein*   Ja, ich bin es selbst. Hier. Ja, ich bin am Apparat. Ich bleibe. Graf Bühl. Ja, selbst.

AGATHE   Ich küß die Hand.

*Geht schnell ab, durch die Mitteltür.*

HANS KARL *am Telephon*   Hechingen, guten Abend! Ja, ich habs mir überlegt. Ich habe zugesagt. Ich werde Gelegenheit nehmen. Gewiß. Ja, das hat mich bewogen, hinzugehen. Gerade auf einer Soiree, da ich nicht Bridge spiele und deine Frau, wie ich glaube, auch nicht. Kein Anlaß. Auch dazu ist kein Anlaß. Zu deinem Pessimismus. Zu deinem Pessimismus! Du verstehst nicht? Zu deiner Traurigkeit ist kein Anlaß. Absolut bekämpfen! Allein? Also die berühmte Flasche Champagner. Ich bringe bestimmt das Resultat vor Mitternacht. Übertriebene Hoffnungen natürlich auch nicht. Du weißt, daß ich das Mögliche versuchen werde. Es entspricht doch auch meiner Empfindung. Es entspricht meiner Empfindung! Wie? Gestört? Ich habe gesagt: Es entspricht meiner Empfindung. Empfindung! Eine ganz gleichgültige Phrase! Keine Frage, eine Phrase! Ich habe eine gleichgültige Phrase gesagt! Welche? Es entspricht meiner Empfindung. Nein, ich nenne es nur eine gleichgültige Phrase, weil du es so lange nicht verstanden hast. Ja. Ja. Ja! Adieu. Schluß!

*Läutet*

Es gibt Menschen, mit denen sich alles kompliziert, und dabei ist das so ein exzellenter Kerl!

## SECHZEHNTE SZENE

STANI *aufs neue in der Mitteltür* Ist es sehr unbescheiden, Onkel Kari?

HANS KARL  Aber bitte, ich bin zur Verfügung.

STANI *vorne bei ihm* Ich muß dir melden, Onkel Kari, daß ich inzwischen eine Konversation mit der Mamu gehabt habe und zu einem Resultat gekommen bin.

*Hans Karl sieht ihn an.*

STANI  Ich werde mich mit der Helen Altenwyl verloben.

HANS KARL  Du wirst dich –

STANI  Ja, ich bin entschlossen, die Helen zu heiraten. Nicht heute und nicht morgen, aber in der allernächsten Zeit. Ich habe alles durchgedacht. Auf der Stiege von hier bis in den zweiten Stock hinauf. Wie ich zur Mamu in den zweiten Stock gekommen bin, war alles fix und fertig. Weißt du, die Idee ist mir plötzlich gekommen, wie ich bemerkt hab, du interessierst dich nicht für die Helen.

HANS KARL  Aha.

STANI  Begreifst du? Es war so eine Idee von der Mamu. Sie behauptet, man weiß nie, woran man mit dir ist – am Ende hättest du doch daran gedacht, die Helen zu nehmen – und du bist doch für die Mamu immer der Familienchef, ihr Herz ist halt ganz Bühlisch.

HANS KARL  *halb abgewandt* Die gute Crescence!

STANI  Aber ich hab immer widersprochen. Ich verstehe ja jede Nuance von dir. Ich hab von jeher gefühlt, daß von einem Interesse für die Helen bei dir nicht die Idee sein kann.

HANS KARL  *dreht sich plötzlich zu ihm um* Und deine Mutter?

STANI  Die Mamu?

HANS KARL  Ja, wie hat sie es aufgefaßt?

STANI  Feuer und Flamme natürlich. Sie hat ein ganz rotes Gesicht bekommen vor Freude. Wundert dich das, Onkel Kari?

HANS KARL  Nur ein bißl, nur eine Idee – ich hab immer den Eindruck gehabt, daß deine Mutter einen bestimmten Gedanken hat in bezug auf die Helen.

STANI  Eine Aversion?

HANS KARL  Gar nicht. Nur eine Ansicht. Eine Vermutung.

STANI  Früher, die früheren Jahre?

HANS KARL  Nein, vor einer halben Stunde.

STANI  In welcher Richtung? Aber die Mamu ist ja so eine Windfahn! Das vergißt sie ja im Moment. Vor einem Entschluß von mir, da ist sie sofort auf den Knien. Da spürt sie den Mann. Sie adoriert das fait accompli.

HANS KARL  Also, du hast dich entschlossen? –

STANI  Ja, ich bin entschlossen.

HANS KARL  So auf eins, zwei!

STANI  Das ist doch genau das, worauf es ankommt. Das imponiert ja den Frauen so enorm an mir. Dadurch eben behalte ich immer die Führung in der Hand.

*Hans Karl raucht.*

STANI  Siehst du, du hast vielleicht früher auch einmal daran gedacht, die Helen zu heiraten –

HANS KARL  Gott, vor Jahren vielleicht. In irgendeinem Moment, wie man an tausend Sachen denkt.

STANI  Begreifst du? Ich hab nie daran gedacht! Aber im Augenblick, wo ich es denke, bring ich es auch zu Ende. – Du bist verstimmt?

HANS KARL  Ich habe ganz unwillkürlich einen Moment an die Antoinette denken müssen.

STANI  Aber jede Sache auf der Welt muß doch ihr Ende haben.

HANS KARL  Natürlich. Und das beschäftigt dich gar nicht, ob die Helen frei ist? Sie scheint doch zum Beispiel diesem Neuhoff Hoffnungen gegeben zu haben.

STANI  Das ist ja genau mein Kalkul. Über Hoffnungen, die sich der Herr von Neuhoff macht, gehe ich einfach hinweg. Und daß für die Helen ein Theophil Neuhoff überhaupt in Frage kommen kann, das beweist doch gerade, daß eine ernste Okkupation bei ihr nicht vorhanden ist. Solche Komplikationen statuier ich nicht. Das sind Launen, oder sagen wir das Wort: Verirrungen.

HANS KARL  Sie ist schwer zu kennen.

STANI  Aber ich kenn doch ihr Genre. In letzter Linie kann die sich für keinen Typ von Männern interessieren als für den unsrigen; alles andere ist eine Verirrung. Du bist so still, hast du dein Kopfweh?

HANS KARL   Aber gar nicht. Ich bewundere deinen Mut.

STANI   Du und Mut und bewundern?

HANS KARL   Das ist eine andere Art von Mut als der im Graben.

STANI   Ja, ich versteh dich ja so gut, Onkel Kari. Du denkst an die Chancen, die ich sonst noch im Leben gehabt hätte. Du hast das Gefühl, daß ich mich vielleicht zu billig weggeb. Aber siehst du, da bin ich wieder ganz anders; ich liebe das Vernünftige und Definitive. Du, Onkel Kari, bist au fond, verzeih, daß ich es heraussage, ein Idealist: deine Gedanken gehen auf das Absolute, auf das Vollkommene. Das ist ja sehr elegant gedacht, aber unrealisierbar. Au fond bist du da wie die Mamu; der ist nichts gut genug für mich. Ich habe die Sache durchgedacht, wie sie ist. Die Helen ist ein Jahr jünger wie ich.

HANS KARL   Ein Jahr?

STANI   Sie ist ausgezeichnet geboren.

HANS KARL   Man kann nicht besser sein.

STANI   Sie ist elegant.

HANS KARL   Sehr elegant.

STANI   Sie ist reich.

HANS KARL   Und vor allem so hübsch.

STANI   Sie hat Rasse.

HANS KARL   Ohne Vergleich.

STANI   Bitte, vor allem in den zwei Punkten, auf die in der Ehe alles ankommt. Primo: sie kann nicht lügen, secundo: sie hat die besten Manieren von der Welt.

HANS KARL   Sie ist so delizios artig, wie sonst nur alte Frauen sind.

STANI   Sie ist gescheit wie der Tag.

HANS KARL   Wem sagst du das? Ich hab ihre Konversation so gern.

STANI   Und sie wird mich mit der Zeit adorieren.

HANS KARL   *vor sich, unwillkürlich* Auch das ist möglich.

STANI   Aber nicht möglich. Ganz bestimmt. Bei diesem Genre von Frauen bringt das die Ehe mit sich. In der Liaison hängt alles von Umständen ab, da sind Bizarrerien möglich, Täuschungen, Gott weiß was. In der Ehe beruht alles auf der Dauer; auf die Dauer nimmt jeder die Qualität des andern derart in sich auf, daß von einer wirklichen Differenz nicht mehr die Rede sein kann: unter der einen Voraussetzung, daß die Ehe aus dem richtigen Entschluß hervorgeht. Das ist der Sinn der Ehe.

### SIEBZEHNTE SZENE

LUKAS *eintretend* Frau Gräfin Freudenberg.

CRESCENCE *an Lukas vorbei, tritt schnell ein* Also, was sagt Er mir zu dem Buben, Kari? Ich bin ja überglücklich. Gratulier Er mir doch!

HANS KARL *ein wenig abwesend* Meine gute Crescence. Ich wünsch den allergrößten Erfolg.

*Stani empfiehlt sich stumm.*

CRESCENCE Schick Er mir das Auto retour.

STANI Bitte zu verfügen. Ich gehe zu Fuß.

*Geht.*

### ACHTZEHNTE SZENE

CRESCENCE Der Erfolg wird sehr stark von dir abhängen.

HANS KARL Von mir? Ihm stehts doch auf der Stirne geschrieben, daß er erreicht, was er sich vornimmt.

CRESCENCE Für die Helen ist dein Urteil alles.

HANS KARL Wieso, Crescence, inwiefern?

CRESCENCE Für den Vater Altenwyl natürlich noch mehr. Der Stani ist eine sehr nette Partie, aber nicht epatant. Darüber mach ich mir keine Illusionen. Aber wenn Er ihn appuyiert, Kari, ein Wort von Ihm hat gerade für die alten Leut so viel Gewicht. Ich weiß gar nicht, woran das liegt.

HANS KARL Ich gehör halt selbst schon bald zu ihnen.

CRESCENCE Kokettier Er nicht mit seinem Alter. Wir zwei sind nicht alt und nicht jung. Aber ich hasse schiefe Positionen. Ich möcht schon lieber mit grauem Haar und einer Hornbrille dasitzen.

HANS KARL    Darum legt Sie sich zeitig aufs Heiratstiften.

CRESCENCE    Ich habe immer für Ihn tun wollen, Kari, schon vor zwölf Jahren. Aber Er hat immer diesen stillen obstinaten Widerspruch in sich gehabt.

HANS KARL    Meine gute Crescence!

CRESCENCE    Hundertmal hab ich Ihm gesagt: sag Er mir, was Er erreichen will, und ich nehms in die Hand.

HANS KARL    Ja, das hat Sie mir oft gesagt, weiß Gott, Crescence.

CRESCENCE    Aber man hat ja bei Ihm nicht gewußt, woran man ist!

*Hans Karl nickt.*

CRESCENCE    Und jetzt macht halt der Stani, was Er nicht hat machen wollen. Ich kann gar nicht erwarten, daß wieder kleine Kinder in Hohenbühl und in Göllersdorf herumlaufen.

HANS KARL    Und in den Schloßteich fallen! Weiß Sie noch, wie sie mich halbtot herausgezogen haben? Weiß Sie – ich hab manchmal die Idee, daß gar nichts Neues auf der Welt passiert.

CRESCENCE    Wie meint Er das?

HANS KARL    Daß alles schon längst irgendwo fertig dasteht und nur auf einmal erst sichtbar wird. Weißt du, wie im Hohenbühler Teich, wenn man im Herbst das Wasser abgelassen hat, auf einmal die Karpfen und die Schweife von den steinernen Tritonen da waren, die man früher kaum gesehen hat? Eine burleske Idee, was!

CRESCENCE    Ist Er denn auf einmal schlecht aufgelegt, Kari?

HANS KARL    *gibt sich einen Ruck* Im Gegenteil, Crescence. Ich danke euch so sehr als ich nur kann, Ihr und dem Stani, für das gute Tempo, das ihr mir gebt mit eurer Frische und eurer Entschiedenheit.

*Er küßt ihr die Hand.*

CRESCENCE    Findet Er, daß Ihm das gut tut, uns in der Nähe zu haben?

HANS KARL    Ich hab jetzt einen sehr guten Abend vor mir. Zuerst eine ernste Konversation mit der Toinette –

CRESCENCE  Aber das brauchen wir ja jetzt gar nicht!

HANS KARL  Ah, ich red doch mit ihr, jetzt hab ich es mir einmal vorgenommen, und dann soll ich also als Onkel vom Stani die gewissen seriosen Unterhaltungen anknüpfen.

CRESCENCE  Das Wichtigste ist, daß du ihn bei der Helen ins richtige Licht stellst.

HANS KARL  Da hab ich also ein richtiges Programm. Sieht Sie, wie Sie mich reformiert? Aber weiß Sie, vorher – ich hab eine Idee – vorher geh ich für eine Stunde in den Zirkus, da haben sie jetzt einen Clown – eine Art von dummen August –

CRESCENCE  Der Furlani, über den ist die Nanni ganz verrückt. Ich hab gar keinen Sinn für diese Späße.

HANS KARL  Ich find ihn delizios. Mich unterhält er viel mehr als die gescheiteste Konversation von Gott weiß wem. Ich freu mich rasend. Ich gehe in den Zirkus, dann esse ich einen Bissen in einem Restaurant, und dann komm ich sehr munter in die Soiree und absolvier mein Programm.

CRESCENCE  Ja, Er kommt und richtet dem Stani die Helen in die Hand, so was kann Er ja so gut. Er wäre doch ein so wunderbarer Botschafter geworden, wenn Er hätt wollen in der Karriere bleiben.

HANS KARL  Dazu is es halt auch zu spät.

CRESCENCE  Also, amüsier Er sich gut und komm Er bald nach.

*Hans Karl begleitet sie bis an die Tür, Crescence geht.*


NEUNZEHNTE SZENE

*Hans Karl kommt nach vorn.*
*Lukas ist mit ihm hereingetreten.*

HANS KARL  Ich ziehe den Frack an. Ich werde gleich läuten.

LUKAS  Sehr wohl, Eure Erlaucht.

*Hans Karl links ab.*

## ZWANZIGSTE SZENE

VINZENZ *tritt von rechts ein* Was machen Sie da?

LUKAS Ich warte auf das Glockenzeichen vom Toilettezimmer, dann geh ich hinein helfen.

VINZENZ Ich werde mit hineingehen. Es ist ganz gut, wenn ich mich an ihn gewöhne.

LUKAS Es ist nicht befohlen, also bleiben Sie draußen.

VINZENZ *nimmt sich eine Zigarre* Sie, das ist doch ganz ein einfacher, umgänglicher Mensch, die Verwandten machen ja mit ihm, was sie wollen. In einem Monat wickel ich ihn um den Finger.

*Lukas schließt die Zigarren ein. Man hört eine Klingel. Lukas beeilt sich.*

VINZENZ Bleiben Sie nur noch. Er soll zweimal läuten.

*Setzt sich in einen Fauteuil.*

*Lukas ab in seinem Rücken.*

VINZENZ *vor sich* Liebesbriefe stellt er zurück, den Neffen verheiratet er, und er selbst hat sich entschlossen, als ältlicher Junggeselle so dahinzuleben mit mir. Das ist genau, wie ich mirs vorgestellt habe.

*Über die Schulter nach rückwärts, ohne sich umzudrehen*
Sie, Herr Schätz, ich bin ganz zufrieden, da bleib ich!

*Der Vorhang fällt.*

# ZWEITER AKT

*Bei Altenwyls. Kleiner Salon im Geschmack des achtzehnten Jahr-*
*hunderts. Türen links, rechts und in der Mitte. Altenwyl mit Hans*
*Karl eintretend von rechts. Crescence mit Helene und Neuhoff ste-*
*hen links im Gespräch.*

ERSTE SZENE

ALTENWYL  Mein lieber Kari, ich rechne dir dein Kommen
doppelt hoch an, weil du nicht Bridge spielst und also mit
den bescheidenen Fragmenten von Unterhaltung vorliebnehmen willst, die einem heutzutage in einem Salon noch
geboten werden. Du findest bekanntlich bei mir immer nur
die paar alten Gesichter, keine Künstler und sonstige Zele-
britäten – die Edine Merenberg ist ja außerordentlich unzufrieden mit dieser altmodischen Hausführung, aber weder
meine Helen noch ich goutieren das Genre von Gesellig-
keit, was der Edine ihr Höchstes ist: wo sie beim ersten
Löffel Suppe ihren Tischnachbar interpelliert, ob er an die
Seelenwanderung glaubt, oder ob er schon einmal mit einem Fakir Bruderschaft getrunken hat.

CRESCENCE  Ich muß Sie dementieren, Graf Altenwyl, ich hab
drüben an meinem Bridgetisch ein ganz neues Gesicht, und
wie die Mariette Stradonitz mir zugewispelt hat, ist es ein
weltberühmter Gelehrter, von dem wir noch nie was gehört haben, weil wir halt alle Analphabeten sind.

ALTENWYL  Der Professor Brücke ist in seinem Fach eine
große Zelebrität und mir ein lieber politischer Kollege. Er
genießt es außerordentlich, in einem Salon zu sein, wo er
keinen Kollegen aus der gelehrten Welt findet, sozusagen
als der einzige Vertreter des Geistes in einem rein sozialen
Milieu, und da ihm mein Haus diese bescheidene Annehm-
lichkeit bieten kann –

CRESCENCE    Ist er verheiratet?

ALTENWYL    Ich habe jedenfalls nie die Ehre gehabt, Madame Brücke zu Gesicht zu bekommen.

CRESCENCE    Ich find die berühmten Männer odios, aber ihre Fraun noch ärger. Darin bin ich mit dem Kari einer Meinung. Wir schwärmen für triviale Menschen und triviale Unterhaltungen, nicht, Kari?

ALTENWYL    Ich hab darüber meine altmodische Auffassung, die Helen kennt sie.

CRESCENCE    Der Kari soll sagen, daß er mir recht gibt. Ich find, neun Zehntel von dem, was unter der Marke von Geist geht, ist nichts als Geschwätz.

NEUHOFF    *zu Helene*  Sind Sie auch so streng, Gräfin Helene?

HELENE    Wir haben alle Ursache, wir jüngeren Menschen, wenn uns vor etwas auf der Welt grausen muß, so davor: daß es etwas gibt wie Konversation: Worte, die alles Wirkliche verflachen und im Geschwätz beruhigen.

CRESCENCE    Sag, daß du mir recht gibst, Kari!

HANS KARL    Ich bitte um Nachsicht. Der Furlani ist keine Vorbereitung darauf, etwas Gescheites zu sagen.

ALTENWYL    In meinen Augen ist Konversation das, was jetzt kein Mensch mehr kennt: nicht selbst perorieren, wie ein Wasserfall, sondern dem andern das Stichwort bringen. Zu meiner Zeit hat man gesagt: wer zu mir kommt, mit dem muß ich die Konversation so führen, daß er, wenn er die Türschnallen in der Hand hat, sich gescheit vorkommt, dann wird er auf der Stiegen mich gescheit finden. – Heutzutag hat aber keiner, pardon für die Grobheit, den Verstand zum Konversationmachen und keiner den Verstand, seinen Mund zu halten – ah, erlaub, daß ich dich mit Baron Neuhoff bekannt mache, mein Vetter Graf Bühl.

NEUHOFF    Ich habe die Ehre, von Graf Bühl gekannt zu sein.

CRESCENCE    *zu Altenwyl*  Alle diese gescheiten Sachen müßten Sie der Edine sagen – bei der geht der Kultus für die bedeutenden Menschen und die gedruckten Bücher ins Uferlose. Mir ist schon das Wort odios: bedeutende Menschen – es liegt so eine Präpotenz darin!

ALTENWYL    Die Edine ist eine sehr gescheite Frau, aber sie will immer zwei Fliegen auf einen Schlag erwischen: ihre Bildung vermehren und etwas für ihre Wohltätigkeitsgeschichten herausschlagen.

HELENE  Pardon, Papa, sie ist keine gescheite Frau, sie ist eine dumme Frau, die sich fürs Leben gern mit gescheiten Leuten umgeben möchte, aber dabei immer die falschen erwischt.

CRESCENCE  Ich wundere mich, daß sie bei ihrer rasenden Zerstreutheit nicht mehr Konfusionen anstellt.

ALTENWYL  Solche Wesen haben einen Schutzengel.

EDINE  *tritt dazu durch die Mitteltür* Ich seh, ihr sprechts von mir, sprechts nur weiter, geniert euch nicht.

CRESCENCE  Na, Edine, hast du den berühmten Mann schon kennengelernt?

EDINE  Ich bin wütend, Graf Altenwyl, daß Sie ihn ihr als Partner gegeben haben und nicht mir.
*Setzt sich zu Crescence*
Ihr habts keine Idee, wie ich mich für ihn interessier. Ich les doch die Bücher von die Leut. Von diesem Brückner hab ich erst vor ein paar Wochen ein dickes Buch gelesen.

NEUHOFF  Er heißt Brücke. Er ist der zweite Präsident der Akademie der Wissenschaften.

EDINE  In Paris?

NEUHOFF  Nein, hier in Wien.

EDINE  Auf dem Buch ist gestanden: Brückner.

CRESCENCE  Vielleicht war das ein Druckfehler.

EDINE  Es hat geheißen: Über den Ursprung aller Religionen. Da ist eine Bildung drin, und eine Tiefe! Und so ein schöner Stil!

HELENE  Ich werd ihn dir bringen, Tant Edine.

NEUHOFF  Wenn Sie erlauben, werde ich ihn suchen und ihn herbringen, sobald er pausiert.

EDINE  Ja, tun Sie das, Baron Neuhoff. Sagen Sie ihm, daß ich seit Jahren nach ihm fahnde.
*Neuhoff geht links ab.*

CRESCENCE  Er wird sich nichts Besseres verlangen, mir scheint, er ist ein ziemlicher –

EDINE  Sagts nicht immer gleich »snob«, der Goethe ist auch vor jeder Fürstin und Gräfin – ich hätt bald was gsagt.

CRESCENCE  Jetzt ist sie schon wieder beim Goethe, die Edine! *Sieht sich nach Hans Karl um, der mit Helene nach rechts getreten ist.*

HELENE  *zu Hans Karl*  Sie haben ihn so gern, den Furlani?

HANS KARL  Für mich ist ein solcher Mensch eine wahre Rekreation.

HELENE  Macht er so geschickte Tricks?
*Sie setzt sich rechts, Hans Karl neben ihr.*
*Crescence geht durch die Mitte weg, Altenwyl und Edine haben sich links gesetzt.*

HANS KARL  Er macht gar keine Tricks. Er ist doch der dumme August!

HELENE  Also ein Wurstel?

HANS KARL  Nein, das wäre ja outriert! Er outriert nie, er karikiert auch nie. Er spielt seine Rolle: er ist der, der alle begreifen, der allen helfen möchte und dabei alles in die größte Konfusion bringt. Er macht die dümmsten Lazzi, die Galerie kugelt sich vor Lachen, und dabei behält er eine élégance, eine Diskretion, man merkt, daß er sich selbst und alles, was auf der Welt ist, respektiert. Er bringt alles durcheinander, wie Kraut und Rüben; wo er hingeht, geht alles drunter und drüber, und dabei möchte man rufen: »Er hat ja recht!«

EDINE  *zu Altenwyl*  Das Geistige gibt uns Frauen doch viel mehr Halt! Das geht der Antoinette zum Beispiel ganz ab. Ich sag ihr immer: sie soll ihren Geist kultivieren, das bringt einen auf andere Gedanken.

ALTENWYL  Zu meiner Zeit hat man einen ganz anderen Maßstab an die Konversation angelegt. Man hat doch etwas auf eine schöne Replik gegeben, man hat sich ins Zeug gelegt, um brillant zu sein.

EDINE  Ich sag: wenn ich Konversation mach, will ich doch woanders hingeführt werden. Ich will doch heraus aus der Banalität. Ich will doch wohintransportiert werden!

HANS KARL  *zu Helene, in seiner Konversation fortfahrend*  Sehen Sie, Helen, alle diese Sachen sind ja schwer: die Tricks von

den Equilibristen und Jongleurs und alles – zu allem gehört
ja ein fabelhaft angespannter Wille und direkt Geist. Ich
glaub, mehr Geist, als zu den meisten Konversationen. –

HELENE   Ah, das schon sicher.

HANS KARL   Absolut. Aber das, was der Furlani macht, ist
noch um eine ganze Stufe höher, als was alle andern tun.
Alle andern lassen sich von einer Absicht leiten und
schauen nicht rechts und nicht links, ja, sie atmen kaum, bis
sie ihre Absicht erreicht haben: darin besteht eben ihr
Trick. Er aber tut scheinbar nichts mit Absicht – er geht
immer auf die Absicht der andern ein. Er möchte alles mit-
tun, was die andern tun, soviel guten Willen hat er, so fasziniert ist er von jedem einzelnen Stückl, was irgendeiner
vormacht: wenn er einen Blumentopf auf der Nase balanciert, so balanciert er ihn auch, sozusagen aus Höflichkeit.

HELENE   Aber er wirft ihn hinunter?

HANS KARL   Aber wie er ihn hinunterwirft, darin liegts! Er
wirft ihn hinunter aus purer Begeisterung und Seligkeit
darüber, daß er ihn so schön balancieren kann! Er glaubt,
wenn mans ganz schön machen tät, müßts von selber gehen.

HELENE   *vor sich*   Und das hält der Blumentopf gewöhnlich
nicht aus und fällt hinunter.

ALTENWYL   *zu Edine*   Dieser Geschäftston heutzutage! Und
ich bitte dich, auch zwischen Männern und Frauen: dieses
gewisse Zielbewußte in der Unterhaltung!

EDINE   Ja, das ist mir auch eine horreur! Man will doch ein
bißl eine schöne Art, ein Versteckenspielen –

ALTENWYL   Die jungen Leut wissen ja gar nicht mehr, daß die
Sauce mehr wert ist als der Braten – da herrscht ja eine Di-
rektheit!

EDINE   Weil die Leut zu wenig gelesen haben! Weil sie ihren
Geist zu wenig kultivieren!

*Sie sind im Reden aufgestanden und entfernen sich nach links.*

HANS KARL   *zu Helene*   Wenn man dem Furlani zuschaut,
kommen einem die geschicktesten Clowns vulgär vor. Er
ist förmlich schön vor lauter Nonchalance – aber natürlich
gehört zu dieser Nonchalance genau das Doppelte wie zu
den andern ihrer Anspannung.

HELENE  Ich begreif, daß Ihnen der Mensch sympathisch ist.
Ich find auch alles, wo man eine Absicht merkt, die dahintersteckt, ein bißl vulgär.

HANS KARL  Oho, heute bin ich selber mit Absichten geladen,
und diese Absichten beziehen sich auf Sie, Gräfin Helene.

HELENE  *mit einem Zusammenziehen der Augenbrauen*  Oh,
Gräfin Helene! Sie sagen »Gräfin Helene« zu mir?
*Huberta erscheint in der Mitteltür und streift Hans Karl und He-
lene mit einem kurzen, aber indiskreten Blick.*

HANS KARL  *ohne Huberta zu bemerken*  Nein, im Ernst, ich
muß Sie um fünf Minuten Konversation bitten – dann später, irgendwann – wir spielen ja beide nicht.

HELENE  *etwas unruhig, aber sehr beherrscht*  Sie machen mir
angst. Was können Sie mit mir zu reden haben? Das kann
nichts Gutes sein.

HANS KARL  Wenn Sies präokkupiert, dann um Gottes willen
nicht!
*Huberta ist verschwunden.*

HELENE  *nach einer kleinen Pause*  Wann Sie wollen, aber später. Ich seh die Huberta, die sich langweilt. Ich muß zu ihr
gehen.
*Steht auf.*

HANS KARL  Sie sind so delizios artig.
*Ist auch aufgestanden.*

HELENE  Sie müssen jetzt der Antoinette und den paar andern
Frauen guten Abend sagen.
*Sie geht von ihm fort, bleibt in der Mitteltür noch stehen*
Ich bin nicht artig: ich spür nur, was in den Leuten vorgeht,
und das belästigt mich – und da reagier ich dagegen mit
égards, die ich für die Leut hab. Meine Manieren sind nur
eine Art von Nervosität, mir die Leut vom Hals zu halten.
*Sie geht.*
*Hans Karl geht langsam ihr nach.*

## ZWEITE SZENE

*Neuhoff und der berühmte Mann sind gleichzeitig in der Tür links erschienen.*

DER BERÜHMTE MANN *in der Mitte des Zimmers angelangt, durch die Tür rechts blickend* Dort in der Gruppe am Kamin befindet sich jetzt die Dame, um deren Namen ich Sie fragen wollte.

NEUHOFF Dort in Grau? Das ist die Fürstin Pergen.

DER BERÜHMTE MANN Nein, die kenne ich seit langem. Die Dame in Schwarz.

NEUHOFF Die spanische Botschafterin. Sind Sie ihr vorgestellt? Oder darf ich –

DER BERÜHMTE MANN Ich wünsche sehr, ihr vorgestellt zu werden. Aber wir wollen es vielleicht in folgender Weise einrichten –

NEUHOFF *mit kaum merklicher Ironie* Ganz wie Sie befehlen.

DER BERÜHMTE MANN Wenn Sie vielleicht die Güte haben, der Dame zuerst von mir zu sprechen, ihr, da sie eine Fremde ist, meine Bedeutung, meinen Rang in der wissenschaftlichen Welt und in der Gesellschaft klarzulegen – so würde ich mich dann sofort nachher durch den Grafen Altenwyl ihr vorstellen lassen.

NEUHOFF Aber mit dem größten Vergnügen.

DER BERÜHMTE MANN Es handelt sich für einen Gelehrten meines Ranges nicht darum, seine Bekanntschaften zu vermehren, sondern in der richtigen Weise gekannt und aufgenommen zu werden.

NEUHOFF Ohne jeden Zweifel. Hier kommt die Gräfin Merenberg, die sich besonders darauf gefreut hat, Sie kennenzulernen. Darf ich –

EDINE *kommt* Ich freue mich enorm. Einen Mann dieses Ranges bitte ich nicht mir vorzustellen, Baron Neuhoff, sondern mich ihm zu präsentieren.

DER BERÜHMTE MANN *verneigt sich* Ich bin sehr glücklich, Frau Gräfin.

EDINE Es hieße Eulen nach Athen tragen, wenn ich Ihnen sagen wollte, daß ich zu den eifrigsten Leserinnen Ihrer berühmten Werke gehöre. Ich bin jedesmal hingerissen von dieser philosophischen Tiefe, dieser immensen Bildung und diesem schönen Prosastil.

DER BERÜHMTE MANN   Ich staune, Frau Gräfin. Meine Arbeiten sind keine leichte Lektüre. Sie wenden sich wohl nicht ausschließlich an ein Publikum von Fachgelehrten, aber sie setzen Leser von nicht gewöhnlicher Verinnerlichung voraus.

EDINE   Aber gar nicht! Jede Frau sollte so schöne tiefsinnige Bücher lesen, damit sie sich selbst in eine höhere Sphäre bringt: das sag ich früh und spät der Toinette Hechingen.

DER BERÜHMTE MANN   Dürfte ich fragen, welche meiner Arbeiten den Vorzug gehabt hat, Ihre Aufmerksamkeit zu erwecken?

EDINE   Aber natürlich das wunderbare Werk »Über den Ursprung aller Religionen«. Das hat ja eine Tiefe, und eine erhebende Belehrung schöpft man da heraus –

DER BERÜHMTE MANN   *eisig*   Hm. Das ist allerdings ein Werk, von dem viel geredet wird.

EDINE   Aber noch lange nicht genug. Ich sag gerade zur Toinette, das müßte jede von uns auf ihrem Nachtkastl liegen haben.

DER BERÜHMTE MANN   Besonders die Presse hat ja für dieses Opus eine zügellose Reklame zu inszenieren gewußt.

EDINE   Wie können Sie das sagen! Ein solches Werk ist ja doch das Grandioseste –

DER BERÜHMTE MANN   Es hat mich sehr interessiert, Frau Gräfin, Sie gleichfalls unter den Lobrednern dieses Produktes zu sehen. Mir selbst ist das Buch allerdings unbekannt, und ich dürfte mich auch schwerlich entschließen, den Leserkreis dieses Elaborates zu vermehren.

EDINE   Wie? Sie sind nicht der Verfasser?

DER BERÜHMTE MANN   Der Verfasser dieser journalistischen Kompilation ist mein Fakultätsgenosse Brückner. Es besteht allerdings eine fatale Namensähnlichkeit, aber diese ist auch die einzige.

EDINE   Das sollte auch nicht sein, daß zwei berühmte Philosophen so ähnliche Namen haben.

DER BERÜHMTE MANN  Das ist allerdings bedauerlich, besonders für mich. Herr Brückner ist übrigens nichts weniger als
Philosoph. Er ist Philologe, ich würde sagen, Salonphilo-
loge, oder noch besser: philologischer Feuilletonist.

EDINE  Es tut mir enorm leid, daß ich da eine Konfusion gemacht habe. Aber ich hab sicher auch von Ihren berühmten
Werken was zu Haus, Herr Professor. Ich les ja alles, was
einen ein bißl vorwärtsbringt. Jetzt hab ich gerad ein sehr
interessantes Buch über den »Semipelagianismus« und eines über die »Seele des Radiums« zu Hause liegen. Wenn
Sie mich einmal in der Heugasse besuchen –

DER BERÜHMTE MANN  *kühl*  Es wird mir eine Ehre sein, Frau
Gräfin. Allerdings bin ich sehr in Anspruch genommen.

EDINE  *wollte gehen, bleibt nochmals stehen*  Aber das tut mir
ewig leid, daß Sie nicht der Verfasser sind! Jetzt kann ich
Ihnen auch meine Frage nicht vorlegen! Und ich wäre jede
Wette eingegangen, daß Sie der Einzige sind, der sie so beantworten könnte, daß ich meine Beruhigung fände.

NEUHOFF  Wollen Sie dem Professor nicht doch Ihre Frage
vorlegen?

EDINE  Sie sind ja gewiß ein Mann von noch profunderer Bildung als der andere Herr.
*Zu Neuhoff*
Soll ich wirklich? Es liegt mir ungeheuer viel an der Auskunft. Ich würde fürs Leben gern eine Beruhigung finden.

DER BERÜHMTE MANN  Wollen sich Frau Gräfin nicht setzen?

EDINE  *sich ängstlich umsehend, ob niemand hereintritt, dann
schnell*  Wie stellen Sie sich das Nirwana vor?

DER BERÜHMTE MANN  Hm. Diese Frage aus dem Stegreif zu
beantworten, dürfte allerdings Herr Brückner der richtige
Mann sein.
*Eine kleine Pause.*

EDINE  Und jetzt muß ich auch zu meinem Bridge zurück.
Auf Wiedersehen, Herr Professor.
*Ab.*

DER BERÜHMTE MANN  *sichtlich verstimmt*  Hm. –

NEUHOFF  Die arme gute Gräfin Edine! Sie dürfen ihr nichts
übelnehmen.

DER BERÜHMTE MANN  *kalt*  Es ist nicht das erste Mal, daß ich im Laienpublikum ähnlichen Verwechslungen begegne. Ich bin nicht weit davon, zu glauben, daß dieser Scharlatan Brückner mit Absicht auf dergleichen hinarbeitet. Sie können kaum ermessen, welche peinliche Erinnerungen eine groteske und schiefe Situation, wie die in der wir uns soeben befunden haben, in meinem Innern hinterläßt. Das erbärmliche Scheinwissen, von den Trompetenstößen einer bübischen Presse begleitet, auf den breiten Wellen der Popularität hinsegeln zu sehen – sich mit dem konfundiert zu sehen, wogegen man sich mit dem eisigen Schweigen der Nichtachtung unverbrüchlich gewappnet glaubte –

NEUHOFF  Aber wem sagen Sie das alles, mein verehrter Professor! Bis in die kleine Nuance fühle ich Ihnen nach. Sich verkannt zu sehen in seinem Besten, früh und spät – das ist das Schicksal –

DER BERÜHMTE MANN  In seinem Besten.

NEUHOFF  Genau die Seite verkannt zu sehen, auf die alles ankommt –

DER BERÜHMTE MANN  Sein Lebenswerk mit einem journalistischen –

NEUHOFF  Das ist das Schicksal –

DER BERÜHMTE MANN  Die in einer bübischen Presse –

NEUHOFF  – des ungewöhnlichen Menschen, sobald er sich der banalen Menschheit ausliefert, den Frauen, die im Grunde zwischen einer leeren Larve und einem Mann von Bedeutung nicht zu unterscheiden wissen!

DER BERÜHMTE MANN  Den verhaßten Spuren der Pöbelherrschaft bis in den Salon zu begegnen –

NEUHOFF  Erregen Sie sich nicht. Wie kann ein Mann Ihres Ranges – Nichts, was eine Edine Merenberg und tutti quanti vorbringen, reicht nur entfernt an Sie heran.

DER BERÜHMTE MANN  Das ist die Presse, dieser Hexenbrei aus allem und allem! Aber hier hätte ich mich davor sicher gehalten. Ich sehe, ich habe die Exklusivität dieser Kreise überschätzt, wenigstens was das geistige Leben anlangt.

NEUHOFF  Geist und diese Menschen! Das Leben – und diese Menschen! Alle diese Menschen, die Ihnen hier begegnen, existieren ja in Wirklichkeit gar nicht mehr. Das sind ja alles nur mehr Schatten. Niemand, der sich in diesen Salons bewegt, gehört zu der wirklichen Welt, in der die geistigen Krisen des Jahrhunderts sich entscheiden. Sehen Sie doch um sich: eine Erscheinung wie die Figur dort im nächsten Zimmer, vom Scheitel bis zur Sohle sich balancierend in der Selbstsicherheit der unbegrenzten Trivialität – von Frauen und Mädchen umlagert – Kari Bühl.

DER BERÜHMTE MANN  Ist das Graf Bühl?

NEUHOFF  Er selbst, der berühmte Kari.

DER BERÜHMTE MANN  Ich habe bis jetzt keine Gelegenheit gehabt, ihn kennenzulernen. Sind Sie befreundet mit ihm?

NEUHOFF  Nicht allzusehr, aber hinlänglich, um ihn Ihnen in zwei Worten erschöpfend zu charakterisieren: absolutes, anmaßendes Nichts.

DER BERÜHMTE MANN  Er hat einen außerordentlichen Rang innerhalb der ersten Gesellschaft. Er gilt für eine Persönlichkeit.

NEUHOFF  Es ist nichts an ihm, das der Prüfung standhielte. Rein gesellschaftlich goutiere ich ihn halb aus Gewohnheit; aber Sie haben weniger als nichts verloren, wenn Sie ihn nicht kennenlernen.

DER BERÜHMTE MANN  *sieht unverwandt hin*  Ich würde mich sehr interessieren, seine Bekanntschaft zu machen. Glauben Sie, daß ich mir etwas vergebe, wenn ich mich ihm nähere?

NEUHOFF  Sie werden Ihre Zeit mit ihm verlieren, wie mit allen diesen Menschen hier.

DER BERÜHMTE MANN  Ich würde großes Gewicht darauf legen, mit Graf Bühl in einer wirkungsvollen Weise bekannt gemacht zu werden, etwa durch einen seiner vertrauten Freunde.

NEUHOFF  Zu diesen wünsche ich nicht gezählt zu werden, aber ich werde Ihnen das besorgen.

DER BERÜHMTE MANN  Sie sind sehr liebenswürdig. Oder meinen Sie, daß ich mir nichts vergeben würde, wenn ich mich ihm spontan nähern würde?

NEUHOFF  Sie erweisen dem guten Kari in jedem Fall zuviel Ehre, wenn Sie ihn so ernst nehmen.

DER BERÜHMTE MANN   Ich verhehle nicht, daß ich großes Gewicht darauf lege, das feine und unbestechliche Votum der großen Welt den Huldigungen beizufügen, die meinem Wissen im breiten internationalen Laienpublikum zuteil geworden sind, und in denen ich die Abendröte einer nicht alltäglichen Gelehrtenlaufbahn erblicken darf.
*Sie gehen ab.*

### DRITTE SZENE

*Antoinette mit Edine, Nanni und Huberta sind indessen in der Mitteltür erschienen und kommen nach vorne.*

ANTOINETTE   So sagts mir doch was, so gebts mir doch einen Rat, wenn ihr sehts, daß ich so aufgeregt bin. Da mach ich doch die irreparablen Dummheiten, wenn man mir nicht beisteht.

EDINE   Ich bin dafür, daß wir sie lassen. Sie muß wie zufällig ihm begegnen. Wenn wir sie alle convoyieren, so verscheuchen wir ihn ja geradezu.

HUBERTA   Er geniert sich nicht. Wenn er mit ihr allein reden wollt, da wären wir Luft für ihn.

ANTOINETTE   So setzen wir uns daher. Bleibts alle bei mir, aber nicht auffällig.
*Sie haben sich gesetzt.*

NANNI   Wir plauschen hier ganz unbefangen: vor allem darfs nicht ausschauen, als ob du ihm nachlaufen tätest.

ANTOINETTE   Wenn man nur das Raffinement von der Helen hätt, die lauft ihm nach auf Schritt und Tritt, und dabei schauts aus, als ob sie ihm aus dem Weg ging'.

EDINE   Ich wär dafür, daß wir sie lassen, und daß sie ganz wie wenn nichts wär auf ihn zuging'.

HUBERTA   In dem Zustand wie sie ist, kann sie doch nicht auf ihn zugehen wie wenn nichts wär.

ANTOINETTE   *dem Weinen nah* Sagts mir doch nicht, daß ich in einem Zustand bin! Lenkts mich doch ab von mir! Sonst verlier ich ja meine ganze Contenance. Wenn ich nur wen zum Flirten da hätt!

NANNI *will aufstehen* Ich hol ihr den Stani her.

ANTOINETTE Der Stani tät mir nicht s o viel nützen. Sobald ich weiß, daß der Kari wo in einer Wohnung ist, existieren die andern nicht mehr für mich.

HUBERTA Der Feri Uhlfeldt tät vielleicht doch noch existieren.

ANTOINETTE Wenn die Helen in meiner Situation wär, die wüßt sich zu helfen. Sie macht sich mit der größten Unverfrorenheit einen Paravent aus dem Theophil, und dahinter operiert sie.

HUBERTA Aber sie schaut ja den Theophil gar nicht an, sie is ja die ganze Zeit hinterm Kari her.

ANTOINETTE Sag mir das noch, damit mir die Farb ganz aus'm Gsicht geht.
*Steht auf*
Redt er denn mir ihr?

HUBERTA Natürlich redt er mit ihr.

ANTOINETTE Immerfort?

HUBERTA Sooft ich hingeschaut hab.

ANTOINETTE O mein Gott, wenn du mir lauter unangenehme Sachen sagst, so werd ich ja so häßlich werden!
*Sie setzt sich wieder.*

NANNI *will aufstehen* Wenn dir deine drei Freundinnen zuviel sind, so laß uns fort, ich spiel ja auch sehr gern.

ANTOINETTE So bleibts doch hier, so gebts mir doch einen Rat, so sagts mir doch, was ich tun soll.

HUBERTA Wenn sie ihm vor einer Stunde die Jungfer ins Haus geschickt hat, so kann sie jetzt nicht die Hochmütige spielen.

NANNI Umgekehrt sag ich. Sie muß tun, als ob er ihr egal wär. Das weiß ich vom Kartenspielen: wenn man die Karten leichtsinnig in die Hand nimmt, dann kommt's Glück. Man muß sich immer die innere Überlegenheit menagieren.

ANTOINETTE Mir is grad zumut, wie wenn ich die Überlegene wär!

HUBERTA Du behandelst ihn aber ganz falsch, wenn du dich so aus der Hand gibst.

EDINE   Wenn sie sich nur eine Direktive geben ließ'! Ich kenn doch den Männern ihren Charakter.

HUBERTA   Weißt, Edine, die Männer haben recht verschiedene Charaktere.

ANTOINETTE   Das Gescheitste wär, ich fahr nach Haus.

NANNI   Wer wird denn die Karten wegschmeißen, solang er noch eine Chance in der Hand hat.

EDINE   Wenn sie sich nur ein vernünftiges Wort sagen ließe. Ich hab ja einen solchen Instinkt für solche psychologische Sachen. Es wär ja absolut zu machen, daß die Ehe annulliert wird, sie ist eben unter einem moralischen Zwang gestanden die ganzen Jahre, und dann, wenn sie annulliert ist, so heirat' sie ja der Kari, wenn die Sache halbwegs richtig eingefädelt wird.

HUBERTA   *die nach rechts gesehen hat*   Pst!

ANTOINETTE   *fährt auf*   Kommt er? Mein Gott, wie mir die Knie zittern.

HUBERTA   Die Crescence kommt. Nimm dich zusammen.

ANTOINETTE   *vor sich*   Lieber Gott, ich kann sie nicht ausstehen, sie mich auch nicht, aber ich will jede Bassesse machen, weil sie ja seine Schwester is.

VIERTE SZENE

CRESCENCE   *kommt von rechts*   Grüß euch Gott, was machts ihr denn? Die Toinette schaut ja ganz zerbeutelt aus. Sprechts ihr denn nicht? So viele junge Frauen! Da hätt der Stani halt nicht in den Klub gehen dürfen, wie?

ANTOINETTE   *mühsam*   Wir unterhalten uns vorläufig ohne Herren sehr gut.

CRESCENCE   *ohne sich zu setzen*   Was sagts ihr, wie famos die Helen heut ausschaut? Die wird doch als junge Frau eine allure haben, daß überhaupt niemand gegen sie aufkommt!

HUBERTA   Is die Helen auf einmal so in der Gnad bei dir?

CRESCENCE   Ihr seids auch herzig. Die Antoinette soll sich ein bißl schonen. Sie schaut ja aus, als ob sie drei Nächt nicht geschlafen hätt.

*Im Gehen*
Ich muß dem Poldo Altenwyl sagen, wie brillant ich die
Helen heut find.
*Ab.*

### FÜNFTE SZENE

ANTOINETTE  Herr Gott, jetzt hab ichs ja schriftlich, daß der
Kari die Helen heiraten will.
EDINE  Wieso denn?
ANTOINETTE  Spürts ihrs denn nicht, wie sie für die zukünf-
tige Schwägerin ins Zeug geht?
NANNI  Aber geh, bring dich nicht um nichts und wieder
nichts hinein in die Verzweiflung. Er wird gleich bei der
Tür hereinkommen.
ANTOINETTE  Wenn er in so einem Moment hereinkommt,
bin ich ja ganz –
*Bringt ihr kleines Tuch vor die Augen*
– verloren. –
HUBERTA  So gehen wir. Inzwischen beruhigt sie sich.
ANTOINETTE  Nein, gehts ihr zwei und schauts, ob er wieder
mit der Helen redt, und störts ihn dabei. Ihr habts mich ja
oft genug gestört, wenn ich so gern mit ihm allein gewesen
wär. Und die Edine bleibt bei mir.
*Alle sind aufgestanden, Huberta und Nanni gehen ab.*

### SECHSTE SZENE

*Antoinette und Edine setzen sich links rückwärts.*

EDINE  Mein liebes Kind, du hast diese ganze Geschichte mit
dem Kari vom ersten Moment falsch angepackt.
ANTOINETTE  Woher weißt denn du das?
EDINE  Das weiß ich von der Mademoiselle Feydeau, die hat
mir haarklein alles erzählt, wie du die ganze Situation in der
Grünleiten schon verfahren hast.

ANTOINETTE  Diese mißgünstige Tratschen, was weiß denn die!

EDINE  Aber sie kann doch nichts dafür, wenn sie dich hat mit die nackten Füß über die Stiegen runterlaufen gehört, und gesehen mit offene Haar im Mondschein mit ihm spazierengehen. – Du hast eben die ganze Gschicht von Anfang an viel zu terre à terre angepackt. Die Männer sind ja natürlich sehr terre à terre, aber deswegen muß eben von unserer Seiten etwas Höheres hineingebracht werden. Ein Mann wie der Kari Bühl aber ist sein Leben lang keiner Person begegnet, die ein bißl einen Idealismus in ihn hineingebracht hätte. Und darum ist er selbst nicht imstand, in eine Liebschaft was Höheres hineinzubringen, und so geht das vice versa. Wenn du mich in der ersten Zeit ein bißl um Rat gefragt hättest, wenn du dir hättest ein paar Direktiven geben lassen, ein paar Bücher empfehlen lassen – so wärst du heut seine Frau!

ANTOINETTE  Geh, ich bitt dich, Edine, agacier mich nicht.

### SIEBENTE SZENE

HUBERTA  *erscheint in der Tür*  Also: der Kari kommt. Er sucht dich.

ANTOINETTE  Jesus Maria!

*Sie sind aufgestanden.*

NANNI  *die rechts hinausgeschaut hat*  Da kommt die Helen aus dem andern Salon.

ANTOINETTE  Mein Gott, gerade in dem Moment, auf den alles ankommt, muß sie daherkommen und mir alles verderben. So tuts doch was dagegen. So gehts ihr doch entgegen. So halts sie doch weg, vom Zimmer da!

HUBERTA  Bewahr doch ein bißl deine Contenance.

NANNI  Wir gehen einfach unauffällig dort hinüber.

ACHTE SZENE

HELENE *tritt ein von rechts*  Ihr schauts ja aus, als ob ihr gerade
von mir gesprochen hättets.
*Stille*
Unterhalts ihr euch? Soll ich euch Herren hereinschicken?
ANTOINETTE *auf sie zu, fast ohne Selbstkontrolle*  Wir unterhal-
ten uns famos, und du bist ein Engel, mein Schatz, daß du
dich um uns umschaust. Ich hab dir noch gar nicht guten
Abend gesagt. Du schaust schöner aus als je.
*Küßt sie*
Aber laß uns nur und geh wieder.
HELENE  Stör ich euch? So geh ich halt wieder.
*Geht.*


NEUNTE SZENE

ANTOINETTE *streicht sich über die Wange, als wollte sie den Kuß
abstreifen*  Was mach ich denn? Was laß ich mich denn von
ihr küssen? Von dieser Viper, dieser falschen!
HUBERTA  So nimm dich ein bißl zusammen.


ZEHNTE SZENE

*Hans Karl ist von rechts eingetreten.*

ANTOINETTE *nach einem kurzen Stummsein, Sichducken, rasch
auf ihn zu, ganz dicht an ihn*  Ich hab die Briefe genommen
und verbrannt. Ich bin keine sentimentale Gans, als die
mich meine Agathe hinstellt, daß ich mich über alte Briefe
totweinen könnt. Ich hab einmal nur das, was ich im Moment hab, und was ich nicht hab, will ich vergessen. Ich leb
nicht in der Vergangenheit, dazu bin ich nicht alt genug.
HANS KARL  Wollen wir uns nicht setzen?
*Führt sie zu den Fauteuils.*
ANTOINETTE  Ich bin halt nicht schlau. Wenn man nicht

raffiniert ist, dann hat man nicht die Kraft, einen Menschen zu halten, wie Sie einer sind. Denn Sie sind ein Genre mit Ihrem Vetter Stani. Das möchte ich Ihnen sagen, damit Sie es wissen. Ich kenn euch. Monstros selbstsüchtig und grenzenlos unzart.

*Nach einer kleinen Pause*

So sagen Sie doch was!

HANS KARL    Wenn Sie erlauben würden, so möchte ich versuchen, Sie an damals zu erinnern –

ANTOINETTE    Ah, ich laß mich nicht malträtieren. – Auch nicht von jemandem, der mir früher einmal nicht gleichgültig war.

HANS KARL    Sie waren damals, ich meine vor zwei Jahren, Ihrem Mann momentan entfremdet. Sie waren in der großen Gefahr, in die Hände von einem Unwürdigen zu fallen. Da ist jemand gekommen – der war – zufällig ich. Ich wollte Sie – beruhigen – das war mein einziger Gedanke – Sie der Gefahr entziehen – von der ich Sie bedroht gewußt – oder gespürt hab. Das war eine Verkettung von Zufällen – eine Ungeschicklichkeit – ich weiß nicht, wie ich es nennen soll –

ANTOINETTE    Diese paar Tage damals in der Grünleiten sind das einzige wirklich Schöne in meinem ganzen Leben. Die laß ich nicht – Die Erinnerung daran laß ich mir nicht heruntersetzen.

*Steht auf.*

HANS KARL    *leise*    Aber ich hab ja alles so lieb. Es war ja so schön.

*Antoinette setzt sich, mit einem ängstlichen Blick auf ihn.*

HANS KARL    Es war ja so schön!

ANTOINETTE    »Das war zufällig ich.« Damit wollen Sie mich insultieren. Sie sind draußen zynisch geworden. Ein zynischer Mensch, das ist das richtige Wort. Sie haben die Nuance verloren für das Mögliche und das Unmögliche. Wie haben Sie gesagt? Es war eine »Ungeschicklichkeit« von Ihnen? Sie insultieren mich ja in einem fort.

HANS KARL    Es ist draußen viel für mich anders geworden. Aber zynisch bin ich nicht geworden. Das Gegenteil, An-

toinette. Wenn ich an unsern Anfang denke, so ist mir das
etwas so Zartes, so Mysterioses, ich getraue mich kaum, es
vor mir selbst zu denken. Ich möchte mich fragen: Wie
komm ich denn dazu? Hab ich denn dürfen? Aber
*Sehr leise*
ich bereu nichts.

ANTOINETTE  *senkt die Augen*  Aller Anfang ist schön.

HANS KARL  In jedem Anfang liegt die Ewigkeit.

ANTOINETTE  *ohne ihn anzusehen*  Sie halten au fond alles für
möglich und alles für erlaubt. Sie wollen nicht sehen, wie
hilflos ein Wesen ist, über das Sie hinweggehen – wie preisgegeben, denn das würde vielleicht Ihr Gewissen aufwek-
ken.

HANS KARL  Ich habe keins.
*Antoinette sieht ihn an.*

HANS KARL  Nicht in bezug auf uns.

ANTOINETTE  Jetzt war ich das und das von Ihnen – und weiß
in diesem Augenblick so wenig, woran ich mit Ihnen bin,
als wenn nie was zwischen uns gewesen wär. Sie sind ja
fürchterlich.

HANS KARL  Nichts ist bös. Der Augenblick ist nicht bös, nur
das Festhalten-Wollen ist unerlaubt. Nur das Sich-Fest-
krampeln an das, was sich nicht halten läßt –

ANTOINETTE  Ja, wir leben halt nicht nur wie die gewissen
Fliegen vom Morgen bis zur Nacht. Wir sind halt am nächsten Tag auch noch da. Das paßt euch halt schlecht, solchen
wie du einer bist.

HANS KARL  Alles was geschieht, das macht der Zufall. Es ist
nicht zum Ausdenken, wie zufällig wir alle sind, und wie
uns der Zufall zueinanderjagt und auseinanderjagt, und wie
jeder mit jedem hausen könnte, wenn der Zufall es wollte.

ANTOINETTE  Ich will nicht –

HANS KARL  *spricht weiter, ohne ihren Widerstand zu respektieren*
Darin ist aber so ein Grausen, daß der Mensch etwas hat
finden müssen, um sich aus diesem Sumpf herauszuziehen,
bei seinem eigenen Schopf. Und so hat er das Institut gefunden, das aus dem Zufälligen und Unreinen das Notwendige, das Bleibende und das Gültige macht: die Ehe.

ANTOINETTE  Ich spür, du willst mich verkuppeln mit meinem Mann. Es war nicht ein Augenblick, seitdem du hier-
sitzt, wo ich mich hätte foppen lassen und es nicht gespürt
hätte. Du nimmst dir wirklich alles heraus, du meinst
schon, daß du alles darfst, zuerst verführen, dann noch beleidigen.

HANS KARL  Ich bin kein Verführer, Toinette, ich bin kein
Frauenjäger.

ANTOINETTE  Ja, das ist dein Kunststückl, damit hast du mich
herumgekriegt, daß du kein Verführer bist, kein Mann für
Frauen, daß du nur ein Freund bist, aber ein wirklicher
Freund. Damit kokettierst du, so wie du mit allem kokettierst, was du hast, und mit allem, was dir fehlt. Man müßte, wenns nach dir ging', nicht nur verliebt in dich sein,
sondern dich noch liebhaben über die Vernunft hinaus, und
um deiner selbst willen, und nicht einmal nur als Mann –
sondern – ich weiß ja gar nicht, wie ich sagen soll, o mein
Gott, warum muß ein und derselbe Mensch so charmant
sein und zugleich so monstros eitel und selbstsüchtig und
herzlos!

HANS KARL  Weiß Sie, Toinette, was Herz ist, weiß Sie das?
Daß ein Mann Herz für eine Frau hat, das kann er nur durch
eins zeigen, nur durch ein einziges auf der Welt: durch die
Dauer, durch die Beständigkeit. Nur dadurch: das ist die
Probe, die einzige.

ANTOINETTE  Laß mich mit dem Ado – ich kann mit dem Ado
nicht leben –

HANS KARL  Der hat dich lieb. Einmal und für alle Male. Der
hat dich gewählt unter allen Frauen auf der Welt, und er hat
dich liebbehalten und wird dich liebhaben für immer, weißt
du, was das heißt? Für immer, gescheh dir, was da will. Einen Freund haben, der dein ganzes Wesen liebhat, für den
du immer ganz schön bist, nicht nur heut und morgen,
auch später, viel später, für den seine Augen den Schleier,
den die Jahre, oder was kommen kann, über dein Gesicht
werfen – für seine Augen ist das nicht da, du bist immer die
du bist, die Schönste, die Liebste, die Eine, die Einzige.

ANTOINETTE  So hat er mich nicht gewählt. Geheiratet hat er
mich halt. Von dem andern weiß ich nichts.

HANS KARL  Aber er weiß davon.

ANTOINETTE  Das, was Sie da reden, das gibts alles nicht. Das redet er sich ein – das redet er Ihnen ein – Ihr seids einer wie der andere, ihr Männer, Sie und der Ado und der Stani, ihr seids alle aus einem Holz geschnitzt, und darum verstehts ihr euch so gut und könnts euch so gut in die Hände spielen.

HANS KARL  Das redt er mir nicht ein, das weiß ich, Toinette. Das ist eine heilige Wahrheit, die weiß ich – ich muß sie immer schon gewußt haben, aber draußen ist sie erst ganz deutlich für mich geworden: es gibt einen Zufall, der macht scheinbar alles mit uns, wie er will – aber mitten in dem Hierhin- und Dorthingeworfenwerden und der Stumpfheit und Todesangst, da spüren wir und wissen es auch, es gibt halt auch eine Notwendigkeit, die wählt uns von Augenblick zu Augenblick, die geht ganz leise, ganz dicht am Herzen vorbei und doch so schneidend scharf wie ein Schwert. Ohne die wäre da draußen kein Leben mehr gewesen, sondern nur ein tierisches Dahintaumeln. Und die gleiche Notwendigkeit gibts halt auch zwischen Männern und Frauen – wo die ist, da ist ein Zueinandermüssen und Verzeihung und Versöhnung und Beieinanderbleiben. Und da dürfen Kinder sein, und da ist eine Ehe und ein Heiligtum, trotz allem und allem –

ANTOINETTE  *steht auf* Alles was du redst, das heißt ja gar nichts anderes, als daß du heiraten willst, daß du demnächst die Helen heiraten wirst.

HANS KARL  *bleibt sitzen, hält sie* Aber ich denk doch nicht an die Helen! Ich red doch von dir. Ich schwör dir, daß ich von dir red.

ANTOINETTE  Aber dein ganzes Denken dreht sich um die Helen.

HANS KARL  Ich schwöre dir: ich hab einen Auftrag an die Helen. Ganz einen andern als du dir denkst. Ich sag ihr noch heute –

ANTOINETTE  Was sagst du ihr noch heute – ein Geheimnis?

HANS KARL  Keines, das mich betrifft.

ANTOINETTE  Aber etwas, das dich mit ihr verbindet?

HANS KARL  Aber das Gegenteil!

ANTOINETTE  Das Gegenteil? Ein Adieu – du sagst ihr, was ein
  Adieu ist zwischen dir und ihr?
HANS KARL  Zu einem Adieu ist kein Anlaß, denn es war ja nie
  etwas zwischen mir und ihr. Aber wenns Ihr Freud macht,
  Toinette, so kommts beinah auf ein Adieu hinaus.
ANTOINETTE  Ein Adieu fürs Leben?
HANS KARL  Ja, fürs Leben, Toinette.
ANTOINETTE  *sieht ihn ganz an*  Fürs Leben?
  *Nachdenklich*
  Ja, sie ist so eine Heimliche und tut nichts zweimal und redt
  nichts zweimal. Sie nimmt nichts zurück – sie hat sich in
  der Hand: ein Wort muß für sie entscheidend sein. Wenn
  du ihr sagst: Adieu – dann wirds für sie sein Adieu und auf
  immer. Für sie wohl.
  *Nach einer kleinen Pause*
  Ich laß mir von dir den Ado nicht einreden. Ich mag seine
  Händ nicht. Sein Gesicht nicht. Seine Ohren nicht.
  *Sehr leise.*
  Deine Hände hab ich lieb. – Was bist denn du? Ja, wer bist
  denn du? Du bist ein Zyniker, ein Egoist, ein Teufel bist du!
  Mich sitzenlassen ist dir zu gewöhnlich. Mich behalten,
  dazu bist du zu herzlos. Mich hergeben, dazu bist du zu
  raffiniert. So willst du mich zugleich loswerden und doch
  in deiner Macht haben, und dazu ist dir der Ado der Richti-
  ge. – Geh hin und heirat die Helen. Heirat, wenn du willst!
  Ich hab mit deiner Verliebtheit vielleicht was anzufangen,
  mit deinen guten Ratschlägen aber gar nix.
  *Will gehen.*
  *Hans Karl tut einen Schritt auf sie zu.*
ANTOINETTE  Laß Er mich gehen.
  *Sie geht ein paar Schritte, dann halb zu ihm gewendet*
  Was soll denn jetzt aus mir werden? Red Er mir nur den
  Feri Uhlfeldt aus, der hat so viel Kraft, wenn er was will.
  Ich hab gesagt, ich mag ihn nicht, er hat gesagt, ich kann
  nicht wissen, wie er als Freund ist, weil ich ihn noch nicht
  als Freund gehabt hab. Solche Reden verwirren einen so.
  *Halb unter Tränen, zart*
  Jetzt wird Er an allem schuld sein, was mir passiert.

HANS KARL    Sie braucht eins in der Welt: einen Freund. Einen
   guten Freund.
   *Er küßt ihr die Hände*
   Sei Sie gut mit dem Ado.
ANTOINETTE    Mit dem kann ich nicht gut sein.
HANS KARL    Sie kann mit jedem.
ANTOINETTE *sanft*    Kari, insultier Er mich doch nicht.
HANS KARL    Versteh Sie doch, wie ich meine.
ANTOINETTE    Ich versteh Ihn ja sonst immer gut.
HANS KARL    Könnt Sies nicht versuchen?
ANTOINETTE    Ihm zulieb könnt ichs versuchen. Aber Er müßt
   dabei sein und mir helfen.
HANS KARL    Jetzt hat Sie mir ein halbes Versprechen gegeben.


ELFTE SZENE

*Der berühmte Mann ist von rechts eingetreten, sucht sich Hans Karl
zu nähern, die beiden bemerken ihn nicht.*

ANTOINETTE    Er hat mir was versprochen.
HANS KARL    Für die erste Zeit.
ANTOINETTE *dicht bei ihm*    Mich liebhaben!
DER BERÜHMTE MANN    Pardon, ich störe wohl.
   *Schnell ab.*
HANS KARL *dicht bei ihr*    Das tu ich ja.
ANTOINETTE    Sag Er mir sehr was Liebes: nur für den Mo-
   ment. Der Moment ist ja alles. Ich kann nur im Moment le-
   ben. Ich hab so ein schlechtes Gedächtnis.
HANS KARL    Ich bin nicht verliebt in Sie, aber ich hab Sie lieb.
ANTOINETTE    Und das, was Er der Helen sagen wird, ist ein
   Adieu?
HANS KARL    Ein Adieu.
ANTOINETTE    So verhandelt Er mich, so verkauft Er mich!
HANS KARL    Aber Sie war mir doch noch nie so nahe.
ANTOINETTE    Er wird oft zu mir kommen, mir zureden? Er
   kann mir ja alles einreden.
   *Hans Karl küßt sie auf die Stirn, fast ohne es zu wissen.*

ANTOINETTE  Dank schön.
*Läuft weg durch die Mitte.*
HANS KARL  *steht verwirrt, sammelt sich*  Arme, kleine Antoinette.


ZWÖLFTE SZENE


CRESCENCE  *kommt durch die Mitte, sehr rasch*  Also brillant hast du das gemacht. Das ist ja erste Klasse, wie du so was deichselst.
HANS KARL  Wie? Aber du weißt doch gar nicht.
CRESCENCE  Was brauch ich noch zu wissen. Ich weiß alles. Die Antoinette hat die Augen voller Tränen, sie stürzt an mir vorbei, sowie sie merkt, daß ichs bin, fällt sie mir um den Hals und ist wieder dahin wie der Wind, das sagt mir doch alles. Du hast ihr ins Gewissen geredet, du hast ihr besseres Selbst aufgeweckt, du hast ihr klargemacht, daß sie sich auf den Stani keine Hoffnungen mehr machen darf, und du hast ihr den einzigen Ausweg aus der verfahrenen Situation gezeigt, daß sie zu ihrem Mann zurück soll und trachten soll, ein anständiges, ruhiges Leben zu führen.
HANS KARL  Ja, so ungefähr. Aber es hat sich im Detail nicht so abgespielt. Ich hab nicht deine zielbewußte Art. Ich komm leicht von meiner Linie ab, das muß ich schon gestehen.
CRESCENCE  Aber das ist doch ganz egal. Wenn du in so einem Tempo ein so brillantes Resultat erzielst, jetzt, wo du in dem Tempo drin bist, kann ich gar nicht erwarten, daß du die zwei Konversationen mit der Helen und mit dem Poldo Altenwyl absolvierst. Ich bitt dich, geh sie nur an, ich halt dir die Daumen, denk doch nur, daß dem Stani sein Lebensglück von deiner Suada abhängt.
HANS KARL  Sei außer Sorg, Crescence, ich hab jetzt grad während dem Reden mit der Antoinette Hechingen so die Hauptlinien gesehen für meine Konversation mit der Helen. Ich bin ganz in der Stimmung. Weißt du, das ist ja meine Schwäche, daß ich so selten das Definitive vor mir sehe: aber diesmal seh ichs.

CRESCENCE   Siehst du, das ist das Gute, wenn man ein Programm hat. Da kommt ein Zusammenhang in die ganze Geschichte. Also komm nur: wir suchen zusammen die Helen, sie muß ja in einem von den Salons sein, und sowie wir sie finden, laß ich dich allein mit ihr. Und sobald wir ein Resultat haben, stürz ich ans Telephon und depeschier den Stani hierher.

### DREIZEHNTE SZENE

*Crescence und Hans Karl gehen links hinaus.*
*Helene mit Neuhoff treten von rechts herein. Man hört eine gedämpfte Musik aus einem entfernten Salon.*

NEUHOFF   *hinter ihr*   Bleiben Sie stehen. Diese nichtsnutzige, leere, süße Musik und dieses Halbdunkel modellieren Sie wunderbar.

HELENE   *ist stehengeblieben, geht aber jetzt weiter auf die Fauteuils links zu*   Ich stehe nicht gern Modell, Baron Neuhoff.

NEUHOFF   Auch nicht, wenn ich die Augen schließe?
*Helene sagt nichts, sie steht links.*

NEUHOFF   Ihr Wesen, Helene! Wie niemand je war, sind Sie. Ihre Einfachheit ist das Resultat einer ungeheuren Anspannung. Regungslos wie eine Statue vibrieren Sie in sich, niemand ahnt es, der es aber ahnt, der vibriert mit Ihnen.
*Helene sieht ihn an, setzt sich.*

NEUHOFF   *nicht ganz nahe*   Wundervoll ist alles an Ihnen. Und dabei, wie alles Hohe, fast erschreckend selbstverständlich.

HELENE   Ist Ihnen das Hohe selbstverständlich? Das war ein nobler Gedanke.

NEUHOFF   Vielleicht könnte man seine Frau werden – das war es, was Ihre Lippen sagen wollten, Helene!

HELENE   Lesen Sie von den Lippen wie die Taubstummen?

NEUHOFF   *einen Schritt näher*   Sie werden mich heiraten, weil Sie meinen Willen spüren in einer willenlosen Welt.

HELENE   *vor sich*   Muß man? Ist es ein Gebot, dem eine Frau sich fügen muß: wenn sie gewählt und gewollt wird?

NEUHOFF  Es gibt Wünsche, die nicht weither sind. Die darf
man unter seine schönen rassigen Füße treten. Der meine
ist weither. Er ist gewandert um die halbe Welt. Hier fand
er sein Ziel. Sie wurden gefunden, Helene Altenwyl, vom
stärksten Willen, auf dem weitesten Umweg, in der
kraftlosesten aller Welten.

HELENE  Ich bin aus ihr und bin nicht kraftlos.

NEUHOFF  Ihr habt dem schönen Schein alles geopfert, auch
die Kraft. Wir, dort in unserm nordischen Winkel, wo uns
die Jahrhunderte vergessen, wir haben die Kraft behalten.
So stehen wir gleich zu gleich und doch ungleich zu ungleich, und aus dieser Ungleichheit ist mir mein Recht über
Sie erwachsen.

HELENE  Ihr Recht?

NEUHOFF  Das Recht des geistig Stärksten über die Frau, die er
zu vergeistigen vermag.

HELENE  Ich mag nicht diese mystischen Redensarten.

NEUHOFF  Es waltet etwas Mystik zwischen zwei Menschen,
die sich auf den ersten Blick erkannt haben. Ihr Stolz soll es
nicht verneinen.

HELENE  *Sie ist aufgestanden*  Er verneint es immer wieder.

NEUHOFF  Helene, bei Ihnen wäre meine Rettung – meine Zu-
sammenfassung, meine Ermöglichung!

HELENE  Ich will von niemand wissen, der sein Leben unter
solche Bedingungen stellt!
*Sie tut ein paar Schritte an ihm vorbei; ihr Blick haftet an der
offenen Tür rechts, wo sie eingetreten ist.*

NEUHOFF  Wie Ihr Gesicht sich verändert! Was ist das, Helene?
*Helene schweigt, sieht nach rechts.*

NEUHOFF  *ist hinter sie getreten, folgt ihrem Blick*  Oh! Graf Bühl
erscheint auf der Bildfläche!
*Er tritt zurück von der Tür*
Sie fühlen magnetisch seine Nähe – ja spüren Sie denn
nicht, unbegreifliches Geschöpf, daß Sie für ihn nicht da
sind?

HELENE  Ich bin schon da für ihn, irgendwie bin ich schon da!

NEUHOFF  Verschwenderin! Sie leihen ihm alles, auch noch
die Kraft, mit der er Sie hält.

HELENE  Die Kraft, mit der ein Mensch einen hält – die hat ihm wohl Gott gegeben.

NEUHOFF  Ich staune. Womit übt ein Kari Bühl diese Faszination über Sie? Ohne Verdienst, sogar ohne Bemühung, ohne Willen, ohne Würde –

HELENE  Ohne Würde!

NEUHOFF  Der schlaffe zweideutige Mensch hat keine Würde.

HELENE  Was für Worte gebrauchen Sie da?

NEUHOFF  Mein nördlicher Jargon klingt etwas scharf in Ihre schöngeformten Ohren. Aber ich vertrete seine Schärfe. Zweideutig nenne ich den Mann, der sich halb verschenkt und sich halb zurückbehält – der Reserven in allem und jedem hält – in allem und jedem Berechnungen –

HELENE  Berechnung und Kari Bühl! Ja, sehen Sie ihn denn wirklich so wenig! Freilich ist es unmöglich, sein letztes Wort zu finden, das bei andern so leicht zu finden ist. Die Ungeschicklichkeit, die ihn so liebenswürdig macht, der timide Hochmut, seine Herablassung, freilich ist alles ein Versteckenspiel, freilich läßt er sich mit plumpen Händen nicht fassen. – Die Eitelkeit erstarrt ihn ja nicht, durch die alle andern steif und hölzern werden – die Vernunft erniedrigt ihn ja nicht, die aus den meisten so etwas Gewöhnliches macht – er gehört nur sich selber – niemand kennt ihn, da ist es kein Wunder, daß Sie ihn nicht kennen!

NEUHOFF  So habe ich Sie nie zuvor gesehen, Helene. Ich genieße diesen unvergleichlichen Augenblick! Einmal sehe ich Sie, wie Gott Sie geschaffen hat, Leib und Seele. Ein Schauspiel für Götter. Pfui über die Weichheit bei Männern wie bei Frauen! Aber Strenge, die weich wird, ist herrlich über alles!

*Helene schweigt.*

NEUHOFF  Gestehen Sie mir zu, es zeugt von etwas Superiorität, wenn ein Mann es an einer Frau genießen kann, wie sie einen andern bewundert. Aber ich vermag es: denn ich bagatellisiere Ihre Bewunderung für Kari Bühl.

HELENE  Sie verwechseln die Nuancen. Sie sind aigriert, wo es nicht am Platz ist.

NEUHOFF  Über was ich hinweggehe, das aigriert mich nicht.

HELENE   Sie kennen ihn nicht! Sie haben ihn kaum gesprochen.

NEUHOFF   Ich habe ihn besucht –

*Helene sieht ihn an.*

NEUHOFF   Es ist nicht zu sagen, wie dieser Mensch Sie preisgibt – Sie bedeuten ihm nichts. Sie sind es, über die er hinweggeht.

HELENE *ruhig* Nein.

NEUHOFF   Es war ein Zweikampf zwischen mir und ihm, ein Zweikampf um Sie – und ich bin nicht unterlegen.

HELENE   Nein, es war kein Zweikampf. Es verdient keinen so heroischen Namen. Sie sind hingegangen, um dasselbe zu tun, was ich in diesem Augenblick tu!

*Lacht*

Ich gebe mir alle Mühe, den Grafen Bühl zu sehen, ohne daß er mich sieht. Aber ich tue es ohne Hintergedanken.

NEUHOFF   Helene!

HELENE   Ich denke nicht, dabei etwas wegzutragen, das mir nützen könnte!

NEUHOFF   Sie treten mich ja in den Staub, Helene – und ich lasse mich treten!

*Helene schweigt.*

NEUHOFF   Und nichts bringt mich näher?

HELENE   Nichts.

*Sie geht einen Schritt auf die Tür rechts zu.*

NEUHOFF   Alles an Ihnen ist schön, Helene. Wenn Sie sich niedersetzen, ist es, als ob Sie ausruhen müßten von einem großen Schmerz – und wenn Sie quer durchs Zimmer gehen, ist es, als ob Sie einer ewigen Entscheidung entgegengingen.

*Hans Karl ist in der Tür rechts erschienen.*

*Helene gibt Neuhoff keine Antwort. Sie geht lautlos langsam auf die Tür rechts zu.*

*Neuhoff geht schnell links hinaus.*

VIERZEHNTE SZENE

HANS KARL  Ja, ich habe mit Ihnen zu reden.

HELENE  Ist es etwas sehr Ernstes?

HANS KARL  Es kommt vor, daß es einem zugemutet wird. Durchs Reden kommt ja alles auf der Welt zustande. Allerdings, es ist ein bißl lächerlich, wenn man sich einbildet, durch wohlgesetzte Wörter eine weiß Gott wie große Wirkung auszuüben, in einem Leben, wo doch schließlich alles auf das Letzte, Unaussprechliche ankommt. Das Reden basiert auf einer indezenten Selbstüberschätzung.

HELENE  Wenn alle Menschen wüßten, wie unwichtig sie sind, würde keiner den Mund aufmachen.

HANS KARL  Sie haben einen so klaren Verstand, Helene. Sie wissen immer in jedem Moment so sehr, worauf es ankommt.

HELENE  Weiß ich das?

HANS KARL  Man versteht sich mit Ihnen ausgezeichnet. Da muß man sehr achtgeben.

HELENE  *sieht ihn an*  Da muß man achtgeben?

HANS KARL  Freilich. Sympathie ist ganz gut, aber auf ihr herumzureiten, wäre doch namenlos indiskret. Darum muß man doch gerade auf der Hut sein, wenn man das Gefühl hat, sich sehr gut zu verstehen.

HELENE  Das müssen Sie tun, natürlich. So ist Ihre Natur. Wer sich einfallen ließe, Sie fixieren zu wollen, wäre schon verloren. Aber wer glaubt, daß Sie ihm für immer adieu gesagt haben, dem könnte passieren, daß Sie ihm wieder guten Tag sagen. – Heut hat die Antoinette wieder Charme für Sie gehabt.

HANS KARL  Sie bemerken alles!

HELENE  Sie verbrauchen auf Ihre Art die armen Frauen, aber Sie haben sie gar nicht sehr lieb. Es gehört viel Contenance dazu oder ein bißl Gewöhnlichkeit, um Ihre Freundin zu bleiben.

HANS KARL  Wenn Sie mich so sehen, dann bin ich Ihnen ja direkt unsympathisch!

HELENE  Gar nicht. Sie sind charmant. Sie sind bei all dem wie ein Kind.

HANS KARL    Wie ein Kind? Und dabei bin ich nahezu ein alter
Mensch. Das ist doch ein horreur. Mit neununddreißig Jahren nicht wissen, woran man mit sich selber ist, das ist doch
eine Schand.

HELENE    Ich brauchte nie nachzudenken, woran ich mit mir
selber bin. Bei mir ist wirklich gar nichts los, es ist nichts da
als ein anständiges, ruhiges Benehmen.

HANS KARL    Sie haben so eine reizende Art!

HELENE    Ich möchte nicht sentimental sein, das langweilt
mich. Ich möchte lieber terre à terre sein, wie Gott weiß
wer, als sentimental. Ich möchte auch nicht spleenig sein,
und ich möchte nicht kokett sein. So bleibt mir nichts übrig, als möglichst artig zu sein.

*Hans Karl schweigt.*

HELENE    Au fond können wir Frauen tun, was wir wollen,
meinetwegen Solfèges singen oder politisieren, wir meinen
immer noch was andres damit. – Solfèges singen ist indis-
kreter, Artigsein ist diskreter, es drückt die bestimmte Absicht aus, keine Indiskretionen zu begehen. Weder gegen
sich, noch gegen einen andern.

HANS KARL    Alles an Ihnen ist besonders und schön. Ihnen
kann ja gar nichts geschehen. Heiraten Sie wen immer, heiraten Sie den Neuhoff, nein, den Neuhoff, wenn sichs vermeiden läßt, lieber nicht, aber den ersten besten frischen
Menschen, einen Menschen wie meinen Neffen Stani, ja
wirklich, Helene, heiraten Sie den Stani, er möchte so gern,
und Ihnen kann ja gar nichts passieren. Sie sind ja unzerstörbar, das steht ja deutlich in Ihrem Gesicht geschrieben.
Ich bin immer fasziniert von einem wirklich schönen Gesicht – aber das Ihre –

HELENE    Ich möchte nicht, daß Sie so mit mir reden, Graf
Bühl.

HANS KARL    Aber nein, an Ihnen ist ja nicht die Schönheit das
Entscheidende, sondern etwas ganz anderes: in Ihnen liegt
das Notwendige. Sie können mich natürlich nicht verstehen, ich versteh mich selbst viel schlechter, wenn ich red,
als wenn ich still bin. Ich kann gar nicht versuchen, Ihnen
das zu explizieren, es ist halt etwas, was ich draußen begrei-

fen gelernt habe: daß in den Gesichtern der Menschen etwas geschrieben steht. Sehen Sie, auch in einem Gesicht
wie dem von der Antoinette kann ich lesen –

HELENE  *mit einem flüchtigen Lächeln*  Aber davon bin ich überzeugt.

HANS KARL  *ernst*  Ja, es ist ein charmantes, liebes Gesicht, aber
es steht immer ein und derselbe stumme Vorwurf in ihm
eingegraben: Warum habts ihr mich alle dem fürchterli-
chen Zufall überlassen? Und das gibt ihrer kleinen Maske
etwas so Hilfloses, Verzweifeltes, daß man Angst um sie
haben könnte.

HELENE  Aber die Antoinette ist doch da. Sie existiert doch so
ganz für den Moment. So müssen doch Frauen sein, der
Moment ist ja alles. Was soll denn die Welt mit einer Person
anfangen, wie ich bin? Für mich ist ja der Moment gar nicht
da, ich stehe da und sehe die Lampen dort brennen, und in
mir sehe ich sie schon ausgelöscht. Und ich spreche mit Ihnen, wir sind ganz allein in einem Zimmer, aber in mir ist
das jetzt schon vorbei: wie wenn irgendein gleichgültiger
Mensch hereingekommen wäre und uns gestört hätte, die
Huberta oder der Theophil Neuhoff oder wer immer, und
das schon vorüber wäre, daß ich mit Ihnen allein dagesses-
sen bin, bei dieser Musik, die zu allem auf der Welt besser
paßt, als zu uns beiden – und Sie schon wieder irgendwo
dort zwischen den Leuten. Und ich auch irgendwo zwischen den Leuten.

HANS KARL  *leise*  Jeder muß glücklich sein, der mit Ihnen leben darf, und muß Gott danken bis an sein Lebensende,
Helen, bis an sein Lebensende, seis wers sei. Nehmen Sie
nicht den Neuhoff, Helen, – eher einen Menschen wie den
Stani, oder auch nicht den Stani, einen ganz andern, der ein
braver, nobler Mensch ist – und ein Mann: das ist alles, was
ich nicht bin.

*Er steht auf.*

HELENE  *steht auch auf, sie spürt, daß er gehen will*  Sie sagen mir
ja adieu!

*Hans Karl gibt keine Antwort.*

HELENE  Auch das hab ich voraus gewußt. Daß einmal ein

Moment kommen wird, wo Sie mir so plötzlich adieu sagen werden und ein Ende machen – wo gar nichts war. Aber denen, wo wirklich was war, denen können Sie nie adieu sagen.

HANS KARL    Helen, es sind gewisse Gründe.

HELENE    Ich glaube, ich habe alles in der Welt, was sich auf uns zwei bezieht, schon einmal gedacht. So sind wir schon einmal gestanden, so hat eine fade Musik gespielt, und so haben Sie mir adieu gesagt, einmal für allemal.

HANS KARL    Es ist nicht nur so aus diesem Augenblick heraus, Helen, daß ich Ihnen adieu sage. O nein, das dürfen Sie nicht glauben. Denn daß man jemandem adieu sagen muß, dahinter versteckt sich ja was.

HELENE    Was denn?

HANS KARL    Da muß man ja sehr zu jemandem gehören und doch nicht ganz zu ihm gehören dürfen.

HELENE    *zuckt*   Was wollen Sie damit sagen?

HANS KARL    Da draußen, da war manchmal was – mein Gott, ja, wer könnte denn das erzählen!

HELENE    Ja, mir. Jetzt.

HANS KARL    Da waren solche Stunden, gegen Abend oder in der Nacht, der frühe Morgen mit dem Morgenstern – Helen, Sie waren da sehr nahe von mir. Dann war dieses Verschüttetwerden, Sie haben davon gehört –

HELENE    Ja, ich hab davon gehört –

HANS KARL    Das war nur ein Moment, dreißig Sekunden sollen es gewesen sein, aber nach innen hat das ein anderes Maß. Für mich wars eine ganze Lebenszeit, die ich gelebt hab, und in diesem Stück Leben, da waren Sie meine Frau. Ist das nicht spaßig?

HELENE    Da war ich Ihre Frau?

HANS KARL    Nicht meine zukünftige Frau. Das ist das Sonderbare. Meine Frau ganz einfach. Als ein fait accompli. Das Ganze hat eher etwas Vergangenes gehabt als etwas Zukünftiges.

*Helene schweigt.*

HANS KARL    Mein Gott, ich bin eben nicht möglich, das sag ich ja der Crescence! Jetzt sitz ich da neben Ihnen in einer

Soiree und verlier mich in Geschichten, wie der alte Mille-
simo, Gott hab ihn selig, den schließlich die Leut allein sitzen haben lassen, mit seinen Anekdoten ohne Pointe, und
der das gar nicht bemerkt hat und mutterseelenallein wei-
tererzählt hat.

HELENE  Aber ich laß Sie gar nicht sitzen, ich hör zu, Graf
Kari. Sie haben mir etwas sagen wollen, war es das?

HANS KARL  Nämlich: das war eine sehr subtile Lektion, die
mir da eine höhere Macht erteilt hat. Ich werd Ihnen sagen,
Helen, was die Lektion bedeutet hat.

*Helene hat sich gesetzt, er setzt sich auch, die Musik hat aufge-
hört.*

HANS KARL  Es hat mir in einem ausgewählten Augenblick
ganz eingeprägt werden sollen, wie das Glück ausschaut,
das ich mir verscherzt habe. Wodurch ich mirs verscherzt
habe, das wissen Sie ja so gut wie ich.

HELENE  Das weiß ich so gut wie Sie?

HANS KARL  Indem ich halt, solange noch Zeit war, nicht erkannt habe, worin das Einzige liegen könnte, worauf es an-
käm. Und daß ich das nicht erkannt habe, das war eben die
Schwäche meiner Natur. Und so habe ich diese Prüfung
nicht bestanden. Später im Feldspital, in den vielen ruhigen
Tagen und Nächten hab ich das alles mit einer unbeschreib-
lichen Klarheit und Reinheit erkennen können.

HELENE  War es das, war Sie mir haben sagen wollen, genau
das?

HANS KARL  Die Genesung ist so ein merkwürdiger Zustand.
Darin ist mir die ganze Welt wiedergekommen, wie etwas
Reines, Neues und dabei so Selbstverständliches. Ich hab
da auf einmal ausdenken können, was das ist: ein Mensch.
Und wie das sein muß: zwei Menschen, die ihr Leben auf-
einanderlegen und werden wie ein Mensch. Ich habe – in
der Ahnung wenigstens – mir vorstellen können – was da
dazu gehört, wie heilig das ist und wie wunderbar. Und
sonderbarerweise, es war nicht meine Ehe, die ganz ungerufen die Mitte von diesem Denken war – obwohl es ja
leicht möglich ist, daß ich noch einmal heirat –, sondern es
war Ihre Ehe.

HELENE   Meine Ehe! Meine Ehe – mit wem denn?

HANS KARL   Das weiß ich nicht. Aber ich hab mir das in einer ganz genauen Weise vorstellen können, wie das alles sein wird, und wie es sich abspielen wird, mit ganz wenigen Leuten und ganz heilig und feierlich, und wie alles so sein wird, wie sichs gehört zu Ihren Augen und zu Ihrer Stirn und zu Ihren Lippen, die nichts Überflüssiges reden können, und zu Ihren Händen, die nichts Unwürdiges besiegeln können – und sogar das Ja-Wort hab ich gehört, ganz klar und rein, von Ihrer klaren, reinen Stimme – ganz von weitem, denn ich war doch natürlich nicht dabei, ich war doch nicht dabei! – Wie käm ich als ein Außenstehender zu der Zeremonie – Aber es hat mich gefreut, Ihnen einmal zu sagen, wie ichs Ihnen mein. – Und das kann man natürlich nur in einem besonderen Moment; wie der jetzige, sozusagen in einem definitiven Moment –

*Helene ist dem Umsinken nah, beherrscht sich aber.*

HANS KARL   *Tränen in den Augen* Mein Gott, jetzt hab ich Sie ganz bouleversiert, das liegt an meiner unmöglichen Art, ich attendrier mich sofort, wenn ich von was sprech oder hör, was nicht aufs Allerbanalste hinausgeht – es sind die Nerven seit der Geschichte, aber das steckt sensible Menschen wie Sie natürlich an – ich gehör eben nicht unter Menschen – das sag ich ja der Crescence – ich bitt Sie tausendmal um Verzeihung, vergessen Sie alles, was ich da Konfuses zusammengeredt hab – es kommen ja in so einem Abschiedsmoment tausend Erinnerungen durcheinander –

*Hastig, weil er fühlt, daß sie nicht mehr allein sind*

– aber wer sich beisammen hat, der vermeidet natürlich, sie auszukramen – Adieu, Helen, Adieu.

*Der berühmte Mann ist von rechts eingetreten.*

HELENE   *kaum ihrer selbst mächtig* Adieu!

*Sie wollen sich die Hände geben, keine Hand findet die andere. Hans Karl will fort nach rechts. Der berühmte Mann tritt auf ihn zu. Hans Karl sieht sich nach links um.*

*Crescence tritt von links ein.*

DER BERÜHMTE MANN   Es war seit langem mein lebhafter Wunsch, Euer Erlaucht –

HANS KARL   *eilt fort nach rechts*   Pardon, mein Herr!
*An ihm vorbei.*
*Crescence tritt zu Helene, die totenblaß dasteht.*
*Der berühmte Mann ist verlegen abgegangen.*
*Hans Karl erscheint nochmals in der Tür rechts, sieht herein, wie*
*unschlüssig, und verschwindet gleich wieder, wie er Crescence bei*
*Helene sieht.*

HELENE   *zu Crescence, fast ohne Besinnung*   Du bists, Crescence? Er ist ja noch einmal hereingekommen. Hat er noch etwas gesagt?
*Sie taumelt, Crescence hält sie.*

CRESCENCE   Aber ich bin ja so glücklich. Deine Ergriffenheit
macht mich ja so glücklich!

HELENE   Pardon, Crescence, sei mir nicht bös!
*Macht sich los und läuft weg nach links.*

CRESCENCE   Ihr habts euch eben beide viel lieber, als ihr wißts,
der Stani und du!
*Sie wischt sich die Augen.*

*Der Vorhang fällt.*

# DRITTER AKT

*Vorsaal im Altenwylschen Haus. Rechts der Ausgang in die Einfahrt. Treppe in der Mitte. Hinaufführend zu einer Galerie, von der links und rechts je eine Flügeltür in die eigentlichen Gemächer führt. Unten neben der Treppe niedrige Divans oder Bänke.*

### ERSTE SZENE

KAMMERDIENER *steht beim Ausgang rechts. Andere Diener stehen außerhalb, sind durch die Glasscheiben des Windfangs sichtbar. Kammerdiener ruft den andern Dienern zu* Herr Hofrat Professor Brücke!

*Der berühmte Mann kommt die Treppe herunter.*

*Diener kommt von rechts mit dem Pelz, in dem innen zwei Cachenez hängen, mit Überschuhen.*

KAMMERDIENER *während dem berühmten Mann in die Überkleider geholfen wird* Befehlen Herr Hofrat ein Auto?

DER BERÜHMTE MANN Ich danke. Ist Seine Erlaucht, der Graf Bühl nicht soeben vor mir gewesen?

KAMMERDIENER Soeben im Augenblick.

DER BERÜHMTE MANN Ist er fortgefahren?

KAMMERDIENER Nein, Erlaucht hat sein Auto weggeschickt, er hat zwei Herren vorfahren sehen und ist hinter die Portiersloge getreten und hat sie vorbeigelassen. Jetzt muß er gerade aus dem Haus sein.

DER BERÜHMTE MANN *beeilt sich* Ich werde ihn einholen.

*Er geht, man sieht zugleich draußen Stani und Hechingen eintreten.*

ZWEITE SZENE

*Stani und Hechingen treten ein, hinter jedem ein Diener, der ihm Überrock und Hut abnimmt.*

STANI *grüßt im Vorbeigehen den berühmten Mann* Guten Abend Wenzel, meine Mutter ist da?

KAMMERDIENER  Sehr wohl, Frau Gräfin sind beim Spiel.

*Tritt ab, ebenso wie die andern Diener.*

*Stani will hinaufgehen, Hechingen steht seitlich an einem Spiegel, sichtlich nervös.*

*Ein anderer Altenwylscher Diener kommt die Treppe herab.*

STANI *hält den Diener auf* Sie kennen mich?

DIENER  Sehr wohl, Herr Graf.

STANI  Gehen Sie durch die Salons und suchen Sie den Grafen Bühl, bis Sie ihn finden. Dann nähern Sie sich ihm unauffällig und melden ihm, ich lasse ihn bitten auf ein Wort, entweder im Eckzimmer der Bildergalerie oder im chinesischen Rauchzimmer. Verstanden? Also was werden Sie sagen?

DIENER  Ich werde melden, Herr Graf Freudenberg wünschen mit Seiner Erlaucht privat ein Wort zu sprechen, entweder im Ecksalon –

STANI  Gut.

*Diener geht.*

HECHINGEN  Pst, Diener!

*Diener hört ihn nicht, geht oben hinein.*

*Stani hat sich gesetzt.*

*Hechingen sieht ihn an.*

STANI  Wenn du vielleicht ohne mich eintreten würdest? Ich habe eine Post hinaufgeschickt, ich warte hier einen Moment, bis er mir die Antwort bringt.

HECHINGEN  Ich leiste dir Gesellschaft.

STANI  Nein, ich bitte sehr, daß du dich durch mich nicht aufhalten laßt. Du warst ja sehr pressiert, herzukommen –

HECHINGEN  Mein lieber Stani, du siehst mich in einer ganz besonderen Situation vor dir. Wenn ich jetzt die Schwelle dieses Salons überschreite, so entscheidet sich mein Schicksal.

STANI *enerviert über Hechingens nervöses Aufundabgehen* Möchtest du nicht vielleicht Platz nehmen? Ich wart nur auf den Diener, wie gesagt.

HECHINGEN  Ich kann mich nicht setzen, ich bin zu agitiert.

STANI  Du hast vielleicht ein bissel schnell den Schampus hinuntergetrunken.

HECHINGEN  Auf die Gefahr hin, dich zu langweilen, mein lieber Stani, muß ich dir gestehen, daß für mich in dieser Stunde außerordentlich Großes auf dem Spiel steht.

STANI  *während Hechingen sich wieder nervös zerstreut von ihm entfernt* Aber es steht ja öfter irgend etwas Serioses auf dem Spiel. Es kommt nur darauf an, sich nichts merken zu lassen.

HECHINGEN  *wieder näher* Dein Onkel Kari hat es in seiner freundschaftlichen Güte auf sich genommen, mit der Antoinette, mit meiner Frau, ein Gespräch zu führen, dessen Ausgang wie gesagt –

STANI  Der Onkel Kari?

HECHINGEN  Ich mußte mir sagen, daß ich mein Schicksal in die Hand keines nobleren, keines selbstloseren Freundes –

STANI  Aber natürlich. – Wenn er nur die Zeit gefunden hat?

HECHINGEN  Wie?

STANI  Er übernimmt manchmal ein bissl viel, der Onkel Kari. Wenn irgend jemand etwas von ihm will – er kann nicht nein sagen.

HECHINGEN  Es war abgemacht, daß ich im Club ein telephonisches Signal erwarte, ob ich hierherkommen soll, oder ob mein Erscheinen noch nicht opportun ist.

STANI  Ah. Da hätte ich aber an deiner Stelle auch wirklich gewartet.

HECHINGEN  Ich war nicht mehr imstande, länger zu warten. Bedenke, was für mich auf dem Spiel steht!

STANI  Über solche Entscheidungen muß man halt ein bissl erhaben sein. Aha!

*Sieht den Diener, der oben heraustritt.*

*Diener kommt die Treppe herunter.*

*Stani ihm entgegen, läßt Hechingen stehen.*

DIENER  Nein, ich glaube, Seine Erlaucht müssen fort sein.

STANI  Sie glauben? Ich habe Ihnen gesagt, Sie sollen herum-
gehen, bis Sie ihn finden.

DIENER  Verschiedene Herrschaften haben auch schon gefragt, Seine Erlaucht müssen rein unauffällig verschwunden sein.

STANI  Sapristi! Dann gehen Sie zu meiner Mutter und melden Sie ihr, ich lasse vielmals bitten, sie möchte auf einen
Moment zu mir in den vordersten Salon herauskommen.
Ich muß meinen Onkel oder sie sprechen, bevor ich ein-
trete.

DIENER  Sehr wohl.

*Geht wieder hinauf.*

HECHINGEN  Mein Instinkt sagt mir, daß der Kari in der Minute heraustreten wird, um mir das Resultat zu verkündi-
gen, und daß es ein glückliches sein wird.

STANI  So einen sicheren Instinkt hast du? Ich gratuliere.

HECHINGEN  Etwas hat ihn abgehalten zu telephonieren, aber
er hat mich herbeigewünscht. Ich fühle mich ununterbro-
chen im Kontakt mit ihm.

STANI  Fabelhaft!

HECHINGEN  Das ist bei uns gegenseitig. Sehr oft spricht er
etwas aus, was ich im gleichen Augenblick mir gedacht
habe.

STANI  Du bist offenbar ein großartiges Medium.

HECHINGEN  Mein lieber Freund, wie ich ein junger Hund war
wie du, hätte ich auch viel nicht für möglich gehalten, aber
wenn man seine Fünfunddreißig auf dem Buckel hat, da
gehen einem die Augen für so manches auf. Es ist ja, wie
wenn man früher taub und blind gewesen wäre.

STANI  Was du nicht sagst!

HECHINGEN  Ich verdank ja dem Kari geradezu meine zweite
Erziehung. Ich lege Gewicht darauf, klarzustellen, daß ich
ohne ihn einfach aus meiner verworrenen Lebenssituation
nicht herausgefunden hätte.

STANI  Das ist enorm.

HECHINGEN  Ein Wesen wie die Antoinette, mag man auch ihr
Mann gewesen sein, das sagt noch gar nichts, man hat eben
keine Ahnung von dieser inneren Feinheit. Ich bitte nicht

zu übersehen, daß ein solches Wesen ein Schmetterling ist, dessen Blütenstaub man schonen muß. Wenn du sie kennen würdest, ich meine näher kennen –

*Stani, verbindliche Gebärde.*

HECHINGEN   Ich faß mein Verhältnis zu ihr jetzt so auf, daß es einfach meine Schuldigkeit ist, ihr die Freiheit zu gewähren, deren ihre bizarre, phantasievolle Natur bedarf. Sie hat die Natur der grande dame des achtzehnten Jahrhunderts. Nur dadurch, daß man ihr die volle Freiheit gewährt, kann man sie an sich fesseln.

STANI   Ah.

HECHINGEN   Man muß large sein, das ist es, was ich dem Kari verdanke. Ich würde keineswegs etwas Irreparables darin erblicken, einen Menschen, der sie verehrt, in larger Weise heranzuziehen.

STANI   Ich begreife.

HECHINGEN   Ich würde mich bemühen, meinen Freund aus ihm zu machen, nicht aus Politik, sondern ganz unbefangen. Ich würde ihm herzlich entgegenkommen: das ist die Art, wie der Kari mir gezeigt hat, daß man die Menschen nehmen muß: mit einem leichten Handgelenk.

STANI   Aber es ist nicht alles au pied de la lettre zu nehmen, was der Onkel Kari sagt.

HECHINGEN   Au pied de la lettre natürlich nicht. Ich würde dich bitten, nicht zu übersehen, daß ich genau fühle, worauf es ankommt. Es kommt alles auf ein gewisses Etwas an, auf eine Grazie – ich möchte sagen, es muß alles ein beständiges Impromptu sein.

*Er geht nervös auf und ab.*

STANI   Man muß vor allem seine tenue zu wahren wissen. Beispielsweise, wenn der Onkel Kari eine Entscheidung über was immer zu erwarten hätte, so würde kein Mensch ihm etwas anmerken.

HECHINGEN   Aber natürlich. Dort hinter dieser Statue oder hinter der großen Azalee würde er mit der größten Nonchalance stehen und plaudern – ich mal mir das aus! Auf die Gefahr bin, dich zu langweilen, ich schwör dir, daß ich jede kleine Nuance, die in ihm vorgehen würde, nachempfinden kann.

STANI   Da wir uns aber nicht beide hinter die Azalee stellen können und dieser Idiot von Diener absolut nicht wiederkommt, so werden wir vielleicht hinaufgehen.

HECHINGEN   Ja, gehen wir beide. Es tut mir wohl, diesen Augenblick nicht allein zu verbringen. Mein lieber Stani, ich hab eine so aufrichtige Sympathie für dich!
*Hängt sich in ihn ein.*

STANI   *indem er seinen Arm von dem Hechingens entfernt* Aber vielleicht nicht bras dessus bras dessous wie die Komtessen, wenn sie das erste Jahr ausgehen, sondern jeder extra.

HECHINGEN   Bitte, bitte, wie dirs genehm ist. –

STANI   Ich würde dir vorschlagen, als erster zu starten. Ich komm dann sofort nach.
*Hechingen geht voraus, verschwindet oben.*
*Stani geht ihm nach.*

### DRITTE SZENE

HELENE   *tritt aus einer kleinen versteckten Tür in der linken Seitenwand. Sie wartet, bis Stani oben unsichtbar geworden ist. Dann ruft sie den Kammerdiener leise an* Wenzel, Wenzel, ich will Sie etwas fragen.

KAMMERDIENER   *geht schnell zu ihr hinüber* Befehlen Komtesse?

HELENE   *mit sehr leichtem Ton* Haben Sie gesehen, ob der Graf Bühl fortgegangen ist?

KAMMERDIENER   Jawohl, sind fortgegangen, vor fünf Minuten.

HELENE   Er hat nichts hinterlassen?

KAMMERDIENER   Wie meinen die Komtesse?

HELENE   Einen Brief oder eine mündliche Post.

KAMMERDIENER   Mir nicht, ich werde gleich die andern Diener fragen.
*Geht hinüber.*
*Helene steht und wartet.*
*Stani wird oben sichtbar. Er sucht zu sehen, mit wem Helene spricht, und verschwindet dann wieder.*

KAMMERDIENER   *kommt zurück zu Helene* Nein, gar nicht. Er

hat sein Auto weggeschickt, sich eine Zigarre angezündet und ist gegangen.

*Helene sagt nichts.*

KAMMERDIENER *nach einer kleinen Pause* Befehlen Komtesse noch etwas?

HELENE Ja, Wenzel, ich werd in ein paar Minuten wiederkommen, und dann werd ich aus dem Hause gehen.

KAMMERDIENER Wegfahren, noch jetzt am Abend?

HELENE Nein, gehen, zu Fuß.

KAMMERDIENER Ist jemand krank worden?

HELENE Nein, es ist niemand krank, ich muß mit jemandem sprechen.

KAMMERDIENER Befehlen Komtesse, daß wer begleitet außer der Miss?

HELENE Nein, ich werde ganz allein gehen, auch die Miss Jekyll wird mich nicht begleiten. Ich werde hier herausgehen in einem Augenblick, wenn niemand von den Gästen hier fortgeht. Und ich werde Ihnen einen Brief für den Papa geben.

KAMMERDIENER Befehlen, daß ich den dann gleich hineintrage?

HELENE Nein, geben Sie ihn dem Papa, wenn er die letzten Gäste begleitet hat.

KAMMERDIENER Wenn sich alle Herrschaften verabschiedet haben?

HELENE Ja, im Moment, wo er befiehlt, das Licht auszulöschen. Aber dann bleiben Sie bei ihm. Ich möchte, daß Sie – *Sie stockt.*

KAMMERDIENER Befehlen?

HELENE Wie alt war ich, Wenzel, wie Sie hier ins Haus gekommen sind?

KAMMERDIENER Fünf Jahre altes Mäderl waren Komtesse.

HELENE Es ist gut, Wenzel, ich danke Ihnen. Ich werde hier herauskommen, und Sie werden mir ein Zeichen geben, ob der Weg frei ist.

*Reicht ihm ihre Hand zum Küssen.*

KAMMERDIENER Befehlen.

*Küßt die Hand.*

*Helene geht wieder ab durch die kleine Tür.*

VIERTE SZENE

*Antoinette und Neuhoff kommen rechts seitwärts der Treppe aus dem Wintergarten*

ANTOINETTE  Das war die Helen. War sie allein? Hat sie mich gesehen?

NEUHOFF  Ich glaube nicht. Aber was liegt daran? Jedenfalls haben Sie diesen Blick nicht zu fürchten.

ANTOINETTE  Ich fürcht mich vor ihr. Sooft ich an sie denk, glaub ich, daß mich wer angelogen hat. Gehen wir woanders hin, wir können nicht hier im Vestibül sitzen.

NEUHOFF  Beruhigen Sie sich. Kari Bühl ist fort. Ich habe soeben gesehen, wie er fortgegangen ist.

ANTOINETTE  Gerade jetzt im Augenblick?

NEUHOFF  *versteht, woran sie denkt*  Er ist unbemerkt und unbegleitet fortgegangen.

ANTOINETTE  Wie?

NEUHOFF  Eine gewisse Person hat ihn nicht bis hierher begleitet und hat überhaupt in der letzten halben Stunde seines Hierseins nicht mit ihm gesprochen. Ich habe es festgestellt. Seien Sie ruhig.

ANTOINETTE  Er hat mir geschworen, er wird ihr adieu sagen für immer. Ich möcht ihr Gesicht sehen, dann wüßt ich –

NEUHOFF  Dieses Gesicht ist hart wie Stein. Bleiben Sie bei mir hier.

ANTOINETTE  Ich –

NEUHOFF  Ihr Gesicht ist entzückend. Andere Gesichter verstecken alles. Das Ihrige ist ein unaufhörliches Geständnis. Man könnte diesem Gesicht alles entreißen, was je in Ihnen vorgegangen ist.

ANTOINETTE  Man könnte? Vielleicht – wenn man einen Schatten von Recht dazu hätte.

NEUHOFF  Man nimmt das Recht dazu aus dem Moment. Sie sind eine Frau, eine wirkliche, entzückende Frau. Sie gehören keinem und jedem! Nein: Sie haben noch keinem gehört, Sie warten noch immer.

ANTOINETTE  *mit einem kleinen nervösen Lachen*  Nicht auf Sie!

NEUHOFF  Ja, genau auf mich, das heißt auf den Mann, den Sie
noch nicht kennen, auf den wirklichen Mann, auf Ritter-
lichkeit, auf Güte, die in der Kraft wurzelt. Denn die Karis
haben Sie nur malträtiert, betrogen vom ersten bis zum
letzten Augenblick, diese Sorte von Menschen ohne Güte,
ohne Kern, ohne Nerv, ohne Loyalität! Diese Schmarotzer,
denen ein Wesen wie Sie immer wieder und wieder in die
Schlinge fällt, ungelohnt, unbedankt, unbeglückt, erniedrigt in ihrer zartesten Weiblichkeit!
*Will ihre Hand ergreifen.*

ANTOINETTE  Wie Sie sich echauffieren! Aber vor Ihnen bin
ich sicher, Ihr kalter, wollender Verstand hebt ja den Kopf
aus jedem Wort, das Sie reden. Ich hab nicht einmal Angst
vor Ihnen. Ich will Sie nicht!

NEUHOFF  Mein Verstand, ich haß ihn ja! Ich will ja erlöst sein
von ihm, mich verlangt ja nichts anderes, als ihn bei Ihnen
zu verlieren, süße kleine Antoinette!
*Er will ihre Hand nehmen.*
*Hechingen wird oben sichtbar, tritt aber gleich wieder zurück.*
*Neuhoff hat ihn gesehen, nimmt ihre Hand nicht, ändert die Stel-*
*lung und den Gesichtsausdruck.*

ANTOINETTE  Ah, jetzt hab ich Sie durch und durch gesehen!
Wie sich das jäh verändern kann in Ihrem Gesicht! Ich will
Ihnen sagen, was jetzt passiert ist: jetzt ist oben die Helen
vorbeigegangen, und in diesem Augenblick hab ich in Ihnen lesen können wie in einem offenen Buch. Dépit und
Ohnmacht, Zorn, Scham und die Lust, mich zu kriegen –
faute de mieux –, das alles war zugleich darin. Die Edine
schimpft mit mir, daß ich komplizierte Bücher nicht lesen
kann. Aber das war recht kompliziert, und ich habs doch
lesen können in einem Nu. Geben Sie sich keine Müh mit
mir. Ich mag nicht!

NEUHOFF  *beugt sich zu ihr*  Du sollst wollen!

ANTOINETTE  *steht auf*  Oho! Ich mag nicht! Ich mag nicht!
Denn das, was da aus Ihren Augen hervorwill und mich in
seine Gewalt kriegen will, aber nur will! – kann sein, daß
das sehr männlich ist – aber ich mags nicht. Und wenn das
Euer Bestes ist, so hat jede einzelne von uns, und wäre sie

die Gewöhnlichste, etwas in sich, das besser ist als Euer Bestes, und das gefeit ist gegen Euer Bestes durch ein bisserl
eine Angst. Aber keine solche Angst, die einen schwindlig
macht, sondern eine ganz nüchterne, ganz prosaische.
*Sie geht gegen die Treppe, bleibt noch einmal stehen.*
Verstehen Sie mich? Bin ich ganz deutlich? Ich fürcht mich
vor Ihnen, aber nicht genug, das ist Ihr Pech. Adieu, Baron
Neuhoff.
*Neuhoff ist schnell nach dem Wintergarten abgegangen.*


FÜNFTE SZENE

*Hechingen tritt oben herein, er kommt sehr schnell die Treppe her-
unter.*
*Antoinette ist betroffen und tritt zurück.*

HECHINGEN   Toinette!
ANTOINETTE   *unwillkürlich*   Auch das noch!
HECHINGEN   Wie sagst du?
ANTOINETTE   Ich bin überrascht – das mußt du doch begrei-
fen.
HECHINGEN   Und ich bin glücklich. Ich danke meinem Gott,
ich danke meiner Chance, ich danke diesem Augenblick!
ANTOINETTE   Du siehst ein bissl verändert aus. Dein Aus-
druck ist anders, ich weiß nicht, woran es liegt. Bist du
nicht ganz wohl?
HECHINGEN   Liegt es nicht daran, daß diese schwarzen Augen
mich lange nicht angeschaut haben?
ANTOINETTE   Aber es ist ja nicht so lang her, daß man sich ge-
sehen hat.
HECHINGEN   Sehen und Anschaun ist zweierlei, Toinette.
*Er ist ihr näher gekommen.*
*Antoinette tritt zurück.*
HECHINGEN   Vielleicht aber ist es etwas anderes, das mich
verändert hat, wenn ich die Unbescheidenheit haben darf,
von mir zu sprechen.
ANTOINETTE   Was denn? Ist etwas passiert? Interessierst du
dich für wen?

HECHINGEN   Deinen Charme, deinen Stolz im Spiel zu sehen,
die ganze Frau, die man liebt, plötzlich vor sich zu sehen, sie
leben zu sehen!

ANTOINETTE   Ah, von mir ist die Rede!

HECHINGEN   Ja, von dir. Ich war so glücklich, dich einmal so
zu sehen wie du bist, denn da hab ich dich einmal nicht in-
timidiert. O meine Gedanken, wie ich da oben gestanden
bin! Diese Frau begehrt von allen und allen sich versagend!
Mein Schicksal, dein Schicksal, denn es ist unser beider
Schicksal. Setz dich zu mir!

*Er hat sich gesetzt, streckt die Hand nach ihr aus.*

ANTOINETTE   Man kann so gut im Stehen miteinander reden,
wenn man so alte Bekannte ist.

HECHINGEN   *ist wieder aufgestanden* Ich hab dich nicht gekannt. Ich hab erst andere Augen bekommen müssen. Der
zu dir kommt, ist ein andrer, ein Verwandelter.

ANTOINETTE   Du hast so einen neuen Ton in deinen Reden.
Wo hast du dir das angewöhnt?

HECHINGEN   Der zu dir redet, das ist der, den du nicht kennst.
Toinette, so wie er dich nicht gekannt hat! Und der sich
nichts anderes wünscht, nichts anderes träumt, als von dir
gekannt zu sein und dich zu kennen.

ANTOINETTE   Ado, ich bitt dich um alles, red nicht mit mir, als
wenn ich eine Speisewagenbekanntschaft aus einem
Schnellzug wäre.

HECHINGEN   Mit der ich fahren möchte, fahren bis ans Ende
der Welt!

*Will ihre Hand küssen, sie entzieht sie ihm.*

ANTOINETTE   Ich bitt dich, merk doch, daß mich das crispiert.
Ein altes Ehepaar hat doch einen Ton miteinander. Den
wechselt man doch nicht, das ist ja zum Schwindligwer-
den.

HECHINGEN   Ich weiß nichts von einem alten Ehepaar, ich
weiß nichts von unserer Situation.

ANTOINETTE   Aber das ist doch die gegebene Situation.

HECHINGEN   Gegeben? Das alles gibts ja gar nicht. Hier bist
du und ich, und alles fängt wieder vom Frischen an.

ANTOINETTE   Aber nein, gar nichts fängt vom Frischen an.

HECHINGEN  Das ganze Leben ist ein ewiges Wiederanfangen.

ANTOINETTE  Nein, nein, ich bitt dich um alles, bleib doch in
deinem alten Genre. Ich kanns sonst nicht aushalten. Sei
mir nicht bös, ich hab ein bissl Migräne, ich hab schon früher nach Haus fahren wollen, bevor ich gewußt hab, daß
ich dich – ich hab doch nicht wissen können!

HECHINGEN  Du hast nicht wissen können, wer der sein wird,
der vor dich hintreten wird, und daß es nicht dein Mann ist,
sondern ein neuer enflammierter Verehrer, enflammiert
wie ein Bub von zwanzig Jahren! Das verwirrt dich, das
macht dich taumeln.

*Will ihre Hand nehmen.*

ANTOINETTE  Nein, es macht mich gar nicht taumeln, es
macht mich ganz nüchtern. So terre à terre machts mich, alles kommt mir so armselig vor und ich mir selbst. Ich hab
heut einen unglücklichen Abend, bitte, tu mir einen einzigen Gefallen, laß mich nach Haus fahren.

HECHINGEN  Oh, Antoinette!

ANTOINETTE  Das heißt, wenn du mir etwas Bestimmtes hast
sagen wollen, so sags mir, ich werds sehr gern anhören,
aber ich bitt dich um eins! Sags ganz in deinem gewöhnlichen Ton, so wie immer.

*Hechingen, betrübt und ernüchtert, schweigt.*

ANTOINETTE  So sag doch, was du mir hast sagen wollen.

HECHINGEN  Ich bin betroffen zu sehen, daß meine Gegenwart
dich einerseits zu überraschen, anderseits zu belasten
scheint. Ich durfte mich der Hoffnung hingeben, daß ein
lieber Freund Gelegenheit genommen haben würde, dir
von mir, von meinen unwandelbaren Gefühlen für dich zu
sprechen. Ich habe mir zurechtgelegt, daß auf dieser Basis
eine improvisierte Aussprache zwischen uns möglicher-
weise eine veränderte Situation schon vorfindet oder wenigstens schaffen würde können. – Ich würde dich bitten,
nicht zu übersehen, daß du mir die Gelegenheit, dir von
meinem eigenen Innern zu sprechen, bisher nicht gewährt
hast – ich fasse mein Verhältnis zu dir so auf, Antoinette –
langweil ich dich sehr?

ANTOINETTE  Aber ich bitt dich, sprich doch weiter. Du hast

mir doch was sagen wollen. Anders kann ich mir dein Herkommen nicht erklären.

HECHINGEN   Ich faß unser Verhältnis als ein solches auf, das nur mich, nur mich, Antoinette, bindet, das mir, nur mir eine Prüfungszeit auferlegt, deren Dauer du zu bestimmen hast.

ANTOINETTE   Aber wozu soll denn das sein, wohin soll denn das führen?

HECHINGEN   Wende ich mich freilich zu meinem eigenen Innern, Toinette –

ANTOINETTE   Bitte, was ist, wenn du dich da wendest? *Sie greift sich an die Schläfe.*

HECHINGEN   – so bedarf es allerdings keiner langen Prüfung. Immer und immer werde ich der Welt gegenüber versuchen, mich auf deinen Standpunkt zu stellen, werde immer wieder der Verteidiger deines Charme und deiner Freiheit sein. Und wenn man mir bewußt Entstellungen entgegenwirft, so werde ich triumphierend auf das vor wenigen Minuten hier Erlebte verweisen, auf den sprechenden Beweis, wie sehr es dir gegeben ist, die Männer, die dich begehren und bedrängen, in ihren Schranken zu halten.

ANTOINETTE   *nervös* Was denn?

HECHINGEN   Du wirst viel begehrt. Dein Typus ist die grande dame des achtzehnten Jahrhunderts. Ich vermag in keiner Weise etwas Beklagenswertes daran zu erblicken. Nicht die Tatsache muß gewertet werden, sondern die Nuance. Ich lege Gewicht darauf, klarzustellen, daß, wie immer du handelst, deine Absichten für mich über jeden Zweifel erhaben sind.

ANTOINETTE   *dem Weinen nah* Mein lieber Ado, du meinst es sehr gut, aber meine Migräne wird stärker mit jedem Wort, was du sagst.

HECHINGEN   Oh, das tut mir sehr leid. Um so mehr, als diese Augenblicke für mich unendlich kostbar sind.

ANTOINETTE   Bitte, hab die Güte – *Sie taumelt.*

HECHINGEN   Ich versteh. Ein Auto?

ANTOINETTE   Ja. Die Edine hat mir erlaubt, ihres zu nehmen.

HECHINGEN  Sofort.
*Geht und gibt den Befehl. Kommt zurück mit ihrem Mantel.*
*Indem er ihr hilft*
Ist das alles, was ich für dich tun kann?
ANTOINETTE  Ja, alles.
KAMMERDIENER  *an der Glastür, meldet*  Das Auto für die Frau
  Gräfin.
*Antoinette geht sehr schnell ab.*
*Hechingen will ihr nach, hält sich.*


### SECHSTE SZENE

STANI  *von rückwärts aus dem Wintergarten. Er scheint jemand zu*
*suchen*  Ah, du bists, hast du meine Mutter nicht gesehen?
HECHINGEN  Nein, ich war nicht in den Salons. Ich hab soeben
  meine Frau an ihr Auto begleitet. Es war eine Situation
  ohne Beispiel.
STANI  *mit seiner eigenen Sache beschäftigt*  Ich begreif nicht. Die
  Mamu bestellt mich zuerst in den Wintergarten, dann läßt
  sie mir sagen, hier an der Stiege auf sie zu warten –
HECHINGEN  Ich muß mich jetzt unbedingt mit dem Kari aus-
  sprechen.
STANI  Da mußt du halt fortgehen und ihn suchen.
HECHINGEN  Mein Instinkt sagt mir, er ist nur fortgegangen,
  um mich im Club aufzusuchen, und wird wiederkommen.
  *Geht nach oben.*
STANI  Ja, wenn man so einen Instinkt hat, der einem alles
  sagt! Ah, da ist ja die Mamu!


### SIEBENTE SZENE

CRESCENCE  *kommt unten von links seitwärts der Treppe heraus*
  Ich komm über die Dienerstiegen, diese Diener machen
  nichts als Mißverständnisse. Zuerst sagt er mir, du bittest
  mich, in den Wintergarten zu kommen, dann sagt er in die
  Galerie –

STANI  Mamu, das ist ein Abend, wo man aus den Konfusionen überhaupt nicht herauskommt. Ich bin wirklich auf dem Punkt gestanden, wenn es nicht wegen Ihr gewesen wäre, stante pede nach Haus zu fahren, eine Dusche zu nehmen und mich ins Bett zu legen. Ich vertrag viel, aber eine schiefe Situation, das ist mir etwas so Odioses, das zerrt direkt an meinen Nerven. Ich muß vielmals bitten, mich doch jetzt au courant zu setzen.

CRESCENCE  Ja, ich begreif doch gar nicht, daß der Onkel Kari hat weggehen können, ohne mir auch nur einen Wink zu geben. Das ist eine von seinen Zerstreutheiten, ich bin ja desperat, mein guter Bub.

STANI  Bitte mir doch die Situation etwas zu erklären. Bitte mir nur in großen Linien zu sagen, was vorgefallen ist.

CRESCENCE  Aber alles ist ja genau nach dem Programm gegangen. Zuerst hat der Onkel Kari mit der Antoinette ein sehr agitiertes Gespräch geführt –

STANI  Das war schon der erste Fehler. Das hab ich ja gewußt, das war eben zu kompliziert. Ich bitte mir also weiter zu sagen!

CRESCENCE  Was soll ich Ihm denn weiter sagen? Die Antoinette stürzt an mir vorbei, ganz bouleversiert, unmittelbar darauf setzt sich der Onkel Kari mit der Helen –

STANI  Es ist eben zu kompliziert, zwei solche Konversationen an einem Abend durchzuführen. Und der Onkel Kari –

CRESCENCE  Das Gespräch mit der Helen geht ins Endlose, ich komm an die Tür – die Helen fällt mir in die Arme, ich bin selig, sie lauft weg, ganz verschämt, wie sichs gehört, ich stürz ans Telephon und zitier dich her!

STANI  Ja, ich bitte, das weiß ich ja, aber ich bitte, mir aufzuklären, was denn hier vorgegangen ist!

CRESCENCE  Ich stürz im Flug durch die Zimmer, such den Kari, find ihn nicht. Ich muß zurück zu der Partie, du kannst dir denken, wie ich gespielt hab. Die Mariette Stradonitz invitiert auf Herz, ich spiel Karo, dazwischen bet ich die ganze Zeit zu die vierzehn Nothelfer. Gleich darauf mach ich Renonce in Pik. Endlich kann ich aufstehen, ich such den Kari wieder, ich find ihn nicht! Ich geh durch die finstern Zimmer bis an der Helen ihre Tür, ich hör sie drin weinen. Ich klopf an, sag meinen Namen, sie gibt mir keine Antwort. Ich schleich mich wieder zurück zur Partie, die Mariette fragt mich dreimal, ob mir schlecht ist, der Louis Castaldo schaut mich an, als ob ich ein Gespenst wär. –

STANI  Ich versteh alles.

CRESCENCE  Ja, was, ich versteh ja gar nichts.

STANI  Alles, alles. Die ganze Sache ist mir klar.

CRESCENCE  Ja, wie sieht Er denn das?

STANI  Klar wie's Einmaleins. Die Antoinette in ihrer Verzweiflung hat einen Tratsch gemacht, sie hat aus dem Gespräch mit dem Onkel Kari entnommen, daß ich für sie verloren bin. Eine Frau, wenn sie in Verzweiflung ist, verliert ja total ihre tenue; sie hat sich dann an die Helen heranfaufiliert und hat einen solchen Mordstratsch gemacht, daß die Helen mit ihrem fumo und ihrer pyramidalen Empfindlichkeit beschlossen hat, auf mich zu verzichten, und wenn ihr das Herz brechen sollte.

CRESCENCE  Und deswegen hat sie mir die Tür nicht aufgemacht!

STANI  Und der Onkel Kari, wie er gespürt hat, was er angerichtet hat, hat sich sofort aus dem Staub gemacht.

CRESCENCE  Ja, dann steht die Sache doch sehr fatal! Ja, mein guter Bub, was sagst du denn da?

STANI  Meine gute Mamu, da sag ich nur eins, und das ist das einzige, was ein Mann von Niveau sich in jeder schiefen Situation zu sagen hat: man bleibt, was man ist, daran kann eine gute oder eine schlechte Chance nichts ändern.

CRESCENCE  Er ist ein lieber Bub, und ich adorier Ihn für seine Haltung, aber deswegen darf man die Flinten noch nicht ins Korn werfen!

STANI  Ich bitte um alles, mir eine schiefe Situation zu ersparen.

CRESCENCE  Für einen Menschen mit Seiner tenue gibts keine schiefe Situation. Ich such jetzt die Helen und werd sie fragen, was zwischen jetzt und dreiviertel zehn passiert ist.

STANI  Ich bitt inständig –

CRESCENCE  Aber mein Bub, Er ist mir tausendmal zu gut, als

daß ich Ihn wollt einer Familie oktroyieren und wenns die
vom Kaiser von China wär. Aber anderseits ist mir doch
auch die Helen zu lieb, als daß ich ihr Glück einem Tratsch
von einer eifersüchtigen Gans, wie die Antoinette ist, aufopfern wollte. Also tu Er mir den Gefallen und bleib Er da
und begleit Er mich dann nach Haus, Er sieht doch, wie ich
agitiert bin.
*Sie geht die Treppe hinauf, Stani folgt ihr.*

### ACHTE SZENE

*Helene ist durch die unsichtbare Tür links herausgetreten, im Man-
tel wie zum Fortgehen. Sie wartet, bis Crescence und Stani sie nicht
mehr sehen können. Gleichzeitig ist Karl durch die Glastür rechts
sichtbar geworden; er legt Hut, Stock und Mantel ab und erscheint.
Helene hat Karl gesehen, bevor er sie erblickt hat. Ihr Gesicht verändert sich in einem Augenblick vollständig. Sie läßt ihren Abend-
mantel von den Schultern fallen, und dieser bleibt hinter der Treppe
liegen, dann tritt sie Karl entgegen.*

HANS KARL *betroffen* Helen, Sie sind noch hier?

HELENE *hier und weiter in einer ganz festen, entschiedenen Haltung und in einem leichten, fast überlegenen Ton* Ich bin hier zu
Haus.

HANS KARL Sie sehen anders aus als sonst. Es ist etwas geschehen!

HELENE Ja, es ist etwas geschehen.

HANS KARL Wann, so plötzlich?

HELENE Vor einer Stunde, glaub ich.

HANS KARL *unsicher* Etwas Unangenehmes?

HELENE Wie?

HANS KARL Etwas Aufregendes?

HELENE Ah ja, das schon.

HANS KARL Etwas Irreparables?

HELENE Das wird sich zeigen. Schauen Sie, was dort liegt.

HANS KARL Dort? Ein Pelz. Ein Damenmantel scheint mir.

HELENE Ja, mein Mantel liegt da. Ich hab ausgehen wollen.

HANS KARL   Ausgehen?

HELENE   Ja, den Grund davon werd ich Ihnen auch dann sagen. Aber zuerst werden Sie mir sagen, warum Sie zurückgekommen sind. Das ist keine ganz gewöhnliche Manier.

HANS KARL   *zögernd* Es macht mich immer ein bisserl verlegen, wenn man mich so direkt was fragt.

HELENE   Ja, ich frag Sie direkt.

HANS KARL   Ich kanns gar nicht leicht explizieren.

HELENE   Wir können uns setzen.

*Sie setzen sich.*

HANS KARL   Ich hab früher in unserer Konversation – da oben, in dem kleinen Salon –

HELENE   Ah, da oben in dem kleinen Salon.

HANS KARL   *unsicher durch ihren Ton* Ja, freilich, in dem kleinen Salon. Ich hab da einen großen Fehler gemacht, einen sehr großen.

HELENE   Ah?

HANS KARL   Ich hab etwas Vergangenes zitiert.

HELENE   Etwas Vergangenes?

HANS KARL   Gewisse ungereimte, rein persönliche Sachen, die in mir vorgegangen sind, wie ich im Feld draußen war, und später im Spital. Rein persönliche Einbildungen, Halluzinationen, sozusagen. Lauter Dinge, die absolut nicht dazu gehört haben.

HELENE   Ja, ich versteh Sie. Und?

HANS KARL   Da hab ich unrecht getan.

HELENE   Inwiefern?

HANS KARL   Man kann das Vergangene nicht herzitieren, wie die Polizei einen vor das Kommissariat zitiert. Das Vergangene ist vergangen. Niemand hat das Recht, es in eine Konversation, die sich auf die Gegenwart bezieht, einzuflechten. Ich drück mich elend aus, aber meine Gedanken darüber sind mir ganz klar.

HELENE   Das hoff ich.

HANS KARL   Es hat mich höchst unangenehm berührt in der Erinnerung, sobald ich allein mit mir selbst war, daß ich in meinem Alter mich so wenig in der Hand hab – und ich bin wiedergekommen, um Ihnen Ihre volle Freiheit, pardon, das Wort ist mir ganz ungeschickt über die Lippen gekommen – um Ihnen Ihre volle Unbefangenheit zurückzugeben.

HELENE    Meine Unbefangenheit – mir wiedergeben?

*Hans Karl, unsicher, will aufstehen.*

HELENE    *bleibt sitzen*    Also das haben Sie mir sagen wollen –
über Ihr Fortgehen früher?

HANS KARL    Ja, über mein Fortgehen und natürlich auch über
mein Wiederkommen. Eines motiviert ja das andere.

HELENE    Aha. Ich dank Ihnen sehr. Und jetzt werd ich Ihnen
sagen, warum Sie wiedergekommen sind.

HANS KARL    Sie mir?

HELENE    *mit einem vollen Blick auf ihn*    Sie sind wiedergekommen, weil – ja! es gibt das! gelobt sei Gott im Himmel!
*Sie lacht*
Aber es ist vielleicht schade, daß Sie wiedergekommen
sind. Denn hier ist vielleicht nicht der rechte Ort, das zu sagen, was gesagt werden muß – vielleicht hätte das – aber
jetzt muß es halt hier gesagt werden.

HANS KARL    O mein Gott, Sie finden mich unbegreiflich. Sagen Sie es heraus!

HELENE    Ich verstehe alles sehr gut. Ich versteh, was Sie fortgetrieben hat, und was Sie wieder zurückgebracht hat.

HANS KARL    Sie verstehen alles? Ich versteh ja selbst nicht.

HELENE    Wir können noch leiser reden, wenns Ihnen recht ist.
Was Sie hier hinausgetrieben hat, das war Ihr Mißtrauen,
Ihre Furcht vor Ihrem eigenen Selbst – sind Sie bös?

HANS KARL    Vor meinem Selbst?

HELENE    Vor Ihrem eigentlichen tieferen Willen. Ja, der ist
unbequem, der führt einen nicht den angenehmsten Weg.
Er hat Sie eben hierher zurückgeführt.

HANS KARL    Ich versteh Sie nicht, Helen!

HELENE    *ohne ihn anzusehen*    Hart sind nicht solche Abschiede
für Sie, aber hart ist manchmal, was dann in Ihnen vorgeht,
wenn Sie mit sich allein sind.

HANS KARL    Sie wissen das alles?

HELENE    Weil ich das alles weiß, darum hätt ich ja die Kraft
gehabt und hätte für Sie das Unmögliche getan.

HANS KARL  Was hätten Sie Unmögliches für mich getan?

HELENE  Ich wär Ihnen nachgegangen.

HANS KARL  Wie denn »nachgegangen«? Wie meinen Sie das?

HELENE  Hier bei der Tür auf die Gasse hinaus. Ich hab Ihnen doch meinen Mantel gezeigt, der dort hinten liegt.

HANS KARL  Sie wären mir – ? Ja, wohin?

HELENE  Ins Kasino oder anderswo – was weiß ich, bis ich Sie halt gefunden hätte.

HANS KARL  Sie wären mir, Helen –? Sie hätten mich gesucht? Ohne zu denken, ob –?

HELENE  Ja, ohne an irgend etwas sonst zu denken. Ich geh dir nach – Ich will, daß du mich –

HANS KARL  *mit unsicherer Stimme*  Sie, du, du willst?

*Für sich*

Da sind wieder diese unmöglichen Tränen!

*Zu ihr*

Ich hör Sie schlecht. Sie sprechen so leise.

HELENE  Sie hören mich ganz gut. Und da sind auch Tränen – aber die helfen mir sogar eher, um das zu sagen –

HANS KARL  Du – Sie haben etwas gesagt?

HELENE  Dein Wille, dein Selbst; versteh mich. Er hat dich umgedreht, wie du allein warst, und dich zu mir zurückgeführt. Und jetzt –

HANS KARL  Jetzt?

HELENE  Jetzt weiß ich zwar nicht, ob du jemand wahrhaft liebhaben kannst – aber ich bin in dich verliebt, und ich will – aber das ist doch eine Enormität, daß Sie mich das sagen lassen!

HANS KARL  *zitternd*  Sie wollen von mir –

HELENE  *mit keinem festeren Ton als er*  Von deinem Leben, von deiner Seele, von allem – meinen Teil!

*Eine kleine Pause*

HANS KARL  Helen, alles, was Sie da sagen, perturbiert mich in der maßlosesten Weise um Ihretwillen, Helen, natürlich um Ihretwillen! Sie irren sich in bezug auf mich, ich hab einen unmöglichen Charakter.

HELENE  Sie sind, wie Sie sind, und ich will kennen, wie Sie sind.

HANS KARL   Es ist so eine namenlose Gefahr für Sie.

*Helene schüttelt den Kopf.*

HANS KARL   Ich bin ein Mensch, der nichts als Mißverständnisse auf dem Gewissen hat.

HELENE *lächelnd* Ja, das scheint.

HANS KARL   Ich hab so vielen Frauen weh getan.

HELENE   Die Liebe ist nicht süßlich.

HANS KARL   Ich bin ein maßloser Egoist.

HELENE   Ja? Ich glaub nicht.

HANS KARL   Ich bin so unstet, nichts kann mich fesseln.

HELENE   Ja, Sie können – wie sagt man das? – verführt werden und verführen. Alle haben Sie sie wahrhaft geliebt und alle wieder im Stich gelassen. Die armen Frauen! Sie haben halt nicht die Kraft gehabt für euch beide.

HANS KARL   Wie?

HELENE   Begehren ist Ihre Natur. Aber nicht: das – oder das – sondern von einem Wesen: – alles – für immer! Es hätte eine die Kraft haben müssen, Sie zu zwingen, daß Sie von ihr immer mehr und mehr begehrt hätten. Bei der wären Sie dann geblieben.

HANS KARL   Wie du mich kennst!

HELENE   Nach einer ganz kurzen Zeit waren sie dir alle gleichgültig, und du hast ein rasendes Mitleid gehabt, aber keine große Freundschaft für keine: das war mein Trost.

HANS KARL   Wie du alles weißt!

HELENE   Nur darin hab ich existiert. Das allein hab ich verstanden.

HANS KARL   Da muß ich mich ja vor dir schämen.

HELENE   Schäm ich mich denn vor dir? Ah nein. Die Liebe schneidet ins lebendige Fleisch.

HANS KARL   Alles hast du gewußt und ertragen –

HELENE   Ich hätt nicht den kleinen Finger gerührt, um eine solche Frau von dir wegzubringen. Es wär mir nicht dafür gestanden.

HANS KARL   Was ist das für ein Zauber, der in dir ist. Gar nicht wie die andern Frauen. Du machst einen so ruhig in einem selber.

HELENE   Du kannst freilich die Freundschaft nicht fassen, die

ich für dich hab. Dazu wird eine lange Zeit nötig sein –
wenn du mir die geben kannst.

HANS KARL  Wie du das sagst!

HELENE  Jetzt geh, damit dich niemand sieht. Und komm bald
wieder. Komm morgen, am frühen Nachmittag. Die Leut
gehts nichts an, aber der Papa solls schnell wissen. – Der
Papa solls wissen, – der schon! Oder nicht, wie?

HANS KARL  *verlegen*  Es ist das – mein guter Freund Poldo Altenwyl hat seit Tagen eine Angelegenheit, einen Wunsch –
den er mir oktroyieren will: er wünscht, daß ich, sehr
überflüssigerweise, im Herrenhaus das Wort ergreife –

HELENE  Aha –

HANS KARL  Und da geh ich ihm seit Wochen mit der größten
Vorsicht aus dem Weg – vermeide, mit ihm allein zu sein –
im Kasino, auf der Gasse, wo immer –

HELENE  Sei ruhig – es wird nur von der Hauptsache die Rede
sein – dafür garantier ich. – Es kommt schon jemand: ich
muß fort.

HANS KARL  Helen!

HELENE  *schon im Gehen, bleibt nochmals stehen*  Du! Leb wohl!
*Nimmt den Mantel auf und verschwindet durch die kleine Tür
links.*


NEUNTE SZENE


CRESCENCE  *oben auf der Treppe*  Kari!
*Kommt schnell die Stiege herunter.*
*Hans Karl steht mit dem Rücken gegen die Stiege.*

CRESCENCE  Kari! Find ich Ihn endlich! Das ist ja eine Konfu-
sion ohne Ende!
*Sie sieht sein Gesicht*
Kari! es ist was passiert! Sag mir, was?

HANS KARL  Es ist mir was passiert, aber wir wollen es gar
nicht zergliedern.

CRESCENCE  Bitte! aber du wirst mir doch erklären –

## ZEHNTE SZENE

HECHINGEN  *kommt von oben herab, bleibt stehen, ruft Hans Karl halblaut zu*  Kari, wenn ich dich auf eine Sekunde bitten dürfte!

HANS KARL  Ich steh zur Verfügung.
*Zu Crescence*
Entschuldig Sie mich wirklich.
*Stani kommt gleichfalls von oben.*

CRESCENCE  *zu Hans Karl*  Aber der Bub! Was soll ich denn dem Bub sagen? Der Bub ist doch in einer schiefen Situation!

STANI  *kommt herunter, zu Hechingen*  Pardon, jetzt einen Moment muß unbedingt ich den Onkel Kari sprechen!
*Grüßt Hans Karl.*

HANS KARL  Verzeih mir einen Moment, lieber Ado!
*Läßt Hechingen stehen, tritt zu Crescence*
Komm Sie daher, aber allein: ich will Ihr was sagen. Aber wir wollen es in keiner Weise bereden.

CRESCENCE  Aber ich bin doch keine indiskrete Person!

HANS KARL  Du bist eine engelsgute Frau. Also hör zu! Die Helen hat sich verlobt.

CRESCENCE  Sie hat sich verlobt mit'm Stani? Sie will ihn?

HANS KARL  Wart noch! So hab doch nicht gleich die Tränen in den Augen, du weißt ja noch nicht.

CRESCENCE  Es ist Er, Kari, über den ich so gerührt bin. Der Bub verdankt Ihm ja alles!

HANS KARL  Wart Sie, Crescence! – Nicht mit dem Stani!

CRESCENCE  Nicht mit dem Stani? Ja, mit wem denn?

HANS KARL  *mit großer gêne*  Gratulier Sie mir!

CRESCENCE  Dir?

HANS KARL  Aber tret Sie dann gleich weg und misch Sies nicht in die Konversation. Sie hat sich – ich hab mich – wir haben uns miteinander verlobt.

CRESCENCE  Du hast dich! Ja, da bin ich selig!

HANS KARL  Ich bitte Sie, jetzt vor allem zu bedenken, daß Sie mir versprochen hat, mir diese odiosen Konfusionen zu ersparen, denen sich ein Mensch aussetzt, der sich unter die Leut mischt.

CRESCENCE  Ich werd gewiß nichts tun –
*Blick nach Stani.*
HANS KARL  Ich hab Ihr gesagt, daß ich nichts erklären werd,
niemandem, und daß ich bitten muß, mir die gewissen
Mißverständnisse zu ersparen!
CRESCENCE  Werd Er mir nur nicht stutzig! Das Gesicht hat Er
als kleiner Bub gehabt, wenn man Ihn konterkariert hat.
Das hab ich schon damals nicht sehen können! Ich will ja al-
les tun, wie Er will.
HANS KARL  Sie ist die beste Frau von der Welt, und jetzt ent-
schuldig Sie mich, der Ado hat das Bedürfnis, mit mir eine
Konversation zu haben – die muß also jetzt in Gottes Na-
men absolviert werden.
*Küßt ihr die Hand.*
CRESCENCE  Ich wart noch auf Ihn!
*Crescence, mit Stani, treten zur Seite, entfernt, aber dann und
wann sichtbar.*


ELFTE SZENE


HECHINGEN  Du siehst mich so streng an! Es ist ein Vorwurf
in deinem Blick!
HANS KARL  Aber gar nicht: ich bitt um alles, wenigstens
heute meine Blicke nicht auf die Goldwaage zu legen.
HECHINGEN  Es ist etwas vorgefallen, was deine Meinung von
mir geändert hat? oder deine Meinung von meiner Situation?
HANS KARL  *in Gedanken verloren*  Von deiner Situation?
HECHINGEN  Von meiner Situation gegenüber Antoinette natürlich! Darf ich dich fragen, wie du über meine Frau
denkst?
HANS KARL  *nervös*  Ich bitt um Vergebung, aber ich möchte
heute nichts über Frauen sprechen. Man kann nicht analy-
sieren, ohne in die odiosesten Mißverständnisse zu verfallen. Also ich bitt mirs zu erlassen!
HECHINGEN  Ich verstehe. Ich begreife vollkommen. Aus allem, was du da sagst oder vielmehr in der zartesten Weise

andeutest, bleibt für mich doch nur der einzige Schluß zu ziehen: daß du meine Situation für aussichtslos ansiehst.

ZWÖLFTE SZENE

*Hans Karl sagt nichts, sieht verstört nach rechts.*
*Vinzenz ist von rechts eingetreten, im gleichen Anzug wie im ersten Akt, einen kleinen runden Hut in der Hand.*
*Crescence ist auf Vinzenz zugetreten.*

HECHINGEN *sehr betroffen durch Hans Karls Schweigen* Das ist der kritische Moment meines Lebens, den ich habe kommen sehen. Jetzt brauche ich deinen Beistand, mein guter Kari, wenn mir nicht die ganze Welt ins Wanken kommen soll.

HANS KARL  Aber mein guter Ado –
*Für sich, auf Vinzenz hinübersehend*
Was ist denn das?

HECHINGEN  Ich will, wenn du es erlaubst, die Voraussetzungen rekapitulieren, die mich haben hoffen lassen –

HANS KARL  Entschuldige mich für eine Sekunde, ich sehe, da ist irgendwelche Konfusion passiert.
*Er geht hinüber zu Crescence und Vinzenz.*
*Hechingen bleibt allein stehen. Stani ist seitwärts zurückgetreten, mit einigen Zeichen von Ungeduld.*

CRESCENCE  *zu Hans Karl* Jetzt sagt er mir: du reist ab, morgen in aller Früh – ja was bedeutet denn das?

HANS KARL  Was sagt er? Ich habe nicht befohlen –

CRESCENCE  Kari, mit dir kommt man nicht heraus aus dem Wiegel-Wagel. Jetzt hab ich mich doch in diese Verlobungsstimmung hineingedacht!

HANS KARL  Darf ich bitten –

CRESCENCE  Mein Gott, es ist mir ja nur so herausgerutscht!

HANS KARL  *zu Vinzenz* Wer hat Sie hergeschickt? Was soll es?

VINZENZ  Euer Erlaucht haben doch selbst Befehl gegeben, vor einer halben Stunde am Telephon.

HANS KARL  Ihnen? Ihnen hab ich gar nichts befohlen.

VINZENZ  Der Portierin haben Erlaucht befohlen, wegen Abreise morgen früh sieben Uhr aufs Jagdhaus nach Geb-
hardtskirchen – oder richtig gesagt, heut früh, denn jetzt
haben wir viertel eins.

CRESCENCE  Aber Kari, was heißt denn das alles?

HANS KARL  Wenn man mir erlassen möchte, über jeden
Atemzug, den ich tu, Auskunft zu geben.

VINZENZ  *zu Crescence*  Das ist doch sehr einfach zu verstehen.
Die Portierin ist nach oben gelaufen mit der Meldung, der
Lukas war im Moment nicht auffindbar, also hab ich die Sache in die Hand genommen. Chauffeur habe ich avisiert,
Koffer hab ich vom Boden holen lassen, Sekretär Neugebauer hab ich auf alle Fälle aufwecken lassen, falls er gebraucht wird – was braucht er zu schlafen, wenn das ganze
Haus auf ist? – und jetzt bin ich hier erschienen und stelle
mich zur Verfügung, weitere Befehle entgegenzunehmen.

HANS KARL  Gehen Sie sofort nach Hause, bestellen Sie das
Auto ab, lassen Sie die Koffer wieder auspacken, bitten Sie
den Herrn Neugebauer sich wieder schlafenzulegen, und
machen Sie, daß ich Ihr Gesicht nicht wieder sehe! Sie sind
nicht mehr in meinen Diensten, der Lukas ist vom übrigen
unterrichtet. Treten Sie ab!

VINZENZ  Das ist mir eine sehr große Überraschung.
*Geht ab.*


DREIZEHNTE SZENE


CRESCENCE  Aber so sag mir doch nur ein Wort! So erklär
mir nur –

HANS KARL  Da ist nichts zu erklären. Wie ich aus dem Kasino
gegangen bin, war ich aus bestimmten Gründen vollkommen entschlossen, morgen früh abzureisen. Das war an der
Ecke von der Freyung und der Herrengasse. Dort ist ein
Café, in das bin ich hineingegangen und hab von dort aus
nach Haus telephoniert; dann, wie ich aus dem Kaffeehaus
herausgetreten bin, da bin ich, anstatt wie meine Absicht

war, über die Freyung abzubiegen – bin ich die Herrengasse heruntergegangen und wieder hier hereingetreten –
und da hat sich die Helen –

*Er streicht sich über die Stirn.*

CRESCENCE    Aber ich laß Ihn ja schon.

*Sie geht zu Stani hinüber, der sich etwas im Hintergrund gesetzt hat.*

HANS KARL    *gibt sich einen Ruck und geht auf Hechingen zu, sehr herzlich* Ich bitt mir alles Vergangene zu verzeihen, ich hab in allem und jedem unrecht und irrig gehandelt und bitt, mir meine Irrtümer alle zu verzeihen. Über den heutigen Abend kann ich im Detail keine Auskunft geben. Ich bitt, mir trotzdem ein gutes Andenken zu bewahren.

*Reicht ihm die Hand.*

HECHINGEN    *bestürzt* Du sagst mir ja adieu, mein Guter! Du hast Tränen in den Augen. Aber ich versteh dich ja, Kari. Du bist der wahre, gute Freund, unsereins ist halt nicht imstand, sich herauszuwursteln aus dem Schicksal, das die Gunst oder Nichtgunst der Frauen uns bereitet, du aber hast dich über diese ganze Atmosphäre ein für allemal hinausgehoben –

*Hans Karl winkt ihn ab.*

HECHINGEN    Das kannst du nicht negieren, das ist dieses gewisse Etwas von Superiorität, das dich umgibt, und wie im Leben schließlich alles nur Vor- oder Rückschritte macht, nichts stehenbleibt, so ist halt um dich von Tag zu Tag immer mehr die Einsamkeit des superioren Menschen.

HANS KARL    Das ist ja schon wieder ein kolossales Mißverständnis!

*Er sieht ängstlich nach rechts, wo in der Tür zum Wintergarten Altenwyl mit einem seiner Gäste sichtbar geworden ist.*

HECHINGEN    Wie denn? Wie soll ich mir diese Worte erklären?

HANS KARL    Mein guter Ado, bitt mir im Moment diese Erklärung und jede Erklärung zu erlassen. Ich bitt dich, gehen wir da hinüber, es kommt da etwas auf mich zu, dem ich mich heute nicht mehr gewachsen fühle.

HECHINGEN    Was denn, was denn?

HANS KARL    Dort in der Tür, dort hinter mir!

HECHINGEN *sieht hin* Es ist doch nur unser Hausherr, der
Poldo Altenwyl –

HANS KARL – der diesen letzten Moment seiner Soiree für den
gegebenen Augenblick hält, um sich an mich in einer gräßlichen Absicht heranzupirschen; denn für was geht man
denn auf eine Soiree, als daß einen jeder Mensch mit dem,
was ihm gerade wichtig erscheint, in der erbarmungslose-
sten Weise über den Hals kommt!

HECHINGEN Ich begreif nicht –

HANS KARL Daß ich in der übermorgigen Herrenhaussitzung
mein Debüt als Redner feiern soll. Diese charmante Mission hat er von unserm Club übernommen, und weil ich
ihnen im Kasino und überall aus dem Weg geh, so lauert er
hier in seinem Haus auf die Sekunde, wo ich unbeschützt
dasteh! Ich bitt dich, sprich recht lebhaft mit mir, so ein bissel agitiert, wie wenn wir etwas Wichtiges zu erledigen hätten.

HECHINGEN Und du willst wieder refüsieren?

HANS KARL Ich soll aufstehen und eine Rede halten, über
Völkerversöhnung und über das Zusammenleben der Na-
tionen – ich, ein Mensch, der durchdrungen ist von einer
Sache auf der Welt: daß es unmöglich ist, den Mund aufzumachen, ohne die heillosesten Konfusionen anzurichten!
Aber lieber leg ich doch die erbliche Mitgliedschaft nieder
und verkriech mich zeitlebens in eine Uhuhütte. Ich sollte
einen Schwall von Worten in den Mund nehmen, von denen mir jedes einzelne geradezu indezent erscheint!

HECHINGEN Das ist ein bisserl ein starker Ausdruck.

HANS KARL *sehr heftig, ohne sehr laut zu sein* Aber alles, was
man ausspricht, ist indezent. Das simple Faktum, daß man
etwas ausspricht, ist indezent. Und wenn man es genau
nimmt, mein guter Ado, aber die Menschen nehmen eben
nichts auf der Welt genau, liegt doch geradezu etwas Un-
verschämtes darin, daß man sich heranwagt, gewisse
Dinge überhaupt zu erleben! Um gewisse Dinge zu erleben
und sich dabei nicht indezent zu finden, dazu gehört ja eine
so rasende Verliebtheit in sich selbst und ein Grad von Verblendung, den man vielleicht als erwachsener Mensch im

innersten Winkel in sich tragen, aber niemals sich eingestehen kann!

*Sieht nach rechts*

Er ist weg.

*Will fort.*

*Altenwyl ist nicht mehr sichtbar.*

CRESCENCE *tritt auf Kari zu* So echappier Er doch nicht! Jetzt muß Er sich doch mit dem Stani über das Ganze aussprechen.

*Hans Karl sieht sie an.*

CRESCENCE Aber Er wird doch den Buben nicht so stehen lassen! Der Bub beweist ja in der ganzen Sache eine Abnegation, eine Selbstüberwindung, über die ich geradezu starr bin. Er wird ihm doch ein Wort sagen.

*Sie winkt Stani, näherzutreten.*

*Stani tritt einen Schritt näher.*

HANS KARL Gut, auch das noch. Aber es ist die letzte Soiree, auf der Sie mich erscheinen sieht.

*Zu Stani, indem er auf ihn zutritt*

Es war verfehlt, mein lieber Stani, meiner Suada etwas anzuvertrauen.

*Reicht ihm die Hand.*

CRESCENCE So umarm Er doch den Buben! Der Bub hat ja doch in dieser Geschichte eine tenue bewiesen, die ohnegleichen ist.

*Hans Karl sieht vor sich hin, etwas abwesend.*

CRESCENCE Ja, wenn Er ihn nicht umarmt, so muß doch ich den Buben umarmen für seine tenue.

HANS KARL Bitte das vielleicht zu tun, wenn ich fort bin.

*Gewinnt schnell die Ausgangstür und ist verschwunden.*


VIERZEHNTE SZENE


CRESCENCE Also, das ist mir ganz egal, ich muß jemanden umarmen! Es ist doch heute zuviel vorgegangen, als daß eine Person mit Herz, wie ich, so mir nix dir nix nach Haus fahren und ins Bett gehen könnt!

STANI *tritt einen Schritt zurück* Bitte, Mamu! nach meiner
Idee gibt es zwei Kategorien von Demonstrationen. Die
eine gehört ins strikteste Privatleben: dazu rechne ich alle
Akte von Zärtlichkeit zwischen Blutsverwandten. Die andere hat sozusagen eine praktische und soziale Bedeutung:
sie ist der pantomimische Ausdruck für eine außergewöhn-
liche, gewissermaßen familiengeschichtliche Situation.

CRESCENCE  Ja, in der sind wir doch!

*Altenwyl mit einigen Gästen ist oben herausgetreten und ist im*
*Begriffe, die Stiege herunterzukommen.*

STANI  Und für diese gibt es seit tausend Jahren gewisse richtige und akzeptierte Formen. Was wir heute hier erlebt haben, war tant bien que mal, wenn mans Kind beim Namen
nennt, eine Verlobung. Eine Verlobung kulminiert in der
Umarmung des verlobten Paares. – In unserm Fall ist das
verlobte Paar zu bizarr, um sich an diese Formen zu halten.
Mamu, Sie ist die nächste Verwandte vom Onkel Kari,
dort steht der Poldo Altenwyl, der Vater der Braut. Geh Sie
sans mot dire auf ihn zu und umarm Sie ihn, und das Ganze
wird sein richtiges, offizielles Gesicht bekommen.

*Altenwyl ist mit einigen Gästen die Stiege heruntergekommen.*
*Crescence eilt auf Altenwyl zu und umarmt ihn. Die Gäste ste-*
*hen überrascht.*

*Vorhang.*

ZU ›DER SCHWIERIGE‹

# ZUM ZWEITEN UND DRITTEN AKT

Am Ende der 5. Szene des 2. Akts (S. 389) hieß es in der ersten Veröffentlichung nach »wenn ich so gern mit ihm allein gewesen wär«:

ANTOINETTE  Und die Huberta bleibt bei mir und erzählt mir noch einmal, was sie gestern auf der Gasse mit ihm gesprochen hat.
*Alle sind aufgestanden, Edine und Nanni gehen ab. Antoinette und Huberta setzen sich links rückwärts.*
HUBERTA  Du solltest schaun, daß man dir nicht gar zu sehr alles anmerkt. Wenn er nicht von Anfang an gewußt hätt, daß er dich ganz in der Hand hat, hätt er sich nicht diese verächtliche Art angewöhnt.
ANTOINETTE  Verächtlich war er in seinem ganzen Leben nicht zu mir.
HUBERTA  Na weißt du, die Art, wie er gestern zu mir über dich gesprochen hat –
ANTOINETTE  Wie hat er denn von mir gesprochen? Du brennst ja drauf, mir recht was Unangenehmes zu erzählen.
HUBERTA  Er hat halt von deiner Kusine Michette gesprochen, so in einer gewissen Art, wie Männer halt reden, und in der Art, daß ihr fast ganz dasselbe Genre von Frauen seids, die Michette und du.
ANTOINETTE  Das ist nicht wahr.
HUBERTA  Wenns nicht wahr wäre, hätt ich mich nicht so geärgert, und hätt ihm nicht die Antwort gegeben, die ich ihm gegeben hab und die mir beinahe leid getan hat.
ANTOINETTE  Was für eine Antwort?
HUBERTA  Ich hab ihm halt deutlich zu verstehen gegeben, daß du auch nicht auf ihn angewiesen bist.
ANTOINETTE  *ängstlich* Du hast ihm vom Stani erzählt?
HUBERTA  Namen hab ich keine genannt, ich bin keine indiskrete Person.
ANTOINETTE  Dir rutscht nur manchmal was aus.

HUBERTA   Ich hab nur so im allgemeinen gesprochen.

ANTOINETTE   Da hast du ihm ja eine Waffe gegen mich in die Hand gegeben, du unglückselige Person!

HUBERTA   Geh, das tut ihm ganz gut. Das vertrag ich nicht, daß eine Frau so auf sich herumtreten läßt.

ANTOINETTE   Was soll das heißen?

HUBERTA   Vielleicht nicht? Wenn er dich jetzt wieder mit deinem Mann verkuppeln will.

ANTOINETTE   Woher kannst du wissen, daß er will?

HUBERTA   Wenn du selbst mir es vielleicht viermal erzählt hast, mein Schatz.

ANTOINETTE   *steht auf* Von dir hätt ich mir das erwarten können.

HUBERTA   Was willst du damit sagen?

ANTOINETTE   Wo ist der Stani? Er soll bezeugen, daß das mit ihm was anderes war als das mit dem Kari.

HUBERTA   Diese feinen Unterschiede kapieren die Männer nicht.

ANTOINETTE   Es gibt auch Frauen, die die feinen Unterschiede nicht kapieren.

HUBERTA   Geht das auf mich?

ANTOINETTE   Ich find, man kann alles mögliche machen – nur –

HUBERTA   Es darf einem nur nicht schlecht ausgehen, das seh ich an dir.

ANTOINETTE   Nein, sondern es kommt alles darauf an, ob man es auf eine loyale oder auf eine unloyale Art macht.

HUBERTA   Die loyale ist wahrscheinlich die deinige.

ANTOINETTE   Das weiß Gott im Himmel.

HUBERTA   Das ist recht eine bequeme Ausred.

ANTOINETTE   Leichtsinnig bin ich vielleicht, aber mesquin wenigstens nicht.

HUBERTA   Was nennst du denn mesquin?

ANTOINETTE   Wir sind halt sehr verschieden. Siehst du, mir machts halt mehr Spaß, was zu spüren, als nichts zu spüren.

HUBERTA   Ich will wissen, was du mesquin nennst.

ANTOINETTE   Eine gewisse Art zu sein, von gewissen Leuten, die sich viel erlauben, weil sie wenig Herz haben.

HUBERTA  Als Frau?

ANTOINETTE  Als Frau, als Freundin, als alles. Ich geb mich wirklich zu sehr aus der Hand, in e i n e r Beziehung wenigstens, dir erzähl ich zu viel.

HUBERTA  Ah, du kündigst mir die Freundschaft auf?

ANTOINETTE  *halb vor sich*  Ich geb mich halt zu leicht aus der Hand.

HUBERTA  Weißt du, um so besser. Es könnt mir ohnehin, wie die Sachen heute stehen, bei ihm schaden, wenn er mich für deine Spezialfreundin anschaut.

ANTOINETTE  Bei ihm? Beim Kari könnts dir schaden? Weißt du, deine Chancen bei ihm, wenn du je welche gehabt hast, die sind vorbei.

HUBERTA  Das kannst du ja am wenigsten wissen.

ANTOINETTE  Die sind gründlich vorbei. Das hat er mir angedeutet.

HUBERTA  Du wirst halt diese Andeutung in deiner eleganten Art ein bissl provoziert haben.

ANTOINETTE  Das wär mir nicht dafür gestanden.

NANNI  *kommt herein*  Was habts ihr denn?

HUBERTA  Sie ärgert sich, daß der Kari sie und ihre Kusine Michette für ein und dasselbe Genre von Frau ansieht.

EDINE  *kommt herein*  Was ist denn passiert?

NANNI  Sie ist außer sich, weil die Huberta ihr irgendwas gesagt hat.

Hier folgte das Gespräch mit Edine: »Mein liebes Kind, du hast...« (S. 389).

In der 4. Szene des 3. Akts (Antoinette–Neuhoff) hieß es in der ersten Veröffentlichung (S. 418):

ANTOINETTE  Wie Sie sich echauffieren!

NEUHOFF  Alles an diesen Figuren ist ja Grimasse; müßt ihr denn immer an der Lüge naschen, ihr schuldlosen, vibrierenden kleinen Frauen, wie die Fliegen am vergifteten Sirup? Seid ihr denn zu feig, einmal in einem großen

Schwung zu der Wahrheit zu flüchten, zum ungebroche-
nen Gefühl eines wirklichen Mannes?

ANTOINETTE  Ist das ein Plaidoyer in eigener Sache? Ich weiß
nicht, wie Sie mir vorkommen! Die Helen muß sehr un-
gnädig mit Ihnen gewesen sein.

NEUHOFF  Nennen Sie diesen Namen nicht vor mir! Sie dürfen ihn nicht nennen, jeder – aber Sie nicht!

ANTOINETTE  Was soll denn das heißen?

NEUHOFF  Sie müssen es wissen, Sie müssen es gut wissen,
daß Sie es waren, die ich gesucht habe. Zuerst gesucht und
immer wieder, und die sich nie hat finden lassen, verstrickt
und verloren in miserable Spielereien, unwürdige Gefühls-
komödien, bis ich dann meinen Weg gegangen bin.

ANTOINETTE  Aber ja, mit großer Zähigkeit sind Sie ihn gegangen. Mit einer Ausdauer, vor der man Respekt haben
muß.

NEUHOFF  Mit Zähigkeit, Sie sagen das Wort! Mit zusam-
mengebissenen Lippen, so wie ein Mann seinen Weg geht,
auch wenn es der falsche Weg ist, auch wenn er in seltenen,
blitzartig erhellenden Augenblicken erkennt, daß es der falsche Weg ist. Denn ich bin selbst aus hartem Stoff, ich
brauche nicht die Härte, ich brauche Weichheit. Die bezaubernde, alles auflösende Weichheit eines Wesens, wie Sie es
sind, dem man nicht nahekommen kann durch Worte, nur
indem man seinen Duft einatmet und sich verliert in die
Ahnung von himmlischer Süße.

Hierauf Antoinettes Replik: »Vor Ihnen bin ich sicher, Ihr kalter,
wollender Verstand…« (S. 418).

Rodaun 13. 1. 1910. Der Schwierige I. Gehalt für Szene 5 (mit dem Sekretär). Hans Karl zweifelt an dem Festen, Gegebenen. Die Unterschiede, die couranten Unterschiede zwischen den Menschen, auch die couranten Wertungen sind ihm abhanden gekommen (vgl. »Ein Brief«) [= Brief des Lord Chandos]. In diesem Sinn stellt er sonderbare Fragen eines Mannes, der die Orientierung vollkommen verloren hat, an Lukas, an die Kammerfrau Agathe, an San Faustino [Stani]. (desorientiert über den Begriff »Fortschritt«). – Warum ist es ein Unglück, verkracht, und ein Glück, rangiert zu sein? Warum ist es bedauerlich, wenn Antoinette ihren Mann betrügt und ihre Liebhaber anlügt? Warum wäre es ein Glück, eine Frau und Kinder zu haben? Im Laufe des Stückes erfolgt seine Kur: Sie ist freilich so sonderbar, wie die Rettung Münchhausens aus dem Sumpf. Der Jargon des Sekretärs gibt Gelegenheit, die Abstrakta »Pflicht«, »Fortschritt« etc. zu prüfen (Resultat mühsamen nicht geschickten Nachdenkens). Es ist alles gleichgiltig – außer was man tut (das ist der Zopf, an dem Münchhausen sich aus dem Sumpf zieht. Draußen war ihm in Bezug auf diese Dinge so federleicht zumute.

Es besteht ein schwebender Zusammenhang zwischen dem prekären Seelenzustand Helenens, der in seelisches Kranksein leicht umschlagen könnte, und der prekären Gesichertheit dieses Milieus. …

Wie eines aus dem andern wird, wie man eines aufhören und das andere anfangen kann, wie man frei ist zur Tat und dadurch sich selbst umzuschaffen – das ist der dialektisch ungelöste Kern seines Nachdenkens. – Er fürchtet sich vor Antoinette, weil er weiß, daß für ihn nie etwas erledigt ist. – Die Unmöglichkeit überzugehen, das Bewußtsein, er ist mit jedem Wesen ein anderer (was wie Jesuitismus aussehen könnte).

Seine Hypochondrie: der Zustand des Mannes, mit nichts fertig zu sein, alles, alles ungelöst, als wiederkehrend zu spüren,
mitten im Kreise zu stehen, anstatt irgendwo – ein fortwäh-
rendes Staunen: wer bin ich eigentlich? Fortwährende Selbst-
berührungen: des Knaben mit dem Greise. Das Imponieren
(ihm) der anderen; ihre imposante Fassade – sich selbst als
Dilettant fühlend, die anderen als Fachleute.

Lido 19. VI. 1910. Der Schwierige (Die Schwierigen) Hans
Karl, Antoinette (Tieferes)
Seine Subtilität: daß er sich dort hin wandte, wo er nicht notwendig war, wo mit der Entscheidung nichts entschieden,
mit dem Motiv nichts motiviert war.
Das Prüfende ist ja, daß oft das Richtige nicht als ein Schweres
gegenüber steht, sondern als ein auch zu Wählendes beiseite,
und die scheinbare Leichtigkeit, es zu wählen oder zu ver-
schmähen, die Seele betrügt.

Hans Karl zu Antoinette: Sie können mit jedem, wüste Insel.
Warum bin ich so abhängig von der Inspiration, ich Basilisk –
warum bin ich so gräßlich zerstreut?

Der Schwierige
Die Bedeutung für ein Leben, wenn bei einer ganzen Gruppe
das Entscheidende vor der Geburt liegt [...]
bezüglich seiner Ehe; hier gerade, in diesem einen Fall, setzt er
sich vor, muß alles völlig rein zugehen, keine Halbver-
hältnisse dürfen mitgeschleppt, nichts darf übergangen,
nichts vermischt werden.
ihm ist immer schwer zu erfassen wie andere Menschen über
alles hinweg, wie sie von einer Sache zur andern kommen.
Vermutung daß die Ahnen in solchen reinen Verhältnissen
gestanden hätten.

Die Schwierigen
Um Gott ringen: um das was allen Atomen des Lebens Zusammenhang gibt. Helene: ich bin vielleicht auch verliebt in
ihn (aber vor allem liebe ich ihn).

Aussee 6. IX
Der Schwierige vielleicht besser: Die Schwierigen.
Für Helene, die mit Leidenschaft liebt, ist der Klang seines
Schrittes ein Erlebnis, zwischen dessen Rhythmus Abgründe
eingesenkt sind. Ein Frühstück, wo er neben ihr sitzt, ist wie
ein Jahr des Lebens. Sie muß sich setzen, weil sie seinen
Schritt hört.
Er weiß nicht, daß er sie wahrhaft liebt, hauptsächlich darum
weil er sie schon so liebt, als ob sie seine Frau wäre. Die Abwesenheit der inneren Hemmung ist, was ihn am allermeisten
erschreckt. Er fühlt diese Abwesenheit als eine innere Leere. –
Seine Angst vor der Phrase, vor dem Surrogat. – Früher war
es leichter, die Schlechtigkeit war ein bequemer Ratgeber.

Neubeuern, Oktober 1911
Die Schwierigen, Molièrisch: d. h. eine bestimmte Situation
schlank und entscheidend hingesetzt.
Das Mädchen: die, da sie ihn wirklich liebt, sich sagt – so muß
ich wohl dem andern mich zuneigen. Von dort aus seh ich
dann den Geliebten. Dem andern kann ich Freundin sein,
Dienerin, Helferin – nie könnte ich das dem Geliebten sein –
dem kann ich nur nichts sein.

Helene (gegen Schluß): Es macht nichts, daß Sie mir weh getan haben – wir sind hier alle zusammen eine Welt, die nicht
mehr existiert, wir bewegen uns in einer Phantasmagorie –
wir tun dergleichen, als ob wir noch am Leben wären –
eine teinte von romantischer Melancholie an ihr: alles als
schon vergangen fühlen, Lampe als schon erloschen – das Zusammensein als schon unterbrochen durch einen fâcheux –
die brouille als zwischen ihnen schon vollzogen – ihre eigene
Non-existenz schon erwiesen vor allen Leuten, sie wird heiraten, weil das das Unauffälligste, das Gewöhnlichste. Ich hab
alles in der Welt schon gedacht, was sich auf uns zwei bezieht
– aber das ist nicht Verliebtheit, nicht die Spur davon, es ist
pure Nervosität: ich werde eine triviale Melodie nicht los. –
Ihre [Helenes] Angst vor Übertreiben und Affektation.
Schneller Übergang aus dieser elegischen Melancholie in andern état d'âme.

Hans Karl: Ich wollte Ihnen guten Tag sagen, mich zu Ihnen setzen.
Helene: Sie wollten mir Adieu sagen, an mir vorübergehen. Adieu ist Ihr einziges Wort. Es gibt Leute, die sich einbilden: Sie wären einer, der immer wieder anfängt. Ich weiß es besser: Sie haben immer schon aufgehört. – Was für ein Dämon müßte man sein, um Sie zu fixieren.

Helene: Du bist nicht gut. Du bist wie du bist. Und ich will kennen wie du bist. Das ist auferlegt. Hart sind nicht Deine Abschiede aber hart ist, was ihnen vorhergeht, wenn du allein bist. – Zwischen deinen Worten und dir ist ein Abgrund – und ich will, verstehst du, bei dir sein. Ich will wissen, ob dies tierhaft oder menschlich ist – dein Schwanken und Dich-Abkehren, dein Überall und Nirgends. Du kannst die Freundschaft nicht fassen, die ich für dich habe.

# DER UNBESTECHLICHE

## LUSTSPIEL IN FÜNF AKTEN

*Personen*

DIE BARONIN
JAROMIR, ihr Sohn
ANNA, dessen Frau
MELANIE GALATTIS
MARIE AM RAIN
DER GENERAL
THEODOR, Diener
HERMINE, eine junge Witwe
DER KLEINE JAROMIR, vier Jahre alt
Die Beschließerin
Die Jungfer
Der Kutscher
Das Küchenmädchen
Der Gärtner

*Spielt auf dem Gut der Baronin in Niederösterreich im Jahre 1912.*

# ERSTER AKT

*Eine Parkterrasse, die rückwärts durch einen Gartensaal abgeschlossen ist, zu dem man auf einer Freitreppe von fünf oder sechs Stufen emporsteigt.*

## ERSTE SZENE

DIE JUNGFER  Das ist wieder eine Anordnung vom Theodor. *Ab.*

BESCHLIESSERIN *eilig auftretend* Ist die Frau Baronin nicht da? Es wäre notwendig, ihren Rat einzuholen. *Rasch ab.*

GÄRTNER *eilig auftretend* Theodor, die Dispositionen müssen geändert werden. Wir haben zu wenig Zimmer. *Rasch ab.*

*Alles ist im größten Tempo zu spielen.*

BESCHLIESSERIN *tritt eilig wieder auf* Ist die Frau Baronin nicht da?

GÄRTNER *tritt eilig wieder auf* Ist die Frau Baronin nicht da?

JUNGFER *tritt eilig wieder auf* Ist die Frau Baronin nicht da? *Sie treten alle drei zugleich von verschiedenen Seiten auf.*

JUNGFER *mustert den Gärtner* In der Livree wollen Sie mitservieren? Wer hat das angeordnet?

BESCHLIESSERIN  Wenn man auf mich gehört hätte, –– wenn man die Einteilung so gemacht hätte, wie ich vorgeschlagen, und hätte dem Fräulein Am Rain das kleine Jägerzimmer neben der Frau von Galattis gegeben ––

### ZWEITE SZENE

*Baronin ist von links eingetreten, ein Telegramm in der Hand. Jungfer macht der Beschließerin ein Zeichen, sie solle schweigen.*

BARONIN    Machen Sie kein Geschwätz, Wallisch, Anordnungen treffe ich, und zu ihrer Durchführung ist der Theodor eingesetzt, und damit basta!
*Zur Jungfer* Den Kutscher will ich sehen, – wie er ist, in der Stalljacke, in Hemdsärmeln, wie er ist!
*Jungfer geht durch die Glastür.*

BARONIN    *liest indessen das Telegramm* Eintreffe Zollerndorf, drei Uhr elf, herzlich Melanie. Das Telegramm ist in der Früh dagelegen –– heißt das jetzt heute oder morgen? Eine zu dumme Form! Kann sie nicht hinschreiben »Mittwoch«!? Was hat sie nur »Melanie« zu unterschreiben? So intim sind wir nicht! –– Und drei Uhr elf kommt kein Schnellzug an, soviel ich weiß – Kann dieses Spatzengehirn von einer Modepuppe nicht ordentlich im Fahrplan nachschauen?
*Den Gärtner bemerkend*
Wer hat denn Sie in dieses Faschingskostüm gesteckt?

BESCHLIESSERIN    Das sind, Euer Gnaden Frau Baronin, diese Bosheiten, diese Willkürlichkeiten, die sich der Theodor gegen jeden einzelnen von uns herausnimmt!

BARONIN    Wallisch, ich habe Sie nicht um Ihre Ansicht gefragt!
*Zum Gärtner*
Und Sie – hinaus! – Als Jäger anziehen, grauen Rock, graue Hose und grüne Lampas – Um vier Uhr dreißig gestellt zum Tee! Abtreten!
*Gärtner macht rechtsum kehrt und geht.*

BARONIN    Sind die Fremdenzimmer endlich vorbereitet?

BESCHLIESSERIN    Ich bitte gehorsamst, daß ich davon nichts gewußt habe, wenn jetzt plötzlich die Frau von Galattis allein kommt ohne den Herrn Gemahl – wenn der Theodor nicht der Mühe wert befindet, mich zu verständigen, wenn angeordnet und wieder umgestoßen wird ––

BARONIN    Kein Wort mehr über den Theodor! Genug!

## DRITTE SZENE

*Jungfer mit dem Kutscher kommt über die Terrasse.*
*Der Kutscher ist in Stalljacke und einer Schürze.*
*Beschließerin wartet noch einen Augenblick, geht dann ab.*

BARONIN *zum Kutscher* Es sind auf beiden Bahnhöfen Gäste
   abzuholen. – Da –
   *Gibt ihm das Telegramm*
   Erkundigen Sie sich auf der Station, wann der Zug an-
   kommt, von dem hier so beiläufig die Rede ist.
KUTSCHER *nimmt das Telegramm und behälts in der Hand*
   Melde gehorsamst, das geht nicht.
BARONIN Was geht schon wieder nicht?
KUTSCHER Zweierlei Abholungen am heutigen Nachmittag.
   Die Schimmel müssen geschont werden.
BARONIN Nehmen Sie die Mascotte in die Gabel vorm Dog-
   cart, Himmel Herrgott!
KUTSCHER Melde gehorsamst, das geht nicht! Auf der Mas-
   cotte ist der Stallbursch in die Stadt geritten, den Schlosser
   holen.
BARONIN Jetzt?!
KUTSCHER Befehl vom jungen Herrn Baron! Es ist eine
   Dachreparatur, sehr dringend, bevor die Gäste da sind.
BARONIN Richten Sie sich ein, wie Sie können. Ihr »Das geht
   nicht« will ich nicht mehr hören! Warum geht denn alles,
   wenn der Theodor dahinter ist? Genug! Gehen Sie, bevor
   ich mich ärgere!
   *General öffnet ein bißchen die Tür links, steckt den Kopf durch*
   *den Spalt und verschwindet wieder.*
KUTSCHER Melde gehorsamst, der Theodor versteht nichts
   vom Stalldienst.
   *Ab.*

## VIERTE SZENE

GENERAL *kommt sofort, wie er die Baronin allein sieht, herein*
Amelie! Sie ärgern sich –

BARONIN  Ich ärgere mich nicht, meine Dienstleute ärgern
mich! Der Theodor hat mir am Ersten gekündigt! Heute ist
der vierzehnte Tag, und er hat seine Kündigung bis zu dieser Stunde nicht zurückgenommen und sich obendrein
krank gemeldet.

GENERAL  Der Theodor! Das ist ja –
*Er bleibt stehen.*

BARONIN  Das ist von allen Dingen auf der Welt, die hätten
passieren können, ungefähr das einzige, mich vollkommen aus
der Fassung zu bringen. Wenn es das ist, was Sie sagen wollen, Ado – dann haben Sie das Richtige zu sagen vorgehabt.

GENERAL  Ja, wie ist denn das möglich! Das kann sich ein
Dienstbote nicht unterstehen.

BARONIN  Sie wissen sehr genau, Ado, daß der Theodor kein
Dienstbote ist, sondern eben – der Theodor. Und außerdem hab ich ihm bei einem gewissen Anlaß vor zwei Jahren
schriftlich gegeben –

GENERAL  Sie sind zu gut, Amelie!

BARONIN  – daß er jederzeit berechtigt sein soll, den Wunsch
erkennen zu geben, sich auf seinen Ruhesitz zurückzuzie-
hen, das kleine Anwesen mit der Mühle, das er von seiner
Großmutter geerbt hat in seiner Heimat irgendwo in den
Waldkarpathen, wo sich die Wölfe gute Nacht sagen.

GENERAL  Ja, und dieser Kerl hat nicht so viel Herz, so viel
Anhänglichkeit an Sie –

BARONIN  *geht auf und nieder* Ich bin ihm genau so gleichgiltig, wie allen Menschen eine Frau meines Alters ist.

GENERAL  Amelie, das sagen Sie mir!

BARONIN  Alte Frauen sind fremden Menschen langweilig,
ihren Angehörigen lästig und ihren Enkeln ein Schrecken.
Ich weiß das.

GENERAL  *leise* Ich existiere nur in Ihnen.

BARONIN  Sie sind sentimental, Ado, und sentimentale Menschen sind kritiklos und wissen selbst nicht, was in ihnen
vorgeht.

*Boshaft wie ein verwöhntes Kind*
Wenn man mir aber zumutet, von heut auf morgen den
einzigen Domestiken zu entbehren, dessen Umsicht und
Verläßlichkeit mir noch ermöglicht, in dieser odiosen Welt
eine einigermaßen erträgliche Existenz zu führen, wenn
man mir die Krücke aus der Hand windet,
*Sie stößt mit dem Stock auf den Boden*
an der ich noch mit einem Rest von Dezenz durch das Leben humple –

GENERAL *mit einer fliegenden Röte, die sein Gesicht plötzlich sehr
jung macht* Ich werde selbst den Theodor in seinem Zimmer aufsuchen. Er war vor siebenundzwanzig Jahren Ulan
in meiner Schwadron – er hat noch militärischen Geist in
sich. Er hält ja heute noch Rapporte mit der Dienerschaft.

BARONIN Nur um Gottes willen keinen martialischen Ton,
Ado. Sie kennen seine krankhafte Empfindlichkeit! – Aber
vielleicht, daß wieder irgendwelche außerordentliche
Konzessionen –

GENERAL Zu denen Sie also bereit wären?

BARONIN Zu jeder!

GENERAL Ich gehe – Amelie.

*Er bleibt aber stehen.*

JAROMIR *kommt über die Terrasse, tritt durch die Glastür ein*
Wohin denn, Ado?

GENERAL *im Abgehen* Ich habe eine Mission.


FÜNFTE SZENE


JAROMIR Ah, ich höre, der Theodor hat sich zur Abwechs-
lung in den Schmollwinkel zurückgezogen! Ich hab dirs
gesagt, Mama, wie er vor vier Jahren, kurz nach meiner
Heirat, sein Bon plaisir zu erkennen gegeben hat, aus meinen Diensten wieder in deine zurückzutreten. Ich kann ihn
nach siebzehnjährigem Beisammensein nicht mehr aushalten – wenn du es versuchen willst, à la bonne heure! Er ist ja
eine Perle und in seiner Klasse ein ungewöhnlicher
Mensch, aber er liebt Szenen – und da mir Szenen beiläufig

das Verhaßteste auf der Welt sind – und da ich hauptsächlich darum eine äußerst vernünftige und friedfertige kleine
Frau geheiratet habe, um in meinen reiferen Jahren mich
friedlich umgeben zu wissen –

BARONIN  Der Theodor ist ein ganz ausgezeichneter Mensch!!

JAROMIR  Aber ohne Frage, ein Erzengel. Aber ich vertrage
eben nicht, einen Erzengel zum Diener zu haben, in dem
alle paar Monate lang der Machtkitzel erwacht, mir zu zeigen, daß er der Stärkere von uns beiden ist.

BARONIN  *geht geärgert auf und ab, raucht*  Du scheinst die Möglichkeiten dessen, was ein beschränktes Hauspersonal leisten kann, etwas zu überschätzen, mein Lieber, sonst hättest du nicht heute, an dem Tag, wo deine verschiedenen
Freundinnen von sämtlichen Bahnhöfen abzuholen sind,
den zweiten Kutscher zu Pferd in die Stadt geschickt, um
den Schlosser für eine schließlich gleichgiltige Dachreparatur herzubestellen –

JAROMIR  Pardon, Mama, gerade diese Dachreparatur ist un-
aufschieblich. Es ist unmöglich, in der Nacht ein Auge zu-
zumachen, wenn eine losgerissene Dachrinne an ein wak-
kelndes Eisengitter schlägt, – das muß ich als Bewohner
der Mansarde wissen.

BARONIN  *stehend*  Du hast dir oben ein Schreibzimmer eingerichtet, höre ich. Aber du schläfst doch nicht oben?

JAROMIR  Allerdings – seit einer Woche.

BARONIN  Ah?

JAROMIR  Seit die Baby in der Nacht mit den Zähnen so unruhig ist, hat Anna darauf bestanden, daß ich mich umquar-
tiere.

BARONIN  *geht auf und nieder*  Auch deine diversen Freundinnen sind jedenfalls sehr große Verhältnisse gewohnt.

JAROMIR  Wie meinst du das, Mama?

BARONIN  – Häuser gewohnt, wo es gar keine Umstände
macht, wenn man im letzten Moment seine Dispositionen
abändert.

JAROMIR  Inwiefern?

BARONIN  Er, Galattis, erscheint also plötzlich nicht oder erscheint erst später – Madame kommt allein.

JAROMIR   Die Melanie Galattis kommt allein! Ah, da bin ich
sehr überrascht. Das tut mir leid. Ich habe auf ihn gerechnet.

BARONIN   *stehenbleibend*   Da bist du überrascht? So. – Und
ihre Jungfer bringt sie plötzlich auch nicht mit. Man richtet
also die Turmzimmer für drei Personen ein, es erscheint
eine.

JAROMIR   *scheinbar sehr erstaunt und amüsiert*   Die Melanie
kommt ohne Jungfer! So eine bizarre Frau! Ich hätte nicht
gedacht, daß sie ohne Jungfer eine Nacht in einer Jagdhütte
verbringen würde. Aber so ist sie, unberechenbar. Sie wird
dich unterhalten.

BARONIN   *wieder auf und ab*   Frauen unterhalten mich selten!
Besonders nicht, wenn ich sie durch längere Zeit sehen
muß.

JAROMIR   Und meine Idee war gerade, daß eine solche Anwesenheit von ein paar neuen Gestalten dich zerstreuen
würde –

BARONIN   Das war einer der Irrtümer, in die jüngere Angehö-
rige in bezug auf ältere öfter verfallen.

JAROMIR   Dann darfst du dich wenigstens absolut nicht stören lassen, durch die Gäste ebensowenig wie durch uns und
die Kinder. Das ist mein und Annas einziger Wunsch.

BARONIN   *grimmig*   Ich bin euch für den Wunsch sehr verbunden.

*Sie stößt plötzlich den Stock auf den Boden*

Himmelherrgott –

*Ruft*

Theodor! – Wenn dieser Herr Galattis jetzt plötzlich weg-
bleibt, so ist doch das Bridge über den Haufen geworfen!
Da muß ich ja noch Knall und Fall jemanden herschaffen!

*Ruft*

Theodor!

*Besinnt sich*

Hört denn wieder kein Mensch! Milli!

JAROMIR   Aber Mama, schone doch deine Nerven. So wird
eben nicht Bridge gespielt werden.

BARONIN   Und die Abende?

JAROMIR   Man wird plaudern, man wird ein bissl im Park umhergehen. – Jedenfalls führst du das Leben, das dir konveniert, ungestört weiter, die Anna das ihre – ich das meine. Ich denke zum Beispiel nicht daran, eine der Damen selbst von der Bahn abzuholen –

BARONIN   Ah, du willst das uns überlassen? Reizend von dir!

JAROMIR   Du schickst den Wagen hinaus – und bleibst vollkommen ungestört hier – indessen ich einen Spaziergang mache und mit mir und meinen Gedanken allein bin. Ich habe seit letzter Zeit, es muß das mit meinem vorgerückten Alter zu tun haben, ein ungeheures Einsamkeitsbedürfnis.

BARONIN   Dann war es ein außerordentlich glücklicher Gedanke, dir das Haus voller Gäste zu laden!

JAROMIR   Man isoliert sich nie so leicht, als wenn das Haus voller Gäste ist. Ich werde jedenfalls die Vormittage durchaus unsichtbar sein.

BARONIN   Du schreibst wieder?

*Jaromir bejaht stumm.*

BARONIN   Und du wirst es wieder drucken lassen? Amüsiert dich das so sehr?

JAROMIR   Ich weiß nicht, was du meinst? Es ist üblich, daß man geistige Erzeugnisse durch die Druckpresse verbreitet –

BARONIN   Natürlich, wenn man ein Autor ist –

JAROMIR   Ich weiß nicht genau, Mama, worin du das Kriterium siehst, das mich von dieser Klasse von Menschen abtrennen würde. Für die Welt bin ich nämlich ein Autor, der meines ersten Buches. Mein Roman ist sehr anerkennend besprochen worden, er hat ein gewisses Aufsehen gemacht.

BARONIN   Das Kriterium sehe ich darin, mein lieber Jaromir, daß die Berufsschriftsteller etwas erfinden, während du, der du eben keiner bist, und auch keiner zu sein verpflichtet bist, dich in deinem sogenannten Roman damit begnügt hast, dich selber und deine eigenen Gefühle und Ansichten zu Papier zu bringen, auf Draht gezogen mit Hilfe einiger Vorfälle aus deiner engeren Erfahrung, die ich weder interessant noch mitteilenswürdig finde, die aber vielleicht drei-

bis vierhundert Personen veranlaßt haben, das Buch zu
kaufen, in der Hoffnung, in der sie dann allerdings enttäuscht worden sind, darin etwas handgreiflichere und indiskretere Details über persönliche Bekannte zu finden, als
ihnen tatsächlich darin aufzustöbern gelungen ist.

JAROMIR  Ich danke dir, Mama, daß du nicht gesagt hast:
*Steht auf*
noch handgreiflichere und indiskretere Details, aber ich
glaube, das ist ein Thema, in dem wir nicht weiterkom-
men. Ich darf also noch einmal wiederholen, daß ich in bezug auf den Aufenthalt der Damen gar keine speziellen
Wünsche habe und alles – aber alles! – deinem Gutdünken
und der bewährten Umsicht und Tatkraft deines Theodor
überlasse – und um halb fünf zum Tee natürlich erscheinen
werde.
*Verneigt sich und geht ab über die Terrasse.*

### SECHSTE SZENE

BARONIN  *vor sich*  Jetzt sind wir also, da die Melanie allein
kommt, plötzlich sechs zum Bridge, statt sieben. Bleibt die
Wahl, ob man den Forstrat, der so laut atmet wie ein Kü-
niglhas, oder den affektierten Bezirkskommissär…
*Ruft nach links*
Theodor!
*Erinnert sich, stampft auf den Boden, ruft*
Milli!
*Die Tür links wird halb geöffnet und Anna mit dem kleinen Ja-
romir treten ein.*

DER KLEINE JAROMIR  *läuft hin, küßt der Baronin die Hand, sieht
sich um*  Wo ist denn der Onkel Ado?

BARONIN  *zu Anna*  Was sagst du dazu, daß plötzlich der Galattis nicht mitkommt?

ANNA  Aber Mama, das haben wir ja schon vor ein paar Tagen gewußt. Hat dir denn der Jaromir –

BARONIN  Keine Silbe. Er schien sehr erstaunt darüber.

ANNA  Du mußt verzeihen, es ist seine Arbeit, die braucht ein solches Maß von Vertiefung, daß er für alle anderen Sachen zerstreut ist. Du weißt, er schreibt wieder ein Buch.

BARONIN *bei ihren Gedanken* Ich hab gehört, sie bringt auch keine Jungfer mit. Es ist doch unmöglich, eine junge Frau mutterseelenallein in dem Turmzimmer wohnen zu lassen, wo weit und breit kein Mensch zu errufen ist.

ANNA   Aber der Jaromir wohnt doch jetzt oben in der Mansarde.

BARONIN   Das hör ich. Das heißt, vor zwei Minuten hab ich es gehört.

ANNA   Also, wenn sie Bedienung braucht, wird sie läuten, und wenn sie sich ängstigt, was übrigens gar nicht in ihrem Charakter liegt, so ist das Fenster von Jaromir fünf Meter von ihrem Balkon, und er hört, wenn sie noch so leise ruft – also ist kein Grund, sich über Zimmereinteilung zu beunruhigen.

*Baronin wirft ihr einen Blick zu und konstatiert die völlige Harmlosigkeit von Annas Miene.*

DER KLEINE JAROMIR   Mami –

ANNA   Sei still.

*Zur Baronin*

Und was das Abholen betrifft, so werd ich mich sofort herrichten und werd der Melanie entgegenfahren, ich möcht besonders artig zu ihr sein, weil sie doch früher – vor unserer Heirat – eine große Freundin von Jaromir war, – und die Marie Am Rain holt der Dogcart ab. – Der Jaromir darf unter keiner Bedingung durch irgend etwas, was mit den Gästen zusammenhängt, belastet werden. Er hat mir das erklärt: er ist, wenn er an einem Werk arbeitet, von einer einfach nicht vorstellbaren Empfindlichkeit und Verstimmbarkeit.

BARONIN   Er läßt sich sehr gehen, der gute Jaromir.

ANNA   Ich glaub, Mama, davon haben wir beide keine Vorstellung, was in einem solchen Phantasiemenschen vorgeht, wenn in diese innere Einsamkeit plötzlich die Menschen sich eindrängen –

DER KLEINE JAROMIR   Großmama, der Theodor hat mir erlaubt, wenn er einmal krank ist, so darf ich ihn besuchen.

Aber allein darf man nie in sein Zimmer gehen – es ist eine Zauberei im Zimmer, die macht, daß man eins zwei den Fuß nicht vom Boden wegkriegen kann und so stehen muß, bis der Theodor kommt und einen mit einem Sprüchel wieder losmacht.

ANNA Aber Bubi, wer wird denn solchen Unsinn glauben?

### SIEBENTE SZENE

*General kommt wieder von links.*

BARONIN Also nichts ausgerichtet? Ich seh! Ich seh ja schon!

DER KLEINE JAROMIR Warst du beim Theodor, Onkel Ado? Liegt er im Bett? Hat er ein seidenes Kappel auf?

BARONIN *ungeduldig* Also was wars denn, Ado?

GENERAL Er sagt, er wäre überrascht und betroffen davon, daß Sie Ihrerseits überrascht seien – wo Sie doch vor vierzehn Tagen seine Kündigung zur Kenntnis genommen hätten –, es scheint, daß dieses Ignorieren Ihrerseits die Sache verschlimmert hat, liebe Baronin.

BARONIN Aber es muß doch eine tatsächliche Ursache haben. Er tut mir doch so etwas nicht ohne eine schwerwiegende Ursache –

GENERAL Es war nicht möglich, ihn auf irgendeine Einzelheit zu bringen. Er hat mir nur die vier Dutzend Krawatten gezeigt – die er beim Servieren trägt. Er sagt, er ist heute nach Mitternacht aufgestanden und hat sie einsam in seinem Zimmer gebügelt, um sie heute der Beschließerin zu übergeben, und die Gedanken, die ihm während dieses Bügelns durch sein Inneres gegangen seien, die könnte er in diesem Leben niemandem offenbaren.

BARONIN Er gibt der Beschließerin die Krawatten ab! Dann betrachtet er sich ja schon als aus dem Dienst getreten!

DER KLEINE JAROMIR Mami, darf ich jetzt zum Theodor hinaufgehen?

ANNA Ja, lauf hinauf und sag dem Theodor, daß ich zu ihm

hinaufkommen und mit ihm sprechen will. Sag: in drei
Minuten.

DER KLEINE JAROMIR  Ja, Mami.
*Läuft fort.*


### ACHTE SZENE

BARONIN  Du –

GENERAL  *zu Anna*  Aber das ist doch unmöglich, Baronin,
eine junge Frau wie Sie – er liegt schließlich im Bett –

BARONIN  Lassen Sie sie, wenn sie will. Sie ist sehr in der Gnad
beim Theodor. Vielleicht erreicht sie etwas.

ANNA  Ich hab zwar das Gefühl, daß er mich haßt.

BARONIN  Im Gegenteil!

ANNA  Er hat manchmal eine Art, mich anzuschauen, als ob er
mich fressen wollte.

GENERAL  Glauben Sie mir, Baronin, hinter diesem Blick ist
nicht so viel von Liebe oder Anhänglichkeit.

BARONIN  Vielleicht haßt er uns und liebt uns zugleich?

GENERAL  Zugleich?

BARONIN  Abwechselnd. Ich kann mich da ganz gut hinein-
denken.

GENERAL  Sie können sich schon wieder in dieses Subjekt hin-
eindenken! Und mir ist alles an ihm unbegreiflich.


### NEUNTE SZENE

DER KLEINE JAROMIR  *schießt wie ein Pfeil zur Tür hinein*  Er
wird gleich herunterkommen.

BARONIN  Wer?

DER KLEINE JAROMIR  So ist er aus dem Bett gesprungen,
*Zeigt, indem er blitzschnell drei Treppenstufen herunterspringt*
wie ich ihm gesagt hab, daß die Mami zu ihm kommen will
und hat gesagt: Ich werde mich sofort anziehen und unten
im Salon erscheinen, – und warum er von uns weggehen
will, hab ich ihn gefragt, und da hat er gesagt: das Ganze

paßt ihm nicht, und er wirds der Großmama schon erklären. – Aber auf mich ist er nicht bös, und wenn die Mami es
erlaubt, so nimmt er mich mit auf seine Mühle, und die
steht mitten im Wald, und auf einem großen alten Eichen-
baum hoch oben ist ein Zimmerl aus Lindenholz, ganz wie
ein Vogelkäfig, dort sitzen wir dann bis Mitternacht und
zaubern mitsammen.

BARONIN  Das Ganze paßt ihm nicht – hat er gesagt: nicht
mehr oder nicht, Bubi?

DER KLEINE JAROMIR  Das weiß ich nicht mehr.

ANNA  Das wird sich ja alles ganz gut aufklären und ebnen lassen. Somit bin ich hier überflüssig, und küß die Hand,
Mama. Ich fahr auf die Station.

*Geht ab mit dem kleinen Jaromir.*


## ZEHNTE SZENE

GENERAL  *seufzt und schüttelt den Kopf*  Das ist schrecklich!

BARONIN  Was irritiert Sie, Ado?

GENERAL  Daß es gerade im Juni hat sein müssen, daß eine solche Unruhe dieses Haus erfüllt.

BARONIN  *zerstreut, sie glaubt gehört zu haben, daß es klopft*  Was
hat das mit dem Juni zu tun?

GENERAL  Amelie, es sind mehr als dreißig Jahre her, am elften
Juni, daß Sie – daß ich – wissen Sie wirklich dieses Datum
nicht mehr?

BARONIN  Ado, Sie sind ein Mathematiker, mit Ihren ewigen
Ziffern! Mich interessieren Ziffern nicht!

GENERAL  Amelie, die Zeit ist doch gar nichts – wenn ich Sie
so vor mir sehe – da existiert doch nichts, als daß Sie da
sind!

*Es klopft.*

BARONIN  Herein! – Pardon, Ado, es hat geklopft.

## ELFTE SZENE

GENERAL   Es klopft immer, wenn ich ein bißchen mit Ihnen sprechen will.

THEODOR   *tritt ein, nicht in Livree, sondern in einem schwarzen Röckchen und dunklen Beinkleidern*   Ich habe mir erlaubt anzuklopfen, weil ich heute sozusagen als wie ein Besuch meine Aufwartung mache, aber da ich sehe, daß ich unbedingt störe –
*Baronin wirft einen verzweifelten Blick auf den General.*

GENERAL   Aber im Gegenteil. Bleiben Sie hier, lieber Theodor, und sprechen sich aus. Ich werde indessen im Park patrouillieren und melde Ihnen, Baronin, wenn der erste Wagen in die Allee einbiegt.
*Ab durch die Glastür.*

## ZWÖLFTE SZENE

BARONIN   Sie betrachten sich also hier nicht mehr im Dienst befindlich?

THEODOR   Allerdings, seit heute mittag zwölf Uhr.

BARONIN   Ja, was soll denn da werden? Sie wissen doch, daß ich zu allem noch Gäste erwarte!

THEODOR   *mit bedauernder Gebärde*   Es ist mir selber sehr peinlich, aber sehr gewichtige Umstände haben mich in die Zwangslage versetzt –

BARONIN   Theodor, haben diese Umstände etwas mit meiner Person zu tun?

THEODOR   Euer Gnaden bitte ich nur in untertänigster Dankbarkeit die Hände küssen zu dürfen.

BARONIN   Hat jemand vom Personal sich gegen Sie etwas zuschulden kommen lassen?

THEODOR   Ich möchte in diesem Augenblick das Personal keiner Erwähnung wert halten!

BARONIN   Sie haben sich nicht entschließen können, dem Herrn General irgendeine Andeutung zu machen – aber der Kleine hat etwas dahergeplauscht –

THEODOR   Das Kind in seiner Unschuld versteht besser als durchtriebene Menschen ein Gemüt wie das meinige.

BARONIN   Der Kleine hat ausgerichtet: das Ganze paßt dem Theodor nicht mehr. Was soll das heißen?

THEODOR   Diese Worte sind sehr schicklich, um in einer allgemeinen Art das auszudrücken, was im besonderen vielleicht peinlich sein würde.

BARONIN   Ja, wie soll man da –

THEODOR   Es wurde auf solche für beide Teile peinliche Aussprachen im Falle meines mir nötig erscheinenden Rücktrittes im vornhinein gnädigst verzichtet, meine Gründe im vornhinein bewilligt.

*Er will in die Tasche greifen.*

BARONIN   Lassen Sie das stecken. Ich weiß, was ich geschrieben habe.

*Schweigt und bohrt mit dem Stock auf dem Boden.*

THEODOR   Dieses gnädige Handschreiben wurde an mich erlassen zu meinem fünfundzwanzigjährigen Jubiläum in diesem herrschaftlichen Hause, als ein Zeichen besonderen ungewöhnlichen Vertrauens.

BARONIN   Das war meine Absicht.

THEODOR   Es sollten damit die Jahre, welche ich noch in dienender Stellung zu bleiben mich entschließen würde, herausgestrichen werden als Ehrenjahre.

*Mit erhobener Stimme*

Wer solche Ehrenjahre abdient, müßte demgemäß vor einer Mißachtung seiner Person geschützt sein.

BARONIN   Ja, wer bezeigt Ihnen denn Mißachtung? Wer untersteht sich das? Setzen Sie sich nieder, Theodor, und sprechen Sie sich aus.

THEODOR   *setzt sich auf den Rand des Stuhles*   Es sind an mir in diesem Leben viele Ungeheuerlichkeiten begangen worden! Ich hätte bekanntlichst eine geistliche Person werden sollen, aber als eine vaterlose Waise bin ich durch Gemeinheit gemeiner Menschen in den dienenden Stand gestoßen worden.

BARONIN   Ich kenne Ihre Biographie, Theodor. Sie ist sehr achtenswert! Ihr Vater war ein Lump –, aber Ihre Mutter –

Gott hab sie selig – eine der gescheitesten Frauen auf der Welt, und Sie haben ihren Verstand geerbt.

THEODOR  Seine Freiherrliche Gnaden Herr Oberst ist demgemäß in meinen Armen abgestorben.

BARONIN  Ja, Sie haben meinen Mann treu gepflegt.

THEODOR  Der Herr Oberst hat mir in seiner letzten Lebensstunde gesagt, daß ich ihm meine Jugend aufgeopfert habe, und hat mich mit Tränen in seinen sterbenden Armen beschworen, seinen Jaromir nicht im Stich zu lassen, und mir den heiligen Eid abverlangt, daß ich dem jungen Herrn mein Mannesalter aufopfern werde. Denn er hat die vielen und großen Schwächen dieses Jünglings erkannt.

BARONIN  Und dann haben Sie siebzehn Jahre im Dienst meines Sohnes verbracht und sich tadellos geführt. Aber endlich haben gewisse Verschiedenheiten in Ihren beiden Charakteren es wünschenswert erscheinen lassen, daß Sie aus seinem Dienst wieder in meinen traten, was mir natürlich sehr lieb war.

THEODOR  Das könnte man gesellschaftlich so sagen, aber es wäre weiter nichts als eine vertuschende Redeweise.
*Sehr stark, aber nicht laut*
Die Wahrheit ist diese: das ganze Leben, das er geführt hat, war eine fortgesetzte Beleidigung meiner Person.

BARONIN  Pst, pst, Sie sprechen von meinem Sohn!

THEODOR  *stehend* Ich bitte nichts anderes, als die Hände küssen und mich stillschweigend untertänigst zurückziehen zu dürfen, auf immer.
*Als wollte er gehen.*

BARONIN  Ich wünsche aber, daß Sie bleiben, Theodor.

THEODOR  Jawohl, meine Eltern haben mir in der heiligen Taufe den lieben Namen Theodor zugeeignet. Er hat den Namen nicht beliebt. Ich bin bei ihm die Jahre hindurch Franz gerufen worden, Franz, wo ich, bitte, Theodor zu heißen die Ehre habe! Darin bitte zu erkennen, wie er die Menschenwürde in mir geachtet hat! Das Ganze war eine siebzehnjährige automatische Mißachtung.

BARONIN  Aber das sind doch schließlich nur Kleinigkeiten.

THEODOR  Kleinigkeiten? Für die menschliche Seele gibt es

keine Kleinigkeiten, das müssen Euer Gnaden als hochge-
borene und gebildete Dame wissen. Er hat vor meinen
sehenden Augen ein Junggesellenleben geführt von einer
beispiellosen Frivolität und eiskalten Selbstsucht.

*Baronin stößt mit dem Stock.*

THEODOR   Sehr richtig! Sie klopfen, Sie haben recht! Ich habe
es ertragen. Ich habe Krawatte hergerichtet, den Jackett
oder Smoking, wenn ich gewußt habe, er geht darauf aus,
ein weibliches Wesen in einer nächtlichen Abendstunde
mit kaltherziger Niederträchtigkeit um die Seele zu betrügen.

BARONIN   Aber Theodor, Sie sind mir doch auch kein Heiliger!

THEODOR   Ich bin kein Heiliger! Aber wenn ich eine liebende
Handlung begehe, so begehe ich sie mit meinem ganzen
Herzen und stehe dafür ein mit meiner ganzen Seele. Bei
ihm aber ist das Gegenteil der Fall, und das kann ich nicht
mehr vertragen mit meinem Auge zu sehen! Und jetzt ist
der Tropfen gekommen, der den Becher bringt zum
Überfluß!

BARONIN   Jetzt, wieso denn?

THEODOR   Jetzt, wieso denn? Wenn er sich jetzt seine Maitres-
sen paarweise herbestellt ins Haus, jetzt wo er verheiratet
ist, jetzt wo er eine Aufgabe hätte im Leben – wo sie ihm
zwei Kinder gespendet hat, dieser gesegnete Engel – und da
ladet er sich die Betreffenden hier aufs Schloß ein, nachdem
er selbst in einem Büchel, in einem sogenannten Schlüssel-
roman ohne einen literarischen Wert, diese ganze Geschichte mit der Marie auf den Pranger hingestellt hat.

BARONIN   Ich verstehe absolut nicht, wovon Sie reden, Theodor.

THEODOR   Demgemäß bitte ich Hände zu küssen und mich
stillschweigend zu entfernen –

*Als wollte er gehen.*

BARONIN   Jedenfalls gehören diese Dinge, möge selbst etwas
daran gewesen sein, längst der Vergangenheit an!

THEODOR   Bei ihm gibt es keine Vergangenheit, so ist er

nicht! Bei ihm ist nichts vorüber. Um etwas aufzugeben, dazu gehört eine innerliche Reinlichkeit.

*Baronin stößt den Stock auf den Boden.*

THEODOR *leise* Dieses unglückliche Fräulein Marie, das ist ja eine Blume, die er geknickt und zertreten hat. Er ist wie eine Boa constrictor: ausgesogen hat er ihr die Seele viereinhalb Jahre lang! Aber jetzt, jetzt haben wir in Erfahrung gebracht, hat sich diesem Mädchen ein anderer genähert, der, scheint es, einer wirklichen Liebe, einer Hingebung fähig ist. Das reizt ihn aufs neue, da zieht er sie wieder herbei, damit sie seiner Herrschaft nicht entgeht und mag darüber ihre Jugend verwelken wie ein abgemähtes Gras! Wie wagt er das – vor meinen sehenden Augen? Wie darf er sich so über meine siebzehnjährige Mitwisserschaft hinwegsetzen? Bin ich sein Hehler? Sein Spießgefährte, der ihm die Mauer macht? Da tritt er ja meine Menschenwürde in den Kot hinein. Wie wagt er es vor meinen sehenden Augen, diese andere Person, dieses berüchtigte Frauenzimmer, diese Melanie hierher zu bestellen? Wie wagt er dann solche Manöver, daß er selber das Schlafzimmer verläßt, wo dieser gütige Engel mit ihm ehelich wohnt, und hinaufquartiert sich in die Mansarde, und bei hellichtem Tag den Schlosser daherkommen läßt, den Verbindungsgang herzustellen für eine nächtliche ehebrecherische Promenade, damit nur nichts klappert. Das spricht ja Hohn allen göttlichen und menschlichen Gesetzlichkeiten!

BARONIN Aber Theodor! Theodor!

*Geht auf und nieder.*

THEODOR *folgt ihr nach* Wo in mir in meiner nichtvergessenden Herzkammer alle diese seine Weibergeschichten und Schlechtigkeiten abphotographiert sind bis in die kleinsten und niederträchtigsten Zärtlichkeiten und Meineide!

BARONIN Aber mäßigen Sie sich doch etwas!

THEODOR *tritt zurück* Ich bin müd, demgemäß eher gemäßigt. Aber meine gekränkte Person benötigt demgemäß eine große Heilung, damit ich die männliche Erbärmlichkeit vergessen kann. Ich muß in meine einsame Heimat, auf meine abgelegene Scholle, und alte, liebe Eichbäume müssen immerfort zu mir flüstern: Theodor, du bist ein Heiliger gegen diesen! Er ist nicht wert, die Riemen deiner staubigen Schuhe aufzulösen! Du hast ihn geschont aus Gnade, weil du eine große Seele hast vor deinem Herrgott!

GENERAL *erscheint auf der Terrasse* Baronin, Sie müssen empfangen. Ich höre den ersten Wagen anrollen.

BARONIN Das auch noch! Gleich. Gehen Sie unterdessen – ich komme.

*General ab über die Terrasse.*

BARONIN Aber Theodor, es wird doch einen andern Weg geben, irgendeine andere Form, Ihnen eine innere Genugtuung zu schaffen. Ich werde Sie doch deswegen nicht verlieren müssen?!

THEODOR Frau Baronin, Gnaden, ich bin keine käufliche Seele. Eine Genugtuung, die mir in dieser Lebensstunde noch genügen sollte, die könnte sich nicht, wie in früheren Fällen, in der Dienstbotenatmosphäre abspielen – die dürfte nicht aus Äußerlichkeiten bestehen, die müßte auf das Große und Ganze gehen! Die müßte zeigen, wo Gott eigentlich Wohnung hat!

BARONIN Eine solche kann ich doch unmöglich verschaffen.

THEODOR Nein. Die könnte mir allerdings nur ein Stärkerer schaffen als Euer Gnaden!

*Lächelt.*

BARONIN An was denken Sie denn? So reden Sie doch! Ich bitte Sie mit aufgehobenen Händen – so reden Sie doch!

GENERAL *erscheint* Baronin, das Fräulein von Am Rain fährt vor.

*Ab.*

BARONIN Wenn es von mir abhinge, daß die Damen nicht erscheinen oder gleich wieder abreisen – würde ichs machen, aber ich kanns nicht.

THEODOR Euer Gnaden können es nicht. Schön. Ich könnte es sehr leicht! Sehr leicht vielleicht nicht, aber mit einer gewissen Mühe. Die würde ich mir nehmen.

BARONIN Sie?

THEODOR Mit einem Atemzug würde ich diese zweischneidigen Techtelmechtel vor mich hinjagen wie Stäubchen.

BARONIN  Ja, wie denn, um Gottes willen? Sie werden doch
nicht in offener Opposition meinem Sohn entgegentreten
wollen?

THEODOR  Im Gegenteil. Ich würde sorgen, daß die Damen
selbst in zartfühlender Weise dem Herrn Baron über die
Gründe ihres Verschwindens anliegen werden.

BARONIN  Und eine solche Lösung, wenn sie denkbar wäre, –
würde Sie – Sie würden dann Ihre Kündigung zurückneh-
men?

THEODOR  Die Entscheidung darüber müßte ich vorbehalten,
abhängig zu machen von dem Ausgang des Ganzen, ob
derselbe mir in meinem Innern eine wahre und ausrei-
chende Genugtuung bietet.

GENERAL  *erscheint*  Baronin, es ist die höchste Zeit. Man ist
schon da!

BARONIN  *im Abgehen*  Bleiben Sie hier!


DREIZEHNTE SZENE


*Bevor die Baronin noch hinausgetreten ist, erscheint Marie Am
Rain auf der Terrasse. Sie ist sehr blaß und scheint von der Reise an-
gegriffen. Die erste Begrüßung erfolgt auf der Terrasse, dann treten
die beiden Frauen herein. Der General folgt ihnen. Die Jungfer ist
zugleich von links hereingetreten.*


MARIE  *im Auftreten*  Und es war unendlich gut von Ihnen,
daß Sie mir erlaubt haben zu kommen, und das zu einer so
schönen Jahreszeit!

BARONIN  Bei uns ist die Jahreszeit nie schön, aber ich hoffe,
daß Sie sich in unserm alten Kasten halbwegs gemütlich
fühlen werden.

GENERAL  Und Ihr guter Vater, wie gehts ihm?

MARIE  *indem es wie ein Schleier über ihre Stimme fällt*  Nicht
sehr gut, Herr General.

GENERAL  Und das ist gerade ein Mann, der verdienen würde,
daß es ihm gut ginge, grade der, wie kein zweiter!

MARIE  Ich danke Ihnen, Herr General, daß Sie mir das sagen.
Das ist lieb!

BARONIN  Darf ich Ihnen das Zimmerl zeigen, das die Kinder für Sie bestimmt haben? Es hat eine hübsche Aussicht, das ist das einzige.
*Macht Miene, mit Marie abzugehen.*
GENERAL  Baronin, ich höre den zweiten Wagen anfahren.
*Zu Marie*
Die Baronin erwartet nämlich noch die Frau von Galattis.
MARIE  *sichtlich unangenehm überrascht*  Oh – dann bitte bleiben Sie doch, Baronin! Nein, bitte, bleiben Sie doch!
JUNGFER  Darf ich das gnädige Fräulein –
GENERAL  Ich bringe Sie bis an Ihre Tür. Sie müssen mir noch mehr von Ihrem Vater sagen. Das ist doch der sympathischste Mann von unserer ganzen Generation –
*Schon im Abgehen mit Marie*
Sie können ja Gott danken, daß Sie ihn haben.
*Ab.*

### VIERZEHNTE SZENE

BARONIN  *zurückbleibend*  Also kommen Sie her, Theodor. Schnell. Sie haben mir da früher Dinge vorerzählt, ich habe einen ganz heißen Kopf bekommen. Ich hab nur so viel daraus entnommen, daß Sie unter gewissen Bedingungen, von denen ich allerdings nicht ahne, wie sie könnten erfüllt werden, bleiben würden. Ich kann nur eines sagen…
THEODOR  Ich glaube von meinen Bedingungen in deutlicher Weise gesprochen zu haben. Meine Genugtuung wünsche ich zu erblicken darin, daß das ganze Gebäude von Eitelkeit und Lüge zusammenstürzen muß, als eine unbegreifliche Wirkung meiner höheren Kräfte.
BARONIN  Ja, aber diese Bedingung ist doch unerfüllbar!
THEODOR  Ich habe deutlich gezeigt, daß sie erfüllbar ist, wenn man mir die freie Hand läßt.
BARONIN  Ich habe keine Ahnung, was Sie mir da vorgeredet haben.
THEODOR  Mir ist diese ausweichende Redeweise bei weibli-

chen Personen bekannt. Demgemäß werde ich mich in Ruhestand zurückziehen.

*Er heftet einen durchdringenden Blick auf sie.*

BARONIN *schnell* Ich weiß nur das eine, daß ich mit Ihnen zufrieden bin und keinen Grund sehe, Sie zu verlieren.

THEODOR *lächelt und verneigt sich* Ich werde demgemäß meine Maßregeln einleiten. Ich bin mit beiden Weiblichkeiten sehr vertraut aus langjähriger Bekanntschaft. Diese da –

*Er zeigt auf die Tür, durch welche Marie eben abgegangen ist* ist ein unglückliches Wesen, mit einer schönen geängstigten Seele. Diese werde ich direkt anspielen. Die andere Person werde ich von der Bande anspielen.

BARONIN   Von der Bande? Was soll das heißen?

THEODOR   Das sind Ausdrücke, vom Billardspiel entlehnt. Ich habe gedacht, daß sie allgemein bekannt sind. Die Melanie ist wie die meisten Frauenpersonen dumm und gescheit zugleich. Demgemäß habe ich ausgesprochen, daß man sie indirekt oder von der Bande anspielen muß. Zu dem Behuf habe ich schriftlich schon herausgegeben, daß diese junge Witwe, die Hermine, sich hier auf dem Schloß einfinden und aushilfsweise Damenbedienung übernehmen soll.

BARONIN   Die Hermine? Ja, ich bin ganz einverstanden, aber ich habe gedacht, zwischen der und Ihnen stehts nicht ganz richtig?

THEODOR   Ich habe ihr verziehen und dies in einem Brief zu erkennen gegeben. Sie wird demgemäß heute abend glücklich erscheinen und mir blind ergeben sein. Sie ist gleichzeitig in feinerer Damenbedienung eine ausgelernte Persönlichkeit.

BARONIN   Meinetwegen. Und was soll ich tun?

THEODOR   In keiner Weise das Allergeringste gar nicht, mit Ausnahme: mir in diskreter Weise freie Hand zu lassen.

BARONIN   Ich beschwöre Sie, Theodor, ich weiß ja nicht, wo mir der Kopf steht.

THEODOR   Ich bitte, jetzt keine Beschwörungen mehr anzuwenden, sondern lediglich ein einziges Wort später auszusprechen, damit jedermann in diesem Hause weiß, woran er sich zu halten hat.

BARONIN Ich sprech gar nichts aus. Ich will gar nichts wissen. Was für ein Wort denn?

THEODOR Euer Gnaden werden ganz einfach sagen: »Und Sie, lieber Theodor, übernehmen jetzt wieder die Aufsicht über das Ganze.« Dies bitte ich auszusprechen, wenn das niedere Personal gegenwärtig sein wird.

BARONIN Aber ich hab doch gar nichts mit Ihnen verabredet!

THEODOR Sehr wohl. Darauf werde ich bestehen, daß es wörtlich ausgesprochen wird und in einer äußerst huldvollen Weise: »Und Sie, lieber Theodor, übernehmen jetzt wieder die Aufsicht über das Ganze.« Es wird für mich eine geheime unterirdische Bedeutung haben, die anzuhören meinen Ohren eine schmeichelhafte Genugtuung bereiten wird.

*Sieht sie scharf an.*

BARONIN Also, ich werd es sagen, ich werd es sagen –

### FÜNFZEHNTE SZENE

GENERAL *erscheint* Die Damen –

*Anna und Melanie erscheinen auf der Terrasse. Hinter ihnen der Gärtner in grauer Jägerlivree, der Melanie eine kleine Tasche nachträgt.*

*Baronin geht ihnen entgegen.*

*Milli, die Jungfer, ist gleichfalls eingetreten.*

MELANIE Es ist zu gut von Ihnen, Baronin, daß Sie mir erlaubt haben, zu Ihnen zu kommen.

ANNA Sie ist ganz frei. Ihr Mann fischt Forellen, und sie wird sehr lang bei uns bleiben. Ich freue mich riesig. Wir harmonieren schon wie zwei Zigeuner auf einem Pferd.

*Baronin wirft unwillkürlich einen ängstlichen Blick auf Theodor.*

*Theodor erwidert den Blick mit einem überlegenen Lächeln.*

DER KLEINE JAROMIR *kommt hereingelaufen* Mami –

ANNA Das ist unser großer Bub, die Kleine zeig ich dir dann gleich!

BARONIN  Und mein Sohn. Was sagen Sie zu dem unge-
schickten Menschen? Er wollte Ihnen entgegen. Er muß
den Feldweg genommen und bei der langen Hecke den
Wagen übersehen haben.

ANNA  Aber, Mama, du brauchst nicht schwindeln, sie kennt
doch den Jaromir so gut, die Melanie versteht alles an ihm.

BARONIN  Darf ich Ihnen das Turmzimmer zeigen, wo die
Kinder durchaus gewünscht haben, Sie einzuquartieren.
Ich hätte Ihnen ein bequemeres Appartement zugedacht.
*Gebärde, sie zum Gehen einzuladen.*

MELANIE  *hat Theodor bemerkt* Ah, Sie sind auch da, Franz!
*Nickt ihm zu.*

BARONIN  *schon im Abgehen, bleibt noch einmal stehen. Theodor
siedt sie scharf an. Unter seinem Blick sagt sie sehr nachdrücklich*
Und Sie, lieber Theodor, übernehmen jetzt wieder die
Aufsicht über das Ganze!
*Die Damen gehen ab.*
*General folgt, nachdem er einen sehr befriedigten Blick auf Theo-
dor geworfen hat.*

THEODOR  *zum zurückbleibenden Personal* Antreten!
*Kurz und schnell befehlend.*
*Das Personal stellt sich auf. Zum Kutscher*
Pferde abreiten!
*Zum Küchenmädchen*
Obers schlagen!
*Zur Jungfer*
Kerzen aufs Zimmer!
*Zum Koch*
Forellen besorgen!
*Zum Gärtner*
Blumen auf die Zimmer!
*Zur Beschließerin*
Verschwinden!
*Alle eilen rasch ab.*
*Theodor geht stolz ab.*

*Vorhang.*

## ZWEITER AKT

### ERSTE SZENE

*Die gleiche Dekoration.*
*Anna und der kleine Jaromir an einem Tisch links.*

DER KLEINE JAROMIR  Mami, wirst mich in Zirkus mitnehmen? Wann? Bis die Damen abgereist sind?

ANNA  *stickend* Ja.

DER KLEINE JAROMIR  Mami, die Damen sollen schon abreisen!
*Anna stickt und antwortet nicht.*

DER KLEINE JAROMIR  Sind sie zu dir oder zum Papi gekommen, die Damen? Hat der Papi sie herbestellt und haben sie
kommen müssen? Mami, kann der Papi alles? Ja? Sag mir,
was er nicht kann?

ANNA  Seckier mich nicht!

DER KLEINE JAROMIR  Sag mirs. Sag mir was einziges, was er
nicht kann, der Papi!

ANNA  Komm her, ich werd dirs sagen!
*Der kleine Jaromir läuft zu ihr.*

ANNA  *sieht ihm ernsthaft ins Gesicht* Eine Unwahrheit sagen,
das kann der Papi nicht.
*Sie stickt weiter.*

DER KLEINE JAROMIR  *sieht nach hinten in den Park* Mami, da
kommt der Papi mit einer der Damen, mit der, die so gut
riecht!

ANNA  Geh hinauf zu der Baby und schau, ob sie schon auf ist,
aber leise.

DER KLEINE JAROMIR  Gehst du jetzt auch hin zu der Dame?

ANNA  Geh, geh.
*Kleiner Jaromir läuft über die Terrasse ins Haus.*
*Anna geht schnell nach rechts hinüber und verschwindet.*

### ZWEITE SZENE

*Jaromir und Melanie kommen aus dem Park.*

MELANIE   Hier ist jemand gesessen und bei unserem Näher-
kommen aufgestanden. Es war entweder die Marie Am
Rain oder es war Ihre Frau. In jedem Fall ist das sehr sonderbar. Wenn man es harmlos auffaßt, daß zwei Menschen
miteinander durch den Park gehen, so bleibt man sitzen, bis
sie herangekommen sind.

JAROMIR   Es war in gar keinem Fall die Marie, die hier gesessen und bei unserem Kommen aufgestanden ist. Es war
unbedingt meine Frau.

MELANIE   Warum soll es nicht Ihre Freundin Marie gewesen
sein? Ich habe das deutliche Gefühl gehabt, daß es jemand
ist, der uns in einer offensichtlichen Weise aus dem Weg
geht!

JAROMIR   Das kann nicht die Marie gewesen sein, es ist Schirokko.

*Melanie sieht ihn an.*

JAROMIR   Sie hat an einem solchen Morgen unfehlbar Migräne und muß bis Mittag in ihrem Zimmer bleiben.

MELANIE   Es geht doch fast kein Wind.

JAROMIR   Es muß kein Wind gehen, wenn die Luft so glänzt,
dann ist Schirokko. Dann sehen die Blumen und die
Bäume schöner aus als je – – Übrigens auch die Frauen. Das
Weiße in Ihren Augen hat einen ganz anderen Glanz,
*Näher*
und die Perlen an so einem Hals nehmen einen feuchten
Schmelz an, der unbegreiflich ist. Man weiß nicht, sind es
die Perlen, die der Haut so gut stehen, oder umgekehrt.
*Noch näher*
Und während viele Menschen in solcher Luft abgeschlagen
sind und lauter traurige Gedanken haben, erweckt diese
Luft in anderen, zum Beispiel in mir, ein unbeschreibliches
Wohlgefühl und ich begreife mich selber nicht, das heißt,
ich begreife mich sehr gut, aber ich begreife nicht, daß es
überhaupt Zeiten gibt, Wochen, Monate, wo man die Ge-

duld hat, auf etwas zu warten, das sich in Wochen oder Monaten ereignen soll, während doch schon ein ganz unbegreifliches Maß von Geduld dazu gehört, sich zu sagen, daß man frühestens heute gegen Abend –

MELANIE *weicht ihm aus und sieht verstohlen überall hin, ob sie nicht beobachtet werden* Ich glaube, Sie haben mich auf etwas aufmerksam gemacht, und ich gehöre zu den Menschen, die diese Luft eher auf unangenehme Gedanken bringt. Es war mir zum Beispiel gestern abend noch ganz gleichgiltig, daß Ihre Freundin Marie wieder hier ist. Aber heute ärgert es mich, daß diese blasse Märtyrerin überall dort auftaucht, wo ich Sie treffe.

JAROMIR Daß Sie voriges Jahr in Gebhartsstetten war, ist ein bloßer Zufall gewesen.

MELANIE Es gibt keine Zufälle. Ich hab mir auch gestern abend noch keine Gedanken darüber gemacht, daß Sie mir auf der Veranda unter dem Vorwand, mir die Plejaden zu zeigen, gesagt haben, daß Ihre arme kleine Frau bis heute nichts davon weiß, wie oft wir uns im April in Gebhartsstetten getroffen haben.

JAROMIR Es ist ganz überflüssig, daß sie es erfahren sollte.

MELANIE Aber heute erscheinen mir alle diese Dinge in einem höchst unangenehmen Zusammenhang. Auf diese Art bin ich ja von der Diskretion Ihrer schmachtenden Freundin abhängig.

JAROMIR Die gute Marie hat keine Ahnung von uns beiden.

MELANIE Ich finde dieses junge Mädchen unglaublich! Hat sie nicht genug mit der Publizität, die Ihr Roman ihr gegeben hat? Will sie sich noch ein bißchen mehr kompromittieren?

JAROMIR Sie ist ein Engel an Güte! Sie ist nicht imstande, irgend etwas, das von mir ausgeht, in dem häßlichen Licht zu sehen, in dem, wie es scheint, die Welt die Dinge sieht. Sie denkt nicht daran, in einer erfundenen, aus meiner Phantasie entsprungenen Figur sich wiederzuerkennen, und ist über alles Getratsch erhaben.

MELANIE Ich bin aber leider nicht Nachtwandlerin genug, um über die ganze Welt erhaben zu sein. Ich hoffe, daß das, was Sie schreiben, sich in keiner noch so entfernten Weise

mit mir befaßt. Jaromir, ich hoffe, Sie erinnern sich immer
an das, was Sie mir im April in dieser Beziehung geschworen haben!

*Theodor erscheint auf der Terrasse, macht sich dort zu schaffen,*
*dann verschwindet er wieder.*

*Melanie, durch das Erscheinen Theodors irritiert, macht eine*
*zornige Bewegung.*

JAROMIR  Du bist über alle Maßen reizend, wenn du zornig
bist, und es ist außerdem von einer herrlichen Vorbedeu-
tung.

MELANIE  Was heißt das?

JAROMIR  Immer waren die Vormittage so, auf die dann ein
besonders entzückender Abend gefolgt ist. Denk an Gebhartsstetten, an das Aprilwetter, an die finstere Jagdhütte!

MELANIE  Damals habe ich Angst gehabt, dich zu verlieren an
diese unverschämte Amerikanerin, und zugleich Angst vor
meinem Mann!

JAROMIR  Ganz verfahrene Situationen sind deine Stärke!
Dann wirst du absolut wunderbar! Deine Augen werden
größer, deine Lippen verwandeln sich, deine Hände, dein
Gesicht! Wer dich so nicht gesehen hat, hat keine Ahnung,
wer du bist!

MELANIE  Schwör mir, daß du damals nichts notiert hast!

JAROMIR  Damals, in diesen himmlischen Minuten? Bist du
denn närrisch, mein Schatz?

MELANIE  Aber du könntest etwas notieren. Du wärst imstande, für einen Roman, eine Novelle!

JAROMIR  Aber nein, niemals!

MELANIE  Ach!

JAROMIR  Was hast du?

MELANIE  Dort hinter der Glastür, der Franz schaut auf uns!

JAROMIR  Soll er! er hat uns oft genug miteinander gesehen.

MELANIE  Warum geht Ihr Diener Franz immer dort hin und
her? Früher hab ich ihn dort drüben im Gebüsch gesehen.

JAROMIR  Mein Gott, er wird halt irgend etwas zu tun haben.

MELANIE  Ich kenne ihn zu gut, Ihren Franz. Er hat nie etwas
Harmloses zu tun, dazu war er zu lange in Ihren Diensten.
Er ängstigt mich, er weiß zu viel von mir. Schicken Sie ihn
für ein paar Tage fort von hier.

JAROMIR   Das kann ich nicht. Er ist gar nicht mehr mein Diener, sondern der meiner Mutter.

MELANIE   Haben Sie gesehen, wie er jetzt auf mich herab-
schaut? Ich fühle, er legt mir einen Hinterhalt, und ich
werde ihm sicher hineinfallen. Ich habe heute nacht von
ihm geträumt, ich weiß nicht mehr was, aber etwas Unangenehmes. Er ist zu sehr verknüpft mit allem Aufregenden, das ich um Ihretwillen erlebt habe. Ich sehe überhaupt
nur mehr ihn, wenn ich mich an Sie erinnere.

JAROMIR   Ich danke Ihnen sehr.


### DRITTE SZENE


*Hermine, mit einer Schreibmappe und einem Fußpolster, tritt aus
dem Haus auf die Terrasse.*
*Theodor beobachtet sie streng, sozusagen dienstlich.*
*Hermine wird unter seinem Blick langsamer und tritt dann etwas un-
schlüssig die Stufen hinunter, sie schickt sich an, die Schreibsachen
auf den Gartentisch links zu legen.*


MELANIE   Ach, das sind meine Schreibsachen, auf die ich gewartet habe. Ich danke Ihnen, meine Liebe.
*Theodor macht Hermine ein Zeichen, daß sie den Fußpolster
nicht richtig gelegt habe. Hermine gerät in Verwirrung. Theodor
eilt hin, richtet den Fußpolster anders und winkt Hermine abzutreten.*

MELANIE   *tut einen Schritt gegen den Tisch*   Ich habe sehr das
Bedürfnis, der Tinka einen langen Brief zu schreiben. Sie
wissen doch, Baron Jaromir –
*Absichtlich laut*
daß die Tinka Neuwall jetzt meine beste Freundin ist.
*Hermine ist über die Terrasse abgegangen.*
*Theodor hat das Schreibzeug auf dem Tisch geordnet, sich über-
zeugt, daß Fließpapier in der Mappe ist und zieht sich jetzt diskret zurück über die Terrasse.*

MELANIE   *nachdem sie sich überzeugt hat, daß sie jetzt wieder allein
sind, in einem anderen Ton*   Wirklich, ich möchte ihr gerne

einen Brief schreiben, in dem ich ihr sage, daß ich zwar gerne hier bin und wir uns oft und gemütlich sehen, daß es uns aber entgegen ihren, Tinkas, pessimistischen Voraussagen ganz leicht wird, einen freundschaftlichen Verkehr in den Formen durchzuführen, deren Einhaltung ein Gebot der primitivsten Selbstachtung und Vorsicht ist.

JAROMIR   Schreib diesen Brief, schreib ihn unbedingt.

*Leiser*

Aber zuerst komm daher.

*Melanie tritt unwillkürlich ihm näher.*

JAROMIR   Schau dort hinauf.

*Zeigt nach oben links.*

*Melanie schaut hinauf.*

JAROMIR   *dicht bei ihr, aber ohne sie zu berühren*   Siehst du dort droben das Fenster mit dem kleinen Balkon?

MELANIE   Ist das das meinige?

JAROMIR   Das ist das deinige, und dort drüben die Mansarde, das ist das meinige, und der kleine Weg zwischen beiden – dort, wo etwas Weißes liegt, jetzt hebts der Wind auf, ein Blatt Papier ist es – dort dicht unter der Turmwand, hart überm Rand der Dachrinne, dort ist der Weg, den ich heute nacht, wenn alle schlafen, zu dir komme!

MELANIE   Schwör mir, daß du nie etwas von mir in einem Roman bringst. Oder es ist wirklich aus zwischen uns!

JAROMIR   Was für Ideen du dir in den Kopf setzt!

*Er faßt sie beim Handgelenk und will sie an sich ziehen.*

MELANIE   *den Kopf von ihm weggebogen, macht sich mit einem Ruck los, fährt zugleich mit beiden Händen an ihren Hals und ruft*   Meine Perlen! Mein Gott, gerissen!

JAROMIR   Was ist denn?

MELANIE   *die gerissene Schnur mit beiden Händen haltend*   Gerissen! Und ich hab sie erst vor zwei Jahren fassen lassen! Gehen Sie weg! Bleiben Sie stehen! Keinen Schritt! Sie können auf eine treten!

*Sie geht zum Tisch und legt vorsichtig die gerissene Schnur ab und fängt angstvoll an zu zählen.*

JAROMIR   Haben Sie alles?

MELANIE  *zählend*  Das weiß ich doch noch nicht. Dreizehn, vierzehn, fünfzehn, sechzehn, achtzehn…

*Zu Jaromir*

So gehen Sie doch fort von mir! Sehen Sie denn nicht dort drüben bei der großen Linde Ihre Mutter und den alten General, die wahrscheinlich schon alles gesehen haben?

*Zählt*

Sechsundzwanzig, achtundzwanzig, neunundzwanzig…

*Zu Jaromir*

So gehen Sie doch schon und sagen Sie Ihrer Mutter guten Morgen. Vierunddreißig – waren es vierunddreißig? Jetzt hab ich mich verzählt, mein Gott!

*Zu Jaromir*

So gehen Sie doch schon!

*Jaromir ist leise, mit vorsichtigen Tritten, auf den Boden schauend, abgegangen.*

MELANIE  Das auch noch. So alte Leute sind so entsetzlich weitsichtig.

*Zählt*

Zehn, elf… Das ist doch ein solches Unglückszeichen. Da bleibt einem doch vernünftigerweise nichts übrig als sofort abzureisen.

*Zählt leise weiter.*


### VIERTE SZENE

*Theodor ist plötzlich erschienen.*

MELANIE  *zählt zu Ende*  Siebenundfünfzig, achtundfünfzig, neunundfünfzig…

THEODOR  Neunundfünfzig waren es schon immer. Es ist demgemäß alles in Ordnung!

MELANIE  *erschrickt über seine plötzliche Nähe*  Haben Sie je meine Perlen in der Hand gehabt?

THEODOR  In der Hand nicht, aber am Hals hab ich sie gezählt. Ich habe sehr gute Augen, unsereins muß manchmal in un-

beachteter Haltung warten, und da sucht man sich eine Be-
schäftigung.

*Melanie ordnet etwas an ihrem Kleid.*

THEODOR  Auch ich habe wahrgenommen, daß die Kleider
nicht ordentlich gepackt waren, ich habe demgemäß der
dienenden Person Befehle gegeben, die Toiletten ordentlich zu bügeln und instand zu setzen.

MELANIE  Ich danke Ihnen, Franz.

THEODOR  Das ist meine Schuldigkeit. Ferner wäre dieses:
Euer Gnaden haben, höre ich, befohlen, daß die Koffer auf
den Boden geschafft werden. Es wäre allerdings für einen
längeren Aufenthalt das Richtige. Im anderen Falle wäre es
vielleicht ratsamer, die Koffer ganz in der Nähe zu haben.

MELANIE  *unsicher*  Ich habe die Absicht gehabt, eine Woche
oder zehn Tage hierzubleiben.

THEODOR  *mit einem eigentümlichen Lächeln*  Wenn Euer Gnaden allen zum Trotz diese Absicht werden durchführen
wollen –

MELANIE  Was meinen Sie mit »allen zum Trotz«?

THEODOR  Ich meine eine Unbequemlichkeit, der eine unbe-
gleitete Dame in einem fremden Haus ausgesetzt ist!

MELANIE  Was wollen Sie damit sagen? Was für Unbequemlichkeit?

THEODOR  *immer mit dem gleichen ominösen Lächeln*  Beispielsweise die Dachreparatur am heutigen Nachmittag. Wie
sollen sich da Euer Gnaden in gebührender Weise zurückziehen, Siesta abhalten, wenn da gehämmert wird, unmittelbar unter dem Fenster. Das sind sehr peinliche Sachen.

MELANIE  Das Dach wird repariert?

THEODOR  *wieder mit diesem Lächeln*  Natürlich, man könnte es
noch aufschieben. Aber wenn beispielsweise heute nacht
ein Wind käme, da sind solche Gitterteile am Blech, die
klappern, daß kein Mensch ein Auge zumachen kann da
droben, und gerade da zwischen Euer Gnaden Ihrem Fenster und Herrn Baron seinem nächtlichen Arbeitszimmer.
Freilich, wenn kein Wind ist, da müßte schon gerade jemand herumlaufen, bereits wie ein Somnambuler, damit es
zu einem Klappern käme. Aber wer sollte bei uns solche
Exkursionen unternehmen? Wer, frage ich?

*Er sieht Melanie scharf an, dann abspringend*
Aber es ist eben bei uns sehr windig. Da droben ist eine Zugluft, bereits wie auf einem Berggipfel. Ich bitte nur gütigst
zu sehen, da fliegen ja etliche Papierbogen gerade herum
wie die Hexen. Das ist mir sehr peinlich, daß ich das wahr-
nehme. Das könnten nämlich sehr gut lose Blätter aus dem
Herrn seinem Tagebuch sein, – diese sogenannten Notiz-
blätter, aus denen er dann seine Romane zusammensetzt.
Da bin ich sehr aufgeregt, denn das sind große Diskretions-
sachen. Er nennt nämlich in diesen Notizen immer alles
sehr stark beim Namen, das darf in keine gemeinen Hände
fallen!

MELANIE   Wo sehen Sie solche gräßlichen Blätter herumflie-
gen?

THEODOR   Da droben! Aber da können Euer Gnaden nicht
wissen, wie mich das aufregt. Für Euer Gnaden hat das
keine Bedeutung, ob so was in unrechte Hände kommt,
aber für mich, der ich in diesem Haus die Verantwortung
trage für alles – –

MELANIE   So gehen Sie doch, laufen Sie hinauf und bringen
Sie diese Blätter auf die Seite. Da sehen Sie nur, jetzt trägt
der Wind eins davon. Da hängts an der Dachrinne. Das ist
ja – ich geh mit Ihnen, ich helfe Ihnen.

THEODOR   *bemerkt den General, der im Hintergrund erschienen
ist*   Ich werde gleich hinaufeilen. Aber Euer Gnaden werden begrüßt vom Herrn General. Bitte sich demgemäß
umzudrehen.


FÜNFTE SZENE


*General mit einem Strohhut, grüßt, bleibt im Hintergrund auf einer
Stufe der Terrasse stehen.*
*Melanie geht zu ihm nach einem Moment der Verlegenheit und ei-
nem verzweifelten Wink nach dem Dach hin.*


GENERAL   Die Baronin wünscht, Ihnen ihre Lieblingsblume
zu zeigen!

*Mit Melanie ab.*
*Theodor sieht ihnen nach, schaut dann mit befriedigtem Ausdruck*
*nach oben in der früheren Richtung. Ab.*

### SECHSTE SZENE

*Marie tritt links aus dem Haus und hält ein Buch unterm Arm.*
*Anna ist im gleichen Augenblick aus der Orangerie herausgetreten.*
*Beide erschrecken und haben eine gewisse Mühe, unbefangen zu er-*
*scheinen, Anna ist blaß und verändert.*

MARIE   Oh, Sie sinds! Man sieht so schlecht gegen die Sonne.
Ich habe geglaubt, das ist die Melanie Galattis.

ANNA   Das war auch meine Idee, wie ich Schritte und ein
Kleid gehört habe. Ich war drin und hab etwas gesucht. Die
Kinder haben einen Ball verworfen!

MARIE   So werde ich Ihnen suchen helfen.
*Kleine verlegene Pause*
Sie sind hier gesessen. Ich sehe, daß Ihre Sachen da liegen.
Darf ich mich ein bißchen zu Ihnen setzen?

ANNA   Ich seh Ihnen doch an, daß Sie haben wollen allein sein
mit Ihrem Buch, nein?

MARIE   *lächelnd*   Gar nicht! Setzen wir uns her!

ANNA   Aber dann hierher,
*Zögernd*
das sind der Melanie Galattis ihre Schreibsachen.

MARIE   *tritt schnell weg vom Tisch*   Oh, dann nicht!

ANNA   Ach, da sind Sie gar nicht so intime Freundinnen?

MARIE   Ich habe keine intime Freundin.
*Ihre Miene hat sich verändert.*

ANNA   *schnell und zart*   Sie brauchen mir nichts zu sagen. Ich
weiß, Sie haben Ihren Vater! Mein Vater war auch mein bester Freund, er hat mich dem Jaromir gegeben.

MARIE   *sieht sie freundlich an und lächelt traurig*   So?

ANNA   Nein, Sie sind nicht zu fürchten.

MARIE   *sieht sie groß an*   Ich, ach mein Gott!
*Beide lachen.*

ANNA  *wirft einen Blick nach hinten in den Park*  Da kommt die
Melanie, ich muß ihr guten Morgen sagen.

STIMME DES KLEINEN JAROMIR  Mami, so komm doch schon!

ANNA  Und da rufen mich auch meine Kinder.

MARIE  Zeigen Sie mir Ihre Kinder.

ANNA  Also gehen wir schnell hinein!

MARIE  Ja, schnell.

*Sie verschwinden links ins Haus.*


### SIEBENTE SZENE

*Hermine kommt über die Terrasse heran. Sie scheint Melanie
zu suchen.*
*Theodor erscheint, tut, als bemerke er Hermine nicht.*

HERMINE  Herr Theodor, sind die gnädige Frau nicht mehr
hier?

*Theodor beachtet sie nicht.*

HERMINE  Sind die gnädige Frau vielleicht auf ihr Zimmer gegangen?

*Theodor vertieft sich in die Betrachtung eines blühenden Strau-
ches.*

HERMINE  *etwas unsicher*  Herr Theodor –

THEODOR  *als bemerke er sie erst jetzt*  Ach, Sie wagen sich hierher? Sie riskieren, mir unter meine Augen zu gehen?

HERMINE  *näher bei ihm*  Ich hab geglaubt, daß du jetzt wieder
gut bist auf mich?

THEODOR  Wieso haben Sie das geglaubt?

HERMINE  Du hast doch oben im Zimmer ganz freundlich auf
mich geredet!

THEODOR  *geringschätzig*  Ich habe dienstlich an Sie die nöti-
gen Worte gerichtet und damit war basta. Das lassen Sie
sich gesagt sein, Sie Hermine. Mit meiner Empfindung
spaßt man nicht.

HERMINE  Ich hab halt geglaubt, wie du mir geschrieben hast,
ich soll wiederkommen aufs Schloß, daß damit zwischen
uns alles wieder so ist wie früher.

*Theodor macht sich mit den Pflanzen zu schaffen, ordnet den Tisch und tut, als wäre er allein.*

HERMINE *zornig und dem Weinen nahe*  So darfst du mit mir nicht umgehen!

THEODOR *blitzschnell*  Ich habe etwas von Nichtdürfen vernommen.

*Näher bei ihr mit einem erschreckenden Blick*

Wer darf hier dürfen? Aber halt, was seh ich denn da fliegen? Diese Papiere da, das kommt doch von dort droben, von den Zimmern, die Ihnen anvertraut sind!

HERMINE  Das sind gewiß die Papiere, die auf dem Schreibtisch gelegen sind.

THEODOR  Auf was für einem Schreibtisch?

HERMINE  Ich glaub, dem Herrn seinem Schreibtisch, den wir miteinander abgestaubt haben.

THEODOR *Empört*  Was, miteinander? miteinander?

*Scharf*

Sie haben abgestaubt, und ich habe beaufsichtigt.

*Leiser*

Und da stehst du so ruhig? Davon redest du so bagatellmäßig? Ja, auf wen fällt denn das zurück?

HERMINE  Aber ich hab doch gesagt, hier ist so eine Zugluft, da werden gewiß die Schreibereien beim Fenster hinausfliegen, und darauf hast du das zweite Fenster noch aufgemacht!

THEODOR  Was? du schaust ja aus wie eine, die ausschaut, als wenn sie mir ins Gesicht eine Frechheit behaupten wollte. Ich hätte den Schwerstein weggelegt, das behauptest du? Das bringst du aus deinem Mund heraus?

HERMINE  Kein Wort habe ich vom Schwerstein gesagt! Den können Sie weggelegt haben oder nicht weggelegt haben, oder nicht weggelegt haben oder doch weggelegt!

THEODOR *sehr drohend*  Ich kann den Schwerstein weggelegt haben? Das! das wagst du mir ins Gesicht zu flüstern?

HERMINE  Sie verdrehen ja einem das Wort im Mund!

THEODOR  Ich verdrehe? Da!

*Es fliegen hinten noch einige Blätter schief durch die Luft.*

Ja, so rühren Sie sich! Ihnen anvertraute Sachen fliegen zwischen Himmel und Erde herum!

*Hermine hascht einige Blätter.*

THEODOR  Dort liegt noch eins! Bewegen Sie sich ein bißchen flinker. Es geht jetzt um etwas anderes als um eine Schlosserliebschaft.

*Hermine bückt sich.*

THEODOR  Und jetzt hinauf damit! Aber halt! Wissen Sie denn, auf welchen Schreibtisch diese Sachen gehören?

HERMINE  Ja, am Herrn Baron seinen!

THEODOR  So, und wissen Sie nicht, ob es nicht Korrespondenzen von der Dame darunter sind? Auch dieses Fenster steht nämlich offen, und bei der Unordentlichkeit, mit der Sie Schreibsachen aufräumen, können sehr wohl aus dem Fenster der Dame Papiere ausgeflogen sein. Da müssen Sie sich sehr in acht nehmen.

HERMINE  *zornig und dem Weinen nahe*  Ja, was soll ich denn jetzt tun mit die Fetzen?

THEODOR  Was, Fetzen? Sprechen Sie zu mir in einer ordentlichen dienstlichen Haltung! Benehmen Sie sich! Gehen Sie ein bißchen in sich!

HERMINE  *weint*  Du redest ja, als wenn ich dir eine fremde Person wäre!

THEODOR  *wild*  Schluß, Schlosserliebchen! Du bist für mich abgeschlossen! Zu einer Herrschaftsbedienung unter meiner Aufsicht gehört eben etwas anderes als eine Liebschaft mit einem ordinären, notorischen Schlosser! Also, jetzt bringen Sie die Sache in Ordnung! Es wäre gescheiter für Sie, es wüßte niemand, daß so diskrete Schriftsachen in Ihrer Hand gewesen sind. Legen Sie es in eine Mappe. Je schneller Sie so etwas aus den Fingern kriegen, desto besser ist es, das rate ich Ihnen im Guten! – Aber nicht hierher, – aufs Zimmer!

*Er spricht die letzten Worte von der Terrasse und verschwindet dann blitzschnell im Haus.*

Sie Infusorie!

*Ab.*

*Vorhang.*

# DRITTER AKT

## ERSTE SZENE

*Dekoration wie im ersten und zweiten Akt.*
*Marie sitzt in der Laube und verbirgt, da sie Schritte hört, ein Blatt*
*Papier, worauf sie mit einer Füllfeder geschrieben hat, in einem*
*Buch. Dann steht sie auf und verschwindet nach rechts. Anna*
*kommt mit dem kleinen Jaromir die Treppe herunter.*

DER KLEINE JAROMIR  Mami, wann wirst du mich in den Zirkus mitnehmen?
*Anna gibt keine Antwort.*
DER KLEINE JAROMIR  Wer hat dem Elefanten alles angeschafft? was er tun muß? Sein Wärter? Sag, Mami, darf er ihm alles anschaffen? Warum, weil er ihn dressiert hat?
*Anna nickt zerstreut vor sich hin.*
DER KLEINE JAROMIR  Gelt, Mami.
ANNA  Ja.
DER KLEINE JAROMIER  Und dir darf der Papi alles anschaffen? Hat er dich auch dressiert?
ANNA *rüttelt sich auf*  Geh, sei still, Bubi!
DER KLEINE JAROMIR  Mami, da sitzt die Marie und liest.
ANNA  Komm, Bubi.
DER KLEINE JAROMIR  *im Abgehen* Mami, wann wirst du mich in den Zirkus mitnehmen und auf dem Elefanten reiten lassen?
*Sind nach links abgegangen.*

## ZWEITE SZENE

MARIE  *kommt wieder, setzt sich auf ihren früheren Platz. Sie*
*nimmt das Blatt Papier wieder hervor und will weiterschreiben,*
*läßt es wieder sein, sie sieht nach ihrer Armbanduhr, sieht auf,*
*vom Warten gequält, späht nach oben ins Haus* Jetzt werd ich
bis zwanzig zählen – und dann wird er bei mir sein.

*Sie schließt die Augen. Eine Pause. Schlägt die Augen wieder auf, ringt die Hände, flüstert vor sich hin*
Ich hätte nicht hierherkommen dürfen, ich hätte nicht hierherkommen dürfen!

### DRITTE SZENE

*Theodor kommt lautlos die Treppe herab und geht leise und schnell vor sie hin.*

MARIE  *erschrickt*  Sie, Franz?
  *Faßt sich*
  Haben Sie etwas für mich?
THEODOR  Habe ich Sie erschreckt? Oh, da bitte ich Euer Gnaden um Verzeihung.
MARIE  Ich habe geglaubt, ein Brief, eine Nachricht für mich! Ich weiß nicht, ich bin so erschrocken.
THEODOR  Das kann ich begreifen. Sie haben durch seine Briefe sehr viel ausgestanden – und ich war der Überbringer! Schon mein Gesicht muß Ihnen unangenehm sein.
MARIE  *ängstlich*  Franz, haben Sie einen Auftrag an mich?
THEODOR  Meinen vielleicht wieder einen solchen wie am siebzehnten April vor fünf Jahren, wo Sie in meine Arme hineingefallen sind bereits wie eine Tote?
  *Nach einer Pause*
  Nein. Aber – ich erlaube mir zu bemerken, Euer Gnaden hätten nicht hierherkommen sollen.
MARIE  *vor sich*  Da liegt der Brief, in dem ich es ausspreche.
THEODOR  Sie müssen dem Herrn Vater Aufregungen ersparen. Ich habe ihn in der Stadt gehen sehen, so vor ein paar Wochen. – Ich verstehe mich auf Gesichter –
  *Marie nickt.*
THEODOR  Soll das Spiel vielleicht von neuem angehen, nach einer bereits fünfjährigen Pause? – – Der Anfang war doch bereits genau so. Ich erlaube mir zu erinnern: er hat Sie wollen einem anderen abjagen, der sehr große Liebe für Sie gehabt hat! Sie sind in ahnungsloser Angst vor ihm geflüchtet!

*Leise, aber sehr entschieden*
Ich habe Ihre Spur gefunden und ihm Nase darauf geführt
und er mit seiner Zungenfertigkeit ohne Herz und ohne
Seele hat Sie beredet und erstes folgenschweres Wiederse-
hen durchgesetzt!
*Marie seufzt.*

THEODOR  Damals war es nicht möglich – – aber heute ist es
möglich, Ihnen einen Rettungsanker zu überreichen. – – Sie
sind mit einem schlechten Gewissen gekommen. Mit einer
Unwahrheit gegen Ihren Herrn Vater!

MARIE  Franz, was erlauben Sie sich denn!

THEODOR  *zieht schnell einen Brief aus der Tasche, aus einer anderen eine kleine silberne Platte und übergibt ihr den Brief am Ende
des folgenden Satzes*  Ich entnehme das, indem der Herr Vater seinen täglich pünktlich besorgten Brief auf einem
Umweg schickt! Haben ihm Adresse angegeben wo bis gestern waren, dieser Ausflug hierher ist ihm unbekannt geblieben.

*Marie ist aufgestanden.*

THEODOR  Oh – – also der Vater sitzt jetzt zu Hause – und sein
kränkliches Herz, das weiß ich doch, ist angefüllt mit Sorge
um sein einziges Kind. Da denkt er sich jetzt die freundliche
Zukunft von seiner verräterischen Tochter aus, als Gemah-
lin eines rechtschaffenen Menschen, wenn er einmal nicht
mehr da sein wird. Ist das vielleicht eine Kleinigkeit, ein
Vater, der dort sitzt an einem Fensterplatz, wo er vielleicht
nicht mehr lange sitzen wird – und hinausschaut durchs
Vorgartl auf die Straße – ob vielleicht eine gewisse Fräulein
schon bald nach Hause kommt, die sein Alles ist? Aber
diese Dame ist auf Abwegen befindlich und Vater schaut
sich umsonst die Augen aus –

*Marie steckt den Brief zu sich, rafft ihre Sachen zusammen.*

THEODOR  Ja, ja wirklich! Sie müssen fortgehen! Aber nicht
nur von dieser Terrasse, den ganzen Aufenthalt müssen Sie
abbrechen – augenblicklich!

MARIE  Ja, ich habe schon ohnehin fort wollen. Ich werde alles
– – schreiben.

THEODOR  Ah, Briefel, damit er wieder Briefel schreibt. O

nein! Ohne Briefe! Sie sind doch keine Madame Melanie!
Er kann ja nicht leben, scheint es, wenn er nicht zwischen
Ihnen beiden abwechselt. Dieses doppelte Gespiel hat ja
einen ausprobierten Reiz für ihn.

MARIE *mit der letzten Kraft* Das ist eine boshafte Lüge! Ein
Zufall, an dem ich schuld bin! daß diese Dame und ich
gleichzeitig hier sind!

THEODOR *lächelnd* Oh, Sie sind ein guter auf sich nehmender
Engel.
*Leiser*
Er ist doch Ihr Feind! Hat er Sie nicht an Gott und der Welt
verzweifelt gemacht? Sagen Sie es!

MARIE Woher wissen Sie diese Dinge?

THEODOR Das wird schwer zu wissen sein! Er wird jetzt
kommen. Treten Sie vor ihn hin und machen Sie sich frei
von ihm auf ewig, sagen Sie ihm, daß Sie aufgerufen sind,
Ihr Herr Vater ist weniger wohl, werden Sie sagen! Es ist
telephoniert worden, werden Sie sagen, und ich habe soeben Ihnen diese Nachricht gemeldet!

MARIE Was wird er sagen, wenn ich plötzlich wieder abreise?

THEODOR Was immer er sagen wird, es wird keine Wahrheit
sein!

MARIE Ich kann ihm nicht weh tun!

THEODOR *leise, aber eindringlich* Aber dem Vater, ja!
*Er geht über die Stufen auf die Terrasse, kurz*
Also demgemäß Abreise neun Uhr fünfzehn und einpak-
ken!
*Er verneigt sich, geht schnell ab.*

### VIERTE SZENE

*Jaromir tritt auf, einen Fliederzweig in der Hand.*

MARIE *schnell, allem was er sagen könnte zuvorkommend* Ich
muß fort, heute noch!
*Etwas unsicherer im Ton, hastig*
Mein Vater ist weniger wohl.

JAROMIR   Sie haben eine Nachricht? Wann? Durch wen?

MARIE *mühsam* Ihr Diener Franz! Es ist telephoniert worden.

JAROMIR   Marie?

MARIE *hat ihre Sachen im Arm* Ich will fort! Ich muß fort!

JAROMIR   Marie!

MARIE   Nicht heftig sein, Jaromir! Nicht mir verderben diesen einen schönen letzten Tag! Ich war hier. – Ich habe diese Luft geatmet, Ihre Kinder gesehen. Ich habe in Ihrem Hause gewohnt, bin in Ihrem Garten gesessen!

JAROMIR *näher* Marie! Du hast mich noch lieb! Sonst wärest du nicht gekommen! Du kannst nicht aufhören, zu mir zu gehören!

MARIE *ohne ihn anzusehen* Ich will fort! Ich muß fort!

JAROMIR   Oh! Du bist eifersüchtig!

*Marie schüttelt mit schmerzlichem Lächeln den Kopf.*

JAROMIR   Auf die Melanie? – Dir zulieb hab ich sie eingeladen. Dir zulieb! – Ich weiß, in dir sitzt diese Angst, daß du mich belasten könntest. Du willst meinen Tag nicht ganz! – Für dich habe ich das alles so eingeteilt und jetzt willst du mich im Stich lassen!

MARIE   Ich habe es vor meinem Vater verheimlicht, vor allen Menschen gelogen! Ich muß fort.

*Sie tritt eine Stufe höher.*

JAROMIR   Bist du eine Egoistin geworden? Du, Marie? Du weißt doch, bis zu welchem Grade, Marie, ich mich einfach selbst verlier, wenn mich nur der Verdacht anweht, daß das Leben – der unbeschreibliche, unbegreifliche Fonds der Existenz selbst – daß das mir versagen könnte! Begreifst du denn nicht, daß du mich nicht im Stich lassen darfst!?

MARIE *auf der obersten Stufe* Was Sie brauchen, wird Ihre Frau Ihnen geben – – Ihre Kinder – – Aber ich muß fort.

JAROMIR   Das sind Ausflüchte! Sprechen wir nicht von mir, sprechen wir ernstlich von dir. Was war denn der Inhalt deiner Existenz?

MARIE *schon weggewandt* Ja, ja, aber ich muß fort!

JAROMIR   Du bist auf meine Frau eifersüchtig! Ist es möglich?

MARIE   Ich segne Ihre Ehe. Ich segne alles, was Sie umgibt – wenn Sie mich nicht hindern fortzugehen. Mögen Ihre Kinder lieben und geliebt werden!

JAROMIR *sieht, daß er sie verloren geben muß*  Marie –
MARIE  Geben Sie Ihrer Frau alles, was Sie zu geben vermö-
gen. – Mir nichts mehr. Kein Wort! Keinen Brief!
JAROMIR  Mit was für Augen schaust du denn auf mich!
MARIE  *schon im Verschwinden*  Adieu, für immer. Adieu!


### FÜNFTE SZENE

*Theodor erscheint wieder, kommt über die Treppe.*

JAROMIR *ratlos*  Das Fräulein Marie will plötzlich abreisen.
Sie ist ganz verstört durch eine Nachricht.
THEODOR  Sehr wohl! Ich habe schon demgemäß im Stall an-
geordnet.
*Er sieht sich um, ob Marie wirklich fort ist*
Ich habe befohlen, Blumen in den Wagen zu legen, ein gro-
ßes Bukett dunkelroter Rosen, so wie in früheren Zeiten.
*Sieht sich um*
Ah, da hat sie ihre kleine Tasche vergessen!
*Geht hin.*
JAROMIR *spricht für sich*  Man bildet sich ein, von einer zu wis-
sen, daß sie auch in der letzten Faser ihres Herzens keine
Egoistin ist und einen nicht jeder Regung ihrer Laune oder
ihrer schlechten Nerven aufopfert!
THEODOR *rechts, indem er das Täschchen hält, für sich*  In seiner
ganzen Verlassenheit und Schwäche hat so ein Mädchen
doch so eine heldenmütige Stärke –
JAROMIR *ebenso*  – und irgendein zufälliger Anstoß kommt
und belehrt uns eines Besseren!
THEODOR *ebenso*  Da müßte man doch, wenn man ein Herz
im Leibe hätte, jeden Seufzer und jede Träne sammeln in
einem Körbchen aus Birkenrinde!
JAROMIR *zu Theodor, in einem anderen Ton*  Den Wagen haben Sie bestellt? Ja, warum denn alles so überstürzt?
Warum denn alles in der Mama ihrem militärischen Tempo? Franz! Vielleicht wird doch das Fräulein ihre Abreise
noch verschieben.

THEODOR *fast wie wenn er allein wäre*  Die bleibt nicht mehr hier! Die habe ich demgemäß direkt in Gang gebracht!

JAROMIR  Wie, was sagen Sie?

THEODOR *nimmt sich zusammen, kann aber seinen Triumph nicht ganz unterdrücken*  Ich habe demgemäß die Abreise anbefohlen, wollt ich sagen, direkt im Stall anbefohlen, weil keine Aussicht war, das gnädige Fräulein durch meine noch so inständigen Zureden zurückzuhalten...

*Geht schnell ins Haus ab mit dem Täschchen.*

JAROMIR  Darüber könnte man melancholisch werden.
*Ab.*


SECHSTE SZENE


MELANIE  *erscheint auf der Terrasse. Sie geht über die Stufen rechts*  Franz!

*Theodor erscheint.*

MELANIE  Franz!

THEODOR  Sehr wohl!

MELANIE  Ich habe Sie hergerufen, weil Sie der einzige hier vom Personal sind, der mich kennt und den ich kenne!

THEODOR  Sehr wohl!

MELANIE  Ich fühle mich nicht ganz wohl, aber ich wünsche nicht, daß zu den Herrschaften darüber gesprochen wird!

THEODOR  Befehlen, daß in der Stille Abreise vorbereitet wird?

MELANIE  Das ist gewiß nicht notwendig. Es ist ein Zustand, der wechselt!

THEODOR  Befehlen, daß Doktor geholt wird?

MELANIE  Nein, ich möchte nur für alle Fälle meine Jungfer hier haben, verstehen Sie mich? Trachten Sie eine Verbindung mit Waldsee zu bekommen, ich werde selbst sprechen.

THEODOR  Verbindung kommt gewöhnlich, während Herrschaften bei Tisch sind. Dürfte ich vielleicht um Auftrag bitten?

MELANIE  Sie soll herkommen, mit dem Nachmittagszug

oder per Auto. Wie immer, ich will, daß sie um elf Uhr
abends spätestens hier ist!

THEODOR  Ich werde mit allem Nachdruck so ausrichten.

MELANIE  Ich danke Ihnen, da ist eine Kleinigkeit für Ihre
Mühe.

*Sie reicht ihm eine zusammengefaltete Banknote, die sie aus
einem Seitenfach der Mappe zieht.*

*Theodor nimmt das Geld, indem er sich verneigt und Miene
macht abzutreten.*

MELANIE  Noch etwas!

THEODOR  Befehlen?

MELANIE  Es könnte sein, daß mir gegen Abend besser ist!
Dann kann die Jungfer irgendwo im Hause untergebracht
werden. Aber es könnte sehr leicht sein, daß mir ängstlich
ist, verstehen Sie mich?

THEODOR  In diesem Falle müßte man im Toilettenzimmer
neben Euer Gnaden eine Ottomane aufstellen.

MELANIE  Sehr gut! Aber ich möchte nicht, daß im Hause davon herumgeredet wird. Es ist ja für alle anderen uninteres-
sant.

THEODOR  Ich werde alles persönlich in der Stille besorgen!

*Melanie nickt ihm zu und geht über die Terrasse ins Haus.*

THEODOR  O nein, meine liebe Melanie, die Jungfer wird
nicht herkommen, sondern du wirst abreisen, heute abend!
So eine wie du, die werde ich doch noch mürbe kriegen! Du
bist doch eine Gewöhnlichkeit! Dich schmeiß ich doch um
mit dem ersten Anblasen.

*Er fährt nach seiner Westentasche*

Ah, da habe ich ja Fieberthermometer bei der Hand, da
kann ich deine Temperatur ablesen.

*Er hält die Banknote in der noch geschlossenen Hand empor, als
wollte er zwischen den Fingern hineinblinzeln*

Kenn ich dich vielleicht nicht? Für gewöhnlich bist du eine
gewöhnliche Personnage. Aber wenn du eine Angst kriegst,
dann schmeißt du um mit dem Geld, damit du dich heraus-
ziehst. Da werden wir sehen, ist es nur eine Zwanziger-
Note, da müssen wir dich noch eine Weile hupfen lassen, da
müssen deine Nerven noch ein paar Überraschungen erle-

ben! Ist es ein Fünfziger, so ists Spiel schon halb gewonnen!
*Er öffnet ein wenig die Hand und blickt hinein*
Was, ein Hunderter!? O du heiliger Stanislaus, du fährst
heute ab, um neun Uhr fünfzehn! Über dich komm ich ja
wie ein Wirbelwind!
*Tanzt ab.*

*Vorhang.*

# VIERTER AKT

*Ein kleines Zimmer mit einem Bett. Unordnung, wie sie eine elegante Frau umgibt. Im Hintergrund, nicht in der Mitte, das einzige Fenster, ein bis zum Boden gehendes Balkonfenster, verschlossen durch die Glastür mit Vorhängen, die angelehnt ist. Tür links, rechts Tapetentür ins Toilettenzimmer.*

## ERSTE SZENE

MELANIE *sieht gebückt in einen Stoß beschriebener Blätter, in denen sie liest* Natürlich bin ich das. Es schwimmt mir vor den Augen. »M – M – M« das bin ich. – »Begegnung im Walde« – »Eine Jagdhütte« – »Ein Aprilwetter« – »Suchende im Walde mit Fackeln« – »Der Ehemann, der nachfährt«. – Er nennt ihn Gustav. Was nützt das, wenn sonst alle Details stimmen? Kommt jemand?
*Sie wirft ein Peignoir über das Paket, nachdem sie die Blätter schnell geordnet hat, läuft an den Spiegel, richtet sich. Ein Schatten an der Balkontür von außen.*
Jaromir, was fällt Ihnen ein, durchs Fenster zu kommen! Wie können Sie
*Theodor durchs Fenster herein, indem er die angelehnte Glastür von außen nach innen öffnet.*
MELANIE Ah, Sie sinds, Franz?
THEODOR Ich bitte untertänigst um Vergebung. Ich habe in Eile schnellsten Weg genommen, um zu melden wegen der Jungfer. Ich habe mit großer Mühe Verbindung bekommen –
MELANIE Sie kommt also –
THEODOR Leider – nein! – Es ist dort etwas dazwischengekommen.
MELANIE Ja, was denn? Sie hätten nichts dazwischenkommen lassen dürfen! – Ich will nicht allein bleiben!

THEODOR  Wenn ich melden dürfte? Ich habe die Jungfer an
Telephon rufen lassen, sie läßt Hände küssen und läßt mel-
den, sie könnte nicht abkommen, weil unversehens die
Damen Galattis oder so etwas – angekommen sind.

MELANIE  Meine Schwägerinnen in Waldsee?

THEODOR  Unversehens zurück aus Mähren – – und da hat die
Jungfer heiklige Bedienung übernehmen müssen und da ist
sie der Meinung, Euer Gnaden selbst, wenn das gewußt
hätten, hätten demgemäß unbedingt befohlen dort zu bleiben – – und dem hab ich beigestimmt – weil ich doch weiß,
was das für Spioninnen sind, diese beiden teilweise unver-
heirateten, teilweise verwitweten Frauenspersonen. Habe
ich denn vergessen, was uns diese so vor vier Jahren dort an
der Riviera für eine Hetze angezettelt haben!

MELANIE  Ah, diese fürchterliche Geschichte im Eden-Hotel
in Nervi, die wissen Sie noch!

THEODOR  Vergesse ich denn so etwas – – bin ich denn ein solcher Hudri Wudri, ein oberflächlicher, daß ich solche
Schreckenstage von meiner Seele abbeuteln könnte wie ein
Hund die Flöhe? – Sehe ich denn Euer Gnaden nicht dastehen bereits wie eine verlorene Person – wo? In meinem geistigen Auge! Von damals rede ich, wie diese beiden
Schwägerinnen uns nachgereist sind und unversehens dagestanden sind in Hotelhalle! – Und der Herr Gemahl, ist
mit ihm zu spaßen? Ist das ein angenehmer Gegner? Täte
der ein Erbarmen kennen, wenn noch diese beiden Furien
ins Feuer blasen, heute wie damals?

*Melanie will etwas sagen. Er läßt sie nicht.*

THEODOR  Und die sind zähe Rabenviecher, diese Intrigan-
tinnen! Nicht einmal unsere Verehelichung hat ihnen ganz
ihr Mißtrauen eingeschläfert! Und wenn die den kleinsten
Anhaltspunkt wiederum bekämen – so ein Dokument – so
irgendwelche Inflagrantisachen – so wie damals die Photographien, die der Haderlump, dieser Zimmerkellner, aufgenommen von Eurer Gnaden und meinem Herrn Baron
in einem Mondschein sehr nahe beisammen.

MELANIE  Wieso erinnern Sie sich denn an das! Das ist doch
gräßlich, daß Sie das noch wissen!

THEODOR *sehr ernst* Ich erinnere mich an alles. Deswegen braucht man sich vor mir in keiner Weise zu schämen. Es gibt Individuen, die interessiert nichts, als die eigene Person. Zu dieser Sorte gehöre ich nicht. – Ich bin es – nebenbei – gewesen, der diesem Haderlumpen die Platte abgekauft hat, und damit ist Beweisstück aus den Händen geräumt gewesen und die Schwägerinnen sind abgezogen als unbeweisbare Verleumderinnen und haben gekocht vor Gift und Galle –

*Im Zimmer umher Ordnung machend*

Ich werde dieser bedienenden Person einschärfen, öfter unter Tags aufzuräumen. Sie scheint nicht zu wissen, was Damenbedienung ist.

*Er hebt das Peignoir auf und entdeckt das Manuskript*

Ah, das ist aber! Ja, wie kommt denn das daher! Ah da trifft mich der Schlag!

MELANIE    Sie kennen diese Schriften?

THEODOR    Ja, was ist denn das? Je, wie käme denn das daher! Ob ich das kenne? Das ist doch der neue Roman. Ich habe doch alles miterlebt! Es sind natürlich Ungenauigkeiten darin. Er hat ein schwaches Gedächtnis.

*Geringschätzig*

Gelegentlich frägt er mich um etwas: und das ist dann demgemäß die einzelne Sache, auf die gerade alles ankommt. –

*Er blättert*

Aber da bin ich demgemäß sehr überrascht. Hat also Aussprache darüber

*Er zeigt auf das Manuskript*

stattgefunden und haben in schwacher Stunde Zustimmung gegeben?

MELANIE    Ich? Gott im Himmel!

*Sie zerknüllt ihr Taschentuch zwischen den Händen.*

THEODOR    Aber das ist, halten zu Gnaden, nicht ungefährlich. Käme das diesen Schwägerinnen in die Hände, die möchten schweres Geld geben –– die wären ja im Nachhinein rehabilitiert als rechtschaffene Angeberinnen. Die möchten ja das bereits wie ein Corpus delicti benützen! Aber ich bitte um Vergebung! Euer Gnaden werden sich das alles besser überlegt haben. Ich bitte um Begnadigung, wenn ich mich durch alte Anhänglichkeit hinreißen lasse!

MELANIE  Franz, Sie sind ein alter treuer Begleiter und Diener, ein alter Vertrauter – Ich werde Ihnen alles sagen! – Es ist – ich habe – ich bin – ich weiß nicht. Dieses Paket ist da gelegen – ich bin außer mir.

THEODOR  Also dann nicht. Herr Baron hat es überreicht zur Kenntnisnahme.

MELANIE  Ich sag Ihnen ja! Ich hab keine Ahnung! Es ist da gelegen! Ich habe es aufgeschlagen und war wie vom Blitz getroffen.

THEODOR  Belieben zu setzen in einem Fauteuil.

MELANIE  *setzt sich* Ich habe – im Gegenteil, der Herr Baron hat mich bestimmt versichert – ich meine, ich habe ihn so verstanden, daß er niemals die Erinnerungen, die sich auf mich und unsere früheren Begegnungen beziehen, zu einer Aufzeichnung benützen wird.

THEODOR  Ich verstehe. – Ah, da geht mir aber ein Licht auf! Ah, da sehe ich ja deutlich!

MELANIE  *springt wieder auf* Was, Franz, wer? Lieber Franz! Was meinen Sie?

THEODOR  Jetzt versteh ich!

MELANIE  Was verstehen Sie?

THEODOR  Das Herumschleichen von der Milli und so fort. – Und diese Rosa steht heute noch in Verbindung mit denen Schwägerinnen: das ist mir bewußt.

MELANIE  Franz, so helfen Sie mir doch!
*Sie greift nach ihrem Portemonnaie, das wo liegt.*

THEODOR  Es waren sehr viele Geräusche am Telephon, sehr schlecht zu verstehen – aber das ist sicher: die Jungfer hat nicht herkommen wollen, hat sich Ausrede machen wollen, diese tückische Person! Die hat Respekt vor dem Herrn Gemahl. Die weiß, daß mit dem Herrn nicht gut Kirschen essen wär, wenn man als Gelegenheitsmacherin in seine starken Hände fallen täte! Euer Gnaden sehen nicht gut aus! Befehlen, daß ich Tee und Kognak heraufserviere?
*Melanie winkt nein.*

THEODOR   Sie hat auch etwas gemurmelt von schlechter
Laune von Herrn Gemahl, das fällt mir jetzt erst ein!

MELANIE   Was soll ich tun, Franz?

*Sie hat ihr Portemonnaie in der Hand.*

THEODOR   Fragen mich – oder benützen nur so allgemeine
Redeweise?

MELANIE   Ich frage Sie, lieber Franz! Natürlich frage ich Sie!

THEODOR   *in bezug auf das Manuskript* Das muß aus der Welt!
Dann sind die heimtückischen Mitwisser ohne Beweisstück und können sich aufhängen!

MELANIE   *gibt ihm schnell viel Geld aus ihrem Portemonnaie, indem sie es ihm zusammengedrückt in die Hand schiebt* Tun Sie,
was Sie für gut halten!

THEODOR   *nimmt das Geld, schiebt es in die Westentasche, tritt aber
zurück* Wie meinen das, bitte?

MELANIE   Räumen Sie es weg, verbrennen Sie es!

THEODOR   *legt das Manuskript weg, auf den Tisch, als ob es ihn
brennte* Ah, das getraue ich mich nicht! Ja, wer bin ich
denn? Ich bin in einer dienenden Stellung. – Wo er das bei
seinem schlechten Gedächtnis hütet wie seinen Augapfel –
ja – da riskiere ich ja meine Existenz! Wenn das aufkäme!!!

MELANIE   *ringt die Hände* Mein Gott, so geben Sie mir doch
einen Rat!

THEODOR   Befehlen Rat? Ratsam wäre eines: abreisen, diesen
Abend, und mitnehmen die Sache als Eigentum.

MELANIE   Mitnehmen?

THEODOR   Man wickelt ein und legt in Koffer. Dann sind
Euer Gnaden sicher wie in Abrahams Schoß.

MELANIE   Aber wie kann ich denn das?

THEODOR   Wieso können? Was kann er machen geltend? Mo-
ralisch? Ah, da möchte ich sehen. Soll er hinfahren und sich
wieder holen. Soll er betteln darum, Euer Gnaden werden
diktieren!

MELANIE   Ich kann doch nicht etwas stehlen!

THEODOR   *legts hin* Ah, bitte! Dann nicht! Da werde ich mich
dementsprechend zurückziehen!

MELANIE   Franz, legen Sie es in meinen Koffer, schnell, ich
reise ab!

*Es klopft.*

THEODOR *lächelt befriedigt* Schlimmstenfalls sagt man, es ist aus Versehen eingepackt worden, und schiebt es aufs Aushilfspersonal.

*Er nimmt das Paket.*

MELANIE  Herein!

*Zu Theodor*

Packen Sie es in den Kleiderkoffer ganz unten.

*Nochmals gegen die Tür*

Herein!

*Theodor, das Paket unterm Arm, geht langsam gegen die kleine Tür rechts.*


## ZWEITE SZENE

JAROMIR  *tritt links ein, erstaunt*  Was machen Sie schon wieder hier?

*Leise zu Melanie*

Ich bin überrascht!

MELANIE  Wieso denn schon wieder? Ich hab den Franz gerade gerufen. Er muß mir helfen, alles schnell in Ordnung bringen.

*Sie sieht auf die Armbanduhr*

Ich reise in zwei Stunden und zwanzig Minuten.

JAROMIR  Sie reisen? Sie reisen – von hier ab?

MELANIE  Um neun Uhr fünfzehn –

*Theodor ist eifrig tätig, kleine Toilettengegenstände, Sachets, Pantoffel, Bänder, Handschuhe, die in allen Teilen des Zimmers verstreut liegen, zusammenzusuchen.*

JAROMIR  *fassungslos vor Staunen und Ärger*  Sie –

*Unwillkürlich sich zu Theodor wendend*

Was soll denn das heißen?

*Theodor hält Jaromirs Blick aus, erwidert ihn mit verbindlichem Lächeln und zeigt auf Melanie.*

MELANIE  Warum fragen Sie denn ihn? Ich will es Ihnen gerade erzählen.

*Leiser*

Ich habe beim Fortfahren von zu Haus kein gutes Gefühl gehabt.

JAROMIR  Inwiefern?

*Theodor, im Begriff ein Morgenkleid an sich zu raffen, das dort liegt wo Jaromir lehnt, nötigt diesen, ihn devot anlächelnd, seine Stellung zu wechseln.*

MELANIE  *halblaut*  In bezug auf meinen Mann und diesen Ausflug hierher. Ich habe telephoniert. Es war, wie ich gedacht habe. Er nimmt es sehr übel, daß ich ohne ihn gefahren bin.

JAROMIR  *völlig verstört und zu laut, ja mit einem Aufstampfen des Fußes*

Das ist ungeheuerlich!

THEODOR  Befehlen?

JAROMIR  Ich habe nicht zu Ihnen gesprochen.

*Theodor lächelt und sammelt Nadelpolster, Photographien, französische Bücher, Flakons und anderes, trägts ins Toilettenzimmer, eilig ab und zu gehend.*

MELANIE  *sieht wieder auf die Armbanduhr*  Es bleibt mir gerade die Zeit, mich bei Ihrer Frau Mutter zu entschuldigen und Ihrer Frau adieu zu sagen.

*Jaromir beißt seine Lippen.*

MELANIE  *von jetzt an mit einer reizenden Ruhe und Sicherheit*
Sie haben eine reizende kleine Frau.

*Leiser*

Wir haben zu wenig an Ihre Frau gedacht. Und auch zu wenig an meinen Mann.

JAROMIR  *so zornig, daß er nicht mehr höflich ist*  Jetzt auf einmal, das ist unerhört!

MELANIE  *sehr ruhig und sanft*  Ich habe das heute vormittag plötzlich gefühlt.

JAROMIR  *ganz leise und sehr böse*  Heute vormittag! Ah! ah!

MELANIE  *wegrückend und zugleich einen lauten Ton nehmend*
Es hat mich sonderbar und nicht angenehm getroffen, wie Sie diese Geschichte – die im April passiert ist – diesen Abend in der Jagdhütte – wie Sie das sehen –

JAROMIR  Wie ich das sehe?

MELANIE  Ja, die Rolle, die mein Mann dabei gespielt hat – dabei und bei früheren Vorfällen –

JAROMIR  Vorfälle nennen Sie das? Das ist ein etwas unerfreulicher Ausdruck.

MELANIE *ruhig und halblaut* Ich weiß. Ich habe das erlebt, Jaromir, erlebt, gelebt und
*Leiser*
vielleicht auch genossen. Ich bin manchmal eine sehr
leichtsinnige Person – und – ich kann es nicht ertragen, einen Freund zu verlieren, und deshalb reise ich ab.

JAROMIR   Das ist ja ein böser Traum! Diese Aufeinanderfolge,
diese Duplizität der Fälle –

MELANIE   Was haben Sie denn? Welche Duplizität? Ich sage es
Ihnen doch: ich habe gefühlt, daß mein Mann nicht gerne
sieht, daß ich allein hier bin. Ich bin auf einen Sprung her-
gekommen, um Ihre Ungeduld zu stillen – denn Sie sind
ein ungeduldiger Mensch und ich bin eine alte gute Freundin –

JAROMIR   Das nennen Sie meine Ungeduld stillen?

MELANIE   – und ich fahre zurück und komme, wenn es Ihnen
recht ist, die nächste oder übernächste Woche – mit meinem Mann. Er wird sich hier sehr wohl fühlen. Er hat einen
besonderen Sinn für Wesen, wie Ihre Frau eines ist.

JAROMIR   *wütend* Da ist irgend was passiert, das du mir
verheimlichst. Dahinter steckt ein Mann, aber nicht der
deinige!

MELANIE   *sieht ihn an* Oh, wie schlecht Sie mich kennen, Jaromir, das könnte einen beinahe traurig machen!

JAROMIR   Ich kenne dich schlecht?

MELANIE   *sehr ruhig* Sie kennen vielleicht manches von mir,
aber nicht das, was vielleicht das Beste an mir ist. Nicht die
Seite, die zum Beispiel mein Mann kennt. Es ist meine
Schuld. Ich habe das vor Ihnen versteckt, ebenso, wie ich
vor ihm das andere versteckt habe. Und ich weiß wiederum,
Sie verstecken geflissentlich vor mir Ihr Bestes –

JAROMIR   Ah, ah, das wäre?

MELANIE   Ihre Ehe und die große Liebe, die nach einem etwas
überstürzten, Ihrerseits geradezu frivolen Anfang diese gerade, ehrliche, bezaubernde und in Sie verliebte hübsche
Person in Ihnen geweckt haben muß –

JAROMIR   Ah, Sie empfehlen mir meine Frau! Ah – das ist ja
eine Serie! Ihr seid eine wie die andere! Sklavinnen eurer

mehr oder minder hysterischen kleinen Launen! Seid noch
so verschieden voneinander, in einem seid ihr gleich, in einer grenzenlosen Selbstsucht – Wer erlaubt euch, das Herr-
liche, das uns euch ausliefert, in dieser Weise zu verwalten?
*Es klopft an der Tür links.*
MELANIE *schnell* Herein.


### DRITTE SZENE

*Theodor, hinter ihm Hermine treten links ein.*
*Jaromir trommelt wütend mit den Fingern auf der Kommode, nächst*
*der er steht.*


THEODOR *indem er auf seine Uhr sieht* Euer Gnaden werden
verzeihen, wenn wir mit Packen schon anfangen. Gepäck-
wagen geht vor acht Uhr.
MELANIE Ja, natürlich, packen Sie nur. Bringen Sie auch den
zweiten Koffer hier heraus, hier ist mehr Platz. Und geben
Sie nur acht, Franz, daß später dann d a s zuunterst gelegt
wird, was ich Ihnen früher übergeben habe.
THEODOR Sehr wohl, ich werde beaufsichtigen.
*Ab mit Hermine ins Toilettenzimmer, dessen Tür offen bleibt.*
MELANIE *mit einem Blick auf Jaromir* Und jetzt bleibt gerade
noch die Zeit, daß Sie mich zu Ihrer Mutter begleiten, damit ich mich verabschiede. Die letzte halbe Stunde dann
vor dem Souper will ich mit Ihrer Frau verbringen – aber
ohne Sie. Wir Frauen haben einander eine Menge zu sagen.
*Theodor und Hermine bringen mehrere Koffereinsätze, auf denen*
*Blusen, Kleider, kleine Morgenmäntel, Kimonos und dergleichen*
*aufgehäuft liegen.*
*Jaromir will etwas antworten.*
MELANIE *wendet sich indessen zu Hermine* Ich mache Ihnen
viel Mühe, meine Liebe, erst mit dem Auspacken, jetzt mit
dem Einpacken, behalten Sie dafür diese Bluse. Ich hoffe,
sie gefällt Ihnen.
HERMINE Oh, Euer Gnaden!
*Küßt ihr die Hand.*

JAROMIR *ärgert sich wütend, murmelt* So vergeuden Sie diese letzten paar Minuten!

MELANIE *wendet sich zu ihm* Ihnen, Baron Jaromir, kann ich zum Abschied nichts schenken! Im Gegenteil, von Ihnen nehme ich etwas mit – etwas, das mit mir zu nehmen mir sehr viel bedeutet.

JAROMIR *ohne zu achten, was sie sagt, mit einem letzten Wunsch, sie zu sich hinüberzuziehen, leise, während Theodor und Hermine für einen Augenblick wieder im Toilettenzimmer verschwunden sind.* Siehst du dort die kleine Brücke? Sie hätte heute jemandem ein Weg sein sollen – hierher, einem zärtlichen Freund, Melanie! Soll sie umsonst gebaut sein?

MELANIE *laut, da Theodor und Hermine wieder eintreten, beladen mit Kleidern und Mänteln* Wie sagen Sie, Baron Jaromir? Nein, das Hämmern da draußen auf dem Dach hat mich gar nicht gestört. Ich schlaf nie nachmittags. Ich habe gelesen, nicht wahr, Franz, Sie haben mich lesend gefunden.

THEODOR Jawohl.

MELANIE Sie wissen, ich lese ganz selten in Büchern, außer in ganz oberflächlichen, die einem gar nichts nützen, aber manchmal passiert es doch, daß ich durch eine Lektüre auf einmal recht weit vorwärts komme. So etwas ist heute nachmittag passiert. Die Grenze zwischen zärtlich attachierend und frivol ist mir auf einmal ganz klar geworden. Und auch die zwischen dem, was man vielleicht noch entschuldigen könnte, und dem, was einfach unerlaubt ist.

JAROMIR *verstockt* Ich verstehe Sie absolut nicht.

MELANIE *sehr ernst* So? Sie verstehen mich nicht? Wirklich, Jaromir? Sie haben hier in diesem Hause mehr als Sie verdienen. Und ich habe anderswo das, was schließlich meine Existenz ist. Darum gehe ich jetzt weg und Sie bleiben hier.

JAROMIR Ich verstehe kein Wort. Aber ich werde Sie zu meiner Mutter begleiten.

MELANIE *an der Tür* Nein, ich möchte, daß Sie mich allein gehen lassen und über das, was ich gesagt habe, für sich selber ein bißchen nachdenken,

*Sie geht*

– ein ganz kleines bißchen nachdenken!

*Jaromir bleibt zurück und stößt zornig die Zigarette in eine kleine*
*Aschenschale, bis sie verlischt.*

THEODOR *der ihn mit einem eigentümlichen, undurchdringlichen*
*Ausdruck beobachtet* Stören wir Euer Gnaden? Sollen wir
mit den Koffern ins Nebenzimmer?

*Jaromir zuckt zusammen und geht ohne Antwort schnell aus dem*
*Zimmer.*


### VIERTE SZENE


THEODOR *noch bevor die Tür sich schließt, zu Hermine, ohne sie*
*anzusehen* Sie packen ein – ich sortiere und reiche.

HERMINE *mit ein paar zartfarbigen Kimonos und ähnlichem überm*
*Arm* Schön ist das!

THEODOR *ohne sie anzusehen* Du verlierst ja die Augen aus
dem Kopf über diesem Zeug! Da – vorwärts!

HERMINE *legts in einen Koffereinsatz* Wenn man denkt! Das
anhaben, da muß eins doch das Gefühl haben, als ob man
ein Engerl wäre mit Flügeln hinten.

THEODOR *ebenso* Was ist da weiter? Da, pack ein diese Fetzen!

*Reicht ihr.*

HERMINE *kniet und packt ein* Und dabei sollen sie doch nicht
viel wert sein, die Gnädigen!

THEODOR Was redst du da? Mach weiter. Ich habe Zeit nicht
gestohlen.

HERMINE *sieht auf* Ja, vor dir darf ich das nicht sagen. Es wird
ja geredet, du bist verliebt in die junge Baronin, deswegen
ist dir jetzt unsereins viel zu gewöhnlich!

THEODOR *ohne sie eines Blickes zu würdigen, aber immer so, daß*
*es scheinen kann, er richte, mit dem Sortieren beschäftigt, nur zu-*
*fällig immer seine Augen anderswohin als auf Hermine* Das
sind Tratschmäuler, erbärmliche. Diese Menschen haben
die Unfähigkeit, einen Menschen, wie ich es bin, zu erfassen. Weil ich einen Blick der Liebe und Aufmerksamkeit
auf eine menschliche Kreatur wie diese Anna werfe, deswegen glauben sie schon, daß sie mich in ihre Mäuler neh-

men können. Auch noch so eine Melanie, wenn ich sie in
meinen Armen in die Höhe gehoben mir denke –

*Er hat eines von Melanies leichten Abendkleidern in der Hand
und zieht flüchtig das Parfüm ein, das davon ausgeht*

Die ist ja noch tausendmal besser als wie der Gebrauch, den
er von ihr macht! Und da hat sie seine Photographie stehen,
als wie einen Götzen, ganz ungeniert!

*Er wirft ihr das Kleid und noch ein paar andere zum Einpacken
hin*

Was kann er denn an einem menschlichen Geschöpf wahr-
nehmen, als das da, diese Seiden – diese Pelze, diese Batiste,
diese Chiffons –

*Er wirft ihr dergleichen in Haufen zu*

das ist ja sein Um und Auf! Bis dahin reichen seine fünf
Sinne – da, diesen parfümierten Fetzen versteht er nachzu-
laufen, darauf hat er Appetit – und dazu muß die ganze
Weiblichkeit herhalten und dazu ist eine Stadt nicht groß
genug – da müssen Eisenbahnen her und Hotel muß her!
und Dienerschaft muß her, und Schlafwagen her und Au-
tomobil und Theater muß her, und eingepackt muß werden und ausgepackt muß werden und Hetzjagd geht weiter
– und Telephon muß her – und Brieferl werden geschrieben und Büchel werden gelesen und englisch wird parliert
und französisch und italienisch – und in diese frivole Sprache schließt er hinein wie in seidene Pyjama, mit denen er
ausgeht auf nächtliche Niederträchtigkeiten. Aber hat er
denn eine Seele im Leib, die aus ihm hervorbricht? Ja?
Nein! Da! –

*Er räumt das unterste Fach einer Kommode mit wildem Griff aus,
es taumeln Stiefeletten und Halbschuhe aller Arten und Farben
ihm entgegen, weiße, graue, schwarze, violette, goldfarbene*

Das ist gaunerische Sprache, auf die er eingelernt – da hast
du –

*Er nimmt zwei Schuhe auf die Hände und agiert mit ihnen wie
mit Puppen*

kitzlige Sprache, auf die seine blasierten, schläfrigen, nie-
derträchtigen Blicke mit Feuer antworten. Da! Da!

*Er schleudert die Schuhe wie Geschosse gegen die Einpackende*

Das ist oberste Vierhundert! Da! Das ist Blüte der Mensch-heit! Da! Da! Dafür ist Welt geschaffen, von unserem Herr-gott, damit auf oberstem Spitzel er mit seinem von irgend-einem Franz geputzten Lackschuh kann fußeln mit dem Ding da, was ich da in Händen halte. Da! Da! Ah du! Dein Gesicht will ich nicht mehr sehen, dein blasiertes, nieder-trächtiges! So stehst du da in goldenem Rahmen! So!

*Er hat blitzschnell Jaromirs Photographie aus dem Rahmen ge-zogen, reißt sie mitten durch und schiebt sie zerrissen wieder hin-ein.*

HERMINE  *springt zurück*  Was Sie für Augen machen, Herr Theodor! man könnte sich ja fürchten vor Ihnen! Nein, was Sie für einer sind!

THEODOR  *mit einem Sprung, nimmt sie um die Mitte*  Ists nicht gut, wenn du dich fürchtest? Bin ich denn böse auf dich? Dir läufts ja, scheint mir, eiskalt über den Rücken herunter.

HERMINE  *tut, als wolle sie sich ihm entziehen, aber nicht mit voller Kraft*  Nein, lassen Sie mich! Ich bin ja viel zu gewöhnlich für Sie!

THEODOR  *bei ihr*  Ah, wenn ich zu fürchten bin, dann fürch-test du dich zu wenig! Was hast du denn zu der Wallisch über mich gesagt? Du hast gesagt: meine Männlichkeit wirkt dir nicht mehr! Du bist mir aus meinen Krallen ge-schlupft! Ja, da hast du ja ein Sakrilegium begangen!

*Plötzlich den Ton wechselnd, mit äußerster Zärtlichkeit*

Freilich hast du diese Gemeinheiten gesagt! Aber das ist mir ja recht! Oh, du gewöhnliche Gewöhnlichkeit du!

*Küßt sie*

Wer sagt mir denn, daß ich nicht deine Gewöhnlichkeit mit einer brennenden Liebe rundherum fangen und in die Höhe heben will?

DER KLEINE JAROMIR  *draußen*  Papi! Papi!

HERMINE  Aber lassen Sie mich doch! Draußen is wer! Herr Theodor!

DER KLEINE JAROMIR  *an der Tür, noch außen*  Papi!

THEODOR  *ist sofort in Miene und Ton umgewandelt*  So, jetzt packen Sie zu Ende!

*Der kleine Jaromir wird an der Tür hörbar.*

HERMINE  *halblaut* Wie kann ich denn jetzt? Jetzt bin ich da
ganz verwirrt!

THEODOR  *ebenso, aber sehr stark* Bei deiner Seele! Kein frivoles Wort vor dem Kinde!
*Er schiebt sie mit einem Griff ins Toilettenzimmer.*


### FÜNFTE SZENE


DER KLEINE JAROMIR  *tritt herein* Papi, guten Tag sagen!
*Er sieht sich ängstlich um, dann erst bemerkt er Theodor, der in
der Türnische zum Toilettenzimmer steht, den Rücken gegen die
Tür.*
*Theodor lächelt liebreich.*

DER KLEINE JAROMIR  *zuerst erschrocken, dann erfreut* Theodor!
Wo ist der Papi? Wo ist der Papi? Ich kann ihn nicht finden,
und Mutti hat mich auch weggeschickt! Wo ist der Papi?!
*Theodor zeigt mit einer seltsamen Gebärde, er weiß es nicht.*
*Der kleine Jaromir lächelt.*

THEODOR  *einen Schritt hervortretend* Wie sagt der Zauberer zu
dem Kinde?

DER KLEINE JAROMIR  *ängstlich, aber entzückt* Komm, du liebes
Kind – fürchte dich nicht – ich sehe aus wie ein gewöhn-
licher Mensch –
*Stockt.*

THEODOR  Komm, du liebes Kind, ich habe dich lieb wie Vater und Mutter, ich verstehe deine Seele, – ich werde mit dir
fliegen –
*Packt den Kleinen blitzschnell, drückt ihn zart und fest an sich
und schwingt sich mit ihm über den Balkon.*
*Der kleine Jaromir lacht vor Freude.*

*Vorhang.*

# FÜNFTER AKT

*Die Dekoration des ersten Aufzuges.*

## ERSTE SZENE

*Es treten rechts oben ein: Theodor im Frack, mit einem großen Servierbrett, worauf Gläser, Karaffen und silberne Eßbestecke; der Gärtner in grauer Jägerlivree, mit einem gleichen Brett, worauf die Teller und im anderen Teil das Besteck; dann Hermine, schwarz angezogen, mit weißem Häubchen, weißer Schürze und weißen Handschuhen, mit einem gleichen Brett, worauf Tischwäsche. Sie stellen ab und ordnen auf zwei Kommoden links und rechts von der Glastür, die als Anrichte dienen. Hermine nimmt das Tischtuch, geht durch die Glastür und beginnt, einen Tisch für sechs zu decken, der in der Terrasse mittelst, auch in der Mittelachse des Zimmers steht.*

THEODOR  Rasch, rasch, beeilen Sie sich! Es muß schnell serviert und gegessen werden, denn dann erfolgt Abreise, schnelle Abreise, sehr schnelle Abreise!

GÄRTNER  Seit wann wird denn jetzt auf der Terrasse serviert, statt im Speisezimmer? Das ist ganz was Neues.
*Ab.*

THEODOR  Erstens ist dies nichts Neues, sondern ganz was Altes, und das geht Sie einen Schmarren an!
*Zu Hermine*
Und weißt du, wo ich dir heut nacht dein Zimmer anweisen werde? Da droben!
*Er zeigt senkrecht nach oben.*
Da, wo wir diese Melanie einquartiert haben, da wirst du dich hinaufbegeben, und ich werde diesen Weg –
*Er zeigt, wie ein Seiltänzer, der balanciert*
– dort über schwindlichem Dach werde ich zu dir kommen, dir einen kleinen Besuch machen, verstanden?

HERMINE    Maria! Da droben schläft doch der Herr Baron, der
hört doch alles!

THEODOR    Gerade durch sein Zimmer werde ich meinen Weg
nehmen, und ihn werde ich heut anderswo einquartieren.
So hab ich mir schon überlegt.

HERMINE    Was Sie zusammenreden!

THEODOR    *galant und scherzhaft*  Was unterstehst du dich!? Mir
scheint, du hast dich schon zu lange nicht vor mir gefürch-
tet!

*Hermine lacht.*

THEODOR    Zuckst du? Na wart! Dir muß ich den Herrn zeigen! Du wirst mich heut in der neuen Bluse empfangen als
Zeichen, daß du dich vor mir fürchtest!

HERMINE    Das werden wir schon sehen.

THEODOR    *zärtlich*  Oh, du lachst! Mir scheint, da habe ich
eine boshafte Schlange an meinem Busen aufgewärmt!

BARONIN    *von oben rechts*  Theodor, haben Sie eine Ahnung,
wo ich mein Lorgnon liegenlassen habe?

*Theodor von oben rechts, eilt hin, nimmt das Lorgnon von einem
Möbel und überreicht es.*

BARONIN    *sehr huldvoll und aufgeheitert*  Was sagen Sie dazu,
Theodor, daß jetzt beide Damen auf einmal abreisen müssen? Das ist doch eine außerordentliche Überraschung.

THEODOR    *mit einer Miene, die alles sagt und doch nichts preisgibt*
Ich danke untertänigst für gnädige Anerkennung.

BARONIN    *mit einer leisen Spur von Einverständnis*  Ich habe ja
nichts gesagt.

THEODOR    Haben allergnädigst zu erkennen gegeben.

*General tritt links ein, zuerst schüchtern durch die halbgeöffnete
Tür spähend.*

*Theodor entfernt sich schnell durch die Glastür, die er hinter sich
schließt.*

## ZWEITE SZENE

BARONIN  *wie sie den General sieht, nickt ihm in guter Laune zu,*
*indem sie mit dem Kopf hinter sich auf Theodor deutet*  Er
bleibt, er hat aus freien Stücken seine Kündigung zurückgenommen. Heute ist er wieder ganz der alte Theodor!
Haben Sie seinen Gang bemerkt?

GENERAL  Das ist der gewisse Gang, den er hat, wenn er mit
sich zufrieden ist! Darin liegt ja ein förmlicher Krampf von
Hochmut!

BARONIN  *gegen die Bank hin*  Eben. In diesem Augenblick
habe ich sofort etwas mit ihm abgemacht. Sie wissen, daß
mein Mann zu der Zeit, wie er noch Militärattaché in Kon-
stantinopel war, den Theodor überall mitgenommen hat,
nach Smyrna, nach Damaskus, ich weiß nicht, wohin noch!

GENERAL  *erschrocken*  Amelie! Sie wollen wieder reisen?

BARONIN  Das glaub ich, und nicht mit einer idiotischen Jungfer, der ich auf allen Perrons das Handgepäck nachtragen
muß und, wenn sie seekrank wird, den Kopf halten muß.
Der Theodor ist ein idealer Reisemarschall, er kennt sich
überall aus!

GENERAL  Amelie, ich habe es geahnt, daß Sie wieder reisen
wollen.

BARONIN  Ich bin es satt, unter diesem ewigen Regenhimmel
Neuralgie zu haben! Ich will noch einmal unter dieser goldenen Luft in einem hellen Kleid auf einer Hotelterrasse sitzen und Minaretts vor mir sehen!

GENERAL  Sie werden zwei, drei Monate wegbleiben?

BARONIN  Ein halbes Jahr hoffentlich!

GENERAL  *schüttelt traurig und resigniert den Kopf*  Wie soll ich
denn das aushalten?
*Steht auf.*

BARONIN  Und wenn ich Ihnen sage, daß der Theodor selbst,
ohne daß ich ein Wort davon gesagt hätte, den Gedanken
aufs Tapet gebracht hat, wie es denn wäre, wenn Sie mir
nach Smyrna oder Athen entgegenkämen?

GENERAL  *in jähem Umschwung zu kindlicher Freude*  Ich darf
Ihnen entgegenkommen?!

BARONIN *mit großer Grazie*   Wenn es Ihnen nicht zu unbequem ist, einen Schiffskoffer zu packen.

GENERAL *außer sich vor Freude*   Amelie!

*Plötzlich wieder betrübt*

Ah, es war der Theodor, der das proponiert hat! Und
Sie – –

BARONIN *mit Grazie und Ernst*   Ado, ohne Sie wäre ich doch
die gewisse alte Person, die in Kurorten und Hotels einsam
und mürrisch dasitzt und von der niemand begreift, wozu
sie noch auf der Welt ist!

*Sie reicht ihm die Hand zum Kusse.*

*General mit Tränen in den Augen, wie er sich über ihre Hand
beugt und ihre Fingerspitzen küßt.*


### DRITTE SZENE


ANNA *links oben eintretend*   Oh, – ich habe geglaubt, der – der
Jaromir ist da! Nämlich die Melanie war jetzt bei mir. Das
ist so eine liebe Person. Ich glaube, sie sucht dich! Sie hat
mir versprochen, daß sie im August mit ihrem Mann wieder herkommt.

MILLI *sieht links herein*   Frau Baronin, Frau Galattis sitzen im
Boudoir droben und Fräulein Am Rain möchte sich auch
verabschieden –

BARONIN   Ich komme!

GENERAL   Wenn Sie erlauben, so gehe ich mit.

*Beide links ab.*


### VIERTE SZENE


*Jaromir kommt vorne links, wo jetzt fertig gedeckt ist und Theodor
gerade das Mittelstück mit Blumen auf den Tisch stellt.*

*Anna hat Jaromir gesehen und wartet, sie steht an der Seite rechts.*

*Jaromir, ärgerlich und zerstreut, will quer durch das Zimmer gehen
und bemerkt Anna nicht gleich.*

ANNA  Jaromir!

JAROMIR  Ah, du!

ANNA  Du bist verstimmt über etwas?

JAROMIR  Ich komme aus dem Stall. Sie haben aus irgendeinem Grunde den kleinen Zweispänner eingespannt, in dem
allerhöchstens für drei Personen Platz ist! Das bedeutet
doch, da man die zwei Frauen nicht ohne jede Begleitung
wegfahren lassen kann, daß ich allein mitfahren muß. Eine
dumme, irritierende Sache! Es kommt einem alles zusammen!

ANNA  Was denn noch, Jaromir? Sag mirs!

JAROMIR  Mir ist ein Manuskript verlorengegangen, die erste
provisorische Niederschrift von meinem neuen Roman.
Verloren oder verlegt, jedenfalls ist es nicht da! Und wenn
ich den Roman überhaupt noch schreiben will, so ist es mir
unentbehrlich.

*Setzt sich auf die Bank.*

ANNA  Verloren kanns ja nicht sein. Wenn dus vor kurzem
noch gehabt hast, so ist es eben verlegt! Geh morgen früh
spazieren und laß mich während dieser Zeit suchen. Ich
werde es finden.

JAROMIR  Hast du denn schon einen Anhaltspunkt?

ANNA  Nicht den geringsten. Aber ich weiß bestimmt, Jaromir, wenn ich etwas, was du brauchst, für dich suche, so
werde ich es finden.

JAROMIR  Da brauch ich also nie mehr den heiligen Anton von
Padua anzurufen, sondern dich! Um so besser!

*Aufstehend*

Auf Wiedersehen. Ich gehe! Ich muß die Damen begleiten.

ANNA  Ich bitte dich, hab einen Moment Zeit für mich, du
mußt sie dir nehmen! Ich muß dir etwas sagen!

*Vor dem Tisch.*

JAROMIR  Ist dir etwas? Du bist ein bisserl blaß.

ANNA  Ich habe einen sehr argen Tag durchgemacht!

JAROMIR  Ist mit der Baby was los?

ANNA  Nein, ganz anders, in mir.

JAROMIR  Du hast auch Komplikationen? Seit wann denn?

ANNA  Hör mich an, Jaromir, ich bin eine ganz mindere Per-

son. Ich bin gar nicht das, wofür du mich nimmst. Du
mußt mich führen mit einer sehr strengen, festen Hand. Ich
hab schon gestern abend und heute von früh an, ich hab
ganz die Gewalt über mich verloren! Ich habe gegen ganz
was Niedriges, ganz Unwürdiges in mir nicht mehr an-
kämpfen können, – ich war eifersüchtig.

JAROMIR    Auf die Melanie?

ANNA    Ja, auf die Melanie! Aber zugleich auch auf die Marie!
Lach mich nur aus, auf beide!

JAROMIR    *mit etwas gekünstelter Heiterkeit*    Aber das ist ja eine
ernste Krankheit, mein Schatz!

ANNA    Ja, es war sehr ernst! Denn es hat mich so weit getrieben, daß ich mich nicht geschämt habe, etwas zu tun, was
ich mich so sehr schäme, dir einzugestehen, aber es muß
heraus!

JAROMIR    Ja, was denn?

ANNA    Ich habe gehorcht!

JAROMIR    Ah, ah!
*Runzelt die Stirn.*

ANNA    Du bist bös, – du hast recht! Straf mich! Ich habs verdient –
*Da Jaromir nichts sagt, fortfahrend*
Heute früh warst du mit der Melanie hier im Park, und
da hab ich mich in der Orangerie versteckt und habe gehorcht –

JAROMIR    Und?

ANNA    Mir war, als hätte ich dich ihr du sagen gehört.
*Lächelt*
Aber jetzt weiß ich ja, daß ich mich geirrt habe. Und plötzlich habt ihr viel leiser zu sprechen angefangen, und da bin
ich aus Stolz mit einem Ruck heraus aus dem Haus. Dann
haben wir zu Mittag gegessen, und dann bin ich mit der
Mama und der Melanie ausgefahren und dann war der Tee,
und diese ganze Zeit über habe ich dich doch verloren gehabt.

JAROMIR    Mich verloren?

ANNA    Ja, ich bin herumgegangen und habe gehört, was die
anderen reden, und habe die richtigen Antworten gegeben.

Aber überall zwischen mir und allen Dingen habe ich etwas gesehen, was dir ähnlich war und doch nicht du! Ich kann es nicht anders sagen: wie ein in Fetzen gerissenes unheimliches Bild von dir.
*Fährt mit der Hand über ihre Augen.*

JAROMIR  Aber, das ist ja ein Fiebertraum! Und man hat dir ja gar nichts angemerkt, du Kleines, du armes Kleines!

ANNA  Da hab ich einen Augenblick geglaubt, daß ich es auch ertragen könnte, wenn es sein müßte, – und auch ohne dich leben könnte! Aber dann, wie mir die Baby ihre kleinen Arme entgegengehoben hat, da ist mir eingefallen, daß du das Kind seit zwei Tagen mit keinem Blick angeschaut hast. Und da ist etwas über mich gekommen, Jaromir, etwas so Furchtbares, so, wie wenn gar nichts mehr in der Welt zu mir gehören würde, auch meine Hände nicht, meine Füße nicht, auch mein Gesicht nicht!

JAROMIR  *zieht sie an sich*  Aber wie hast du dir denn diese Geschichte so zu Herzen nehmen können?

ANNA  *entzieht sich ihm sanft*  – und da hab ich gewußt, wenn ich jetzt nicht gleich zu unserem Herrgott beten kann, daß er dich mir wiedergibt, so bin ich verloren!

JAROMIR  Aber ich gehöre doch zu dir und du gehörst zu mir!
*Vor sich*
O nie, nie wieder!

ANNA  Aber richtig beten hab ich auch nicht mehr können, nur das denken und mich so zu ihm hinfallen lassen –

JAROMIR  *wie oben*  Da, zu mir, wo du hingehörst!

ANNA  – und er hat mich erhört! In der Sekunde, und hat dich mir wiedergegeben!

JAROMIR  Wie denn, du Engel?

ANNA  Ich habe gespürt, er schickt dich von irgendwoher ganz zu mir zurück, unverlierbar –

JAROMIR  Und nie wieder kann uns etwas auseinanderreißen!

ANNA  *hat sich sanft aus Jaromirs Arm gelöst, sie spricht jetzt in leichtem fröhlichem Ton weiter*  Und dann hab ichs klopfen gehört, und auf einmal ist die Melanie dagestanden und dann ist auch die Marie gekommen, auch, mir adieu zu sagen, und beide waren so lieb!

JAROMIR   Du bist lieb! Du bist mein einziges, süßes Liebstes auf der Welt!

ANNA   *wie oben*   Die Marie ist ein besonderes Wesen, so ein Herz, und die Melanie ist so was Loyales, Aufrichtiges, Gescheites, Hübsches!

JAROMIR   Du bist das alles, du, nur du!

ANNA   Und da hab ich alles verstehen können!

JAROMIR   Was denn?

ANNA   Alles, alles auf einmal! Das weiß ich doch, daß diese beiden Frauen sehr an dir hängen und daß man darüber geredet hat, und eben wegen der Leute hast du wollen, daß sie beide einmal hier bei uns gewesen sind – – nur aus Güte und Zartgefühl für sie beide!

JAROMIR   Das kann ich doch gar nicht alles anhören!
   *Küßt sie heftig.*

ANNA   Damit sie fühlen, daß, wenn du sie schon nicht hast wählen können, du sie doch sehr hochstellst und immer stellen wirst. Und ich, ob ich sie nun viel oder wenig sehen werde, ich bin ihnen jetzt schon so anhänglich – – ich hab doch gespürt, wie sie beide sind.

JAROMIR   Ich hab gespürt, was du bist! In dieser Stunde so wie nie.

ANNA   *zwischen Lachen und Weinen*   Nicht, ich bitt dich, nicht!

JAROMIR   Und hörst du, ich will nicht, daß du das Manuskript suchst.
   *Küßt sie*
   Und wenn ich es finde, so wird es verbrannt, ich brauche es nicht. Ich will es nicht. Nie wieder, das ist alles nur eine eitle, unwahre Grimasse! Ein abscheuliches Überbleibsel aus meiner zu langen Junggesellenzeit! Das brauch ich nicht.
   *Küßt sie*
   Das will ich nicht haben. Dich will ich haben, dich!

ANNA   *zwischen Lachen und Weinen entzieht sich ihm*   Sag kein Wort mehr! Kein Wort! Sonst muß ich sofort heulen wie ein Hofhund beim Aveläuten –

THEODOR   *ist wieder auf der Terrasse erschienen*   Herr Baron, die Damen sind in Abreise begriffen –

JAROMIR   *überhört die Meldung*   Ich muß dir so viel sagen! Heute noch, heute, sag doch wann?

ANNA   Laß mich, es ist zuviel!

*Theodor steht in der Mitte.*

*Anna, sehr erregt, und dem Weinen nahe, weicht Jaromir aus bis an die äußerste vordere Ecke. Sie läuft rechts hinaus.*

THEODOR   *nähert sich Jaromir*   Dürfte ich jetzt etwas melden?

JAROMIR   Was denn?

THEODOR   *sich umwendend, ob niemand horche*   Ich hab mir erlaubt, unvorgreiflich eine provisorische Anordnung zu treffen.

JAROMIR   Was denn, das geht doch alles die Mama an.

THEODOR   Nein, das geht Herrn Baron persönlich an! Ich habe in Erwägung gezogen, daß Herr Baron nicht gerne haben, wenn Gesellschaft aus drei Personen besteht, besonders wenn Damen sind, wo man doch gewöhnt ist, mit jeder einzelnen sich zu unterhalten.

*Tritt näher.*

JAROMIR   Was wollen Sie denn, wovon reden Sie denn?

THEODOR   Demgemäß habe ich nachgedacht, wie peinliche Situation bei so einem Abschied sich in manierlicher Weise vermeiden ließe, und hab für alle Fälle im Stall befohlen, die Mascotte zu satteln. Es ist schöner Mondschein, Euer Gnaden können zeitweise Trab reiten neben dem Wagen, zeitweise wieder Galopp und Schritt quer über Wiesen, so ist man in Gesellschaft und ist doch für sich allein –

JAROMIR   Das ist ja eine wunderbare Idee! Franz! Sie sind ein außerordentlich gescheiter Mensch! Ich danke Ihnen sehr, Franz! Da brauche ich mich nun nicht umzuziehen. Ich sehe, daß Sie mir Ihre alte Anhänglichkeit bewahrt haben –

### FÜNFTE SZENE

GÄRTNER   *von oben rechts, meldet dem Theodor*   Die Mascotte ist gesattelt!

*Gleichzeitig mit dem Gärtner ist die Baronin aufgetreten, die die Meldung hört.*

*Marie, Melanie, General, Dienerpersonal folgen ihr.*

THEODOR   Vorführen!

BARONIN  Wer reitet denn aus, jetzt so spät abends?

THEODOR  Der Herr Baron wird die Damen begleiten zu Pferd!

BARONIN  *zu den Damen* Ich wußte es ja, natürlich begleitet Sie der Jaromir!

MELANIE  Ich wußte gar nicht, daß Fräulein Am Rain auch abreist?

*Melanie und Marie ziehen ihre Mäntel an, die ihnen die Jungfer und die Beschließerin reichen. Theodor nimmt der Beschließerin mit einem geringschätzigen Blick Maries Mantel aus der Hand und hilft Marie hinein.*

*Brocken von Gesprächen währenddessen.*

ANNA  *zu Marie* Jedenfalls schickst du uns gleich eine Nachricht, wie du deinen Vater gefunden hast, obwohl ich ja ein so gutes Gefühl habe, daß du ihn viel wohler finden wirst als du hoffst.

GENERAL  Ich beneide Jaromir um diesen Ritt im Mond über die Auwiesen. Wenn ich denke, daß ich drei Jahre auf keinem Pferd gesessen bin – wirst du mir nächstens die Mascotte für einen Morgenritt anvertrauen?

JAROMIR  Es wird für mich und für die Mascotte die größte Auszeichnung sein.

*Zu Melanie, ihr in den Mantel helfend*

Sie haben recht gehabt, tausendmal recht!

MELANIE  Gottlob, daß Sie das einsehen!

BARONIN  *zu Marie, die, völlig angezogen, etwas abseits steht, sehr gütig* Und wir beide haben doch kaum ein Wort miteinander gesprochen, das tut mir sehr leid!

MARIE  *nicht mehr imstande, ihre Tränen zurückzuhalten, beugt sich über ihre Hand und küßt sie* O danke, danke!

ANNA  *zu Jaromir, auch abseits der übrigen* Hast du deine Handschuhe und den Reitstock? Ich bringe sie dir!

*Ab ins Haus.*

GENERAL  Meine Damen, es ist die höchste Zeit, wenn Sie den Zug erreichen wollen!

BARONIN  Daß dieser Aufenthalt nur so kurz war, ist wirklich eine schmerzliche Überraschung für uns.

*Geht ab.*

JAROMIR *dem Anna Hut, Reitstock und Handschuhe gebracht hat*
Anna, wenn ich dir sagen könnte, wie ich dich sehe! Seit du
hier so zu mir gesprochen hast – wie ich dich sehe, so eine
Seligkeit!

ANNA *mit süßer Freude* Du – mich – wirklich? Du mich auch?
Ja, von was kommt denn das?

JAROMIR Das Ganze ist so unbegreiflich! Ich werde nie imstande sein, etwas so Ungeheueres zu verstehen, – wie es
heut in mir zustande gekommen ist, und hinter dem Ganzen, wenn ich jetzt bedenk, liegt so eine Planmäßigkeit, als
ob jemand es darauf angelegt hätte, mich zu mir selber zu
bringen und dadurch auch ganz zu dir – aber wer?

ANNA Wer? Halt der, durch den alles geschieht! Was er für
Werkzeuge dazu gebraucht, das können wir ja nie durchschauen!

JAROMIR Anna!
*Küßt ihr die Hand.*

ANNA *will sie wegziehen* Nicht! Ich bins heute nicht mehr
wert!

JAROMIR Du – nicht wert? Ah Gott!

STIMME DER BARONIN *über die Terrasse her* Jaromir! Jaromir!

JAROMIR Wie soll ich denn jetzt weg?

ANNA Du mußt aber weg, und ich muß hinauf!

JAROMIR Wie ist denn die Baby jetzt? Schläft sie unruhig?

ANNA Nur die erste Stunde. Dann so fest, daß sie nichts hört,
aber gar nichts!

JAROMIR Ja, dann darf ich also zu dir kommen?

ANNA *versteht, was sie gesagt hat ohne es sagen zu wollen, schämt
sich sehr* Jetzt schäm ich mich, daß ich das so gesagt hab!
Ich habe ja gar nicht an das gedacht!

THEODOR *über die Terrasse* Herr Baron, es ist die höchste
Zeit! Die Damen sitzen im Wagen.

JAROMIR *reißt sich los* Darf ich kommen – über die Wendel-
treppe? Laß mir die Tür offen. Wirst du, ja? Auch, wenn
ichs nicht verdient habe!?
*Läuft weg, bleibt nochmals stehen*
Du!
*Läuft schnell fort.*
*Anna nickt und steht wie betäubt.*

### SECHSTE SZENE

*Theodor betrachtet Anna, schließt dann die Glastür und verriegelt
sie mit einem Balken.*
*Hermine erscheint leise an der Tür links, vorsichtig. Sie hat weder
Schürze noch Häubchen, noch Handschuhe, sondern sie trägt die
hübsche neue Bluse und eine Blume im Haar.*
*Theodor deutet ihr, daß Anna da ist.*
*Hermine macht ein Mäulchen, als sei sie eifersüchtig.*
*Theodor mit einer gebietenden Bewegung weist sie nach oben, sich in
ihr Zimmer zu verziehen. Dann deutet er lächelnd an, er werde wie
ein Kater geklettert kommen, dann jagt er sie weg mit einem Wink.*
*Hermine verschwindet und verschließt die Tür, alles hinter Annas
Rücken.*

ANNA  *dreht sich auf das Geräusch der zugehenden Tür rasch um*
   Ah, Sie sinds, Theodor?
THEODOR  *ihr etwas näherkommend*  Es ist sehr gütig, daß Euer
   Gnaden mich mit meinem richtigen Namen bezeichnen.
   Darin liegt eine gütige Seele ausgesprochen. Dafür bitte ich
   diese –
   *Mit einer kleinen Überlegung*
   oder vielmehr künftige Nacht für Euer Gnaden zu unserem
   Herrgott beten zu dürfen.
ANNA  *nach einer Sekunde*  Haben Sie zugesperrt?
THEODOR  Sehr wohl, ich melde untertänigst, es ist alles in
   Ordnung.
ANNA  *wendet sich zum Gehen, etwas geziert*  Aber der Herr
   Baron muß noch herein.
THEODOR  Da hab ich Licht brennen lassen an der kleinen Ne-
   bentür und auf der Wendeltreppe.
ANNA  Ah, dort? Weiß das der Herr Baron?
THEODOR  Er wird das Licht schon sehen und sich demgemäß
   dorthin wenden. Ich habe gemeint, Herr Baron wird
   Wunsch haben, nach zwei so unruhigen, gestörten Tagen
   die beiden Kinder anzuschauen, ob sie ruhig schlafen –
ANNA  Ah, gut, danke!
   *Sieht ihn lächelnd an.*

THEODOR  Es sind Euer Gnaden die irdischen Dinge sehr ge-
brechlich. Es kann auch eine sehr starke Hand keine
Schutzmauer aufbauen für ewige Zeiten um ihre anbefoh-
lenen Schützlinge. Aber ich hoffe, solange ich hier die Aufsicht über das Ganze in Händen behalte, wird demgemäß
alles in schönster Ordnung sein!

*Vorhang.*

# DER FIAKER ALS GRAF

[FRAGMENT]

# DER STREIT

MILLI  Sags gleich, daß ich dir zuwider bin. Daß du mich mit dem Hut nicht sehen kannst. Ich hab ja der Babett beim Gindreau gesagt: er steht mir nicht – aber die Gans – übrigens warum hab ich nicht auf die Bertha gewartet.

TASSILO  Ja warum?

MILLI  Warum denn nicht? um dich nicht eine Minute warten zu lassen. Wie gewöhnlich –

TASSILO  *sieht zum Himmel*  Wie gewöhnlich!

MILLI  Es ist ja unangenehm genug zu wissen, daß einem ein Hut nicht steht und gerad am letzten Abend: so behaltst du mich jetzt 2 Monat im Gedächtnis. Ich möcht ihn herunterreißen, den Deckel! Aber deswegen noch angefahren zu werden.

TASSILO  Es ist nicht meine Gewohnheit, Damen anzufahren – Übrigens sehe ich keinen Zusammenhang zwischen einem Hut, der dir notabene im Profil sehr gut steht, von vorn vielleicht weniger – und dem Umstand, daß du mich unaufrichtig nennst, weil ich nicht im Stand bin, bei dem Tempo zu folgen, mit dem deine Launen umschlagen.

MILLI  Ich leg meine Worte nicht auf die Goldwag. Wenn ich in jedem Ton von dir spür, daß du mich nicht leiden kannst, so nenn ich das anfahren. Schimpfwörter erwart ich von dir nicht. Dafür bist du schließlich zu gut erzogen. Die gehören zu einem andern Typ von Männern.

TASSILO  Du scheinst ja Erfahrungen aller Art zu haben.

MILLI  *sie schneidet das Fleisch für den Hund, bläst es*  Das ist eine Perfidie ohne gleichen von dir zu mir! Mir das zu sagen, wo ich mein ganzes Leben vor dich hingebreitet hab wie die Serviette da.
*Sie hat die Tränen in den Augen.*

TASSILO  Ich habe mich ausschließlich gegen das Wort unaufrichtig verwahrt. Das war der Anfang von unserm ganzen Streit. Und dann hast du gesagt überhaupt.

TASSILO  Du weißt »überhaupt« –

MILLI  Ich hab meine Muttersprach nicht ausm Lexikon gelernt. Ich war nur in der Bürgerschul.

MILLI  Pardon das war nicht der Anfang. Ich hab ausschließlich gesagt: es ist eine Unaufrichtigkeit von dir, wenn du mir nicht eingestehen willst, daß du dich ärgerst, daß der Aladar hier sitzt und uns den letzten Abend ausspioniert. Also gut. – Ich laß mich belehren. Besonders, wenn man es so energisch tut. Du warst entzückt, wie du ihn gesehen hast.

TASSILO  Ich mache aufmerksam, daß du ihn gesehen und mir gezeigt hast. – Es wird mir wohl frei stehen, mich zu freuen, wenn ein witziger mir sehr zugetaner alter Freund – oder sagen wir guter alter Bekannter, zufällig hier sitzt.

MILLI  Und mir wird es frei stehen, mich zu fuchsen, wenn ich sehe, wie du aufs Spriesserl hupfst sooft er dirs hinhalt'. Der Aladar sitzt nämlich nie zufällig irgendwo, das zu glauben, dazu gehört schon ein solches hochgräfliches Maß von Naivität.

TASSILO  Wenn ich dich bitten dürfte, Eigennamen zu vermeiden und soziale Bezeichnungen und ein bisserl leiser zu sprechen –

MILLI  Aber bitte. Verbring doch gleich den Abend mit ihm statt mit mir. Wenn du ihn so witzig findest – Ich fahr halt z'haus. Vielleicht verkuppelt er dich wieder einmal – er hat ja immer eine Amerikanerin oder so was auf Lager.
*Sie füttert den Hund.*

TASSILO  *mit mühsamer Contenance fängt an, mit dem Oberkellner zu beraten*  Würdest du Krebsen.

MILLI  Ah – du glaubst jetzt vielleicht, daß ich eifersüchtig auf – oder was soll sonst dein Gesicht sagen?

TASSILO  *zum Kellner*  Warten Sie einen Moment.

KELLNER  Sehr wohl Herr Graf.

MILLI  Ah da bist du aber derart aufm Holzweg, mein Lieber. Es ist erstaunlich, wie wenig du einen kennst. Also ich soll grandig geworden sein – wegen seiner d. h. wegen deiner verflossenen – wegen dieser mageren amerikanischen Stange –, das is ja lachhaft. Das aufdisputierst du mir?

KELLNER   Haben sich entschieden?

*Tassilo winkt ab*

MILLI   Lachhaft ist das. Das ist schon geradezu fin de siècle. Das is ja für'n Girardi.

TASSILO   Ich imputiere gar nichts. Ich suche mir zu erklären, was dich an unserm Abschiedsabend in diese Stimmung versetzt –

MILLI   Also so wenig kennst du mich, nachdem wir beinah zwei Jahr zusammen sind. – Vielleicht bin ich heut empfindlich.

*Da Tassilo den Garten mustert, mit dem Messer aufklopfend*

Hörst du mir zu?

TASSILO   Es wäre auch für weiter wegsitzende schwer möglich, dich nicht zu hören.

MILLI   Vielleicht hast du sofort, wie wir ausgestiegen sind, gespürt, daß mich was ärgert – daß ich ein Gesicht angesehn hab, das mir's stiert, und dann hast du erraten, daß es der Betreffende is, und hast halt geglaubt, daß es mir wegen mir zuwider is, ihn zu sehen – es ist mir aber ausschließlich wegen dir zuwider. Wenn ich einen Zorn auf ihn hab – so is es aus einem Grund, der sich nur auf dich bezieht und den du gar nicht einmal weißt.

TASSILO   Also weißt du, ich weiß sehr genau, daß er dir auf Tod und Teufel den Hof gemacht hat, damals, wie wir zwei schon ziemlich weit miteinander waren.

MILLI   Das wär' natürlich nicht gewesn? Daß mir noch einer mehr den Hof macht, das hat mir immer nur eine damische Freud gmacht. Das kann ich nicht leiden, wenn du mich schöner machst als ich bin – und mich hinstellst wie die schwäbische Jungfrau in der Bognergassen.

TASSILO   *Gebärde* Ja einen Mailberg wie gewöhnlich. Und ein großer Krondorfer.

MILLI   Aber die Art, wie er mir den Hof gemacht hat, da war schon eine Perfidie drin, wie ich aufrichtig gsagt bisher nur von einem weiblichen Wesen für möglich gehalten hätt.

TASSILO   Er hat gspürt, daß zwischen uns was los is und hat dich mir wegnehmen wollen – das wär nur eine Revanche gewesen für gewisse frühere umgekehrte Fälle.

MILLI  Das weiß ich sehr genau, daß es nur eine Revanche gewesen ist. Und wenn er dich mit mir zusammengebracht
hat, so war das auch nur eine Revanche. Der ganze Mensch
is nämlich aus Revanche gegen dich zusammengesetzt. Für
gewöhnlich kann ja so etwas bei einer Hofmacherei der
Nebenzweck sein. Aber wenn man als Frau spürt, daß das
der Hauptzweck is, und wenn man noch dazu in den andern verliebt is, da kann einem bei so einem schon das
Grausen angehn!

TASSILO  Ah, da muß ja ein Mann doch ziemlich ins Zeug gehen – damit er seine innersten Motive so dekouvriert. Da
muß die ganze Sache doch eine ziemliche Entwicklung gehabt haben – das ist mir neu –

MILLI  Ah ja, ins Zeug glegt hat er sich schon der Aladar. Ah,
das kann er.

TASSILO  Das is mir alles sehr neu – wenigstens das Gewicht
der ganzen Sache –, er scheint ja da sehr weit gegangen zu
sein.

MILLI  Weißt, mein Lieber, wie weit die Männer sind, darauf
kommts nicht an. Es kommt nur darauf an, wie weit wir
uns mit ihnen einlassen wollen. – Und nah gegangen is mir
der Aladar nicht so viel. – Gfallen hat er mir einen Abend,
vielleicht zehn Minuten lang. Und dann schon gar nicht
mehr, so fesch und elegant als er is. Das kannst mir glauben.

TASSILO  Aber dann hast du doch gar kein Grund gehabt, dich
zu ärgern, wenn er zufällig hier sitzt und soupiert.

MILLI  Wegen mir hab ich mich nicht geärgert. Und jetzt lassen wir schon die ganze Gschicht. Heinrich!

TASSILO  Wenn du dich nicht geärgert hast, daß er da sitzt – da
sinds wir doch – da ist doch des Pudels Kern: du warst aus
irgend einem Grund grandig und weil du nicht ausstehen
kannst, daß dann jemand um dich herum seine Laune behält.

MILLI  Warum soll ich denn aber grandig gewesen sein,
wenn's nicht wegen dir war!

TASSILO  Warum, das ahne ich nicht! Ich war jedenfalls in dem
Augenblick, auf den es ankommt, nicht grandig, nämlich,

wie wir aus'm Wagen gestiegen sind – also kannst du nicht sagen, daß du's wegen mir warst! Jede Verdrehung hat doch ihre Grenzen.

MILLI  Nicht so wegen dir – darüber daß du von vorn herein grandig gewesen wärst, sondern so wegen dir, weil er halt grad heut da sitzt, und weil ich gwußt hab, er wird und muß dich ärgern! Und weil du dann getan hast, als obs dich nicht ärgern tät.

KELLNER  Ob später serviert werden soll?

TASSILO  Gleich, d. h. später! d. h. gleich! aber ein bissl später! *Springt vor Ungeduld* Das behaupt ich doch! Das is doch genau, was ich unaufhörlich behaupte. Wie wir aus'm Wagen gestiegen sind, war ich in der besten Laune –

MILLI  Aber das, was du behauptest, ist doch genau das Gegenteil. Du behauptest, daß in dem Augenblick, wo du den gewissen unangenehmen Ton angenommen hast, wie wenn irgend etwas in mir dir nicht recht gewesen wär –

TASSILO  Das war doch nicht beim Aussteigen, das war, wie wir über den Hof gegangen sind!

MILLI  Beim Aussteigen wars – in dem Augenblick, wo deine gewisse geschminkte Gredl aus'm Carltheater, die, wenn sie dich sieht, immer so dreinschaut wie die Fräulein, die ihren Mops verloren – neben uns aus dem unnumerierten mit den zwei Eisenschimmel gstiegen is.

TASSILO  In dem Moment soll ich grandig gewesen sein – ah! das is doch stark! Da hab ich ihn doch gar nicht gsehn ghabt.

MILLI  Aber ich hab ihn gsehn –

TASSILO  Darum handelt sichs doch nicht –

MILLI  Wenn ich draußen beim Gatter vorfahr – so seh ich, wer herin sitzt – ich kann nix dafür – ich hab halt Augen im Kopf.

TASSILO  Es handelt sich nicht um den Moment – wo du ihn gesehen hast – dieser Moment.

MILLI  In einem Moment seh ich die Glatzen von dem Börsianer, der früher mit der Bedecovich gangen is, die immer wart, bis ich wegschau, um dir einen Blick zuzuwerfen –

und ich seh die von dem Infanteriehauptmann, ich seh den Ebenstein, der immer nachdenkt, ob er wie ein Graf aus- schaut und zugleich ausrechnet, wie viel Zinsen er an der Rechnung verliert, die ihr schuldig seid's.

TASSILO  Dieser Moment, wo du ihn gesehen hast, ist für un- sern Streit vollkommen irrelevant!

MILLI  Und zugleich seh ich doch von der Seiten, was in dir vorgeht, ich bin a mal nicht tramhappert – und da hab ich gesehen, daß du dich ärgerst.

TASSILO  Störrisch wie ein Mulo, hat unsre Gouvernant gsagt, wenn die Elle

MILLI  daß du dich giftst – und daß du akkurat merkst, daß ich merk, wie du dich giftst.

TASSILO  Eine fixe Idee!

MILLI  Und daß du in dem Augenblick dir vornimmst, so zu tun, als ob du nicht giften tätest und alles in dich hineinfrißt – und dadurch nahmlich noch viel wütender wirst –

TASSILO  Eine fixe Idee! eine fixe Idee! eine fixe Idee!

ALADAR  Ich habe die Ehre, guten Abend zu wünschen.

MILLI  Servas, Aladar. – Man wird älter was. Schöner Abend heut. –

ALADAR  Ich weiß nicht, womit ich mir die Ungnade zugezo- gen habe.

MILLI  Aber geh.

ALADAR  Ich kann mich an Zeiten erinnern, wo ich Ihnen nicht so antipathisch war. Wo man sich auch nicht so ganz zufällig nur getroffen –

MILLI  Plausch net Peperl.

*Aladar etwas lauter.*

MILLI  Da schau dir 'n an, den Aladar! Jetzt kriegt er auf ein- mal ein viel ein jüngeres Gesicht. Das is ein Verwand- lungskünstler. Von dem kann man was lernen. Wo is er denn hinkommen der Tassilo?

ALADAR  [...]

MILLI  Das war was extra-gescheidts was Sie jetzt gsagt ha- ben.

ALADAR  Finden Sie.

MILLI  Ich hab zwar nit zughört. Aber ich kenns Ihnen an die zufriedenen Nasenlöcher an.

ALADAR  [...]

MILLI  Ja, Sie haben schon Ihren Effekt gemacht, sie spitzt schon die Ohrn, die kleine Schwarze.

*Elis grüßt, Milli erwidert.*

ALADAR  Sie kennen das Fräulein? Ah das ist merkwürdig.

MILLI  Aber ich bitt Sie, spielen nicht den Erstaunten. Frozzeln laß ich mich nicht. Sie wissen sehr genau, daß das die schwarze Ellis is die früher bei mir Hausschneiderin war – Sie haben ihr in der Wohllebengassen oft genug – Und jetzt hat sie einen Modesalon. Wollens die Adreß wissen? Soll ichs herrufen

ALADAR  Ich erinnere mich. Sie ist aber hübscher geworden.

MILLI  Aladar! Aber das bemerken Sie nicht jetzt erst – denn schon früher haben Sie angebandelt, wie ich in einer Ecke gsessen bin.

ALADAR  Ah, Sie verwenden doch noch Blicke – auf unwürdige Gegenstände.

# TIMON DER REDNER

[FRAGMENT]

# TIMONS AUSZUG

*Die Komödie ›Timon der Redner‹ ist eine politische Komödie.*
*Timon ist der radikale Kleinbürger. Die Gegenfigur, die Wortfüh-*
*rerin für die aristokratische Partei, ist die Hetäre Bacchis.*
*Timon führt ein Doppelleben. In einem Stadtbezirk ist er ein be-*
*scheidener Kleinbürger, verheiratet, Vater von fünf Kindern. In*
*einem andern Bezirk heißt er Malchus, ist der Teilhaber an einem*
*öffentlichen Haus und der Beschützer von dessen Vorsteherin,*
*Leäna. – Von den übrigen Figuren ist Chelidas der seinem Vater*
*sehr unähnliche älteste Sohn Timons; dessen Begleiter Lykon ist ein*
*Tagedieb und Schmarotzer; Tryphon ist ein Agent und politischer*
*Vermittler; Theron ein halbverrückter Politikaster; Ephraem ist*
*Diener in Leänas Haus und Myrtion eine der jungen Personen, die*
*dieses Haus bewohnen.*

## I.

*Ein kleiner Platz; auf diesen mündend ein enges Gäßchen, darin ein*
*Barbierladen. Ein anderes Gäßchen links abgehend unter einen*
*Schwibbogen, ein anderes rechts, hinten Timons Haus.*
*Tryphon, von rechts rückwärts herein, mit einem jungen Burschen.*
*Der Barbier steht in seiner Ladentür.*

TRYPHON  Ob das des Timons Haus? Dich frage ich
*Zu dem Barbier*
ja! wen denn sonst! Ich meine den politischen Timon, nicht
den Timon, der die Matrosenschänke unten am alten Hafen
hatte, noch den bucklfgen Timon, der auf Pfänder leiht! Ich
meine den berühmten Timon, der im großen Rat für die
ganze hintere obere Region des elften Viertels das Wort
führt und den Regen und das schöne Wetter macht.
*Barbier gibt keine Antwort*
*Tryphon mustert die Häuser*

Oder doch dieses? Aber man hat mir gesagt: immer findest du eine Ansammlung von Leuten davor, Bittsteller, Anhänger und solche. Und wenn du ihm jemand zuführen willst, so mußt du früh aufstehen, sonst kommst du gar nicht zur Audienz.

DER BARBIER *gelb vor Zorn, kommt heran* Ich muß mir doch das Affengesicht anschauen, das hier vor meinem Laden das Wort »berühmter Mann« herausläßt.

TRYPHON *weicht aus* Es scheint dort drüben zu sein.

DER BARBIER Ein Dreckkerl, ein Hetzer und Wühler!
*Tritt ihm in den Weg*
Ich werde dir ein Wort sagen, also bleibe stehen, du Gestell, verwanztes. – Hast du schon einmal im Leben das Rezept zu einem unfehlbaren Haarfärbemittel ausgedacht? – Und dieses Haarfärbemittel ist da, da drinnen steht es, es existiert seit dreizehn Jahren! Und sie kennen es alle! Aber sie haben sich ihr Wort gegeben, die ganze Stadt hat sich ihr Wort gegeben, es totzuschweigen! Und da soll ich ruhig bleiben, und anhören, wie ein Strolch, dessen Gesicht man nie gesehen hat, sich hier breit macht und dieses wühlende Schwein da, diesen Timon, der mit dem Rüssel das Oberste der Stadt zu unterst kehren will, einen berühmten Mann nennt!

TRYPHON Dieser Barbier hat eine widerwärtige Redeweise. Gehen wir dort hinüber.
*Verschwinden beide rechts.*
*Der Barbier geht in seinen Laden.*
*Chelidas und Lykon vorne rechts seitwärts aus Timons Haus herausschleichend.*

CHELIDAS Wie hat sie es gesagt?

LYKON Hab ich es dir nicht Wort für Wort vorgesprochen? Bist du verblödet?

CHELIDAS Du triffst meine Schwäche. Ich zittere, wenn von ihr die Rede ist und fasse es nicht auf.

LYKON Du mußt sie grob anpacken. Da ist ein Soldat, der kommt wegen der Rothaarigen. Die andern dort im Haus nimmt er nur so nebenbei. Wie ein Habicht mit einem kleinen Huhn geht er um mit ihnen. Was schneidest du für Gesichter?

CHELIDAS  Teils über das, was du sagst, teils weil ich glaube, eine gewisse Stimme zu hören.

LYKON  Welche Stimme?

TIMONS *Stimme im Haus*  Sogleich, mein Schatz.

CHELIDAS  Diese da. Die Stimme meines Vaters. Sie schlägt sich mir auf die Herzgrube.

TIMONS *Stimme im Haus*  Jaa! was denn noch!

LYKON  *bewundernd*  Diese Stimme hat das Ohr des Volkes.

CHELIDAS  Fort mit uns.

*Will Lykon fortziehen.*

TIMON  *tritt aus dem Haus, spricht nach hinten*  Was will die Mutter, was?

LYKON  *zu Chelidas*  Halt. Wenn er heraustritt, mache mich mit ihm bekannt. Das kann mir nützen.

TIMON  *sieht den Sohn*  He! Dir habe ich etwas zu sagen! Was stehst du da wie ein Storch, dem der Frosch aus dem Maul gesprungen ist?

*Chelidas will flüchten.*

LYKON  *hält ihn, verneigt sich zugleich*  Wir warten willig auf Ihre Muße und Bequemlichkeit.

*Timon wieder ins Haus*

CHELIDAS  *will weg*  Bedenke, was für mich auf dem Spiel steht!

LYKON  *ringt mit ihm*  Du kommst zurecht!

CHELIDAS  Es ist das erste Mal!

*Will weg.*

LYKON  Das Mädchen wartet auf dich, sage ich dir!

*Hält ihn fest.*

TIMON  *in der Haustür, einen Korb in der Hand, nach hinten sprechend*  Ja, alles wird besorgt, wie du es wünschest.

DIE FRAU  *tritt heraus*  Und laß dir nicht halbfaule Fische aufschwätzen von diesem Lumpen, deinem Parteigenossen.

TIMON  Gewiß nicht, Schatz.

DIE FRAU  Merke dir: das ist ein nichtsnutziger alter Schreier genau wie du selber.

LYKON  *stößt Chelidas*  Jetzt ist der Augenblick.

CHELIDAS  Noch nicht. O Myrtion!

DIE FRAU  Halt noch! Wirst du mir stehen!

*Zieht Timon ins Haus.*

Nicht diese grünen, mit schleimigen Schuppen. Die sind giftig!

*Tryphon kommt wieder mit dem jungen Menschen, geführt von einem Buben*

DER BUB *deutet* Der ists!

*Auf den halbsichtbaren Timon.*

TRYPHON *zu dem jungen Menschen* Still! Nicht ihn ungerufen angehen! Das haben solche Hauptkerle nicht gern. Wart bis er uns bemerkt.

TIMON *allein aus dem Haus, will die zwei Stufen hinunter zu Chelidas* Du begleitest mich.

DIE DREI KINDER *aus dem Haus, fassen Timon von hinten* Vater, die Mutter ruft!

DIE FRAU *mit einem Netz* Da für die Fische. Das Gemüse dort in' Korb. Und was sagst du zum Klempner? –

TIMON Freilich – freilich. Dem sag ich meine Meinung.

DIE FRAU Im Bett hab ich ihms eingedrillt, was er ihm sagen soll und er hats wieder vergessen. Spatzenhirn!

TRYPHON Verflucht! da sind schon andere aufgestellt.

DER ALTE EPHRAEM *kommt eilig und außer Atem, schiebt sich von hinten zu Timon* He! Malchus! Herr!

TIMON *ohne sich umzukehren* Kusch mir mit Malchus hier! Hier bin ich Timon.

LYKON *nähert sich dienstwillig* Vielleicht, daß ich den Korb tragen darf?

TIMON Ich danke, junger Mann.

*Gibt ihm den Korb.*

EPHRAEM *von hinten halblaut* Malchus, du mußt nachhaus. Die Frau kann sich nicht helfen.

DIE FRAU *fährt hin* Den Korb trägst du!

*Reißt Lykon den Korb weg, gibt ihn Timon.*

Und du

*Auf Chelidas*

ins Haus, Kopfrechnen mit dem Kleinen anstatt Maulaffen da!

TIMON Der Bursch begleitet mich, denk ich, und sieht was ich in der Stadt gelte. Das bildet seinen Verstand aus.

EPHRAEM *von hinten flüsternd* Wenn sich die Frau nicht helfen kann! Ein Soldat ist im Haus und schlägt alles kurz und klein!

TIMON Nun, Chelidas! Was hört man so? Aufruhr in Pontos? Der König verjagt? Drei-Männer an der Spitze?

LYKON *springt vor* Man raunt so Ähnliches!

EPHRAEM *von hinten* Die Mädchen sind alle außer Rand und Band. Hol mir den Malchus, schreit die Frau, sonst weiß ich nicht, was wird!

TRYPHON *tritt auf Timon zu, den jungen Menschen an der Hand führend* Der hier möchte gerne durch dich Hafenkapitän werden, Timon. Wir wissen, du vermagst alles in der Stadt.

DIE FRAU Wer sind denn die? die ihm noch das dunstige Gehirn ganz vernebeln!

TIMON *halblaut über die Schulter zu Ephraem* Kein Wort! schweig hier.

EPHRAEM Du mußt nachhaus!

LYKON O Frau, wir wissen wohl, vor wem wir stehen!
*Alle murmeln bewundernd.*

TIMON *über die Schulter* Verzieh dich! Sag ich laufe heim, sobald ich hier wegkann.
*Ephraem läuft weg.*

DIE FRAU *zu Timon* Du gehst ins Haus.

TIMON Ich will doch auf den Markt.

DIE FRAU Ich hab mirs anders überlegt. Du bringst mir wieder Übelriechendes daher. Ich gehe selber. Platz da! Der Vater soll ins Haus!

DER KLEINE Äh! Die Mutter reißt mich.

TIMON Rauhe Hand ist wacker. Geh hin und küß die Hand, mein Sohn. Sie hat deine Wiege geschaukelt.

LYKON Hut ab vor Timon, der den großen Volksentscheid erzwungen hat!

DER BARBIER *vor seiner Schwelle* Gesindelentscheid! Lumpenentscheid! Halsabschneiderentscheid!

TIMON *in der Tür* Drin, der Agathokles. Er schreit! Er braucht eine warme Windel!

DIE FRAU Nichts da! Ich sehe, daß du wieder Reden halten willst!

TRYPHON *drängt sich heran* Bescheidener Mann, willst du es leugnen, daß diese Hand es war!
*Faßt Timons Hand.*

LYKON Die den Aristokraten die Schiffe aus dem Leib gerissen hat!

TRYPHON *drängt ihn weg, schiebt den jungen Menschen vor* Wir sind glücklich, daß du uns dein Ohr leihst! Diesen nimm unter deinen Schutz! Ein werktätiger junger Mensch! Zuletzt
*Er klatscht mächtig, der junge Mensch auch.*
Das war er! im Theater! beim Rennen! Gestern während deiner Rede! Hast du seinen Zuruf nicht gehört?

DER JUNGE MENSCH *brüllt* Heil Timon! Heil und Sieg für Timon! Für Timon!

TRYPHON Du kennst ihn jetzt.

LYKON *drängt ihn weg* Wir alle kennen dich! Wir sind die deinen!

TRYPHON Geh ab, du Schöps! –
*Zu Timon*
Deinen Schutz über ihn! Laß ihn Zollaufseher werden! oder eine Gesandtschaft anführen!

DER JUNGE MENSCH *hängt sich an Timon* Ich räume auf die Seite, wen du mir bezeichnest!

CHELIDAS *bei Seite* Daß ich den Mut hätte mich zu verziehen! Myrtion!

LYKON Heil! Timon! Heil! Der Schützer der Niedrigen!
*Gaffer sammeln sich allmählich ein ziemlicher Haufen. Darunter Söldner von den Galeeren.*

TIMON He! Chelidas! Dein Vater wird gefeiert, wie du bemerkst. Man sieht in ihm den Anwalt der Unterdrückten. Mische dich unter die Bürger, die Wünsche an mich haben. Ein bißchen Haltung! Einen Funken Weltläufigkeit!
*Chelidas sieht sich erschrocken um.*
*Die Frau wieder neben Timon.*

TIMON Welche Gebärde gehört eigentlich zu diesem Waschlappen, außer dieser: vor den Hintern gestoßen zu werden? Und das ist der Sohn, den du mir geboren hast.

DIE FRAU Ich dir? Du hast ihn mir gemacht, du Nichtsnutz!

*Theron stürzt durch den Schwibbogen herbei, den Haufen tei-
lend. Er hat strähniges Haar und ein abgezehrtes Gesicht. Sein
Durchdrängen macht Unruhe. Unwillige Rufe*

DIE FRAU *packt Timon* Ins Haus! Und ganz allein! Daß du mir
noch in Raufereien kommst!

THERON *in atemloser Erregung; er ist ein Halbverrückter* Noch
nicht! Vielmehr erst dann, wenn er mich angehört haben
wird!
*Drängt sich zu Timon.*
Du hast die Stadt in der Hand!

STIMMEN Timon! für Timon!

TIMON Wieso?

THERON Die Aristokraten?
*Lacht gellend auf*
Das ist der Strick um ihren Nacken.
*Er zieht ein Stückchen Schnur, eine Schlinge aus der Tasche.*
Du ziehst ihn zu.

TIMON Ich zieh ihn zu!

STIMMEN Heil Timon! Vorwärts Timon!

THERON *in größter Aufregung* Die Aristokraten?
*Lacht gellend auf*
Was sind sie noch? Die Leibgarde einer Hure! – Bacchis!
Das ist ihr letztes Losungswort!

TIMON Bacchis! Wer ist denn die wieder?

THERON Was? Blumenmädchen! Dann Mimin!
*Er hält sich die Nase zu.*
Vor einem Jahr in der Gosse. Jetzt reich wie Krösus! – Sie
wollen sie zur Oberpriesterin der Diana machen? Weißt du,
was das bedeutet?

TIMON Nein, aber wir werden das verhindern.

THERON *umschlingt ihn* Der Tempelschatz! Alles Gold der
Erde! Gewölbe so
*Er stampft auf*
voll Gold! Sie spielen Katz und Maus mit Euch! Sie werben
Söldner, zehntausende!

TIMON Hört ihrs?

THERON Aber, du hast die Zunge, die gewaltige! In Gold
sollte man sie fassen!

DIE FRAU   Was fährst du ihm mit den Pfoten ins Maul, wie ein Roßtäuscher!

THERON   Du setztest ihnen noch heute den Fuß auf den Nakken!

TIMON   So ist es.
*Neigt sich zu ihm, leise*
Wie denn?

THERON   *reckt die fünf Finger einer Hand aus*   Mit fünf! Hier stehen fünf, ich, der, der, der und du. Du hast uns wie deine Hand.

TIMON   Aha.

THERON   Die ganze Stadt durchsetze ich mit solchen fünf. Du hast heute Nacht fünf mal fünfhundert Hände.

TIMON   Ich – muß – sofort!
*Will fort*

DIE FRAU   Hinein!

THERON   *will ihm in den Mund greifen*   Da ist die Keule, mit der wir sie niederschlagen!

LYKON   *drängt ihn weg*   Was Keule? Hebebaum! ein Krahn!
*Timon hält sich den Mund zu.*

THERON   Ein Widder! Ein Enterbock!

TIMON   Du sollst mein Herold sein!

DER JUNGE MENSCH   Für Timon!

DIE FRAU   Heil! da hinein!
*Drängt Timon gegen die Tür*

LYKON   *zu Chelidas*   Jetzt kommts! Den Führer frei!

VIELE   Den Führer frei! Gebt uns den Führer!

DIE FRAU   Herein! Melaina! her, den Riegel vor, die Kette!

LYKON   Jetzt mach dich frei, du Herkules! mit einem Ruck!

DER JUNGE MENSCH   Huss! huss! Jetzt gilts!

TIMON   Zu mir, mein Sohn zu mir!

EINIGE   *fassen die Frau*   Den Führer frei!

DIE FRAU   *schlägt unter sie*   Ihr Lumpe! Tagediebe! Lausekerle!

CHELIDAS   *dicht bei Timon*   Hier, Vater!

TIMON   Ich habe ein todeswichtiges Geschäft in der Stadt.

DIE FRAU   Ins Loch! da! Lügenmaul!

TIMON   *Chelidas ins Ohr*   Schlüpf hinten hin und mach mir die Tür vom Ziegenstall – –

CHELIDAS  Vom Ziegenstall!

TIMON  Auf mach! Ich klettere übern Abtritt dann hinaus ––

CHELIDAS  Ja! ja! ich laufe!

*Die Frau zieht Timon wieder ins Haus.*

DER BARBIER  *aus seiner Tür*  Recht so! Hinein mit dem Stänkerer!

TIMON  *zur Frau*  Ich komme ja – Ihr Freunde laßt. Geht hin, sagts den Aristokraten: auf solchen friedlichen kleinen Häusern ruht der ganz große Staat. Das sind die Waben, in denen sich der Honig anhäuft.

*Zurückgerissen*

Daran sollen sie nicht rühren!

DIE FRAU  *mit der Magd ihn hineinzerrend*  Das sagt du drinnen auf und treibst dazu den Teig ab!

*Drängt ihn hinein*

DER BARBIER  *kommt näher*  In Käfich mit dem Volksverhetzer! und das ihm durch das Gitter in die Fresse!

*Wirft*

DIE FRAU  *faßt plötzlich den Barbier ins Auge*  Was? der Krätzsalbenhändler rührt sich? Der Trabant von rotzigen Lakaien meldet sich?

DER BARBIER  *wirft*  Kohlstrünke! alte Knochen! Fetzen Unrat! ihm ins aufrührerische Maul!

*Bückt sich*

Senkgrube da – wo ehrlicher Leute Kundschaft

*wirft*

sich den Hals brechen kann!

*Wirft*

Es sind noch Knüppel über Euch! Man zeigt euch noch den Herrn!

DIE FRAU  Den Herren zeigen? uns! will er – der Salbenkerl?

VIELE  Was, reißt den Kerl in Fetzen!

DER BARBIER  Zu Hilfe! Obrigkeit!

STIMMEN  Packt ihn am Bein! Zerschmeißt ihm seine Tiegel!

DIE FRAU  *reißt Timon aus dem Hausflur hervor*  Du zeigst ihm jetzt den Herrn! Vorwärts! Aristokraten! was? Klopfhengste parfümierte! Sie uns den Herren? Wir riechen ihnen wohl nicht gut?

*Einige heben Timon auf die Schulter.*

VIELE STIMMEN  Timon! Timon!

DIE FRAU  Das prügelt ihnen ein: Hier wohnt die Reinlichkeit!
und auch die Rechtlichkeit, und Häuslichkeit und Redlich-
keit und Wahrheit wohnt hier! – das! ihnen prügelt ein!
Und Dächer ihnen übern Kopf – damit es hell wird – angesteckt. Die Seidenbrunzer die! an ihren Balg! Wie? wo der
Vater ist! den sie dort tragen! Schrei! dort! Papa! Papa!

*Timon wird auf den Schultern seiner Anhänger weggetragen, die*
*Kinder winken ihm jubelnd.*

## II.

*Im »Haus der Leäna«. Innerer Hof. Rechts Ausgang auf die Gasse.*
*Überm Ausgang ein Schild hängend, darauf eine hereindeutende*
*Hand und die Aufschrift: Leänas Haus, von Amoretten umgeben.*
*Timon und Leäna, Arm in Arm.*

TIMON  Wie, mit seinen Fäusten dich bedroht? Wo ist der
Kerl?

LEÄNA  Er ist ja nicht mehr da, schrei doch nicht!

TIMON  Gerüstet? was? er schlägt dich wegen eines Affen! der
Hund! das Schlachtvieh, das abgelumpte! Ah! ah!
*Drückt sie an sich*
Was für ein Affe überhaupt! Wo kommt der Affe her?

LEÄNA  Sie wollte ihn nicht abliefern, das Mädchen, den
Affen. Sie hat ihn von auswärts, sagt sie. Daß sie überhaupt
auswärts mit Männern schläft, ist senkrecht gegen den Vertrag, sag ich –

TIMON  *küßt sie*  Nett kommt das aus dem süßen Schnabel da!

LEÄNA  Das Wort war noch nicht aus meinem Mund, packt
mich der Kerl –

TIMON  Packt wo?

LEÄNA  Und bohrt mir –

TIMON  Bohrt? was? und wo?

LEÄNA  Ich weiß nicht wo!

TIMON  Bewaffnet? der Bastard! der Hund! wie oder nicht?

LEÄNA  In Lederzeug und Eisen!

TIMON   Totprügeln den Halunken! nur kastrieren!

LEÄNA   Beißt ihn die Nykto nicht von hinten in den Ohr-
lappen, war ich dahin.

TIMON   *umfaßt sie*   Mein Schatz, mein Seidenschatz!

LEÄNA   Du bist nie da!
*Entzieht sich ihm.*

TIMON   Was? jeden Nachmittag!

LEÄNA   Schutzlos ist man! Preisgegeben und ausgeliefert!

TIMON   Den Morgen muß ich drüben sein, das weißt du!

LEÄNA   Wird das verfluchte Doppelspiel nicht bald ein Ende
haben?
*Sie stampft auf*

TIMON   Das Notgedrungene, du Engel! Politische Notwendigkeit! Du weißt es.

LEÄNA   Bin ich so dumm? Ich verstehe Männersachen recht
gut. Männer müssen Schwindeleien machen. Was man mir
erklärt, das habe ich inne. Daß du in Wahrheit Malchus
heißt – aber drüben hast du dich müssen Timon nennen –
und hast in das Haus ziehen müssen im oberen Seilerviertel
– zu deines verstorbenen Schwagers Schwester, weil die
Rechte intabuliert sind auf dem Haus, und so mußtest du
sie zum Schein heiraten, die alte Vettel –

TIMON   Du weißt! Die Götter wissens auch! Sonst niemand!
Jetzt laß! Rufts da nicht Timon?

LEÄNA   Hier wird Malchus gerufen. Dem kratz ich die Augen
aus, der dich hier Timon ruft. – Und sie ist alt und häßlich,
ist sie das?

TIMON   Beim wahrhaftigen Himmel.

LEÄNA   Und du hast gewiß kein Kind mit ihr?

TIMON   Wo werd ich!

LEÄNA   *lehnt den Kopf an seine Schulter*   Und den du mir
machst, wird dein einziger Sohn?

TIMON   Das schwöre ich bei den Göttern! – jetzt aber beiseite
das Gerede. Denn es kann sein, daß sie mich abholen!

LEÄNA   Die Polizei?

TIMON   Narr, kleiner! Soll ich dir was anvertrauen?

LEÄNA   Sag mirs!

TIMON   Mit dem ganzen Gesicht horcht sie! sogar mit der
kleinen Schnauze, der netten aufgeworfenen!
*Küßt sie*

LEÄNA   So sags doch schon!

TIMON   Sie wollten mich geradewegs auf den großen Markt
schleppen. Mitten auf den Platz hin!

LEÄNA   Was waren denn das für welche? Ist denn gar keine
Ordnung mehr? Keine Gewalt über dem Pack?

TIMON   Meine Anhänger waren das. Reden sollte ich! Mar-
schieren wollten sie gegen die Aristokraten mit mir an der
Spitze!

LEÄNA   Und du bist ihnen ausgewischt?

TIMON   An der Straßenecke –– zu dir.

LEÄNA   Ich verstecke dich. Die sollen schauen, wie sie dich
finden.

TIMON   Darüber laß ich jetzt ein Orakel entscheiden.

LEÄNA   Wie denn?

TIMON   Es sind zwei Naturen in mir. – Was war das? wer
schreit da?

LEÄNA   Der Zitronenverkäufer – der Bucklige draußen auf
der Straße.

TIMON   Gut. Wenn es sein soll, dann solls sein. Dann will ich
auf den Markt und reden. Unterm Reden kommts über
mich. Wie einem Hahn wird mir dann, den ein anderer
überkrähen will! Beiläufig, hast du von der Bacchis gehört?

LEÄNA   Die einmal Blumenmädchen war?

TIMON   Diese.

LEÄNA   Solls über die hergehen?

TIMON   Man wird diese Sultanin zu Falle bringen.

LEÄNA   Du nicht! Du nicht! Das verbiet ich dir!

TIMON   Du mußt nicht alles wörtlich nehmen. Es geht auf die
ganze Rasse: die Vornehmen!

LEÄNA   Geht es denen an den Balg?

TIMON   Das muß alles herunter vom hohen Roß!

LEÄNA   Die Eleganten alle? Gut, gut! sollen sie hin werden!
Wenn nur das Häuschen da dabei gut fährt.

TIMON   Ich will unser kleines Schiffchen schon steuern. Zu-
bauen werden wir. Ein Männerbad kommt dazu. Zwei drei
Negerinnen stellst du an.

LEÄNA    Wenn alles drunter und drüber geht?

TIMON    Laß nur. Häuser werden billig werden, wie Fische im
Hochsommer. Was war das? das war Timon! das! das!

LEÄNA    Der Wasserträger mit der hohen Stimme.

TIMON    Gut, was ich sagen wollte. Nie hier ein revolutionäres
Wort! Hier müssen sie sich geborgen fühlen. Laß solche
Reden fallen wie: Hier ist Alt-Ephesus! gottlob! Laß fallen:
das Haus hat mehrere Ausgänge. Wen hier die demokrati-
schen Banditen suchen, den finden sie nur wenn du willst.

LEÄNA    Mir läuft die Ganshaut. Ist es recht wenn ich sage: Ge-
hängt sollen die Gleichmacher werden! den Hals abschneiden soll man den Halsabschneidern! ist das recht?

TIMON    Erweitern will ich! solch einen Saal dazu! Groß werden! Negerinnen, indische Schönheiten will ich hier arbeiten sehen!

LEÄNA    Ja macht denn die Politik solch einen Hauptkerl aus
dir?

TIMON    Wie einen Stier macht sie mich!

LEÄNA    Ah! du mußt früh und spät Politik machen, das seh ich
ein!

TIMON    Immer das verfluchte Gerufe!

LEÄNA    Komm hinein. Dann hörst dus nicht. Du bist ja so gut
wie nüchtern, armer Kerl.

TIMON    Mit dir hinein? Du vergißt meinen Vorsatz! Was hast
du drin?

LEÄNA    Eine Schüssel frische Krabben.

TIMON    Du vergißt das Orakel.

LEÄNA    Schafsnieren mit Knoblauch.

TIMON    Mit Knoblauch! – das Orakel wird mich auch drinnen
finden.

LYKON    *der sich in der Tür versteckt hatte, springt jetzt hervor*
Myrtion! pst! Myrtion!

*Myrtions Gesicht erscheint an einem Fenster bei halbgehobenem
Vorhang.*

LYKON    Ich bringe ihn.

*Chelidas in der Eingangstür, zaudernd, zum Weglaufen bereit.*

MYRTION    *am Fenster* Wen? ah! der Junge! Ich komme.
*Verschwindet*

CHELIDAS   Ich verschwinde, ich war gar nicht da!

LYKON   *hält ihn*   Sie hat dich doch erwartet!

MYRTION   *kommt aus dem Haus zu ihnen, leise*   Der alte Kerl ist
im Haus. Ihr Bräutigam, der Malchus.

CHELIDAS   Du siehst!

*Will fort*

MYRTION   Er hat uns solche Liebschaften verboten.

*Zu Lykon*

Sag ihm, er solle später wiederkommen.

LYKON   Das bringt ihn um – Ihr habt ein Gärtchen dort hinten.

CHELIDAS   Rede ihr nicht zu. Laß sie! Du siehst doch.

LYKON   Sie denkt doch nur nach, wo ihr zusammen sein
könntet.

*Chelidas schlägt den Arm vor sein Gesicht.*

MYRTION   Warum ist er so? ärgert ihn etwas? Hat er kein
Geld? Sag ihm, das macht nichts.

LYKON   Zu häßlich findet er sich! nicht Manns genug. Was
weiß ich.

MYRTION   Hat er ein geheimes Übel?

LYKON   Ein Bursch wie aus frischem Flußwasser geboren. Ich
seh ihn täglich im Bad.

CHELIDAS   *vor sich*   Es kräuselt sich!

LYKON   Was kräuselt sich?

CHELIDAS   Mein Hirn! Die schwere drängende Zerrüttung!

MYRTION   Warum wackelt er so mit dem Kinn?

LYKON   Frag nichts! nimm ihn bei der Hand.

MYRTION   Ist er behext?

LYKON   Von dir!

*Myrtion sieht ihn an.*

*Chelidas schämt sich.*

MYRTION   Hat er immer eine so schwere Zunge?

LYKON   Sonst, wenn er von dir redet, ein Mundwerk wie ein
Wasserfall. Er ist so fürchterlich verliebt in dich!

*Chelidas wagt es kaum die Augen zu heben.*

*Myrtion tut als wollte sie fort.*

CHELIDAS   Halt sie! Laß sie nicht fort!

LYKON   *ist weggetreten*   So fasse sie doch an!

*Timons Lachen aus dem Haus.*

*Lykon stutzt, blickt durch einen Riß im Vorhang.*

MYRTION  Wollt Ihr mich beide zum Narren halten? Ihr Verfluchten!

CHELIDAS  *stutzt zugleich mit Lykon*  Das Hirn macht Seifenblasen. Irgend etwas ist da – was nicht da ist. Ich höre: eine Stimme. Ich sehe: eine Gestalt. Gräßlich. Das drängt sich zwischen uns. Angesichts des rettenden Ufers leidet mein Glück Schiffbruch. – Leb wohl! Die Götter seien gut zu dir, du Gute!

*Timons Lachen abermals.*

LYKON  *packt Chelidas, drängt ihn hinaus*  Hinaus mit dir – er ist es wirklich!

*Myrtion ratlos.*

CHELIDAS  Verschlinge mich die Hölle!

MYRTION  Jetzt schäme ich mich! was sieht er denn Häßliches an mir?

STIMME  *draußen*  Timon!

THERON  *in der Tür*  Wer sagt mir, wo Timon ist! Wo ist der Führer?

LYKON  *reißt links den Vorhang weg*  Heil Timon! heil!

*Leäna springt von Timons Schoß.*

THERON  *brüllt*  Timon ist hier!

TIMON  Bereit!

*Wischt sich mit dem Handrücken den fetten Mund ab.*

Bereit bis auf die Knochen!

*Mehrere herein, darunter Tryphon und der Claqueur.*

STIMME  Timon!

LEÄNA  Sind das deine Kerle?

TIMON  Vertrauensmänner. Jeder steht für ihrer tausend.

THERON  *zu Timon*  Durch Herolde die Versammlungen abgesagt. Die Söldner in den Kasernen bereit zum Ausfall. In der Stadt zum Schein alles ruhig. Sie stellen sich tot.

LYKON  Es geht ums Ganze!

THERON  Ums Ganze! ja! wir sind an dem.

TIMON  So schnell. Sie stellen sich doch tot?

THERON  Wir wecken sie! wir haben sie!

TIMON  Sicher? trotz denen in den Kasernen?

THERON  Sie sind ein Haufen ohne Kopf. Wir haben den Polemarchen. Heil dem Feldherrn!

TIMON  Den habt ihr? So! Den haben wir, mein' ich?

THERON  Hier steht er doch!

LYKON  Ruft: Heil dem Polemarchen Timon!

THERON  *auf Timons Kopf klopfend*  Hier sind Phalangen! Hier
in deinem Hirn. Speerstarrende Rechtecke! Streitwagen!
Elefanten! – Schafft mir ein Pferd, damit ich mit seinen Befehlen in alle Stadtviertel galoppiere!

LEÄNA  Wie so ein kleiner Topf ins Sieden kommt!
*Gedränge.*

TIMON  *zu Leäna*  Jetzt ist es an dem. Begreifst du? Ich muß,
das siehst du.

RUFE  Timon!

LEÄNA  Nein! nein! ich laß ihn nicht!

LYKON  Jetzt reiß dich los von deinem Weib und führe, großer
Hektor!

LEÄNA  Ich laß ihn nicht wegschleppen! Tryphaina! Arnpelis!
Nykto! wo stecken die Enten? Laidion! Philinna! Wo seid
Ihr denn? helft mir ihn halten!
*Die Mädchen aus allen Türen.*

THERON  Ihr Männer, man bedroht den Führer in seiner Freiheit!

LYKON  Gebt uns den Führer frei, Ihr schönen Weiber!

LEÄNA  Wenn sie mir ihn verprügeln! ihm Seewasser oder
noch was Ärgeres einschütten!

DIE MÄDCHEN  Schafft Waffen her! Bringt was Ihr findet.

TIMON  Nein, keine Waffen! es ist ausgerufen worden, wer
eine Waffe trägt, der ist ein offener Aufrührer!
*Die Mädchen bringen Stuhlbeine, bleierne Kämme, einen Brat-*
*spieß.*

LEÄNA  Nicht solche Waffen, nur die mit denen man sich
schützt, wo etwas offen steht.

THERON  *ergreift ein Stuhlbein*  Es ist an dem!

LYKON  *faßt einen Bratspieß*  Und vorwärts jetzt!
*Mädchen bringen Kissen, Topfdeckel, Decken, Riemen, fangen*
*an Timon zu wappnen.*

LEÄNA  *schnallt ihm einen Deckel vorne an*  Einen Hummer
mach ich aus ihm!

EIN MÄDCHEN   Tiefer hinunter!

EIN ZWEITES   Schütz ihm doch die Weichen!

LEÄNA   Und wenn sie von oben schmeißen, wer steht mir für
sein Leben ein?

VIELE   Wir alle!

LEÄNA   Ist da kein tüchtiger Kerl! Du da! her mit dir! Und der
mit dem Eckzahn! vorwärts! Der eine links von ihm, der
andere rechts! und wacht mir über jedem Härchen auf seinem Kopf!

DIE ZWEI KERLE   Ja ja! schon gut!

TIMON   Wir werden schon –

*Er befühlt ihrer beider Arme.*

die Kraft der Argumente finden. Die schöpfen wir aus unserer Lauterkeit.

DIE MÄDCHEN   Ein Feldzeichen! Nehmt doch die Standarte!

*Sie heben das Schild mit der weisenden Hand und der Inschrift
»Leänas Haus«, an einer Stange befestigt.*

*Theron galoppierend, ordnet den Vortrab.*

LEÄNA   Bringt mir ihn heil zurück!

TIMON   *nochmals herantretend zu Leäna*   Für dich geschiehts!
fürs Häuschen! und –

*Er zieht sie an sich*

für den der kommen soll. Er wird der Bürger einer schö-
nern Welt.

*Der Zug ab. Die Mädchen winken. Einige weinen.*

LEÄNA   Heult nicht. Streckt eure Hände zu den Göttern. Ich
kann nicht beten, wenn ich nichts Männliches in der Nähe
habe.

*Winkt Lykon, der als Letzter, nach den Frauen schielend, zu-
rückgeblieben.*

Komm du daher, du Windhund! Steh.

*Sie lehnt sich an ihn und betet, die Mädchen dicht um sie*

Ihr droben, schützt mir meinen Timon!

# DIE MIMIN UND DER DICHTER

*In einer griechisch-kleinasiatischen Stadt der Spätzeit.*
*Die sich Unterhaltenden sind: Bacchis, eine Mimin; Agathon, ein*
*Dichter; Kratinos, ein Philosoph, und drei Adelige: Palamedes, Pe-*
*riander und Demetrius, sowie Phanias, ein verarmter großer Herr.*
*Man steht vor einer politischen Umwälzung, und Timon, von dem*
*sie reden, ist der radikale Führer der Kleinbürger.*

PHANIAS  Ihr werdet einiges erleben. Der Timon wird euch
das Oberste zu unterst kehren. Er ist das was kommt, und
mir soll es ein Vergnügen sein.

DEMETRIUS  Du hältst ihn für einen großen Mann?

PHANIAS  Für einen frechen Bastardköter halte ich ihn. Aber er
hat ein Mundwerk, daß sich um ihn das ganze werktätige
arbeitsscheue Gesindel sammelt – und damit habt ihr den
an der Stirn gepanzerten Elefanten, der dieses alte wurm-
stichige Gebäude von Staat umstoßen wird.

AGATHON  Die Macht des Demos ist ein Geheimnis.

BACCHIS *lächelnd*  Und wie denkst du über die Macht des
Demos, mein Lehrer?

KRATINOS  Mein Denken ist langsam. Wie das Meer reinigt es
erst jedes Ding von seinen Selbstverwesungen. Ich glaube:
die Macht des Demos ist ein Schein. Sie ist eine von den
Verkleidungen des Nichts; wie die Zukunft, der Fortschritt, und das Ich.

AGATHON  Der Demos trägt den Tyrannen in sich; man muß
ihm nur Zeit lassen, ihn zu gebären.

PALAMEDES  Bei der Operation können wir uns verbluten: das
Meer geht leicht daneben.

AGATHON  Spiele lieber, Bacchis. Man muß spielen, wenn die
Welt so dumm und häßlich ist. Ich werde dir eine Rolle machen.

BACCHIS  Er nennt das »machen« – aber sein ganzes Machen

besteht darin, daß er nichts zu »machen« imstande ist als
Worte. Das Machen gehört in eine andere Welt.

AGATHON  Du meinst das Handeln. Aber wir Dichter zeigen ja
gerade in unseren Tragödien das Handeln in seiner Reinheit.

BACCHIS  Da zeigt ihr das, was es nicht gibt. Es wird immer
sehr unrein gehandelt, Agathon.

AGATHON  Ich meine das Handeln in seiner Wahrheit, in seiner
Idee.

BACCHIS  Das Handeln und die Liebe entziehen sich der Idee. –
Habe ich recht, Kratinos?

AGATHON  Denk an die Figuren des Euripides.

BACCHIS  Ich will aber nicht an Euripides und an das Advokatengeschwätz seiner Figuren denken! Wen überzeugt dieses
Advokatengeschwätz? Nur Euch selber! Euch Wortma-
cher.

AGATHON  Du leugnest einen zweihundertjährigen Ruhm!

BACCHIS  Ich hasse eure Anmaßung.

AGATHON  Aber du würdest unsere Erfindungen nicht gerne
entbehren.

BACCHIS  Eure Erfindungen!

AGATHON  Ja! die Gelegenheit, die wir dir bieten, auf der
Bühne da zu sein.

BACCHIS  Diese Gelegenheit bietet der Mythos. Was ihr dazu
tut sind Worte.

AGATHON  Aber ohne unsere Worte wird ja alles, was je in der
Welt getan wurde, vergeblich, wie ins Wasser geschrieben!

BACCHIS  Eure Worte sind ein schlaffes, weites Gewand, in das
jeder hinein kann. Es kommt nur darauf an, welcher Leib es
trägt, und wie er es trägt. Eure Worte sind hurenhaft, sie
sagen alles und nichts. Man kann sie heute zu dem brauchen
und morgen zu jenem. Das Leben aber, von dem ihr
schwatzt, ohne es zu kennen, ist in Wahrheit ein Mimus.
Meine Gebärde: das bin ich – in einen Moment zusammen-
gepreßt, spricht sie mich aus – und stürzt dann dahin ins
Nichts – wie mein Ich selber, unwiederholbar. Aber ihr
habt eine Gaunersprache, eine schwindelhafte Überein-

kunft – die nennt ihr den Ruhm, das Gedächtnis der Welt! Schwätzer verleihen Schwätzern Ruhm – aus Worten, für Worte, das ist alles! Oh, ihr Wortkünstler! – Ich weiß einen großen Wortkünstler in dieser Stadt: Timon. Denn aus seinen Worten wird etwas! – Wahrhaftig! ich will ihn sehen! Ich will ihn hier zu Tisch haben. Ich gehe ihn einladen. Ihr sollt mit ihm bei mir essen.

PHANIAS  Sie will einmal einen Mann sehen. Das ist kein Wunder. Sie sieht immer nur euch.

PERIANDER  Aber daß er vorher ein ausgiebiges Bad nimmt!

AGATHON  Du lebst vom Schein, Bacchis!

BACCHIS  Und du, eitler Mensch? Du verschmachtest vor Begierde nach dem Schein.

AGATHON  Du willst aus dem Leben ein Theater machen, Mimin.

BACCHIS  Und du möchtest aus den Worten ins Leben hinüber, Dichter! – Aber dabei spielst du unter den Lebenden genau die Rolle wie der Eunuch im Harem. Denn es gibt nur einen Weg, wie das Wort ins Leben herüberkann.

AGATHON  Und der wäre?

BACCHIS  Wenn es der Schatten ist, den die Tat vorauswirft.

# BIBLIOGRAPHIE

MUTTER UND TOCHTER [ENTWURF] (1899). Erstdruck: Die neue Rundschau, 40. Jahrgang der Freien Bühne, 11. Heft, November 1929. Erste Buchausgabe: Hugo von Hofmannsthal, Gesammelte Werke in Einzelausgaben, Aufzeichnungen. S. Fischer Verlag, Frankfurt am Main 1959. – In einem Brief vom 17. Juli 1899 an Bahr ist von einem Stoff die Rede, »der phantastisch auf einer äußerst realen Grundlage« ist und »der Wiener Dialekt verlangt. Mir schwebt für die Hauptrolle eine Mischung von Gewinnendem, Brutalem und Unheimlichem vor, wie sie, wenn ich nicht irre – aus Girardi herauszuholen ist.«

SILVIA IM ›STERN‹. FRAGMENT (1907). Erster Teildruck: (1.–13. Szene; ohne Szene 11) Hesperus. Ein Jahrbuch von Hugo von Hofmannsthal, Rudolf Alexander Schröder und Rudolf Borchardt, Insel-Verlag, Leipzig 1909. Zweiter Teildruck: Insel Almanach auf das Jahr 1921, Insel-Verlag, Leipzig 1920. Enthält die 1.–6. Szene des ersten Akts mit einer Reihe von Textänderungen gegenüber dem Hesperus-Druck. Erstdruck (aus dem Nachlaß): Corona, 5. Jahr, 1. und 2. Heft, München, Berlin, Zürich, November 1934 und Januar 1935. Enthält das gesamte Fragment (Erster Akt, 1.–19. Szene; zweiter Akt, 1.–3. Szene). Erste Buchausgabe: Hugo von Hofmannsthal, Gesammelte Werke in Einzelausgaben, Lustspiele II. Bermann-Fischer Verlag, Stockholm 1948 und danach S. Fischer Verlag, Frankfurt am Main 1954. Unser Druck folgt der Ausgabe: Hugo von Hofmannsthal, Silvia im ›Stern‹, auf Grund der Manuskripte neu herausgegeben von Martin Stern, Verlag Paul Haupt, Bern, Stuttgart 1959. – Im Sommer 1907 begonnen, noch im selben Jahr abgebrochen, dann immer wieder, vor allem 1911, aufgenommen. Ausgehend von der Lektüre der Briefe der Julie de Lespinasse und ihrer Biographie von Marquis de Ségur sowie der Histoire de Frans et

de Sylvie aus Robert Chasles ›Les illustres Françoises‹ (1713)
und der Goldonischen Komödienwelt, wird dann Molière
zum Vorbild.

ZU ›SILVIA IM ‚STERN'‹

*Notizen zur Fortsetzung* (ab 1907). Nachlaß. Erstdruck:
Hugo von Hofmannsthal, Silvia im ›Stern‹. Auf Grund der
Manuskripte neu herausgegeben von Martin Stern, Verlag
Paul Haupt, Bern, Stuttgart 1959. Vier der insgesamt 79
Notizen erschienen bereits zusammen mit dem Erstdruck
des Fragments in : Corona, 5. Jahr, 2. Heft, München, Ber-
lin, Zürich, Januar 1935.

*Zur Idee des Ganzen.* Erstdruck der ersten Notiz: Hugo von
Hofmannsthal, Silvia im ›Stern‹. Auf Grund der Manu-
skripte neu herausgegeben von Martin Stern, Verlag Paul
Haupt, Bern, Stuttgart 1959. Erstdruck der zweiten Notiz:
Corona, 10. Jahr, 4. Heft, München, Berlin, Zürich, 1941.
Erstdruck der dritten Notiz: hier zum ersten Mal ver-
öffentlicht.

*Zu einer späteren Fassung* (1921, 1922). Nachlaß. Erstdruck:
Corona, 5. Jahr, 2. Heft, München, Berlin, Zürich, Januar
1935. Erste Buchausgabe: Hugo von Hofmannsthal,
Gesammelte Werke in Einzelausgaben, Lustspiele II.
Bermann-Fischer Verlag, Stockholm 1948. – Die beiden
Lieder gegen Schluß der Notizen sind Büchners ›Leonce
und Lena‹ (nach einem Gedicht Chamissos) und Tiecks
›Schöner Magelone‹ entnommen.

CRISTINAS HEIMREISE (1908/1909). Erstdruck: S. Fischer
Verlag, Berlin 1910. Zugleich als Bühnenmanuskript und
Buchausgabe. Erstaufführung: Deutsches Theater, Berlin
11.2.1910.

ZU ›CRISTINAS HEIMREISE‹

*Zum zweiten Akt* (1910). Erstdruck: S. Fischer Verlag, Berlin 1910. Der abweichende Schluß der »neuen veränderten
Fassung«, die Hofmannsthal schon im Jahr 1910 unmittelbar nach der Uraufführung der von uns vollständig wie-

dergegebenen ersten Fassung schrieb. Erstaufführung:
Budapest 9. 5. 1910. Die neue Fassung ist im einzelnen stark
gekürzt, läßt den Schlußakt fallen und macht aus der zweiten Hälfte des bisherigen zweiten Akts (Morgenszene im
Gasthof) einen eigenen dritten, so daß sie mit dem Abschied Florindos endet. Diese Fassung übernahm Hofmannsthal in die Ausgabe der Gesammelten Werke, S. Fischer Verlag, Berlin 1924. – Am 25. 3. 1910 schrieb Hofmannsthal an Ottonie Degenfeld: »Sie werden [das Stück]
im Sommer in München spielen sehen, in einer kürzeren,
kühneren oder frecheren Fassung, die ich gestern abgeschlossen habe (und in dem der trübere, auch mehr nach-
spielhafte dritte Akt wegfällt, denn man soll nie geben,
was sich ohnedies erraten läßt).« – Bereits 1907 geplant,
sollte die Casanova-Komödie eine Spieloper für Richard
Strauss werden. Danach erfolgte eine Niederschrift in vier
Akten unter dem Titel ›Florindos Werk‹. Der 1910 gewählte Titel ›Cristinas Heimreise‹ entstand erst wenige
Tage vor der Erstaufführung. Der Stoff ist dem 9. Kapitel
des 2. Bandes der Memoiren Casanovas entnommen.
Kainz hatte Hofmannsthal auf dem Semmering im Juli
1907 die Cristina-Episode erzählt.

*Florindos Werk* (1907/1908)

*Florindo und die Unbekannte.* Erstdruck unter dem Titel
›Aus einer Komödie in Prosa‹ in: Süddeutsche Monats-
hefte. 6. Jahrgang, 1. Band, 2. Heft, München, Februar
1909. Fragment. Erste Hälfte des ersten Akts. Erste
Buchausgabe unter dem jetzigen Titel: Hugo von
Hofmannsthal, Rodauner Nachträge, Zweiter Teil,
Amalthea-Verlag, Wien 1918. Leicht verändert gegenüber dem Erstdruck, der von uns wiedergegeben
wird.

*Die Begegnung mit Cristina.* Erstdruck unter dem Titel:
›Komödie in Prosa‹ in: Österreichische Rundschau, 18.
Band, 1. Heft, Wien Januar 1909. Das Fragment bietet als
zweite Hälfte des ersten Akts die unmittelbare Fortsetzung von ›Florindo und die Unbekannte‹. Erste Buchausgabe: Hugo von Hofmannsthal, Florindo, heraus-

gegeben von Martin Stern, Suhrkamp Verlag, Frankfurt am Main 1963. Dort unter dem Titel ›Florindo und Cristina‹. Eine Episode dieses Fragments hatte Herbert Steiner in den von ihm herausgegebenen Gesammelten Werken in Einzelausgaben schon früher im Anhang mitgeteilt unter dem Titel: Zu ›Cristinas Heimreise‹, Erster Akt.

*Die Begegnung mit Carlo.* Erstdruck: Hyperion, 3. Band, 6. Heft, München 1908. Erste Buchausgabe: Hugo von Hofmannsthal, Gesammelte Werke in Einzelausgaben, Lustspiele I. Bermann-Fischer Verlag, Stockholm 1947. – Das Fragment ist das Mittelstück des zweiten Akts jener ältesten Fassung, in der noch nicht der Kapitän, sondern ein junger Mensch, Carlo, neben oder gegen Florindo stand.

*Florindo* (1921). Erstdruck: Fünfundzwanzigster Avalun-Druck, Avalun-Verlag, Wien und Hellerau 1923. In 350 numerierten Exemplaren mit 25 Steinzeichnungen von Otto Hettner. Das Stück ist eine später entstandene verkürzende Umformung des ersten Akts von ›Florindos Werk‹ und wurde am 24.1.1921 in den Kammerspielen des Deutschen Theaters, Berlin, als eine Komödie in zwei Szenen uraufgeführt.

DER SCHWIERIGE (1917). Erstdruck: Neue Freie Presse, Wien. In Fortsetzungen vom 4., 7., 8. April, 25., 27., 28., 29., 30., 31. Juli, 1. August, 5., 7., 8., 10., 12., 14., 15., 16., 17. September 1920. Erste Buchausgabe: S. Fischer Verlag, Berlin 1921. Im Erstdruck fehlten die Szene mit Vinzenz (S. 434 bis 435 Mitte) und das Gespräch über die Herrenhausrede (S. 437 Mitte bis 438). Erstaufführung: Residenztheater, München, 8.11.1921. – Seit 1908 als Gesellschaftslustspiel geplant, dann vor allem 1910 und 1911 Notizen und Entwürfe, Hauptarbeit 1917. Frühere Titel: ›Die Mißverständnisse‹, ›Der Basilisk‹, ›Der Mann ohne Absicht‹, ›Das Nadelöhr‹, ›Die Schwierigen‹. In einer Notiz zum zweiten Akt heißt es: »Sein Nicht-Wille: jenes Wortlose in Worte überfließen zu lassen – wird vor ihr doch zum Willen.«

ZU ›DER SCHWIERIGE‹

*Zum zweiten und dritten Akt.* Erstdruck: Neue Presse, Wien, 28.7.1920 und 10.9.1920. Erste Buchausgabe: Hugo von Hofmannsthal, Gesammelte Werke in Einzelausgaben, Lustspiele II. Bermann-Fischer Verlag, Stockholm 1948. – Diese zwei Stellen aus der fünften Szene des zweiten Akts und der vierten Szene des dritten Akts wurden nicht in die Buchausgaben übernommen.

*Notizen* (1910–1911). Erstdruck: zum größten Teil hier zum ersten Mal veröffentlicht.

DER UNBESTECHLICHE (1923). Teildruck. Der erste Akt: Neue Freie Presse, Wien 18.3.1923. Erste Vervielfältigung: unverkäufliches Manuskript für die Bühne. S. Fischer Verlag, Theaterabteilung, Berlin 1923. Erste Buchausgabe: Hugo von Hofmannsthal, Gesammelte Werke in Einzelausgaben, Lustspiele IV. S. Fischer Verlag, Frankfurt am Main 1956. Erstaufführung: 16.3.1923. Raimundtheater, Wien, mit Max Pallenberg, für den das Stück in seiner endgültigen Gestalt geschrieben wurde. Zum Titel: Ein später gestrichener Dialog des 5. Akts über Theodor lautet:

GENERAL Das ist ja ein Monstrum. An diesem Kerl ist ein Robespierre verloren gegangen.

BARONIN Der Robespierre war auch ein ganzer Kerl!

GENERAL Er war doch der inkarnierte Satan.

Robespierre wurde l'incorruptible, der Unbestechliche, genannt, ein Tyrann im Namen der Tugend. Frühere Titel: ›Jaromir und Theodor‹, ›Theodor und das Ganze‹. Schon im Oktober 1918 begonnnen, angeregt durch die Figur des Guibert, des Liebhabers der Lespinasse: »Ein Mensch, der alles in Talmi kennenlernt, den Ruhm des Schriftstellers, die Glut des Liebhabers, die Resignation des Weisen und das Glück des Ehemanns und Familienvaters.« Dann wieder 1921; die erste Niederschrift erfolgte 1922.

DER FIAKER ALS GRAF (1924). Der Streit. Nachlaß. Erstdruck: Hugo von Hofmannsthal, Sämtliche Werke, Kritische Ausgabe, Band XXVI, herausgegeben von Hans-Albrecht Koch,

S. Fischer Verlag, Frankfurt am Main 1976. – 1924 als Plan zu einem Volksstück nach Art des Altwiener Theaters mit dem ursprünglichen Titel ›Der Fiaker als Marquis‹. Die einzige zusammenhängende Szene ist ›Der Streit‹. Ein Handlungsablauf ist aus den Skizzen nicht ablesbar.

TIMON DER REDNER [FRAGMENT] (1916–1922). Timons Auszug. Nachlaß. Erstdruck: Hugo von Hofmannsthal, Sämtliche Werke, Kritische Ausgabe, Band XIV, herausgegeben von Jürgen Fackert, S. Fischer Verlag, Frankfurt am Main 1975. Die Mimin und der Dichter. Teildruck: Die literarische Welt, 1. Jahrgang, Nr. 12/13, Berlin 25.12.1925. Erstdruck: Hugo von Hofmannsthal, Gesammelte Werke in Einzelausgaben, Lustspiele IV. S. Fischer Verlag, Frankfurt am Main 1956. – Zuerst auf Anregung von Strauss als »politisch-satirisch-parodistische Operette« geplant, mit einer Hetäre als Hauptrolle. In den ersten Entwürfen ab 1916 lautet der Titel des politischen Lustspiels ›Die Rhetorenschule‹, danach ›Timon der Redner‹. Die Mehrzahl der Notizen stammt aus den Jahren 1924 und 1925. Die von uns wiedergegebenen zwei Szenen liegen als einzige in Reinschriften und Typoskripten, wohl für einen geplanten Separatdruck, vor.

# LEBENSDATEN

Die in Klammern gesetzten Daten hinter den Bühnendichtungen geben die Zeit von den frühesten Einfällen bis zur Vollendung eines Werks an, bzw. Ort und Tag der Uraufführung.

| 1874 | Am 1. Februar wird Hugo Laurenz August Hofmann, Edler von Hofmannsthal in Wien, Salesianergasse 12 geboren. Als einziger Sohn des Hugo August Peter Hofmann, Edler von Hofmannsthal (1841–1915) und der Anna Maria Josefa von Hofmannsthal, geborene Fohleutner (1852–1904). |
|---|---|
| 1884–1892 | Nach gründlicher Vorbereitung durch Privatlehrer Besuch des Akademischen Gymnasiums in Wien (Maturitätszeugnis ›mit Auszeichnung‹ vom 6. 7. 1892). Mit achtzehn Jahren hatte er alles gelesen, was der großen antiken, französischen, englischen, italienischen, spanischen und deutschen Literatur entstammt – auch kannte er die Russen schon als halbes Kind. |
| 1890 | Veröffentlichung des ersten Gedichts, des Sonetts: |

FRAGE Weitere Gedichte desselben Jahres:

SIEHST DU DIE STADT?, die Sonette:

WAS IST DIE WELT?

FRONLEICHNAM, die Ghasele:

FÜR MICH, GÜLNARE;

Erste Begegnung mit Richard Beer-Hofmann und Arthur Schnitzler.

1891      Bekanntschaft mit Henrik Ibsen; im Literatencafé Griensteidl mit Hermann Bahr und, am gleichen Ort, mit Stefan George.

Hofmannsthal veröffentlicht unter den Pseudonymen Loris Melikow, Loris, Theophil Morren. Erste dramatische Arbeit in Versen, ein fertiger Einakter (»beinah ein Lustspiel«):

GESTERN (Wien, Die Komödie, 25. 3. 1928). Früheste Prosaarbeiten, vor allem Buchbesprechungen zeitgenössischer Autoren wie Bourget, Bahr, Amiel, Barrès. Zum Beispiel:

ZUR PHYSIOLOGIE DER MODERNEN LIEBE

DAS TAGEBUCH EINES WILLENSKRANKEN

Gedichte u. a.:

SÜNDE DES LEBENS

DER SCHATTEN EINES TOTEN

1892      DER TOD DES TIZIAN. Erstdruck in Georges ›Blätter für die Kunst‹, Heft 1, Oktober 1892. (München, Künstlerhaus, 14. 2. 1901, mit einem provisorischen Schluß und neugeschriebenen Prolog: ›Zu einer Totenfeier von Arnold Böcklin‹).

ASCANIO UND GIOCONDA (Vollendung der beiden ersten Akte einer Fragment gebliebenen »Renaissancetragödie«).

Reise durch die Schweiz nach Südfrankreich, zurück über Marseille, Genua, Venedig.

ELEONORA DUSE (I, II)

SÜDFRANZÖSISCHE EINDRÜCKE. Gedichte:

VORFRÜHLING

ERLEBNIS

LEBEN

PROLOG ZU DEM BUCH ›ANATOL‹

     Bekanntschaft mit Marie Herzfeld und Edgar Karg.

1893    ALKESTIS (München, Kammerspiele, 14. 4. 1916).

DER TOR UND DER TOD (München, Theater am
Gärtnerplatz, 13. 11. 1898).

IDYLLE

DAS GLÜCK AM WEG – AGE OF INNOCENCE (eine stark
autobiographische, unveröffentlicht ge-
bliebene Studie). Gedichte:

WELT UND ICH

ICH GING HERNIEDER

Freundschaft mit Leopold von Andrian.
Plan eines »ägyptischen Stücks... mit
recht tüchtigen, lebendigen kleinen Puppen« (Das Urteil des Bocchoris).

1894           Tod der mütterlichen Freundin Jose-
phine von Wertheimstein.

Gedichte:

TERZINEN I – IV

WELTGEHEIMNIS

Arbeit an einer freien Übertragung der
›Alkestis‹ des Euripides.

Erstes juristisches Staatsexamen.

Ab Oktober Freiwilligenjahr beim
k. u. k. Dragonerregiment 6 zunächst in
Brünn, dann in Göding.

1895    DAS MÄRCHEN DER 672. NACHT

SOLDATENGESCHICHTE. Gedichte:

EIN TRAUM VON GROSSER MAGIE

BALLADE DES ÄUSSEREN LEBENS

Reise nach Venedig.

Beginn des Studiums der romanischen
Philologie.

1896    GESCHICHTE DER BEIDEN LIEBESPAARE

DAS DORF IM GEBIRGE. Gedichte:

LEBENSLIED

DIE BEIDEN

DEIN ANTLITZ...

MANCHE FREILICH...

1897                     Erste Begegnung mit Eberhard von Bo-
                        denhausen, dem engsten lebenslangen
                        Freund des Dichters.
                        Im August Radtour über Salzburg, Inns-
                        bruck, Dolomiten, Verona, Brescia nach
                        Varese. Hier Aufenthalt von drei
                        Wochen, eine glückliche ungemein
                        produktive Zeit.

           DIE FRAU IM FENSTER
           DIE HOCHZEIT DER SOBEIDE
           DAS KLEINE WELTTHEATER
           DER WEISSE FÄCHER
           DER KAISER UND DIE HEXE
           DER GOLDENE APFEL

1898                     Erste Theateraufführung eines Stücks
                        von Hofmannsthal. DIE FRAU IM FENSTER
                        in einer Matinée-Vorstellung der ›Freien
                        Bühne‹ des Deutschen Theaters in Ber-
                        lin, 15. Mai (Otto Brahm).
                        Bekanntschaft mit Harry Graf Kessler
                        und erste Begegnung mit Richard
                        Strauss.
                        Abschluß seiner Dissertation »Über den
                        Sprachgebrauch bei den Dichtern der
                        Pléjade« und Rigorosum im Hauptfach
                        Romanische Philologie.
                        Radtour mit Schnitzler in die Schweiz,
                        dann allein nach Lugano, später über
                        Bologna und Florenz (Besuch bei
                        D'Annunzio) nach Venedig.

           DER ABENTEURER UND DIE SÄNGERIN (zusammen mit
                        der HOCHZEIT DER SOBEIDE, gleichzeitig:
                        Berlin, Deutsches Theater, Otto Brahm,
                        und Wien, Burgtheater, 18. 3. 1899).
           REITERGESCHICHTE

1899                     Reisen nach Florenz und Venedig.
           DAS BERGWERK ZU FALUN
                        Bekanntschaft mit Rilke.

1900         In München erste Begegnung mit Rudolf Alexander Schröder und Heymel, den Herausgebern der ›Insel‹, in Paris mit Maeterlinck, Rodin, Meier-Graefe u. a.

DAS ERLEBNIS DES MARSCHALLS VON BASSOMPIERRE

VORSPIEL ZUR ANTIGONE DES SOPHOKLES

1901     DIE »STUDIE ÜBER DIE ENTWICKELUNG DES DICHTERS VICTOR HUGO« legt Hofmannsthal der Wiener Universität als Habilitationsschrift vor, verbunden mit dem Gesuch um die venia docendi.

DER TRIUMPH DER ZEIT (Ballett; März 1900 bis Juli 1901, für Richard Strauss bestimmt, der aber wegen einer anderen Arbeit absagt). Am 1. Juni Eheschließung mit Gertrud Maria Laurenzia Petronilla Schlesinger. Am 1. Juli Übersiedlung nach Rodaun bei Wien, wo Hofmannsthal bis zu seinem Lebensende wohnte.

Beginn der Arbeit an POMPILIA (dem ersten »großen Trauerspiel… von solchen Dimensionen und von solchen Anforderungen, wie ich sie noch nie gekannt habe«). Das Problem des Ehebruchs, die Geschichte des Guido von Arezzo und seiner Frau Pompilia, findet Hofmannsthal in Robert Brownings ›The Ring and The Book‹.

Erste Pläne einer Bearbeitung von Sophokles' ›Elektra‹ und Calderons ›Das Leben ein Traum‹.

Zum Jahresende zieht Hofmannsthal sein Gesuch um eine Dozentur zurück.

1902     EIN BRIEF (Chandos-Brief)

In Rom und Venedig Vollendung der ersten Fassung des GERETTETEN VENEDIG.

ÜBER CHARAKTERE IM ROMAN UND IM DRAMA

Geburt der Tochter Christiane.

Erste Begegnung mit Rudolf Borchardt.

1903    DAS GESPRÄCH ÜBER GEDICHTE
                    Erste Begegnung mit Max Reinhardt.
                    Von ihm angeregt schreibt er
            ELEKTRA (September 1901 bis September 1903; Ber-
                    lin, Kleines Theater, 30. 10. 1903, Rein-
                    hardt).
                    Erste Sammlung AUSGEWÄHLTE GE-
                    DICHTE im Verlag ›Blätter für die Kunst‹.
                    Geburt des Sohnes Franz.
1904                Tod der Mutter (22. März).
            DAS GERETTETE VENEDIG (August 1902 bis Juli 1904;
                    Berlin, Lessing-Theater, 21. 1. 1905,
                    Brahm).
1905    ÖDIPUS UND DIE SPHINX (Juli 1903 bis Dezember
                    1905; Berlin, Deutsches Theater, 2. 2.
                    1906, Reinhardt).
            KÖNIG ÖDIPUS (Übersetzung des Sophokles; Mün-
                    chen, Neue Musikfesthalle, 25. 9. 1910,
                    Reinhardt).
            SHAKESPEARES KÖNIGE UND GROSSE HERREN (Festvor-
                    trag in Weimar).
            SEBASTIAN MELMOTH
1906                Folgenreiche Begegnung mit Richard
                    Strauss, der die ELEKTRA vertonen will.
            UNTERHALTUNG ÜBER DEN ›TASSO‹ VON GOETHE
            UNTERHALTUNG ÜBER DIE SCHRIFTEN VON GOTTFRIED
                    KELLER
            DER DICHTER UND DIESE ZEIT (Vortragsreise Mün-
                    chen, Frankfurt, Göttingen, Berlin).
                    Geburt des Sohnes Raimund.
1907                Reise nach Venedig.
                    Früheste Beschäftigung mit dem AN-
                    DREAS-Romanfragment und den Komö-
                    dien SILVIA IM ›STERN‹ und CRISTINAS
                    HEIMREISE.
            DIE BRIEFE DES ZURÜCKGEKEHRTEN (Juni bis August
                    1907).
            »TAUSENDUNDEINE NACHT«

1907    SILVIA IM ›STERN‹ (Abschluß des Fragments).
Mitherausgeber der Zeitschrift ›Morgen‹
(Abteilung Lyrik). Bis 1908.

1908    Reise nach Griechenland (Athen, Delphi)
mit Graf Kessler und Maillol.
Scheitern der Arbeit am FLORINDO, der
ersten Fassung von CRISTINAS HEIMREISE.
Davon erschienen 1909 revidiert im
Druck:
FLORINDO UND DIE UNBEKANNTE und
DIE BEGEGNUNG MIT CARLO

1909    Uraufführung der Oper ELEKTRA in
Dresden.
CRISTINAS HEIMREISE (Juli 1907 bis Dezember
1909; Berlin, Deutsches Theater, 11. 2.
1910, Reinhardt).
DIE HEIRAT WIDER WILLEN (Übersetzung des Molière; München, Künstler-Theater, 20. 9.
1910, Reinhardt).
Herausgeber des Jahrbuchs ›Hesperus‹,
gemeinsam mit Schröder und Borchardt.

1910    Aufführungen der neuen, gekürzten Fassung von CRISTINAS HEIMREISE in Budapest und – mit großem Erfolg – in Wien.
Als Variation eines Komödien-Szena-
riums entsteht die Erzählung
LUCIDOR (September 1909 bis März 1910).
DER ROSENKAVALIER (Februar 1909 bis Juni 1910;
Dresden, Königliches Opernhaus, 26. 1.
1911, Reinhardt).

1911    ARIADNE AUF NAXOS (Februar bis April 1911; Stuttgart, Königliches Hoftheater, 25. 10.
1912, Reinhardt, in Verbindung mit Mo-
lières Komödie DER BÜRGER ALS EDEL-
MANN, von Hofmannsthal bearbeitet).
JEDERMANN (April 1903 bis August 1911; Berlin, Zirkus Schumann, 1. 12. 1911, Reinhardt;

1911                  Erstaufführung auf dem Salzburger Domplatz unter Reinhardt am 12. 8. 1920).

1912       JOSEPHSLEGENDE (Pantomime für Diaghilews ›Russisches Ballett‹; von diesem uraufgeführt in der Pariser Oper am 14. 5. 1914).

Aufzeichnung einer Übersicht zum ANDREAS-Roman und Niederschrift des Anfangskapitels.

Zusammenstellung und Einleitung des Bandes

DEUTSCHE ERZÄHLER.

1913                  Ausführliches Szenarium und Ausarbeitung des ersten Akts zur Oper DIE FRAU OHNE SCHATTEN. Beginnende Arbeit an der gleichnamigen Erzählung. Neues Vorspiel zur ARIADNE und Weiterarbeit am ANDREAS-Roman.

1914                  Kriegsausbruch. Einberufung Hofmannsthals als Landsturmoffizier nach Istrien (26. 7. 1914). Durch Vermittlung Josef Redlichs beurlaubt und dem Kriegsfürsorgeamt im Kriegsministerium zugewiesen.

Veröffentlichungen in der ›Wiener Neuen Presse‹ zum geschichtlichen Augenblick:

APPELL AN DIE OBEREN STÄNDE

BOYKOTT FREMDER SPRACHEN

DIE BEJAHUNG ÖSTERREICHS

WORTE ZUM GEDÄCHTNIS DES PRINZEN EUGEN

BÜCHER FÜR DIESE ZEIT

1915                  Intensiver Gedankenaustausch mit dem Freund und Politiker Josef Redlich. In politischer Mission Dienstreisen in die besetzten Gebiete, nach Südpolen (Krakau), Brüssel und Berlin. Weitere Äußerungen zur Zeit:

1915    WIR ÖSTERREICHER UND DEUTSCHLAND
        GRILLPARZERS POLITISCHES VERMÄCHTNIS
        DIE TATEN UND DER RUHM
        GEIST DER KARPATHEN
        UNSERE MILITÄRVERWALTUNG IN POLEN
        ANTWORT AUF DIE UMFRAGE DES ›SVENSKA DAGBLA-
            DET‹
            Die ›Österreichische Bibliothek‹, mit-
            herausgegeben von Hofmannsthal, be-
            ginnt zu erscheinen.
        DIE FRAU OHNE SCHATTEN (Februar 1911 bis Sep-
            tember 1915; Wien, Staatsoper 10. 10.
            1919, Franz Schalk).
            Tod des Vaters (8. Dezember).
1916    DIE LÄSTIGEN (Frei nach Molière) und
        DIE GRÜNE FLÖTE (Ballett. Beide Stücke zusammen
            uraufgeführt: Berlin, Deutsches Theater,
            26. 4. 1916, Reinhardt).
        AD ME IPSUM (Aufzeichnungen zum eigenen Dich-
            ten).
        ARIADNE AUF NAXOS (neu bearbeitet, uraufgeführt
            an der Wiener Oper, 4. 10. 1916).
            Arbeit am SOHN DES GEISTERKÖNIGS.
            Dienstreise nach Warschau.
            Vortragsreise nach Oslo und Stockholm.
            Vergleiche dazu
        AUFZEICHNUNGEN ZU REDEN IN SKANDINAVIEN.
1917    DER BÜRGER ALS EDELMANN (erneute freie Bearbei-
            tung des Molière; Berlin, Deutsches
            Theater, 9. 4. 1918, Reinhardt).
            Intensive Arbeit an dem Lustspiel DER
            SCHWIERIGE; zwei Akte bereits vollendet.
            Beginn des Briefwechsels mit Rudolf
            Pannwitz, den Hofmannsthal »als
            schicksalhaft für sein Leben bezeichnet«.
1918    Hofmannsthal »beschäftigen fast pau-
            senlos« folgende Arbeiten: das Märchen
            DIE FRAU OHNE SCHATTEN, der ANDREAS-

1918    Roman, DER SCHWIERIGE, SILVIA IM
        ›STERN‹, LUCIDOR (als Lustspiel) und eine
        SEMIRAMIS-NINYAS-TRAGÖDIE. Außerdem
        systematische Lektüre Calderons im
        Hinblick auf mögliche Bearbeitungen.

DAME KOBOLD (freie Übersetzung des Calderon;
        Berlin, Deutsches Theater, 3. 4. 1920,
        Reinhardt).

        Tod seines besten Freundes: Eberhard
        von Bodenhausen.

        Erste Begegnung mit Carl Jakob Burck-
        hardt.

1919    DIE FRAU OHNE SCHATTEN (Erzählung, Dezember
        1913 bis August 1919).

        DER SCHWIERIGE (Juni 1910 bis November 1919;
        München, Residenztheater, 8. 11. 1921).

1920    Beginn der intensiven Arbeit am TURM.
        BEETHOVEN-REDE in Zürich.

1921    Intensive Arbeit am TURM (bis an den
        5. Akt) und am SALZBURGER GROSSEN
        WELTTHEATER.

1922    BUCH DER FREUNDE (Sammlung von Aphorismen
        und Anekdoten, eigene und anderer).

        DAS GROSSE SALZBURGER WELTTHEATER (September
        1919 bis Juni 1922; Salzburg, Kollegien-
        kirche, 12. 8. 1922, Reinhardt).

        DER UNBESTECHLICHE (Mai bis Oktober 1922; Wien,
        Raimundtheater, 16. 3. 1923).

        Als Herausgeber der ›Neuen deutschen
        Beiträge‹ (1922–1927) schreibt Hof-
        mannsthal ein Vorwort und eine An-
        merkung zum ersten Heft.

        DEUTSCHES LESEBUCH, eingeleitet und herausgege-
        ben von Hugo von Hofmannsthal.

1923    Der fünfte Akt des TURM wird auf eine
        »vorletzte« Fassung gebracht, dann aber
        die Arbeit abgebrochen.

        Filmbuch für den ROSENKAVALIER (Ur-

| | |
|---|---|
| 1923 | aufführung des Films am 10. 1. 1926 in Dresden). |
| 1924 | DIE ÄGYPTISCHE HELENA (Dezember 1919 bis März 1924; Dresden, Oper, 6. 6. 1928). Italienreise, mit Burckhardt in Sizilien. Beschäftigung mit dem Lustspiel TIMON DER REDNER. |
| | DER TURM, 1. Fassung (Oktober 1918 bis Oktober 1924). |
| 1925 | Reise über Paris nach Marseille, von dort mit dem Schiff nach Marokko (Fès, Salé, Marrakech): |
| | REISE IM NÖRDLICHEN AFRIKA. |
| | Beschäftigung mit dem ANDREAS-Roman und Vollendung des ersten Akts von TIMON DER REDNER. |
| 1926 | DER TURM (Ausarbeitung und Fertigstellung der neuen, fürs Theater bestimmten Fassung; München, Prinzregententheater, 4. 2. 1928, Kurt Stieler). |
| | DAS SCHRIFTTUM ALS GEISTIGER RAUM DER NATION (am 10. 1. 1927 in der Münchener Universität gehaltene Rede). |
| 1927 | Reise nach Sizilien. |
| | Fortführung der Notizen AD ME IPSUM und ANDENKEN EBERHARD VON BODENHAUSENS. |
| | Szenarium zur ARABELLA und Niederschrift des ersten Akts der ersten Fassung. |
| 1928 | ARABELLA (Nach der Niederschrift der dreiaktigen lyrischen Oper von April bis November 1928 entschließt sich Hofmannsthal, den ersten Akt zu ändern). |
| 1929 | Neufassung des ersten Akts der ARABELLA und Übersendung an Strauss. Dessen Antwort-Telegramm: »Erster Akt ausgezeichnet. Herzlichen Dank und |

1929    Glückwünsche«, erlebte Hofmannsthal
nicht mehr. (Uraufführung der ARA-
BELLA am 1. 7. 1933 in Dresden.)
Am 13. Juli nimmt sich sein ältester Sohn
Franz, zuhause in Rodaun, das Leben.
Am 15. Juli, beim Aufbruch zur Beerdi-
gung, erleidet Hofmannsthal einen
Schlaganfall, an dem er wenige Stunden
später stirbt. Er wird beigesetzt auf dem
nahen Kalksburger Friedhof.

HUGO VON HOFMANNSTHAL

GESAMMELTE WERKE
IN ZEHN EINZELBÄNDEN

Herausgegeben von Bernd Schoeller
in Beratung mit Rudolf Hirsch

FISCHER TASCHENBUCH VERLAG

HUGO VON HOFMANNSTHAL

SÄMTLICHE WERKE
KRITISCHE AUSGABE IN 38 BÄNDEN

Veranstaltet vom
Freien Deutschen Hochstift
Herausgegeben von
Heinz Otto Burger, Rudolf Hirsch,
Detlev Lüders, Heinz Rölleke, Ernst Zinn

In jahrelanger Arbeit wurde die Kritische Ausgabe der Sämtlichen Werke Hofmannsthals vom Freien Deutschen Hochstift in Frankfurt am Main vorbereitet. Der unvergleichlich reiche handschriftliche Nachlaß des Dichters, alle Druckfassungen sowie die Briefe von Hofmannsthal und an ihn wurden ermittelt, zusammengetragen und gesichtet. Von der neuen Ausgabe ist eine wesentliche Bereicherung des Hofmannsthal-Bildes zu erwarten, da sie viele noch gänzlich unbekannte Werke, neue Lesungen bislang noch unzulänglich edierter Texte sowie einen kaum abschätzbaren Zuwachs an bedeutsamen Varianten und Vorstufen bieten wird.

Die 38 Bände sind in neun Gruppen gegliedert:

Gedichte (2 Bände)
Dramen (20 Bände)
Operndichtungen (4 Bände)
Ballette/Pantomimen/Filmszenarien (1 Band)
Erzählungen (2 Bände)
Roman/Biographie (1 Band)
Erfundene Gespräche und Briefe (1 Band)
Reden und Aufsätze (5 Bände)
Aufzeichnungen und Tagebücher (2 Bände)

S. FISCHER VERLAG

## HUGO VON HOFMANNSTHAL

## BRIEFWECHSEL

Hugo von Hofmannsthal – Leopold von Andrian
Herausgegeben von Walter H. Perl
*1968. 527 Seiten. Leinen*

Hugo von Hofmannsthal – Richard Beer-Hofmann
Herausgegeben von Eugene Weber
*1972. XXIII, 264 Seiten. Leinen*

Hugo von Hofmannsthal – Rudolf Borchardt
Herausgegeben von
Marie Luise Borchardt und Herbert Steiner
*1954. 242 Seiten. Leinen*

Hugo von Hofmannsthal – Ottonie Gräfin Degenfeld
Herausgegeben von Marie Thérèse Miller-Degenfeld
unter Mitwirkung von Eugene Weber
Eingeleitet von Theodora von der Mühll
*1974. 580 Seiten. Leinen*

Hugo von Hofmannsthal – Edgar Karg von Bebenburg
Herausgegeben von Mary E. Gilbert
*1966. 255 Seiten. Leinen*

Hugo von Hofmannsthal – Helene von Nostitz
Herausgegeben von Oswalt von Nostitz
*1965. 212 Seiten. Leinen*

Hugo von Hofmannsthal – Josef Redlich
Herausgegeben von Helga Fußgänger
*1971. XVI, 261 Seiten. Leinen*

## S. FISCHER VERLAG

# HUGO VON HOFMANNSTHAL

## REITERGESCHICHTE
## UND ANDERE ERZÄHLUNGEN

In Hugo von Hofmannsthals reichem, die verschiedensten literarischen Gattungen umfassenden Werk ist das Erzählerische mit seinen vielfältigen Wirkungen von besonderem Reiz. Die drei frühen, doch schon vollendeten, rätselvollen Novellen ›Das Märchen der 672. Nacht‹, ›Reitergeschichte‹ und ›Das Erlebnis des Marschalls von Bassompierre‹ stehen neben lichterer und leichterer Prosa aus jungen und späteren Jahren und neben der Aufzeichnung eines Komödienplans: der Erzählung ›Lucidor‹, die der Oper ›Arabella‹ zugrundeliegt.

Mit diesem Buch wird zum ersten Mal ein Ergebnis der editorischen Arbeit an der Kritischen Ausgabe ›Hugo von Hofmannsthal: Sämtliche Werke‹, veranstaltet vom Freien Deutschen Hochstift und erscheinend im S. Fischer Verlag, in einer Leseausgabe greifbar. Die Texte, darunter der nie zuvor gedruckte erste Entwurf zu ›Das Märchen der 672. Nacht‹, sind dem von Ellen Ritter herausgegebenen Band XXVIII, ›Erzählungen I‹, entnommen.

S. FISCHER VERLAG

DEUTSCHES LESEBUCH
Eine Auswahl deutscher Prosa
aus dem Jahrhundert 1750 bis 1850
Herausgegeben von Hugo von Hofmannsthal
*Band 1930*

Hugo von Hofmannsthals DEUTSCHES LESEBUCH erschien zum ersten Mal 1922 in zwei Bänden in dem kleinen, von Hofmannsthal mit mehreren Editionen geförderten Münchner Verlag der Bremer Presse. Eine zweite vermehrte Auflage kam im gleichen Verlag 1926 heraus, drei Jahre vor Hofmannsthals Tod. Dann legte sich Vergessen über diese Sammlung, deren geistige Konzeption bedeutende Zeitgenossen wie Wiegand, Brecht, Mell, Nadler, Schröder und Burckhardt zu mithelfenden Anregungen veranlaßte und die Ernst Robert Curtius, Hermann Hesse und Thomas Mann bei ihrem Erscheinen enthusiastisch begrüßt hatten. Nach dem Krieg, 1952, erschien im S. Fischer Verlag, dem ›Hausverlag‹ Hofmannsthals, der noch zu seinen Lebzeiten, 1922, die erste Gesamtausgabe seiner Werke wagte, eine Neuausgabe, die jedoch ohne lang anhaltende Wirkung blieb. Nun legt der Verlag eine preiswerte Taschenbuchausgabe vor und zwar nicht nur aus verlegerischer Verpflichtung gegenüber einem großen Autor, sondern vor allem aus der Überzeugung, daß die Zeit für eine Rückbesinnung auf das »Jahrhundert deutschen Geistes« im Sinne Hofmannsthals gekommen ist.
Diese Taschenbuchausgabe enthält die zweibändige Originalausgabe in einem Band. Sie ist ein Nachdruck der im Verlag der Bremer Presse 1926 erschienenen zweiten vermehrten Auflage – ein Nachdruck deshalb, weil der Verlag dem Leser von heute, der im allgemeinen mit allzu schnell produzierten Büchern leben muß, die Schönheit der Schrift und des Druckbildes, die Eleganz der Initialen von damals nicht vorenthalten wollte.

FISCHER TASCHENBUCH VERLAG